Carmen Martín Gaite (1925) is geboren in Salamanca. Ze schrijft romans, verhalen, kinderboeken, essays en televisiescripts. Tevens vertaalde ze romans van onder meer Virginia Woolf, Emily Brontë, Gustave Flaubert en Italo Svevo in het Spaans. Voor haar romans werd Carmen Martín Gaite vele malen bekroond. In Nederland verschenen van haar *Spaanse vrouwen, bewolkte luchten* en *De achterkamer*.

Carmen Martín Gaite

Spaanse vrouwen, bewolkte luchten

Vertaald door Francine Mendelaar en Harriët Peteri

Rainbow Pocketboeken

Rainbow Pocketboeken® worden uitgegeven door
Uitgeverij Maarten Muntinga bv, Amsterdam

Uitgave in samenwerking met
Uitgeverij Arena, Amsterdam

Oorspronkelijke titel: *Nubosidad variable*

Omslagontwerp: Josje Pollmann
Illustratie voorzijde omslag: Henri Matisse (detail)
Typografische verzorging: Studio Cursief, Amsterdam
Zetwerk: Stand By, Nieuwegein
Druk: Ebner Ulm
Uitgave in Rainbow Pocketboeken maart 1996

ISBN 90 417 0015 3 CIP NUGI 301

Bij het schrijven van romans heb ik altijd het gevoel gehad dat ik met mijn handen vol spiegelscherven zat, en toch hoopte ik dan van de spiegel weer een geheel te kunnen maken. Dat is me nooit gelukt, en hoe meer ik heb geschreven, hoe kleiner die hoop is geworden. Deze keer heb ik van begin af aan geen enkele hoop gekoesterd. De spiegel lag aan diggelen en ik wist dat het onmogelijk was de stukken te lijmen. Dat ik nooit zo ver zou komen dat ik een spiegel in zijn geheel voor me zou krijgen.

NATALIA GINZBURG,
voorwoord bij *La città e la casa*

Voor de ziel die zij permanent,
als een brandend lichtje,
in mijn huis, in mijn lichaam
en in de naam waarmee
ze me noemde
liet waken

1 *Lekkage-problemen*

Gisteren, na bijna twee maanden instabiel weer met af en toe flinke buien, die naar het schijnt een zegen voor het platteland zijn geweest, brak eindelijk de lente aan en door het vensterraam heen voelde ik haar prikkelende tinteling. Het was de vluchtige schaduw van een wegvliegende duif die deze zee van licht onthulde, die met zijn dwingende lokroep alles overspoelde en een anachronistisch verlangen opriep naar avonturen die niet meer mogelijk waren. Ik herinnerde me dat ik over Mariana León had gedroomd. We lagen op onze rug in het gras naar de wolken te kijken; daarvóór waren er een heleboel niet zo prettige dingen gebeurd, ik geloof dat ik achtervolgd werd omdat ik bij een aanslag betrokken was, en het zou kunnen dat ik dat Mariana daar op het gras vertelde, maar ik weet het niet zeker, zoals ik ook niet zeker weet of ze op die achtervolging bij me was. Als je gedroomd hebt kom je met een duf hoofd weer op aarde terecht en altijd ben je allerlei essentiële stukken kwijt. Hoewel het licht dat door het raam naar binnen scheen leek op dat uit mijn droom, werkte het slechts door in het verstoorde ritme van mijn ademhaling, als gefladder van zieltogende vlinders.

Eduardo was al opgestaan. Zonder mijn ogen van het raam af te wenden lag ik een poosje onbeweeglijk te luisteren naar het geluid van de douche, dat door de deur van de badkamer drong en mijn gevoel van onrust groter maakte.

Ik haat die badkamer, ook al is hij prachtig geworden. De afgelopen herfst hebben we een halve ton uitgegeven om hem grootscheeps te verbouwen. We hebben de vroegere slaapkamer van Lorenzo erbij getrokken en die in een kleedkamer met spiegelwand veranderd. 'We kunnen het beter goed doen, want dan is het huis meer waard, mochten we het verkopen,' zei Eduardo, die sinds enige tijd alleen nog maar over geld praat. 'Weet je wel wat er tegenwoordig in deze buurt voor een vierkante meter betaald wordt?' Nou ja, uiteindelijk moesten we er toch eens toe besluiten alle oude leidingen weg te halen en ze door koperen te vervangen, zodat er definitief een eind zou komen aan de conflicten met de benedenburen van de zevende, dat leek me eigenlijk een belangrijker reden. Jarenlang zijn ze voortdurend naar boven gekomen om hun beklag te doen over de vochtplekken die af en toe op het plafond van hun woning verschenen en om dan van ons een diagnose en een remedie te eisen voor iets wat zich ten slotte als een onuitroeibare epidemie ontpopte. De symptomen van de kwaal, die onvoorspelbare sporen in de flat onder ons, hielden – dat besef ik nu – gelijke tred met het proces van mijn eigen slijtage, met het afnemen van mijn enthousiasme, mijn illusies, mijn wilskracht en mijn meer dan twijfelachtige capaciteiten als moeder en echtgenote.

Toen Eduardo meer geld begon te verdienen en we naar deze flat verhuisden, waren onze kinderen nog klein – Encarna negen, Lorenzo acht en Amelia twee, geloof ik – en de benedenburen van de zevende kregen van hen de bijnaam 'de familie van de fluitende ezel', omdat de oudste zoon al zijn vrije uren klarinet speelde op zijn kamer. Door het raam dat uitkeek op de binnenplaats kon je zien hoe hij zich met gefronst voorhoofd aan zijn taak wijdde, maar je kon bepaald niet zeggen dat wanneer je naar hem luisterde je zinnen in vervoering werden gebracht. Zijn ouders maakten ook niet de indruk het buskruit te hebben uitgevonden, ze waren behoorlijk kortzichtig en hoewel we door die ergerlijke lekkage-kwesties noodgedwongen met hen te maken hadden, was er tussen ons nooit een greintje hartelijkheid geweest. Voor mij betekende hun bestaan een kwelling. Elke keer dat er gebeld werd en die vrouw voor de deur stond, met haar geverfde haar en dunne lippen, die zich in een beleefde glimlach plooiden waarachter ze met moeite haar verwijten verborg, werd ik overvallen door dat onmiskenbare, verraderlijke gevoel dat al van kinds af aan ineens over me kan komen en als een donkere wolk mijn goede humeur bederft: de behoefte om me tegenover een ander te verontschuldigen voor fouten waarvan ik me niet herinner die gemaakt te hebben.

'Toch niet alweer? Dat kan niet, mevrouw Acosta, als vijf maanden geleden de loodgieter is geweest, weet u nog, en wij toen de rekening van de schilder voor u hebben betaald. Als toch...'

'En wat wilt u daarmee zeggen? Dat ik het verzin? Als u met me mee naar beneden loopt, kunt u het zelf zien.'

En dan daalde ik achter haar aan de eenentwintig marmeren treden af die onze woningen van elkaar scheiden. Het was doorgaans een zwijgende tocht. Hun hal had goudkleurig behang met op de scheepvaart geïnspireerde reliëfs, en alles wat er door de deuren die op de gang uitkwamen te zien was ademde dezelfde kille, smakeloze protserigheid, waarvan het hoogtepunt wel de echtelijke slaapkamer was, een en al satijn en Pompejaanse meubels, waar je nu eenmaal doorheen moest om bij de kern van het conflict te komen.

Die inspectiebezoeken aan het huis van de benedenburen, die steevast uitliepen op de beslissing de loodgieter weer te bellen, lieten een spoor van onrust in mij achter, dat maar niet wilde helen omdat het vaststond dat de wond geheel onverwacht ergens anders weer zou opengaan. De vochtplekken, waarvoor ik tegen wil en dank de verantwoordelijkheid op me nam, verschenen nooit op dezelfde plaats en de precisie die het vereiste om ze vanuit de flat van de benedenburen te laten samenvallen met de plek die de oorzaak van het euvel was, vergde van mij een concentratie die ik wel moest opbrengen, maar waartegen mijn hele wezen zich verzette. En het ergste was nog dat de vrouw van de zevende zich, met de geraffineerde kwaadaardigheid van een folteraar, bewust was van de macht die ze door middel van dat huiselijke onderzoek over mijn wankele gemoed had en ervan genoot mij met haar verhoor in het nauw te drijven.

'Deze keer moet het de wastafel zijn. U hebt de wastafel toch in die hoek?'

'Dat weet ik niet, ik kan me niet goed oriënteren.'

Beschuldigend aangekeken door de koude blauwe ogen van mijn benedenbuurvrouw tuurde ik dan naar het plafond, als iemand die een onbekende landkaart bestudeert waarop hij posities moet bepalen om een zinloze veldslag te beslechten.

Dit is een nachtmerrie, dacht ik soms, ik moet aan het dromen zijn. Ik weet zeker dat ik straks wakker word en dat we dan samen zitten te lachen op de vloer en dat de vloer verandert in een grasveld, de toiletpot in een weelderige appelboom en de vlekken op het plafond in snel langsdrijvende wolken, met een steeds wisselende tekening waarover je aan niemand rekenschap hoeft af te leggen, *day to day* leven, uiteengerafelde wolken die boven onze hoofden voorbijtrekken en beelden van vrijheid en avontuur oproepen, ik weet zeker dat het huis boven ons en Eduardo en de man van deze vrouw met zijn grijze snor zullen verdwijnen, en ik kijk naar de vrouw en het is Mariana León en we worden wakker op een plek waar we veilig zijn voor de toekomst, twee schoolvriendinnen die schaterlachend op een lentetapijt genieten van het gevoel van medeplichtigheid omdat ze samen spijbelen, terwijl ze een broodje eten en praten over hoe stom jongens zijn.

Maar dat gebeurde natuurlijk nooit, zoals er ook nooit iets veranderde aan de gespannen verhouding die we vanwege al die opeenvolgende loodgieterswerkzaamheden met de familie van de fluitende ezel hadden. De recente, megalomane verbouwing van onze badkamer, ontworpen door een vriend van Eduardo die architect is, is niet alleen een marteling voor mij geweest omdat ik me moest bezighouden met het verloop van de werkzaamheden en de kleur van de tegels en de vorm en afmetingen van het nieuwe bad, ook heeft hij de vijandigheid van mevrouw Acosta versterkt, omdat ze blijkbaar nogal gespannen is en gek werd van dat bijna een maand lang durende getimmer boven haar hoofd.

'U bent toch niet het Escorial aan het bouwen,' zei

haar man op een dag tegen die van mij toen ze elkaar in de lift tegenkwamen.

En hoewel Eduardo zich toen hij me dat vertelde enorm opwond over de grofheid van die opmerking, vond ik hem wel geestig, en ik bedacht dat de buren van de zevende gelijk hadden, want ik was wel de eerste die door al dat komen en gaan van werklieden en al dat gesjouw met puin een zenuwinzinking nabij was, maar ik durfde ten overstaan van Eduardo niet te gaan lachen, en dat terwijl we vroeger altijd om alles moesten lachen; tegenwoordig neemt hij zichzelf zeer serieus, en geld al helemaal, dat is zijn panacee. En dus moet het ook het mijne zijn.

Hij kwam al aangekleed de badkamer uit, en toen hij om het bed heen liep om een la van de commode open te trekken, plaatste zijn lichaam zich tussen mijn ogen en het licht dat door het raam naar binnen viel. Hij kwam me ineens als een vreemde voor en toen onze blikken elkaar kruisten moet de mijne die gewaarwording hebben verraden, want ik zag dat hij schrok, zoals altijd wanneer hij niet de broodnodige onvoorwaardelijke bevestiging van zijn nieuwe imago krijgt. De laatste tijd koopt hij veel kleren, tussen chic en informeel in, hij gaat geloof ik naar de sauna en doet brillantine in zijn haar. De kinderen praten weinig over hem wanneer ik bij hen langs ga, maar ze noemen hem de 'gemetselde muur', ik weet niet of dat is vanwege de verbouwingen die hij altijd bedenkt, vanwege zijn gepommadeerde haar of omdat hij zelf in een soort hermetische muur is veranderd waar geen enkel probleem doorheen glipt dat niet met geld kan worden opgelost. Ik weet niet wat ik moet doen als de kinderen op die toon over Eduardo praten, ergens hebben ze wel gelijk, maar ik kan het moeilijk accepteren, mijn opvoeding heeft me er niet op voorbereid ooit in dit soort situaties terecht te komen. Hem interesseren de kinderen duidelijk steeds minder, hij hoeft ze niet in zijn buurt te hebben en hun namen vallen tegenwoordig nauwelijks meer tussen ons. Dat moet mijn schuld zijn, ik vind nooit het juiste moment. Maar het is ook geen kwestie van schuld, zo simpel liggen de dingen niet, er speelt van alles onder de oppervlakte.

Hij was naast het bed blijven staan en keek naar de asbak vol peuken, naar mijn kleren die slordig op het krukje lagen en naar een boek op de grond. Ik bleef roerloos liggen en deed mijn ogen dicht.

'Is er iets met je?' vroeg hij. 'Meestal ben je niet zo vroeg wakker.'

'Ik had een heel rare droom en probeer me te herinneren wat er precies gebeurde. Ik heb een beetje hoofdpijn.'

'Wat is dat ook voor waanzin om je pillen niet te slikken!'

'Ik moet er toch een keer vanaf. Bovendien zijn dromen niet altijd onaangenaam. Die van vannacht was heel mooi.'

Tevergeefs zocht ik zijn blik. Ik zag dat hij voor de spiegel zijn das stond te knopen. Maar zijn stem was niet zo kalm als zijn houding toen hij me vroeg hoe laat ik in slaap was gevallen.

'Ik heb het nog drie uur horen slaan, geloof ik. Jij was er nog niet.'

Hij veranderde van onderwerp en in mijn hart was ik hem daar dankbaar voor. Maar iets anders wat hij kwijt is, is de flair die hij vroeger bezat om een leuk gespreksonderwerp te verzinnen wanneer hij mijn aandacht wilde afleiden van een onderwerp dat minder leuk dreigde te worden. Hij had een paar minuten op het bed kunnen gaan zitten om me te vragen wat ik gedroomd had. Ik weet wel dat ik veel vraag, maar ik zou het fijn gevonden hebben, en het spijt me ook voor hem, want die cultus van het interpreteren van onze dromen gaf ons veel stof tot praten, toen we dat nog deden.

Hij stond er niet voor open, zoals te verwachten was. Zo kwam de naam Mariana León die ochtend niet ter sprake. Misschien was dat maar beter. Of misschien ook niet, wat maakt het uit. De dingen die gebeuren – zoals mijn zoon Lorenzo zegt – gebeuren gewoon en daarmee uit, mama, pieker er niet meer over.

Vanuit mijn ooghoeken zag ik dat hij nog steeds bezig was een onberispelijke knoop in zijn das te leggen, en hoewel hij aan een stuk door praatte vermoedde ik dat zijn woordenstroom voornamelijk voortkwam uit zijn verlangen mijn zwijgen te bezweren. Hij zei tegen me dat ik met de lunch niet op hem moest rekenen, en dat hij 's avonds absoluut naar de opening van een schilderijenexpositie van zijn vriend Gregorio Termes moest. Gregorio Termes is de architect die de leiding heeft gehad over de verbouwing van de badkamer, iemand met wie ik het nooit goed heb kunnen vinden, maar met wie ik nu eenmaal te maken had. Ik wist niet dat hij ook schilderde. Eduardo werd kwaad. Blijkbaar heeft hij me dat al eerder verteld en is het niet tot me doorgedrongen. Dat verbaast me niets. Ik vind die man zo dom, zo ijdel en bovendien zo op geld belust dat als Eduardo me iets over hem verteld heeft, ik waarschijnlijk hetzelfde heb gedaan als wat ik altijd doe als iets me niet interesseert: de batterijen eruit halen. Tegenover mij probeerde hij in het begin de charmante heer uit te hangen en me te imponeren met zijn air van ontwikkelde yup, op de hoogte van de laatste trends in Europa, maar later, toen bleek dat ik daar niet in trapte, begon hij me uit de hoogte te behandelen, ik snap niet dat hij niet merkte dat ik altijd een beetje om hem moest lachen wanneer hij de bouwtekeningen uitspreidde en daar helemaal in opging, alsof hij in trance was; want daarin had meneer Acosta gelijk, hij was inderdaad niet de architect van de San Lorenzo del Escorial. Enfin, in zijn hoofd werd ik dus verbannen naar het bolwerk van middelmatige, van ieder esthetisch gevoel verstoken huisvrouwen. Nou jij weer. Hij had de parodie eens moeten horen die ik om stoom af te blazen ten beste gaf wanneer ik bij de kinderen langsging. Vooral Encarna kwam niet meer bij van het lachen. En dat terwijl ze Gregorio Termes niet eens kent en dus niet kan weten hoe goed ik hem imiteer. Ach ja, ook nog schilder dus. Een fantastische schilder, buitengewoon goed. Ik begon nieuwsgierig te worden naar die schilderijen, het is ook niet goed iets als prutswerk te bestempelen nog voordat je het hebt gezien. Maar de kwalificatie vond ik verdacht. Sinds enige tijd zijn er zóveel 'buitengewone' kunstenaars die van de ene op de andere dag succes hebben, dat je je wel moet afvragen of ze niet juist heel gewoon zijn, alert op de ontwikkelingen van de markt die door een computer worden aangegeven. Er zouden een heleboel belangrijke mensen op de expositie komen, zelfs de vrouw van de premier. Van de overige namen die Eduardo noemde kwamen sommige me wel en andere me niet bekend voor. Volgens hem heb ik de laatste tijd alle belangstelling voor het culturele leven verloren.

Hij was klaar met het knopen van zijn das, en met de punt van zijn Italiaanse schoen duwde hij tegen de roman die mijn slapeloosheid had verzacht en opengeslagen op de grond lag. Ik was in slaap gevallen op het moment dat mevrouw Dean begint te vermoeden dat Heathcliff opnieuw als een dreigende schaduw op De Lijsters rondzwerft. 'Begrijp je niet dat je je in je eigen wereld inkapselt als je *De woeste hoogte* blijft lezen?'

Ik had geen zin meer om een lans te breken voor Emily Brontë, en het leek me verstandiger niets terug te zeggen, temeer daar ik net een verpletterend inzicht had gehad, dat haast zekerheid werd: het landschap waar Mariana en ik naar toe waren gevlucht was dat van de moerassen van Gimmerton. En toch kon ik het niet reconstrueren, ik slaagde er niet in mezelf in die omgeving terug te plaatsen. Alles vervaagde. Plotseling maakte het voorjaarslicht in het raam de zware dag die ik voor de boeg had juist nog triester en bracht me een reeks onbenullige klusjes en afspraken in herinnering, die nu definitief de plaats van mijn droom innamen. Soms is ontwaken als zwavelzuur.

Eduardo nam afscheid. Maar voordat hij wegging vroeg ik hem, zonder zelf te weten waarom, waar de opening van de expositie van Gregorio Termes was en hoe laat, voor het geval ik zin zou krijgen om te gaan. Hij keek me verbaasd en met een zweem van onbehagen aan. Hij zou geen tijd hebben om me te komen halen. Toen kwam er zo'n vlaag van Madrileense flair in me op, waarvan Encarna me aanraadt die meer te cultiveren.

'Zeg, hoor eens, je denkt toch niet dat ik zo de kluts

kwijt ben dat ik niet op eigen houtje in de calle Villanueva weet te komen? Potverdorie, Edu, u beledigt me. Een beetje meer respect graag.'

Hij probeerde iets van een glimlach te produceren, maar slaagde daar niet in. Het is afschuwelijk, zijn geloof staat het hem niet toe.

'Ik dacht dat je niet van dat soort dingen hield,' zei hij terwijl hij zijn jasje aantrok. 'Maar goed, als je zin krijgt om te gaan, geweldig, dan zien we elkaar daar. En trek iets leuks aan, kom niet als bedelares.'

Ik voelde een vreemde rilling door me heen gaan en onze ogen ontmoetten elkaar een seconde, als verschrikte vogels. De zijne, meer op hun hoede, vlogen onmiddellijk weer op. Als bedelares rondlopen is een zinnetje dat behoort tot wat Natalia Ginzburg 'het familielexicon' noemt. Eduardo heeft het zelf geïntroduceerd en in de eerste versie, van ongeveer dertig jaar geleden, stond 'als bedelares rondlopen' gelijk aan een onafhankelijke houding hebben, het had geen enkele ongunstige bijbetekenis, integendeel. In die tijd hield hij ervan dat ik me niet opmaakte en altijd klaar was om zo de deur uit te gaan, hij hield van de manier waarop ik me kleedde, waarop ik me bewoog of een eigenzinnige mening gaf, hij zei tegen me dat ik een zigeunerin was en dat ik het niet in mijn hoofd moest halen een burgertrut te worden. En op een keer vertelde hij me dat hij wanneer hij op me stond te wachten en me in de verte zag aankomen, tegen zichzelf zei: 'Mijn bedeltje, daar komt mijn bedeltje.' Oftewel, 'als bedelares rondlopen' was een compliment geworden; ik was 'zijn bedeltje', en ik vond het heerlijk dat te zijn. Nu had de uitdrukking die semantische lading overduidelijk verloren.

'Maak je geen zorgen,' zei ik, 'ik zal een kostuum uitzoeken dat Gregorio Termes and Company waardig is.'

Ik ging niet als bedelares. Om zes uur belde ik Encarna om een jurk van haar te lenen, een van Indiase zijde die me heel goed staat. Eigenlijk is die jurk vroeger van mij geweest. Ze kwam hem brengen, samen met wat make-up, maar ze kon niet blijven, zelfs niet voor een kopje thee, want ze had haast. Ik vond haar afwezig, bleekjes en ietwat prikkelbaar. Het irriteerde haar dat ik haar vroeg of er iets aan de hand was. Mij irriteerde het ook altijd als mijn moeder me zoiets vroeg.

'Ach, mama, er is altijd wel iets aan de hand, maar dat geeft niet. Leef jij je eigen leven nu maar en houd je in vredesnaam niet met dat van ons bezig, dat heb ik je al zo vaak gezegd. Veel plezier, lieverd. En maak je niet druk. Ik ben vandaag gewoon een beetje "depri".'

Ze zeggen 'depri' voor 'gedeprimeerd', dat weet ik van eerdere keren.

Toen ze weg was heeft de werkster de jurk voor me gestreken, en om acht uur heb ik na enige aarzeling een taxi genomen en het adres van de galerie waar Gregorio Termes exposeert opgegeven. In de lucht hing nog steeds hier en daar een flauwe schittering van het lentelicht. 'Verrassing is een haas, en wie op jacht gaat zal hem nooit in het open veld zien slapen.' Dat schreef ik in een van de dagboeken uit mijn jeugd. Wat ik niet wist is dat ik niet de enige was die zich die zin herinnerde en dat iemand me even later zou begroeten door hem letterlijk te citeren. Wie had zich kunnen voorstellen dat ik, na zo'n eeuwigheid, in die zaal stampvol beroemdheden jou, nee maar, Mariana

León in eigen persoon, zou tegenkomen.

Hoewel ik me nu, terwijl ik dit schrijf, afvraag: kwam ik je als persoon of als personage tegen?

(Wordt vervolgd, Mariana, hoewel ik niet weet waarover.)

2 *Het hol van de leeuw*

Madrid, 30 april 's avonds laat

Lieve Sofia,

Hoewel ik je al jaren geen brief meer heb geschreven, ben ik het ritueel waaraan we ons altijd hielden niet vergeten. Allereerst zoek je een gemakkelijke houding en kies je een prettig plekje, of dat nu in een gesloten ruimte is of in de openlucht. Dan geef je een min of meer uitvoerige beschrijving van die plek, net zoals het decor van een toneelstuk wordt geschetst voordat de tekst begint, het is dag, op de voorgrond een sofa, rechts een deur die uitkomt op de tuin, of iets dergelijks, zodat de lezer van de brief zich kan oriënteren en zich van begin af aan in de situatie kan inleven. Het zijn richtlijnen die jij hebt voorgesteld – dat weet je vast nog wel – zoals jij haast ongemerkt de regels van al onze spelletjes opstelde.

Welnu, ik heb het me gemakkelijk gemaakt, en bovendien heb ik een fles Franse champagne opengetrokken die al sinds de feestdagen in de ijskast staat. De kurk knalde tegen het plafond. Er was een reden voor, en een niet geringe ook. Je moest eens weten wat een wonder het voor mij is om weer zin te hebben een brief te schrijven, en dan niet over zaken, niet vol verwijten, niet vol adviezen of om iets op te lossen. Zomaar een brief, zonder dat je eerst in je hoofd een kladversie hebt gemaakt, omdat hij uit je hart komt, omdat je hem dolgraag wilt schrijven. Dat was ik vergeten. Het is het belangrijkste wat er bestaat, maar ook het minst verplichte. Terugkomend op jouw regels, wel, het is elf uur en de hele nacht ligt nog voor me, wat er ook gebeurt, ik ga niet naar mijn agenda van morgen kijken en al vergaat de wereld, ik doe waar ik zin in heb, je zou haast medelijden krijgen met de mensen die in een sterrenrestaurant zitten te eten of voor de tv hangen of urenlange telefoongesprekken voeren. Kortom, wat ik zelf op vrijdag op dit tijdstip pleeg te doen.

Ik heb zojuist het eerste glas op jouw gezondheid gedronken, heel langzaam, het glas na elk slokje tegen het licht houdend om naar de opstijgende belletjes te kijken, want dat is het belangrijkste van champagne, dat de vloeistof ook door je ogen naar binnen komt en tegen je verbeelding uiteenspat. Hij is heerlijk, zo prikkelend en zo fris. Champagne die zonder reden wordt gedronken smaakt nergens naar en is zelfs niet goudkleurig. Kattepis.

Alvorens mijn tweede glas in te schenken ben ik opgestaan om sigaretten te pakken en het antwoordapparaat aan te zetten. Ik ben niet van plan de telefoon op te nemen, wie er ook belt. Ook heb ik lopen zoeken, en daarom heeft het even geduurd, naar dit lichtbruine briefpapier, dat ik nu voor het eerst zal gebruiken en waarvan ik niet wist waar ik het gelaten had. Gelukkig maar, als het niet te voorschijn was gekomen zou ik nu in alle staten zijn. Ik sla alleen nog maar op tilt vanwege dit soort onbenullige dingen. Het papier lag samen met de bijpassende enveloppen in een prachtige kartonnen doos met het vrijheidsbeeld op het deksel. Maar dat begon zo langzamerhand het deksel van de doodskist van Doornroosje te worden. Tien jaar dicht gebleven, stel je voor, nog precies zoals ik hem in een etalage in de Veertiende Straat zag staan, tijdens een van mijn eerste verblijven in New York. Ik weet niet of je New York kent. Het is een stad waar ik vooral vanwege de kantoorboekhandels altijd aan jou moet denken.

Goed. Twee aanwijzingen zodat je je kunt inleven, een van tijd en een van licht. Zojuist heeft de wandklok die altijd in de calle de Serrano aan het eind van de gang heeft gehangen halftwaalf geslagen. Het zou absurd zijn je hem te beschrijven want je hebt ooit gezegd dat voor jou het besef van tijd altijd met die klok verbonden zou zijn. Natuurlijk kan de tand des tijds dat besef van tijd, waarvan wij geloofden dat het onveranderlijk was, hebben uitgewist. Tweede aanwijzing: ik zit te schrijven bij het licht van een lamp die je ook kent. Het is de bureaulamp die mijn grootvader in zijn kantoor had staan, weet je nog, eentje met een glazen kap die biljartgroen van buiten en wit van binnen is, met een goudkleurige voet. Ik sluit een plattegrond op ruitjespapier in en geef met een rode K en L de plekken aan die deze twee oude bekenden van jou innemen in de kamer waar ik nu het grootste deel van mijn leven doorbreng. Hij is een beetje knullig geworden, je weet dat tekenen niet mijn sterkste punt is, maar goed, zo krijg je in ieder geval een indruk. In feite zijn het twee grote kamers, zoals je zult zien, van elkaar gescheiden door een boog met een fluwelen gordijn, dat nu open is. In totaal achtenvijftig passen lang (ik tel ze altijd wanneer ik van de ene kant naar de andere loop), met vier openingen naar buiten. De drie die ik met een B heb aangegeven zijn balkonnetjes, en de laatste, met een E, is een prachtige erker. Die ruimte met de erker, gehuld in een flauw licht, komt me nu ik er vanachter mijn tafel door de boog heen naar kijk enigszins onwerkelijk voor. Ik bekijk hem met een merkwaardig afstandelijke blik, terwijl ik me voorstel dat ik hem aan jou laat zien, dat we hem samen op ons twaalfde tekenen en jij me helpt hem met fantastische voorwerpen te bevolken, een zowel vluchtige als onvergankelijke tekening die door de wolken wordt meegevoerd op hun reis naar de toekomst. Jij zag in de wolken altijd verlaten stranden, kindergezichten en draken. Ik een huis met een erker.

Als je de plattegrond bekijkt zul je zien dat ik tegen de muur aan de achterkant van het huis zit, in de meest besloten ruimte, want hij heeft geen deur. Die is er wel geweest, maar ik heb hem dichtgemetseld. Vanuit de gang kom je direct in het gedeelte met de erker, dat ik in gedachten 'het hol van de leeuw' noem. Oftewel, hoe mooi ik hem ook afschilder, ik vind die ruimte een beetje eng, waarom zou ik het ontkennen, soms bijna als uit een griezelfilm. Daar houd ik mijn spreekuur, en ik heb destijds lang zitten dubben hoe ik hem zou inrichten, hij moest gezellig en ontspannend zijn. Gezien mijn resultaten denk ik dat me dat gelukt is. Als patiënten zich niet op hun gemak voelen, vertellen ze niets. Ik zorg er dus voor dat ze niet merken dat ik hem eng vind. Verklap dit aan niemand, want dan ruïneer je me.

Ik ken je. Wedden dat je er al een divan in hebt gezet? Inderdaad, meisje, die staat er. Daar pal voor je, dat rechthoekje met een D erin. En hij lijkt als twee druppels water op de divan die jij nu voor je ziet, met één leuning en een rolletje om het hoofd op te leggen, ja, precies zoals een kind hem zou tekenen, met een groen met zwarte bekleding, zo'n fantastisch koopje dat je vroeger nog op de Rastro kon vinden. Het was liefde op het eerste gezicht. Ik geloof dat hij mijn definitieve keuze om de psychiatrie in te gaan heeft beïnvloed.

Ik ben hier pas vrij lang nadat ik hem had gekocht naar toe verhuisd, eind jaren zeventig, toen ik een vaste clientèle begon te krijgen. Ik had net gebroken met een heer die van mijn leven een lijdensweg maakte, en dat trouwens nog steeds in flinke mate doet. Dat breken is dus maar bij wijze van spreken. Een schrijver met problemen met zijn homoseksualiteit, die ik zonder succes heb geprobeerd op te lossen, eerst op de divan en later in bed. Maar die geschiedenis vertel ik je misschien een andere keer. Hij heeft zich trouwens niet uitsluitend slecht gedragen. Hij heeft me geld voor de aanbetaling van dit huis en voor een eerste opknapbeurt geleend. Op het gebied van geld staan we nu quitte. Op andere gebieden nog niet echt.

Het is op de derde verdieping, in een oud huis in het hartje van Madrid. Het adres weet je al. Als ik het nu niet in jouw onmiskenbare handschrift op de grote envelop die je me eergisteren hebt gestuurd zag staan, zou de doos met briefpapier die ik in Manhattan heb gekocht nog steeds de doodskist van Doornroosje zijn. Je komt vast een keer bij me langs, hoop ik. Maar het is beter niets te plannen. Voorlopig worden brieven met brieven beantwoord. Ook dat was een van jouw gulden regels, en dat is het blijkbaar nog steeds want je hebt me niet je telefoonnummer gestuurd. Ik zou het natuurlijk in de gids kunnen opzoeken, en dat heb ik ook inderdaad gedaan. Mijn eerste opwelling was je te bellen om te zeggen dat je moest komen, maar toen realiseerde ik me dat het beter was van niet, dat de grond onder onze voeten nog broos kan zijn. Die behoedzaamheid van eerst corresponderen lijkt me heilzaam. Er moet nog heel wat ijs gebroken worden.

Ik heb je al gezegd dat ik in een oud huis woon. Afgezien van de erker was ik nog het meest verliefd op de enorm hoge plafonds, afgewerkt met een lijst van acanthusmotieven. Ik heb het altijd heerlijk gevonden om op mijn rug naar het plafond te liggen kijken, dat is mijn manier om te kunnen dromen, tot rust te komen of een beslissing te nemen. En hoe groter de ruimte tussen de ogen en het vlak waarop ze stuiten, des te vrijer de reis van de gedachten is en des te meer verrassingen er mogelijk zijn. Natuurlijk zijn sommige daarvan niet aangenaam. De verdieping boven mij bestaat uit een zolder met een enorm terras dat pal boven deze kamer ligt en waarvan verschillende tegels verdwenen en andere gebroken zijn. En plotseling, wanneer ik het totaal niet verwacht, wanneer ik volkomen opga in het bestuderen van het plafond, ontdek ik ergens de verdachte vochtplek. Dan ben ik dus ineens de mevrouw Acosta van de bewoners van de zolderverdieping, een ouder echtpaar dat ieder jaar voor langere tijd in Alicante verblijft. En het vervelende is dat ik tot overmaat van ramp voor het oplossen van al mijn lekkage-problemen aangewezen ben op een opvliegende, reumatische en drankzuchtige portier. Ook lekt het af en toe door de muren heen, zodat er wel eens een boek nat wordt. Alles in het leven is een kwestie van leidingen, zoals we weten, en dat moeten we accepteren.

Straks zal ik je vertellen wat me in jouw verhaal zo aan het lachen heeft gemaakt. Ik ben bijna aan het eind van mijn prelude gekomen. En van mijn derde glas champagne.

Ik woon alleen, dat heb ik je al verteld toen ik je laatst zag. En ik heb geen kinderen. Vroeger had ik een poes die luisterde naar de naam Pee, een heel lieve kat met een sterk karakter. Maar ik weigerde haar te laten steriliseren en op een nacht in april, in de bronsttijd, heeft ze me verlaten. Dat klinkt als een tango, nietwaar? En ik heb het inderdaad ook een beetje als een tango ervaren, want die neiging heb ik. Daarna heb ik geen kat meer willen hebben, en in nachten met volle maan roep ik haar nog wel eens, wetend dat ze nooit terug zal keren. Maar hoewel ik als ik eraan denk hoe ze zich altijd op mijn schoot oprolde zin krijg om te huilen, wens ik haar alle geluk van de wereld toe en ik vind het prima dat ze zelf haar lot heeft gekozen. Dat is nu eenmaal het gevaar van iemand vrijlaten. Het is me ook met enkele mannen overkomen, maar ik leer het nooit.

De eerste, Sofia, heb jij gekend. Maar wat je niet weet, want vanaf toen ben ik afstand van je gaan nemen, is hoezeer dat eerste liefdesverdriet mijn leven heeft veranderd, ik draag nog steeds de littekens ervan. Door de film telkens opnieuw voor mezelf af te draaien, heb ik later begrepen dat het om een dubbel liefdesverdriet ging en dat het me daarom zoveel pijn deed. Het ergste was niet dat Guillermo me van de ene dag op de andere zonder enige verklaring in de steek liet, maar dat jij me ook geen verklaring gaf terwijl je die wel degelijk had. Het duurde even voordat ik te weten kwam dat je die had, en dat kwam ik niet van jou te weten, het duurde even voordat ik begreep waarom je zo vreemd tegen me deed, waarom je ogen een andere kant op vluchtten als je zag dat ik verdrietig was, en voordat ik je stilzwijgen kon accepteren. Jij leed ook, neem ik aan. En zelfs meer. Door mijn studie en door ontboezemingen op de divan weet ik nu dat dingen die niet op tijd worden opgehelderd als het ware een muur gaan vormen van poreuze mortel, die meteen hard wordt en uiteindelijk met geen houweel meer kapot geslagen kan worden. De gemetselde muur, ja, dat is het precies. Een dam verstevigd met een cement van lafheid en laksheid, die uiteindelijk een voorheen open relatie in de weg staat. De buizen van het leidingennet raken verstopt en binnenin hoopt zich geleidelijk een heleboel viezigheid op, ook al weten wij dat niet omdat die pas later gaat stinken. Het probleem van de leidingen van de ziel is dat ze ook nog eens moeilijk te lokaliseren zijn en dat niet elke loodgieter daartoe in staat is, hij moet echt een expert op dat gebied zijn.

Denk eens aan die zin uit het boek Prediker die wij zo mooi vonden: 'Wie heeft het goud zwart gemaakt? Waarom heeft het fijne goud zijn glans verloren?' In de loop van die lente waarin ons fijne goud zwart werd heb ik me dat vaak afgevraagd, maar het was een waarom zonder antwoord; eigenlijk wilde ik daar ook helemaal niet naar zoeken, ik was bang te gaan wroeten in iets wat me een naar antwoord zou kunnen opleveren. Ik schikte me dus in mijn rol van slachtoffer dat door het lot slecht behandeld was. Later, toen ik hoorde wat er aan de hand was, reageerde ik heel anders dan verwacht.

Julia Rodrigo vertelde het me na de anatomieles,

dat ze je in het park had zien staan zoenen met Guillermo. Wat ik toen voelde is al door Bécquer beschreven, en hoe treffend, ik weet niet waarom ze zeggen dat Bécquer gekunsteld is: 'Toen het me verteld werd, voelde ik de kou van een stalen lemmet in mijn hart.' Maar dat duurde maar even. Meteen daarna kwam mijn superego te voorschijn, als een onverbiddelijk dompteur die me beval mijn masker recht te zetten, mijn stem niet te laten trillen, en allez hop!, nu meteen keurig, zonder te kwijlen, door die brandende hoepel springen. En ik antwoordde haar dat ik dat al lang wist, dat jij me dat verteld had. Julia keek me verbaasd aan. We zaten in de kantine en bestelden tortilla. 'En zijn jullie nog steeds vriendinnen?' vroeg ze me. 'Natuurlijk, joh, waarom niet? Dat gedoe met jongens is te stom om over te praten. Het enige waar ik me kwaad over maak is dat Sofia het te serieus opvat en haar concentratie kwijt is, juist midden in de examentijd.'

Dat was niet helemaal gelogen, want een beetje kwaad was ik daar wel over, en dat ben ik nog steeds. We zaten in het eerste jaar en jij had je bij Letteren ingeschreven omdat ìk daar zo op had aangedrongen, want je weet vast nog wel dat je vader erop stond dat je een secretaresse-opleiding zou volgen zodat je hem op kantoor zou kunnen helpen. Van kinds af aan heb ik gezegd dat je veel talent voor schrijven had, en ik heb me niet vergist: kijk zelf maar, hier heb je het bewijs: het feest dat ik vannacht met champagne aan het vieren ben is een eerbetoon aan jouw zo wijze en mooi aaneengeregen woorden, aan die acht velletjes die je half voor de grap 'mijn huiswerk' noemt, dus had ik gelijk of niet? Het is toch diep treurig te moeten verdragen dat die idioot van een Gregorio Termes je beschouwt als een ouderwetse huisvrouw zonder enige verbeelding, jou kan het blijkbaar niets schelen en je lacht er zelfs om, maar ik wind me erover op, net als over de manier waarop je leeft. Je had door moeten gaan met je studie en dan moeten solliciteren, een beurs aanvragen, wat dan ook. Terwijl je toch op de middelbare school, waar je geen fluit uitvoerde, bedenk dat goed, mijlenver boven de ijverigste leerlingen uitstak! Ik weet best dat je een paar vakken van het eerste jaar in september over moest doen, maar goed, wat dan nog, was dat een reden om aan het begin van het tweede jaar de handdoek in de ring te werpen? Ik heb dat nooit begrepen.

Ik heb de handdoek niet in de ring geworpen, ik heb me er in een zelfs al te dwangmatige reactie aan vastgeklampt, dat is zeker waar. En toch is mijn carrière, wat hij ook waard is, voortgesproten uit die eerste tegenslag in mijn leven, dat staat ook buiten kijf. Wanneer ik een congres bijwoon of mezelf op de televisie zie praten, denk ik soms dat die dame – met wie ik het de ene keer prima kan vinden en die ik de andere keer onverteerbaar vind – de Mariana León die met jou naar de steeds wisselende tekening van de wolken keek heeft verslonden, dat ze gegroeid is ten koste van het fijne goud uit onze jeugd. Maar daar is nu eenmaal niets aan te doen. Je kunt niet alles hebben, en iedereen neemt wel eens een verkeerde beslissing, al zijn sommige erger dan andere. In zekere zin heb ik munt geslagen uit jouw verkeerde beslissing, ik besef dat het afschuwelijk klinkt, maar dat is min of meer wat er gebeurd is. Een paar dagen later belde je me op om me te feliciteren met mijn verjaardag, op achtentwintig mei, en ik hoorde aan je stem, die een beetje triest klonk, dat je me graag wilde zien. Ik weet niet wat er toen met je aan de hand was, hoe het er met je verliefdheid voorstond en of je je schuldig voelde over die verhouding. Dat vraag ik me nu af en ik zou dolgraag terug in de tunnel van de tijd willen reizen om je te helpen van dat schuldgevoel, als dat er was, af te komen en er misschien toe bij te dragen dat de dingen niet zo slecht voor je zouden lopen als ze naar ik later hoorde gelopen zijn. Maar ik gaf je geen kans een afspraak te maken. Je weet wel dat ik keihard ben als ik eenmaal iets besloten heb, en toentertijd had ik besloten blindelings te gehoorzamen aan mijn dompteur, die me beval me niets aan te trekken van Guillermo, van jou en van alles wat mij in mijn hoedanigheid van getemde tijgerin zou kunnen dwarsbomen. Als een tijgerin had ik me op mijn studie gestort, verbeten, nachtenlang doorwerkend op koffie en dexedrine. Ik las jou de les omdat jij niet hetzelfde deed. Dat was toch een uitstekende gelegenheid om me te vragen of ik al over mijn liefdesverdriet om Guillermo heen begon te komen of zoiets? Maar ja, hoe kon je me dat vragen. Nadat ik had opgehangen, heb ik nog lange tijd zitten huilen.

Vervolgens zagen we elkaar eind juni, op een avond bij jou thuis, met anderen erbij. Jij droeg een rode jurk waarin ik je nooit eerder had gezien. Dat van die onvoldoendes leek je niet erg te deren, maar ik vond dat je er slecht en nerveus uitzag. Ik ging je moeder helpen, die toostjes aan het maken was, en ze vertelde me dat ze zich zorgen maakte omdat je helemaal geen eetlust meer had, of ik misschien wist wat er met je aan de hand was. Op dat moment kwam jij de keuken binnen. 'Ze is waarschijnlijk verliefd,' zei ik. Je bleef staan en we keken elkaar aan. Je had het gehoord. Toen wist ik dat jij wist dat ik alles wist. Maar Guillermo was er niet en zijn naam werd de hele avond niet genoemd.

Die had vannacht ook niet genoemd moeten worden. Al een poosje voel ik me ongemakkelijk en merk ik dat ik een kant opga die ik niet op wilde gaan, en wel uitgerekend naar het hol van de leeuw. Er is een schaduw gevallen over een vrolijke, zuivere prelude, waarmee ik je slechts probeerde te bedanken voor het licht in jouw tekst en waarmee ik je dat weerspiegeld in de mijne wilde teruggeven, de wederopstanding van Doornroosje vieren, het nieuwe spel dat jij me onverwacht hebt voorgesteld meespelen. Maar ik ben meer verpest dan jij en ik verlies al snel mijn geduld. Al twee velletjes lang praat ik tegen je alsof je daar in de andere kamer op de divan ligt. Ik heb net het fluwelen gordijn dichtgedaan om hem niet te hoeven zien, om het hol van de leeuw uit mijn hoofd te kunnen zetten. Die verdomde beroepsdeformatie. Het spijt me.

Ik zou deze twee laatste blaadjes kunnen verscheuren in plaats van me ervoor te verontschuldigen, maar ik word daarvan weerhouden door de gedachte aan een van jouw andere epistolaire regels, de zevende en laatste: 'Je mag nooit iets doorhalen, tenzij er sprake is van een grammaticale fout of een stijlverbetering.' Wel, dat is hier niet het geval. Dus laat ik de brief zoals hij is. Ik zal geen verraad plegen aan de regels van dat spel alleen omdat ik een beetje ben afgedwaald. Laten we liever proberen weer op het goede spoor te komen.

Dezelfde kamer als uit de vorige scène maar nu is het gordijn dicht. Boekenkasten tot aan het plafond, met een trapje eraan vast om bij de bovenste plank te kunnen. Mevrouw León steekt een sigaret op en schenkt zich het laatste glas champagne in. Ze heft het plechtig. Een gelukkige mei, Sofia.

1 mei, 's ochtends vroeg

Het heeft zojuist één uur geslagen, het is nu mei, lieve Sofia. Weet je nog hoeveel we van mei hielden? Jij zei altijd dat we als we groot waren en een beetje geld verdienden samen een reis naar Yorkshire moesten maken, in mei, om het graf van Emily Brontë te bezoeken, om het landschap van *De woeste hoogte* te verkennen en over een met gras begroeide heuvel te dwalen. Ik zie dat je die roman nog steeds leest en dat ontroert me, je moet hem inmiddels uit je hoofd kennen. Ik heb nu ook zin gekregen hem te herlezen. Maar ik schrijf je niet om het over het literaire talent van Emily Brontë te hebben, maar over het jouwe.

Ik heb een paar heel drukke werkdagen achter de rug, want in de lente neemt het gevoel van onbehagen bij de mensen toe, en tot vanavond heb ik geen moment rust kunnen vinden om de acht getypte velletjes te lezen die je me eergisteren per koerier hebt laten bezorgen, met een met de hand geschreven briefje erbij. Daarin verwijs je kort naar het voorstel dat ik je laatst heb gedaan, namelijk om iets, het maakt niet uit wat, te schrijven. Wat kon ik anders, na je verrukkelijke verhandeling over gebroken spiegels en die haas in het open veld en die gebakken eieren, waardoor het was alsof wij elkaar nooit uit het oog waren verloren? En dat komt allemaal zomaar vanzelf bij je op, midden op een cocktailparty, zonder dat je dronken bent of interessant wilt doen, je beseft het zelf niet eens. Ik heb altijd geweten dat je een stimulans nodig hebt, en ik heb de indruk dat het je daar op het ogenblik behoorlijk aan ontbreekt. Je vermogen om te reageren is daarentegen nog steeds verbazingwekkend. Niets van wat er tegen je wordt gezegd is verspilde moeite.

En toen ik die dikke envelop aannam en daarop in jouw handschrift mijn naam zag staan, maakte mijn hart een sprongetje en voelde ik dat je me daarmee iets teruggaf wat ik vergeten was, iets wat me weer jong maakte. Een soortgelijk gevoel had ik die avond toen ik je met je rug naar iedereen toe aandachtig naar de schilderijen van Gregorio zag staan kijken, met die voor jou zo typerende houding als van een vogel die op een telegraafdraad zit. Het duurde maar een paar seconden. Voordat ik je herkende, dacht ik juist: Wel, gelukkig is er nog één iemand die zich te midden van de drukte afzondert in plaats van links en rechts zoenen uit te delen, toen ik plotseling, door de manier waarop je je hoofd schuin hield en op je lip beet, alsof je alles beter wilde begrijpen, net zoals je dat in je bank op de middelbare school altijd deed, wist dat jij het was.

Na het dertigste levensjaar beginnen de sporen van de jeugd op iemands gezicht te vervagen; er treedt een soort verlamming van de spontaniteit op, die gereflecteerd wordt in iemands manier van zijn, in iemands gebaren. Over dit onderwerp bestaan vele studies en bovendien kan ik het in mijn werk dagelijks constateren. Ik zie meteen wanneer er nog iets van de jeugd te redden valt en wanneer dat niet meer mogelijk is. Patiënten van de tweede groep zijn het moeilijkst te behandelen.

Jij bent nog precies als vroeger, Sofia, precies hetzelfde, dat verzeker ik je. Dezelfde stem, dezelfde glimlach, dezelfde gebaren en die half naïeve half provocerende nieuwsgierigheid, je manier van vragen stellen, van alles bekijken en daarna wat je met eigen ogen hebt gezien becommentariëren, zonder te vervallen in standaardmeningen. En dan dat vermogen, dat je altijd gehad hebt, om de meest ongezellige ruimte in een prettige plek voor een gesprek te veranderen, alsof je hem met een toverstokje hebt aangeraakt.

Het speet me dat ik weg moest juist toen we er, dankzij jou, in waren geslaagd ons af te zonderen en ons gesprek beter begon te lopen, maar ik had je al gezegd dat ik met een vriend had afgesproken om te gaan eten. Later vroeg ik me af waarom ik je eigenlijk niet had gevraagd om mee te gaan, want met dat surrealistische gevoel voor humor van jou zou je de spanning tijdens ons etentje hebben weggenomen en met z'n drieën hadden we veel plezier kunnen hebben, ongetwijfeld meer dan Raimundo en ik met z'n tweeën. Hij heet Raimundo. Het is de schrijver over wie ik het al eerder heb gehad, degene die me het geld voor de aanbetaling van mijn appartement heeft geleend. Hij maakt een helse crisis door en zal zich pas wat beter voelen als hij die op mij heeft overgedragen en merkt dat hij me meesleept naar zijn hel. Natuurlijk laat ik me ook meeslepen, dat is het erge, dat het me niet lukt hem uit mijn leven te bannen. Maar deze geschiedenis is te complex om even kort samen te vatten, ik zou op de divan moeten gaan liggen en dan zou jij aan het hoofdeind moeten komen zitten. Op een avond zullen we dat doen, als je daar voor voelt. Nu wil ik het niet meer over hem hebben. Hij was niet op de expositie van Gregorio. Hij drijft nog meer de spot met hem dan jij.

Evenmin wil ik het over Gregorio hebben, hoewel ik hem vrij goed ken en je leuke dingen zou kunnen vertellen over hem en over zijn verhouding met dat twintigjarige blondje dat niet van zijn zijde was weg te slaan. Roddels hebben jou nooit geïnteresseerd. Ik merkte dat je zowel hen als de anderen die me kwamen begroeten en ons gesprek probeerden te onderbreken bekeek alsof het marsmannetjes waren. Het was alsof je me vanuit een sprookjestuin stond te roepen. Ik voelde dat je me riep, maar het kostte me moeite die tuin binnen te gaan, ik kon het hek niet vinden of wist niet hoe ik het open moest maken. 'In dromen gebeurt dat ook,' zei je, 'er duiken altijd figuranten uit een ander verhaal op. Dat doen ze om je in de war te brengen. Zij zijn degenen die de meeste ophef maken, maar ze zijn niet belangrijk voor het verhaal. Je moet je niets van hen aantrekken.'

Ik stond voor je alsof ik me voortdurend moest verontschuldigen voor het feit dat ik zoveel mensen kende, dat ik naar hen glimlachte, met hen sprak en inging op hun vleierijen. Ik vond het verschrikkelijk elkaar na al die jaren op een zo ongeschikte plek terug te zien, en dat zei ik tegen je. Maar jij was het daar niet mee eens. Je keek me aan, met opgestoken vinger: 'Betrapt, Mariana, denk aan wat je net tegen me hebt gezegd: Verrassing is een haas. Wie op jacht gaat zal hem nooit in het open veld zien slapen; heb je dat niet gezegd? Dat waren toch niet louter mooie woorden?' En daarna vroeg je me geamuseerd: 'Of ben jij misschien op jacht?' Ik was van mijn stuk gebracht, zoals gewoonlijk had jij de touwtjes van het spel, de oplossing van het raadsel, in handen. Ik keek je aan en er speelde een glimlach rond je lippen. Wat bedoelde je? Nee, ik was niet op jacht. En dan waren er ook nog die figuranten die langsliepen en mijn naam noemden en me zoenden, wat was het moeilijk de sprookjestuin binnen te gaan. Maar jij bleef koelbloedig: 'Goed, als je dus niet op jacht bent, zoek je niet, maar vind je. En we hebben elkaar op deze plek gevonden. Als we hem afwijzen zal hij in het niets oplossen. Het is de juiste plek omdat het deze is, Mariana, de plek waar de haas in het open veld slaapt, oftewel waar de verrassing ineengedoken op ons wacht.' Daarna begon je te vertellen dat het leven uit spiegelscherven bestaat, maar dat iemand in elke scherf afzonderlijk kan kijken, en dat je zin had stukjes brood in de schilderijen van Gregorio te soppen omdat het gebakken eieren waren die hij tegen het doek had gekwakt, en dat er van alle kanten boodschappen op ons afkomen die we niet weten op te pikken. En toen realiseerde ik me al dat ik, wilde ik je woordenvloed kunnen volgen, een bepaald kinderlijk vertrouwen moest terugkrijgen dat jij niet hebt verloren maar ik wel, moest geloven in de gedaanteverandering van de zaal, het poëtische wonder van zijn nieuwe functie moest laten plaatsvinden. Pas aan het eind, toen het voor mij tijd was om te gaan, begon ik om ons heen een soort aura te voelen die ons isoleerde van de figuranten, die hen van ons weg hield; en de zaal had zijn betovering verloren en ontdeed zich van zijn bedrieglijke schijn, het was de plaats waar de haas sliep, ik begon hem daar in het midden van het vertrek, midden in de sprookjestuin, te zien, als een roerloos wit symbool. Tien uur. Ik kon niet langer blijven. Ik realiseerde me dat we het hoofdstuk 'Onze respectievelijke levens' amper hadden aangeroerd en dat de tijd dat ons weerzien had geduurd voor mij als een zucht voorbij was gegaan. Maar ik moest ervandoor, net als Assepoester. Het was tijd voor mijn afspraak met Raimundo. Toen vroeg ik je of je alsjeblieft wilde schrijven, of je wilde schrijven over waar je maar zin in had, maar wel meteen, nog diezelfde avond zodra je thuiskwam, ik kon je niet laten gaan voordat je dat had beloofd. Ik moet je met enige schaamte bekennen (een schaamte die heviger werd toen ik je acht velletjes had gelezen) dat ik veel van mijn patiënten hetzelfde vraag. Maar jou had ik het met een ander doel gevraagd, ik had een gouden munt opgegooid. Je keek me verbijsterd aan. 'Een opstel?' 'Ja, precies, een opstel.' 'Het zal wel iets heel simpels worden, ik heb zoiets al tijden niet meer gedaan, maar het idee vind ik enig. Als ik het schrijf, mag ik het jou dan sturen?' 'Natuurlijk, dat vraag ik je juist, of je het me wilt sturen.' En daarna haalde je een agenda uit je tas en hield die tegen de muur om mijn adres te kunnen noteren. Toen zag ik, zoals ik dat nu ook op de envelop zie, dat je nog steeds met vulpen schrijft en a's met een buikje maakt.

Sorry, Sofia, maar ik kan niet in dit ritme verder schrijven. Dat spijt me zeer, want ik begon juist in de stemming te raken, jouw stemming op te pakken, maar ik moet deze brief onderbreken en hem morgen afmaken. Raimundo heeft net een zeer wanhopige boodschap op mijn antwoordapparaat ingesproken. Ik weet niet wat er met hem aan de hand is, maar het is iets ergs. Ik kon hem nauwelijks verstaan. Hij vraagt me of ik langs wil komen. Ik moet er wel heen.

Vanavond doe ik het beslist. Als ik wacht tot ik een ogenblik heb om mijn brief af te maken op de toon en in het ritme waarmee ik hem begonnen ben, god weet wanneer ik je hem dan zal kunnen sturen. Ik heb zelfs geen tijd gehad om hem over te lezen, en dat terwijl hij meestal in mijn tas zit.

De afgelopen dagen is het een gekkenhuis geweest. Raimundo heeft een zelfmoordpoging gedaan, en vanavond wordt hij eindelijk van de intensive care gehaald. Hij heeft het op het nippertje gehaald. Ik zit in een wachtkamer in het ziekenhuis, en om te kunnen schrijven heb ik een blaadje op de krant van vandaag gelegd, waarin zijn foto staat. Het papier dat ik gebruik en het handschrift dat ik produceer halen het niet bij het vorige, dat is wel duidelijk. In deze wereld van in scherven gevallen spiegels is rust een kortstondige luxe.

Ik wil nog reageren, al is het in telegramstijl, op het briefje dat je bij je acht getypte velletjes had gestopt. 'Ik stuur je mijn huiswerk,' zei je daarin. 'Bedankt Mariana. Het is lang geleden dat iemand me dit soort huiswerk heeft opgegeven en ik heb het met plezier gemaakt. Als het je niet verveelt, kan ik ermee doorgaan.' Het is geen kwestie van kunnen, maar van moeten, het gaat hier tenslotte om huiswerk. Maar wel om leuk huiswerk, en om die reden vraag ik je de toevoer niet te stoppen nu ik zo in de put zit. Denk aan don Pedro Larroque, aan toen hij, na je opstellen gelezen te hebben, tegen je zei dat iemand die plezier in schrijven heeft verplicht is anderen te vermaken, en aan hoe zijn ogen achter zijn brilleglazen schitterden terwijl hij je een klopje op je schouder gaf: 'Ga zo door, juffrouw Montalvo, ga altijd zo door.' Wel, op dit moment ben ik don Pedro Larroque. Alsjeblieft, Sofia, ga zo door, hoe dan ook en waarover dan ook, want je weet iets bijzonders te halen uit alles wat je aanraakt, je maakt literatuur van het meest armetierige en alledaagse. Je gooit een schoppentwee op tafel en dan blijkt het een hartenkoning te zijn. Je hebt het recht niet deze gave te verdonkeremanen.

Me vervelen, zeg je? Ik ben bang dat mijn zwijgen je argwanend heeft gemaakt. Niets is minder waar. Ik kijk verlangend uit naar je volgende zending, ik zit er met smart op te wachten, waar die ook over gaat, of het nu geschreven is als een flashback, in de eerste persoon of in elflettergrepige verzen. Ga zo door, juffrouw Montalvo, ga altijd zo door.

Ik moet afscheid van je nemen. Op een dag zal ik je bellen om iets af te spreken. Maar nu nog niet, ik moet me eerst beter voelen. Ik weet waarachtig niet hoe ik me deze dagen staande moet houden. Het kan zijn dat ik voor een week de stad uitga.

Dag meid, en gezegend zij voor altijd de haas in het open veld.

Veel liefs,

Mariana

P.S. (1) Een enkele suggestie voor volgende hoofdstukken: het personage Eduardo interesseert de lezer niet. Kan hij niet een beetje uit het verhaal geschreven worden, wat minder belangrijk worden gemaakt?

P.S. (2) Ik sluit een recept voor Loramet in. Ik weet niet of dat het slaapmiddel is dat je altijd neemt, maar anders raad ik het je aan. Je krijgt er geen kater van.

3 *De collage-oefeningen nemen een aanvang*

Het was halfzes. Amelia kwam binnen in haar stewardessenpak en met een koffertje in haar hand. Ze kwam uit Colombia. Ze was naar de kapper geweest. Omdat ik haar niet verwachtte en ook niet had horen binnenkomen, voelde ik me enigszins ongemakkelijk toen ze me aantrof in de kamer die nog steeds van haar is, ondanks het feit dat ze hier nog maar zelden blijft slapen. Ik vind het de prettigste kamer van het hele huis, en soms denk ik wel eens dat ik hem van haar afpik. Maar zij heeft er nooit iets van gezegd, integendeel, ze lijkt het zelfs normaal te vinden. Ze kwam lachend naar de tafel toe. Gauw zette ik mijn bril af. Ik geniet niet van een zoen als ik die met mijn bril op krijg.

'Wat was je aan het doen, mama?'

'Niets. Een beetje aan het prutsen. Vandaag kreeg ik plotseling de bevlieging om te gaan tekenen, toen ik wakker werd had ik daar ineens zin in, zo zie je maar. Vind je het erg dat ik je doos met waterverf heb gepakt?'

'Nee, helemaal niet, ik vind het juist leuk. Dingen verkommeren in een doos, zeg jij altijd. En aangezien ik toch geen wolken teken... Maar wat mooi en wat vreemd, hè? Wat stelt het voor?'

'Het heet "Mensen op een cocktailparty". Het is een soort collage. Ik ga nu overal driehoekjes van zilverpapier plakken, alsof het stukjes spiegel zijn. Zie je?

Ik heb ze uit de binnenkant van het pakje Winston geknipt.'

Ze was achter me komen staan en legde een hand op mijn schouder. Ik streelde die met de mijne.

'En dat witte konijn in het midden? Het lijkt een beetje op dat van Alice, vind je niet?'

'Misschien, ja. Maar dat droeg een vest en een horloge. Dit is een haas, of dat moet het althans voorstellen. Hij symboliseert de verrassing, weet je.'

'Wat voor verrassing?'

'Nou, dat jij ineens hier bent, bijvoorbeeld. Verrassing in het algemeen. Maar hij kan ook een hommage aan Lewis Carroll zijn. Dat was nog niet bij me opgekomen. Als je wilt, doen we hem een vest aan. Kijk, dat kan van dit rood-groen gestreepte karton. Wat vind je? Zullen we het doen?'

Amelia begon te lachen en sloeg haar armen om mijn nek.

'Je bent een grapjas. Ik vind het echt geweldig om thuis te komen en je zo bezig te zien. Laat me een foto van je maken zoals je daar nu zit.'

Ze begon in een enorme tas te grabbelen, die volgepropt zat met de meest uiteenlopende dingen. Ten slotte gooide ze alles op een stoel en opnieuw verbaasde ik me over de hoeveelheid spullen die Amelia in haar tas weet te krijgen. Het fototoestel was een polaroid, zo een die je niet eens de kans geeft met ongeduld naar het resultaat van de 'klik' uit te zien. Het zojuist vastgelegde beeld krijgt voor onze ogen langzaamaan vorm, zoals dat vroeger bij calqueerplaatjes gebeurde. De kinderen moeten altijd lachen om de mengeling van fascinatie en eerbiedige angst waarmee ik iedere nieuwe technische ontwikkeling benader. De polaroid is voor hen al lang geen witte haas meer. Ik vraag me af of ze ooit wel eens witte hazen zien en zo ja, waar.

'Vreemdeling kralenkettingen voor Indianenopperhoofd meebrengen,' zei Amelia, toen ze in de gaten kreeg hoe geconcentreerd ik op het wonder wachtte. 'Groot Opperhoofd niet bang zijn, niet iets van de duivel.'

Ik zag mezelf uit de vochtige vlek op die pas uitgespuwde rechthoek opdoemen, alsof ik me een weg baande door een roodbruine nevel, met mijn kin steunend op mijn handen en een gelukkige glimlach die teweeg werd gebracht door de aanblik van Amelia. Die glimlach werd steeds stralender, totdat alles ervan doordrongen was. Zelfs de rommel op de tafel zag er leuk uit toen ieder voorwerp zich scherper had afgetekend en kleur had gekregen: de open doos met waterverf, de schaar, mijn bril, de rood-witte lijmstift, het pakje Winston, de potloden en de grote haas die in het midden van de tekening gras zat te eten. Ik begreep ineens dat pas als je de dingen van buitenaf bekijkt, wanorde verandert in orde en betekenis krijgt. Dan wordt alles duidelijk en beoordeel je het allemaal anders.

'Wat sta ik er goed op, hè?'

Amelia trok haar schoenen uit en liet zich op het divanbed vallen.

'Ja, Groot Opperhoofd, maar nog niet aanraken. Vingers boze afdruk achterlaten.'

Toen geeuwde ze en zei dat ze moe was. Haar stem klonk honingzoet als bij een beginnende griep, als van een klein meisje dat treuzelt omdat ze niet naar school wil.

Ondanks het feit dat ze de enige is die in haar eigen onderhoud voorziet – de andere twee lijken dat nog absoluut niet van plan te zijn – is ze nog steeds het kleintje en ze schaamt zich er niet voor af en toe, in momenten van zwakte, dat stemmetje tegen mij op te zetten. Ik vroeg haar of ze bleef slapen en ze bedekte haar gezicht met haar onderarm. Ze zei dat ze niets meer wist, helemaal niets, op een moedeloze toon met plotseling een zweem van ongeduld die verdere vragen afsneed. Tot voor kort, toen ze nog niet in de lucht zat, woonde ze in Chamberí, op de etage van een vriend van haar die zich met film bezighoudt. Ik heb hem nooit ontmoet. Encarna zegt dat hij heel knap is en dat Amelia waanzinnig verliefd op hem is, op de klassieke manier. Maar de verhouding schijnt op dit moment niet goed te lopen, het oude liedje, jaloezie. Ook dat heeft Encarna me verteld.

Ik begon de tafel op te ruimen, die echt een puinhoop was geworden. Omdat ik de spiegeldriehoekjes niet kwijt wilde raken deed ik ze in een envelop.

'Is er iets te eten?' vroeg Amelia. 'Ik heb een beetje genoeg van plastic maaltijden en sinaasappelsap uit een pak.'

'Ik zal eens kijken. Blijf jij lekker liggen, dan roep ik je dadelijk. Wat fijn dat je er bent!'

Ik ging naar de keuken. Daría, onze hulp, was naar de dokter omdat ze zich wat slapjes voelde. Ik zette een pannetje met gestoofde stokvis in de oven dat over was van gisteren, en net toen ik bezig was de ingrediënten voor een fantasiesalade te verzamelen hoorde ik Amelia's voetstappen in de gang. Ze stak haar hoofd om de deur. Over haar schouder hingen wat kledingstukken.

'Dek de tafel maar in de keuken, mama. Ik ga me

douchen en omkleden, misschien kom ik dan weer een beetje bij. Mag ik het Escorial gebruiken?'

'Ja, natuurlijk. Er liggen schone handdoeken in de kleedkamer, in een nieuw kastje dat links staat. En als je vuile was hebt, leg die dan in het washok.'

Ik begreep onmiddellijk dat de voornaamste reden voor haar tocht naar de achterkant van het huis was dat ze zonder getuigen wilde bellen. Het toestel dat op het tafeltje in onze slaapkamer staat is verbonden met dat in de pantry, en je hoort hier bij elk cijfer een gedempt gerinkel als iemand dáár een nummer draait. Groot Indianenopperhoofd ophouden met groenten pakken en gaan afluisteren. De klanken van die tamtam kwamen als van heel ver, ze klonken met tussenpozen, de besluiteloosheid van de vinger op de draaischijf weerspiegelend. Er werd vijf keer gedraaid en toen was er, na een korte pauze, een doffe klik te horen. Ze had neergelegd. Ze kon het niet aan.

Ik liet mijn culinaire werkzaamheden in de steek en ging zitten, met mijn ellebogen op tafel en mijn ogen gericht op de witte telefoon die aan de muur in de pantry hing, in een toestand van opperste concentratie. Mijn hart was sneller gaan kloppen, net als wanneer ik naar een film aan het kijken ben en er zo'n scène nadert waarbij de kijker zich in tweeën kan splitsen en tot volledige identificatie met de hoofdpersoon wordt uitgenodigd. Niet alleen wist ik wat er ging gebeuren, ik was dat zelfs vanaf mijn zitplaats aan het arrangeren, het hing allemaal van mij af, want ik was haar.

Nu moet ze haar zelfvertrouwen terug zien te krijgen en gaat ze naar de spiegel van de klerenkast, waarin ze haar eigen dromerige en verlangende blik ziet. Ze begint haar jurk, haar kousen en haar schoenen uit te trekken, alles heel langzaam. 'Ik houd ervan om te zien hoe je je uitkleedt', zegt een stem achter haar. De kijker weet dat het een stem buiten beeld is, want er is niemand, maar ze streelt haar schouders en reageert met het uitspreken van een haast onhoorbare, geheime naam. Die natuurlijk varieert afhankelijk van de echo's die weerklinken in degene die hem uitspreekt. Guillermo-Guillermo-Guillermo. Ze laat zich op het bed vallen en steekt een sigaret op. 'Toe dan', zeg ik tegen mezelf, 'toe dan', en van de zolder van mijn geheugen komt ineens een onverwoestbare combinatie van zeven cijfers te voorschijn. Vanaf het moment dat ik begon te vechten tegen de verleiding het te draaien stond het in mijn geheugen gebrand, waardoor ieder nummer, voorheen op argeloze en natuurlijke wijze gedraaid, een litteken werd, een stap in de richting van de afgrond. We weten pas wat het is om te ademen op het moment dat we moeite met onze ademhaling krijgen. Vooruit, bel nog een keer, toe dan.

Ze had de hoorn weer van de haak genomen. Ditmaal kwamen de eerste zes echo's van het nummer sneller achter elkaar. Toen viel er een pauze, die ten slotte beëindigd werd door een laatste, energiek gerinkel, dat te oordelen naar de duur van het traject een negen moest zijn. Ik bleef wachten. Niet ophangen. Ze hing niet op. Ze had het gedurfd. Nu kon ik mijn handen ervan aftrekken, de zaak was nu buiten mijn controle.

Ik stond haastig op omdat er uit de oven een verdachte geur kwam. De stokvis stond aan te branden. Ik zette het vuur laag, deed een beetje water in de schaal en begon er zonder veel overtuiging met een houten lepel in te roeren, plotseling bevangen door neerslachtigheid.

De telefoon in de pantry was vijf stappen bij me vandaan, ik kon er naar toe lopen en stiekem de hoorn opnemen, als een spion deelnemen aan het gesprek. Maar dat zou ik niet doen, en Amelia wist dat ik dat niet zou doen. Mijn moeder was ik gaan haten toen ik erachter kwam dat ze Guillermo's brieven las. Tien jaar geleden, toen ze stierf, besefte ik dat ik haar dat nog steeds niet had kunnen vergeven. Ik probeerde me nu op de salade te concentreren en zette de radio aan om het wachten te veraangenamen.

Het duurde een hele tijd voordat Amelia terugkwam. Ik had de tafel allang gedekt en was bezig een fles wijn open te trekken. De kurk gaat bij mij altijd kapot; ik weet van te voren al dat hij kapot zal gaan.

'Geef maar hier,' zei Amelia, 'doe niet zo klunzig. Het komt doordat je hem er scheef indraait. Laat mij het maar doen.'

Ze droeg een spijkerbroek en een paars T-shirt waar in witte letters op stond 'I'm free'. Ik weet niet of ze wel zo *free* is als ze verkondigt. Niemand is dat wanneer hij verliefd is. Het viel me op dat ze niet gedoucht had, want ze gebruikt nooit een douchemuts en haar haar was helemaal droog. Ze had al die tijd aan de telefoon gezeten. En dat scheen haar niet zo best bekomen te zijn.

'Wat zijn die uniformen die ze jullie aantrekken toch lelijk, liefje. Je ziet er zo veel leuker uit, het is een lust voor het oog.'

'Vind je?'

Ze glimlachte flauwtjes in de richting van de kurketrekker, maar haar glimlach bleef halverwege steken, alsof hij gezogen werd naar een put vol schaduwen, waarvan ik niets weet. Zij weet ongetwijfeld meer van de mijne.

Op de radio klonk nu de stem van Georges Moustaki:

Votre fille a vingt ans,
que le temps passe vite,
madame!
Hier encore elle était si pétite...

Plotseling zag ik mezelf aan de rand van mijn eigen put staan, en ik wilde er niet in kijken, ik probeerde me tegen die bedrieglijke, gevaarlijke duizeling te verzetten, maar werd er toch naar toe getrokken. De keuken was de put, en van de bodem rezen als beweeglijke geesten drie kindergezichtjes op die me met sirenestemmetjes riepen, me vroegen om een boterham, drie silhouetten versmolten tot één, die zich ineenstrengelden en om mij heen dansten op de klanken van de klarinet van de fluitende ezel, terwijl ze schriften en bananeschillen de lucht in gooiden. Mama, kijk eens wat Lorenzo doet, wie heeft de jampot gebroken, ik heb het niet gedaan, hé, kijk eens naar mijn schrift, luister niet naar hem, mama, kijk eens, kijk eens hoe goed ik fluit, Daría, ezeltje ía ía, houden jullie alsjeblieft je mond, kijk, Encarna heeft bloed aan haar vinger, kom, kijk dan, kijk dan. En mijn spiegel draaide rond om iedereen aandacht te kunnen geven, ik was een levensgrote spiegel die hen reflecteerde door naar hen te kijken, door het beeld te weerkaatsen dat ze nodig hadden om voort te bestaan, vrij van schuld en dreiging, een spiegel die niet kon barsten of verweren. Let maar niet op hen, Daría; kom, aan tafel, papa komt zo, jullie mogen vijf kroketjes, zo weinig maar?, wat zijn ze lekker, heb jij ze gemaakt?

Amelia had de kurketrekker uit de fles weten te krijgen zonder de kurk te breken en ging zitten. Ze had een wezenloze, ondoorgrondelijke blik in haar ogen. Het was duidelijk dat ze niets meer aan mijn spiegel had. Ze zei dat ze Moustaki niet kon aanhoren en zette de radio af.

'Waarom heb je twee borden neergezet?' vroeg ze toen. 'Ga jij ook eten?'

'Ja. Daarnet had ik geen trek. Ik vind het deprimerend om in mijn eentje te eten. Terwijl ik daar langzamerhand toch aan gewend zou moeten zijn.'

Ik had onmiddellijk spijt dat ik dat gezegd had. Het is trouwens niet eens helemaal waar, want van het liedje van Moustaki zou ik bijvoorbeeld in mijn eentje meer genoten hebben; ik heb het vaak erg naar mijn zin wanneer ik niet afhankelijk ben van de smaak van anderen. Maar het was er al uit, en de slachtofferige klank van die laatste woorden bleef als een zwarte serpentine langs de muren van de keuken kronkelen.

Amelia richtte haar ogen op haar bord en legde zich erop toe in stilte te eten, zonder zelfs maar te zeggen of wat ze naar haar mond bracht haar smaakte of niet. Gedurende tal van jaren, die nu in nevel zijn opgelost, hing mijn geestelijk evenwicht af van het slagen van lekkere recepten en van het goedkeurende commentaar van de kaboutertjes die door mijn spiegel werden weerkaatst. Dat is zo'n slechte eigenschap die als je er niet tegen vecht chronisch kan worden. Ik weigerde Amelia te vragen of ze de vis lekker vond. Maar het erge was dat ik alle andere vragen die in me opkwamen eveneens verwierp. Het leken me allemaal onbeholpen pogingen de scheur te dichten van die stilte die steeds zwaarder werd en zich splitste in twee uiteenlopende stromen, de hare en de mijne, die ieder hun eigen slib met zich meesleurden, versomberd door dezelfde zwarte serpentine.

De telefoon ging en ik liep naar de pantry om hem op te nemen.

'Als het voor mij is, ben ik er niet,' zei Amelia.

Het was niet voor haar. Het was Consuelo, de dochter van Daría, nog zo'n bewoner van de diepten van mijn put, de brutaalste en meest rebelse. Een meisje met rood haar dat al op haar tiende voor het eerst ongesteld werd. De kinderen waren gefascineerd door haar brutaliteit van achterbuurtmeisje. Ze vervangt nu af en toe haar moeder, wanneer die niet kan komen schoonmaken, en daarnaast betaal ik haar een vast bedrag per maand om het appartement waar Lorenzo en Encarna wonen, dat in ons familielexicon luistert naar de bijnaam 'schuilplaats voor schildpadden', een beetje te fatsoeneren.

Consuelo praat met een uitgesproken Madrileens accent, doorspekt met allerlei nieuwbakken uitdrukkingen die ze dagelijks op straat oppikt, want, zegt haar moeder, als het huis instortte zou het een wonder zijn als het op haar neerkwam. Het is haar droom om in een rockband te zitten, en de kinderen moedigen haar aan omdat ze vinden dat ze talent heeft. De buurt waar ze opereert is Vallecas.

Ze belde me vanuit de schuilplaats of 'schuil', zoals zij, met haar neiging tot apocope, hem noemt. Het duurde even voordat ik het probleem waarover ze belde begreep, maar dat was niet nieuw voor me. Ze heeft de – overigens behoorlijk veel voorkomende – gewoonte om tot de kern te komen zonder je van de voorafgaande feiten op de hoogte te hebben gesteld, om het verhaal als 'een schot hagel' op je af te vuren, zoals Mariana en ik indertijd dit soort vertellingen noemden waarbij niet geïnformeerd wordt naar het wel en wee van de gesprekspartner en ook wordt voorbijgegaan aan zijn gebrek aan voorkennis over het, meestal controversiële, onderwerp, dat zonder enige inleiding op hem wordt afgevuurd.

Deze keer leek het centrale thema een paar vazen te zijn, waarvan Consuelo als vanzelfsprekend aannam dat ze voor mij waren.

'En dus heb ik tegen die man gezegd, die ze vanaf de derde naar boven heeft moeten sjouwen, dat is voor het andere huis, dat moet voor mevrouw zijn, maar hij weer dat dit adres erop stond met de naam van uw zoon Lorenzo, hoewel er "voor Antonio" onder staat, en omdat er nu niemand is aan wie ik het kan vragen, want er is hier in de schuil natuurlijk nooit iemand te bekennen, en waar moeten we ze trouwens laten, want ze zijn ook nog eens gigantisch, hoe bent u op het idee gekomen zulke gigantische vazen te kopen? Het hadden er trouwens twee moeten zijn, maar van eentje is alleen de standaard gekomen, wacht even... Wat zegt u...? O, nee, deze man zegt dat hij ze zo heeft gekregen, dat we niet moeilijk moeten gaan doen.'

'Maar van wie heeft hij ze gekregen? En wanneer? In godsnaam, Consuelo, wees eens wat duidelijker, ik weet niets van die vazen.'

'Ze lijken op Chinese vazen, met van die kanjers van bloemen erop.'

'Maar wie is die man...? Nee, Consuelo, luister, ik

hoef zijn naam niet te weten... nee, nee, ik wil hem ook niet aan de telefoon hebben. Het enige wat ik wil weten is door wie hij gestuurd is en waar hij die vazen vandaan heeft... Ja, goed, ik wacht.'

Amelia had haar hoofd van haar bord opgeheven en keek naar me door de boog die de keuken van de pantry scheidt.

'Wat is er aan de hand?' vroeg ze.

'Ik weet het niet, het is me niet duidelijk. Iets bizars met de schuil, je kent dat wel.'

'O nee toch!' zei ze. 'Nou, ik ben benieuwd wanneer dat is opgelost. Als de informatie via radio Consuelo komt, wordt je eten zeker koud.'

'Nou ja, maar straks kan ik je een vermakelijke samenvatting geven.'

'Daar twijfel ik niet aan,' zei Amelia, voor het eerst lachend sinds ze de keuken was binnengekomen.

En ze ging weer door met eten, maar minder afwezig en onbereikbaar dan eerst. Toen Consuelo haar onsamenhangende uitleg aan de andere kant van de lijn hervatte, vond ik het inmiddels veel belangrijker Amelia een glimlach te ontlokken met mijn commentaar op dat verwarde verhaal dan om het te begrijpen. Ik voerde dat gesprek voor haar, om haar blik te vangen, die zich met de mijne verbond als over een brug die ineens verrees.

'Zo, laten we eens kijken. Personages van het drama,' zei ze zodra ik had opgehangen en weer ging zitten.

'Een man van een transportbedrijf, genaamd Cayetano Trueba, een meneer die in de calle Covarrubias woont, een paar Chinese vazen en een zekere Antonio, een geregelde bezoeker van de schuil, voor wie deze mysterieuze zending bedoeld schijnt te zijn. Maar die is daar op dit moment niet. Veel meer ben ik werkelijk niet te weten gekomen. Consuelo is nou niet direct een Flaubert, ze zit meer in de hardrock. Laten we hopen dat die man van het transportbedrijf verteltalent heeft, want hij komt hiernaar toe, omdat ik, naar het schijnt, de portokosten voor die vazen moet betalen. Wil je nog wat sla?'

'Ja, hij is heerlijk. Maar je bent gek, mama, je moet niets betalen. Wat heb jij ermee te maken? Je laat je voor hun karretje spannen.'

'Dat is te sterk uitgedrukt. Ik maak ook vaak leuke dingen met hen mee.'

De rest van de maaltijd verliep in een veel ontspannener sfeer, en Amelia moest zelfs twee keer hard lachen. De verhalen over de schuilplaats voor schildpadden hebben altijd voor veel hilariteit gezorgd en zij vindt ze vooral vermakelijk als ik ze op de manier van de komiek Jardiel Poncela vertel; ik heb ontdekt dat dat de beste toon ervoor is. Het rechtstreekse contact met haar broer en zus – die vanaf hun jeugd een blok hebben gevormd – is daarentegen in de loop van de tijd steeds moeizamer geworden, ze wordt heel zenuwachtig van de rommel die ze maken en gaat zelden naar de schuil, hoewel die eigenlijk van hen drieën is, zoals hun grootmoeder dat in haar testament heeft bepaald, en er ruimte genoeg is. Toen mama het huis na papa's dood in tweeën had gesplitst en daar in haar eentje woonde, noemden we het 'RHL', rechterhuis Lagasca, ik geloof dat Lorenzo die naam verzonnen had. Op het laatst was het onbegonnen werk hen alle drie zover te krijgen dat ze op zondag in het RHL gingen lunchen. Maar als een van hen ontbrak was mama ontstemd, dan gaf ze mij de schuld en zei dat ik ze niet onder de duim had, dat ik geen respect wist af te dwingen. Het is niet te geloven dat het hetzelfde huis is.

We begonnen allerlei herinneringen op te halen aan de verhuizing naar de schuil, die voor mij een mijlpaal betekende in wat een socioloog de 'dynamiek van de gezinsverhoudingen' zou noemen. Maar al die opschudding wordt vermakelijk als je het er weer over hebt met iemand die de komische noten ervan begrijpt. Tussen Amelia en mij was een gemeenschappelijke geheimtaal ontstaan die ons bevrijdde uit onze respectievelijke putten, en midden in het open veld tekende de haas zich weer af, omringd door gebroken spiegels. Een heleboel. Zoveel dat je niet in allemaal tegelijk kon kijken.

De scherf die de schuilplaats van Encarna, Lorenzo en hun tijdelijke vluchtelingen weerspiegelde begon bijvoorbeeld al wazig te worden doordat er een wolk voor schoof. Wat is er vóór die verhuizing gebeurd? En het licht ontlokte reeds schitteringen aan een andere spiegelscherf, die bij een eerdere laag in de geschiedenis hoorde. Ik moet deze flashback vasthouden, ik moet hem in de collage plakken, desnoods met speeksel.

De scène speelt zich af op een vliegveld. Het is zomer. Ik ben daarheen gegaan om twee vriendinnen van zestien jaar uit te zwaaien, die voor het eerst samen naar het buitenland gaan. Ze fluisteren zachtjes en opgewonden, zonder op mij te letten, stralend en gewichtloos, terwijl ik de stukken bagage nogmaals tel en mijn uiterste best doe me in hun avontuur te verplaatsen. Wat zou ik graag met jullie meegaan! zeg ik. Soledad lacht uit beleefdheid naar me, maar Amelia heeft me niet eens gehoord. Ze hebben me uit het paradijs verdreven, zij zijn niet degenen die worden uitgezwaaid, maar ik. Dat drong met een schok tot me door. 'Ik heb vergeten je te zeggen dat Soledad laatst voor je heeft gebeld.'

Amelia's ogen begonnen te gloeien als kolen en haar hele gezicht veranderde.

'Maar, mama, waarom heb je dat in godsnaam niet meteen gezegd? Ik heb kort geleden naar een adres in Parijs dat ik van haar had geschreven en toen is de brief teruggestuurd. Belde ze vanuit Parijs?'

'Nee, ze is hier.'

Amelia ging staan en wierp haar servet de lucht in alsof het een winnende bingokaart was.

'*I can't believe it!*' riep ze. '*I am happy!* Hoeveel dagen blijft ze in Madrid? Ze is vast nog niet weg.'

'Dat denk ik ook niet. Ze heeft beloofd dat ze bij me langs zou komen, ze zei dat ze zin had om met me te praten. Haar ouders zijn gescheiden, kennelijk zomaar ineens. En je weet wel dat Soledad, toen jullie jonger waren, me altijd alles vertelde. Ik geloof dat ze net zoveel van me hield als jij.'

Amelia luisterde niet naar me.

'Het lijkt wel een wonder, mama. Ik denk nu al maanden voortdurend aan haar, vanwege onbenullige dingen vervreemd je van mensen die essentieel voor je zijn geweest, dat is me met haar overkomen, je verliest het spoor van iemand, en plotseling begrijp je dat dat te dol is, dat dacht ik vanmiddag nog, toen we op Barajas landden, ik móet Soledad absoluut weer zien, zonder haar weet ik het allemaal niet meer. Je hebt geen idee hoe ik baalde toen ik kort geleden die ellenlange brief met alles wat ik haar de afgelopen jaren niet verteld had terugkreeg. En nu zal ik haar weer zien, stel je voor! Ik zal haar zeker zien en dat is beter dan wat voor brief ook, want ik hoef haar stem maar te horen en we zitten weer in het vliegtuig naar Brighton, het was zo fantastisch om samen op te stijgen en naar de wolken te kijken, terwijl het me tegenwoordig zo verveelt om in een vliegtuig te zitten. Ik weet niet of jou zoiets wel eens is overkomen, dat er ineens, op het moment dat je het het meest nodig hebt, iets "klik" zegt en je nieuw leven inblaast, begrijp je dat?'

Ik legde mijn hand op de hare, die ze op de tafel liet rusten, en streelde even haar koude, slanke vingers. Aan haar ringvinger droeg ze een fijn ringetje met briljanten dat van mijn moeder was geweest en mij niet meer paste. Ik droeg het de eerste keer dat Guillermo mijn hand had vastgepakt.

'Natuurlijk begrijp ik dat. Het is mij ook overkomen. Twee dagen geleden.'

Ze leek uit haar extatische toestand te ontwaken en keek me verwonderd aan.

'Wàt is jou overkomen?'

'Zo'n ontmoeting met de witte haas. Kun je je Mariana Léon nog herinneren? Ik heb je verschillende keren foto's van haar laten zien, die vriendin van mij van de middelbare school.'

Amelia trok een neutraal gezicht.

'Ik kan het me niet herinneren. Vertel het me straks maar, als je het niet erg vindt. Goed? Ik ga nu onmiddellijk Soledad bellen. O! Het spijt me erg. Maar ik ben zo opgewonden.'

Doordat ze met een enigszins bruusk gebaar haar hand uit de mijne had getrokken, had ze een glas wijn omgestoten.

'Het geeft niet, laat maar. Ga maar gauw kijken of je haar te pakken kunt krijgen.'

Ik bleef in mijn eentje achter, starend naar de rode vlek op het tafelkleed. Vrijwel meteen klonk weer het gedempte gerinkel van de telefoon in de pantry. Ik was zo apathisch dat ik niet eens het omgevallen glas overeind zette. Ineens had ik alleen nog maar zin om weg te gaan. Alleen al tegen het simpele idee de keuken op te moeten ruimen zag ik als een berg op, maar ik zag er nog meer tegenop te moeten wachten tot Amelia terugkwam en haar emoties te moeten delen. Ik moest naar buiten, mezelf even rust gunnen.

Ik greep de blocnote waarin Daría noteert of er melk, suiker of aardappels gekocht moeten worden en scheurde het tweede, nog onbeschreven, blaadje eruit. 'Groot Opperhoofd verzopen in huishoudput, ervandoor gaan. *Be happy*', schreef ik. Toen liep ik met het briefje naar Amelia's kamer en liet het voor haar op tafel achter.

Ik ging naar buiten, zonder zelfs maar mijn haar te kammen, zonder een andere broek aan te trekken, zonder tas. Ik had alleen mijn sleutels en mijn portemonnee gepakt, zoals wanneer ik sigaretten ga kopen in het café beneden. Haast hollend liep ik de hal door.

'Komt u zo weer terug?' vroeg de portier me, die met een andere man in gesprek was.

Hij wilde me vragen wanneer het ons uitkwam de rekening van de afgelopen maand te betalen. Dat is waar, we staan al op de drempel van mei. Ik zei op bitse toon dat ik haast had, dat hij het maar aan mijn man moest vragen. Een hysterische reactie. Maar dat kwam doordat ik toen ik in de lift naar beneden ging had gezien dat op de zevende mevrouw Acosta stond te wachten en in niets ter wereld had ik zo weinig zin als in haar tegen het lijf lopen, er ligt nog een kwitantie van ik weet niet wat, ik wilde niets van mijn put of van degenen die hem bevolken weten. Hoe het ook zij, door 'mijn man' te zeggen was hij al voor ik het wist in mijn put verschenen, en zijn slinkse verschijning verlamde me. Ik keek op mijn horloge, we hadden afgesproken om met zijn broer en zijn schoonzusje naar de schouwburg te gaan, ik zou weer naar boven moeten om nog een briefje achter te laten. Was het mogelijk dat ik de hele dag niet aan Eduardo had gedacht? En er drong nog iets anders tot me door, wat me nog meer in verwarring bracht: dat Amelia niet eens naar hem gevraagd had. Dat waren te veel verbijsterende dingen. Die moest ik op straat ventileren, dat was het enige wat duidelijk was. Groot Opperhoofd nu niet naar put teruggaan.

'Pardon,' zei de portier. 'Deze meneer vraagt geloof ik naar u.'

Ik bekeek de man. Hij was fors gebouwd, ietwat kalend, en had een open blik. Moest ik hem ergens van kennen? Hij stak zijn hand enigszins familiaar naar me uit.

'Cayetano Trueba, om u te dienen,' zei hij.

De lift was omhooggegaan en kwam nu weer naar beneden. Nee, in geen geval mevrouw Acosta zien.

'Ah, ja, u heeft die dingen van mijn kinderen vervoerd! Aangenaam. Kom als u het niet erg vindt met me mee, dan gaan we even naar een bar waar ik geld kan wisselen en dan betaal ik u daar. Kom.'

De laatste woorden zei ik terwijl ik al in volle draf naar de voordeur snelde, zonder te kijken of hij me wel volgde, en pas bij de deur van de bar stopte ik. Hij stond naast me. Hij droeg een corduroy jasje.

'U bent wel rap, mevrouw,' merkte hij lachend op.

Maar het was een onschuldige, grappige, nuchtere constatering. Eén die geen verdere uitleg vereiste. En het was prettig de stem te horen van een onbekende die meteen op het eerste gezicht vertrouwen inboezemt en goed gezelschap is.

Zodra ik de deur van de bar had opengeduwd en de geur van gegrilde gamba's en koffie rook, voelde ik me voorlopig veilig en nam het gevoel van stress af. Het was er tamelijk vol en je hoorde flarden van gesprekken, overstemd door het gejengel van gokautomaten. Iedereen was daar op zoek naar vertroosting voor iets, in een poging de wond van de namiddag te stelpen. Ik bekeek de mensen met rustige nieuwsgierigheid, zij hadden geen invloed op mijn gemoedstoestand en ik niet op de hunne, we accepteerden elkaar zonder iets van elkaar te verlangen.

Cayetano Trueba komt uit een dorp in La Alcarria, uit een familie van bijenhouders. Dat vertelde hij me terwijl we op mijn voorstel een biertje aan de bar dronken. Hij is zeer gehecht aan zijn streek en aan zijn familieleden en nu is er iets verschrikkelijks gebeurd, want over heel Spanje heeft zich een plaag verspreid die *barroasis* heet en geen bij gezond laat; complete families – en niet alleen de zijne – belanden daardoor in de misère. In het hele gebied van Las Hurdes, in de buurt van Salamanca, lopen de mensen te huilen op straat. Triest.

'Want het gaat ook nog eens razendsnel, weet u. Op een dag ga je naar de bijenkorven, een beetje zoals wanneer je gaat kijken of een kind nog slaapt, want u weet wel dat de bijtjes de hele winter in slapende toestand doorbrengen, en niets, ze zijn er niet. Je zoekt bovenin, je zoekt onderin. Maar hoe kan het dat ze er niet zijn? Dat kan niet, maar nee, niets, geen spoor, niet eens de troost dat je ze dood ziet liggen, want wanneer die ziekte toeslaat vluchten ze naar het open veld om daar, buiten de bijenkorf, te sterven. Door wat voor instinct worden ze gedreven? Waarschijnlijk houden ze niet van begrafenissen. Ze zeggen dat het een mijt is, ik heb geen idee wat dat is, maar ja, er is niets tegen te doen, het lijkt wel een soort aids, er wordt beweerd dat ze bezig zijn een vaccin uit te vinden. Maar wie heeft ooit een bij gevaccineerd? Sinds wanneer kan dat? Het is echt niet te geloven, de twee melkerijen in mijn dorp lijken wel een apotheek met al die brouwsels die ze de beesten geven om niet te bezwijken, en de vissen in de rivieren gaan dood en ook een heleboel diersoorten in de Coto de Doñana, die al in de watten werden gelegd, daar heeft u vast wel over gehoord. En dat komt natuurlijk doordat alles vergiftigd is, de lucht, het water, alles. Ik had nog nooit in mijn leven van die *barroasis* gehoord, ziet u, en van de ene dag op de andere, alsjeblieft, *barroasis*, je moet dat woord wel onthouden, of je wilt of niet, ik kan het tenminste niet meer uit mijn kop krijgen.'

Hij vertelde dat hij voor zijn huwelijk ook bijenhouder was geweest en naar Madrid is gekomen omdat zijn vrouw graag naar de hoofdstad wilde. Hier had hij tot een paar jaar geleden op de vrachtwagen gezeten, maar dat was een veel zwaarder leven; hij verkiest het kleintransport, dan kom je tenminste in verschillende huizen en zie je allerlei aparte mensen, het biedt de mogelijkheid eens een praatje te maken, een beetje te mijmeren.

Hij gaf me een kaartje waarop stond: 'Hang je aan de bel, dan kom ik razendsnel: Transportbedrijf DE BEER'. Zo heet zijn bestelwagen, die hij meestal parkeert bij het Sportpaleis. Hij heeft nu een tweede gekocht voor zijn zoon, een fijne knul, meer dan deze ene heeft hij er niet. En die woont bij hen.

'En u, hoeveel kinderen hebt u?' vroeg hij mij.

'Ik drie, maar ze wonen niet meer thuis.'

'Nou, nou, en dat zo jong. Nu moet u nog zien dat ze trouwen. Of is er al een getrouwd?'

'Nee, tegenwoordig trouwen jonge mensen niet meer zo makkelijk. Ze zijn slimmer dan wij.'

'Ja, ze hebben de tijd, daar hebt u gelijk in. En helemaal met de huidige werkloosheid.'

'Inderdaad.'

Ik wisselde een biljet van vijfduizend peseta en betaalde hem, maar hij wilde niet dat ik de pilsjes afrekende. De mannen uit La Alcarria zijn niet gewoon een vrouw te laten betalen; dat zal wel ouderwets gevonden worden, maar hij vindt het een goeie zaak. Hij zei dat het gezellig was geweest. In de grote steden is men het plezier in de *tertulia* kwijtgeraakt, iedereen is met zijn eigen dingen bezig, maar toch kom je altijd weer geschikte lui tegen. Dat meisje met dat rode haar had het al gezegd, dat ik heel geschikt was. Een heel sympathiek meisje, maar wel een ratel. Eerst had hij gedacht dat ze tot de familie behoorde, door de manier waarop ze over ons praatte, zo openhartig.

'Ja, dat komt natuurlijk doordat Consuelo bij wijze van spreken in ons huis is opgegroeid.'

Toen we buiten afscheid namen, vroeg hij of don Raimundo dan ook geen familie van ons was.

'Welke don Raimundo?'

'Degene die die vazen stuurt. Wat een raar huis heeft die trouwens! Hebt u zijn huis wel eens gezien?'

'Ik niet, want ik ken hem niet. Het moet een vriend van mijn kinderen zijn.'

'Het is een heel gespannen man,' beperkte hij zich ertoe te zeggen.

Ik ging er niet verder op in: ik gaf hem een hand en zei dat ik hem zou bellen als er iets verhuisd moest worden. Dit leverde al een heleboel stukjes spiegel op. Te veel.

Ik begon zonder bepaald doel over straat te lopen, in een stevig tempo. Het was koud geworden. Ik was zonder jas en liep met mijn handen diep in de zakken van mijn broek, als 'bedeltje', en ik voelde me vrij.

Ik moest nodig nadenken, minstens een half uur lang en uitsluitend over Mariana León. Ik was gevlucht om aan haar te kunnen denken, om te proberen me haar stem te herinneren en haar gebaren te reproduceren. Die avond laatst waren er momenten geweest waarop ze me net als vroeger leek, maar ik weet het niet, het leven verandert ons zo. Toen ik eraan dacht hoe zelfverzekerd ze is en aan al die mensen die ze kent, had ik er spijt van dat ik haar mijn eerste portie huiswerk had gestuurd en voelde ik een steek van jaloezie. Ik zal geen rust hebben voordat ze me heeft teruggeschreven.

4 *Op weg naar het zuiden*

7 mei, op weg naar het zuiden

Lieve Sofia,

Het begint donker te worden en ik zit je te schrijven in een coupé in de nachttrein, terwijl aan de andere kant van het raam volksbuurten voorbijschieten, autokerkhoven, moestuinen, fabrieken, afgravingen, vuilnisbelten, schroothopen en van die krottenwijken die steeds verder opschuiven, voortschrijdend als de lippen van een zweer, in het tempo waarin de speculanten met hun graafmachines de ellende van de buitenwijken terugdringen, alsof ze het bestaan ervan proberen te ontkennen door ze buiten hun eigen gezichtsveld te brengen. Toen we station Atocha uitreden ging de zon net onder, maar boven de donker geworden wolken hangt nog hier en daar een oranje gloed.

Deze trein gaat naar Cadiz, maar ik stap iets eerder uit, in Puerto Real, dat het doel van mijn reis is. Ik ben daar vorig jaar al een keer geweest en voelde me er prettig. Een vriendin van mij van zestig, een markiezin om precies te zijn, heeft daar een groot huis aan de Lijdensweg, echt waar, zo heet die straat, en mij heeft ze een stel sleutels van dat huis gegeven. Zij zit er weinig omdat ze het niet aankan voortdurend van hot naar haar te reizen en beslissingen te nemen over de vele landerijen en ondernemingen die haar zijn toegevallen na de dood van haar vader, een Andalusisch grootgrondbezitter als uit een negentiende-eeuwse roman; daarom is ze blij dat ik naar Puerto Real ga wanneer ik rust nodig heb. Ze zegt dat mijn ogen het onbewoonde huis, door het als toevluchtsoord te beschouwen, van spoken zuiveren en de ban van alle sleur en verveling die het heeft gehuisvest doorbreken. Eén keer zelfs heeft ze, onder invloed van drank, geopperd het me te schenken, en ik geloof dat ze het meende. Maar ik heb geprobeerd haar te laten inzien – en ze zag het onmiddellijk in want ze is slim, helemaal wanneer ze gedronken heeft – dat de spoken mij tot slaaf zouden maken en dat het dan dàg tijdelijk toevluchtsoord zou zijn; ik kijk naar al die schilderijen en al die meubels en vind het juist prettig dat ze geen enkele herinnering bij me oproepen, dat het me niet kan schelen hoeveel ze kosten of aan wie ze hebben toebehoord of wat er met ze zal gebeuren als ik er niet meer ben. Silvia begon te huilen en zei dat ze me benijdde, dat ze het zo heerlijk zou vinden zo naar haar eigen huis te kunnen kijken. 'Voor jou is het gewoon een vriendje maar voor mij een zieke echtgenoot, en ik kan hem niet eens dood wensen want dat wordt door God bestraft.' Dat wenst ze, ja, en ook dat ze van al haar andere landerijen verlost zou worden, maar het is een schizoïde verlangen, in strijd met de beginselen van trouw aan het familie-erfgoed, die haar van jongs af aan zijn ingeprent. Deze tegenstrijdigheid van wortels hebben en tegelijkertijd ontworteld zijn vormt de kern van de neurose die haar naar mijn spreekkamer heeft gevoerd toen ze alleen op de wereld achterbleef. Nu eens besluit ze zich van alles te ontdoen, dan weer dat ze zich nergens van mag ontdoen, het gaat bij vlagen, en dat weet ze. Ik kan je zeggen dat het contact met een groot deel van de mensen met wie ik momenteel omga via de divan tot stand is gekomen, wat op den duur verarmend en vermoeiend is. Of in ieder geval niet harmonisch. Maar goed, laten we ophouden over Silvia; ik neem aan dat ik het te zijner tijd nog wel eens met je over haar zal hebben. Nu wil ik graag dat je mijn verhaal aanhoort.

Ik ben op weg, zoals ik je al zei, om me uitgerekend aan de Lijdensweg tegen mijn leed te wapenen, een woordspeling die niet vrij is van enige ironie. Zelfs wanneer we het leven op zijn zwartst zien, kan het ons dit soort taalkundige compensatie bieden, die ons een vluchtige glimlach weet te ontlokken.

Meer dan gewoon weggaan, knijp ik ertussenuit. Ik heb de knoop doorgehakt en ben hals over kop vertrokken. Vooralsnog denk ik niet aan de consequenties, ik probeer genoegen te putten uit het gevoel op de vlucht te zijn. We zullen wel zien hoe lang dat duurt, waarschijnlijk kort, want het was een beslissing die tegen mijn eigen principes indruist. Als ik besluit op reis te gaan, laat ik mijn plan altijd afhangen van vrije dagen en afspraken die ik heb staan. Het gezond verstand heeft dan dus de overhand. Maar dat van nu is een opwelling, als de wilde vlucht van een stierenvechter die zijn uitrusting op de grond gooit en het op een lopen zet voor een stier die hem op de horens dreigt te nemen. Als je mijn vorige brief gelezen hebt, zal het je niet veel moeite kosten te begrijpen dat die stier Raimundo is.

En dat terwijl alles zo goed ging; het is heel plotseling gegaan. Amper zeven uur geleden zat ik nog in zijn huis, bereid daar zolang als nodig was bij hem te blijven, ik zou een week of zelfs mijn hele leven bij hem blijven als hij dat zou vragen, hoe vreemd dat ook klinkt, en je moest eens weten hoe vreemd het me nu zelf in de oren klinkt, maar ik was zo gelukkig.

Ik weet niet, ik zou het je graag goed willen vertellen, want als ik dat niet doe zal ik het zelf ook niet begrijpen, maar gelukkig kan ik je schrijven. Word alsjeblieft niet ongeduldig.

Vanaf het moment dat hij gisterochtend het ziekenhuis uitkwam, in een totaal andere stemming dan ik had verwacht (het is typerend voor hem om verrassend uit de hoek te komen), vanaf het moment dat hij een taxi aanhield en tegen me zei: 'Stap maar in, je gaat met me mee, hè?' wist ik dat ik mezelf overleverde aan zijn wil, want ik had niet meer de kracht om nog op enig terrein de teugels in handen te houden. Nou ja, het is oók een helse week geweest. Ik voelde me als een kind dat van een ziekte aan het herstellen is en waarover iemand zich logischerwijs moet ontfermen; en door de kordate stem van Raimundo, toen hij zich voorover boog en de taxichauffeur zijn adres gaf, werden de rollen van beschermer en beschermeling zoals die tot dan toe verdeeld waren geweest volledig omgedraaid. Wat een opluchting! Ik liet mijn hoofd tegen de rugleuning rusten en sloot mijn ogen, ervan overtuigd dat hij het ook zo bedoeld had. Zijn eerste gebaar, om zijn linkerarm om mijn schouders te slaan, was veelbelovend. Daarna, gedurende de rit – een proloog met meer muziek dan tekst – was alles één groot crescendo van goed getimede gebaren.

Ik sprak niet en durfde me nauwelijks te verroeren, blind liet ik me meevoeren, en hij streelde zo nu en dan met een elektrisch geladen tederheid mijn handen en mijn haar. Hij bracht zijn lippen bij mijn oor: '*Ferme tes jolis yeux, car tout n'est que mensonge*'; en toen begonnen de tranen die ik met alle geweld probeerde tegen te houden te vloeien, want zijn stem kwam uit dat gedeelte van de ziel waar bij mensen die gewend zijn komedie te spelen en in de verdediging te gaan altijd een dikke muur omheen staat. Het was een heel lieve opdracht, de beste opdracht die je een kind dat zo'n koorts heeft gehad, zo heeft liggen ijlen, kunt geven. Hoe zou ik niet kunnen gehoorzamen? Dus bleef ik met gesloten oogleden genieten van de nabijheid van degene die me had opgevangen en met zich meenam, van de geur van zijn kleren en van zijn liefkozingen, die zich nu concentreerden op het vochtige spoor van tranen op mijn wang, waar hij zijn duimen langs liet glijden, totdat ik alle angst en al het gif dat zich gedurende de doorwaakte nachten achter mijn ogen had opgeslagen eruit had gespuwd.

Ik deed mijn ogen pas weer open toen ik hem, na ik weet niet hoeveel tijd, tegen de taxichauffeur hoorde zeggen: 'Wilt u hier even stoppen, mijn vriendin houdt namelijk erg van seringen.' Het was alsof ik uit een tunnel kwam. We waren op de glorieta de Alonso Martínez, vlak bij zijn huis, de zon scheen fel en bij het stoplicht stond een zigeunerin bloemen te verkopen. Raimundo kwam terug met een bos seringen, en nog steeds geuren ze als op het moment waarop ik uit die tunnel kwam, ik zal ze dadelijk in het water zetten zodat ik gedurende de reis naar ze kan kijken, ze zijn het enige wat ik heb meegenomen als aandenken aan de uren die ik samen met hem in zijn huis heb doorgebracht, ongeveer dertig volgens de klok, maar mij interesseren dergelijke getallen niet.

Raimundo woont op een bizarre etage in de calle de Covarrubias. Ik heb daar heel wat keren geslapen. Of liever gezegd, gevochten tegen zijn slapeloosheid, energie verspild door te proberen hem ervan te overtuigen dat het de moeite waard is te blijven leven, ook al liep ik het risico vaste grond onder mijn voeten te verliezen en zelf van het tegendeel overtuigd te raken, iets wat regelmatig gebeurde. Meestal ging ik er vroeg in de ochtend weg, over het algemeen zeer gedeprimeerd, wanneer hij net de slaap had weten te vatten. Ik liet dan een briefje voor hem achter. Vervolgens konden er dagen, weken en zelfs maanden voorbijgaan waarin ik uitsluitend via gemeenschappelijke vrienden iets over zijn leven vernam. En die berichten waren niet altijd even geruststellend en lieten me nooit onverschillig.

Toen we het portaal waren binnengegaan en op de lift stonden te wachten, keek hij me glimlachend aan en zei: 'Beloof me één ding, dat je dokter León zult vergeten. Lijkt je dat een goed idee?' En mijn gezicht verbergend in de bos seringen, waar ik me aan vastklampte, declameerde ik de eerste zin van mijn nieuwe rol: 'Dat lijkt me een geweldig idee, o Raymond.' Dat zal jou, net als mij nu ik het je vertel, als een zin uit een keukenmeidenroman in de oren klinken. En ook toen, terwijl ik als in een droom de lift naar beneden hoorde komen, bedacht ik dat deze dokter León iets weg had van de hoofdrolspeelster van Carmen de Icaza, en dat we daar nu te oud voor waren. Maar dat waren mijn laatste vlagen van helderheid tot vanmiddag. Ik had besloten aan de voorstelling mee te doen.

De uren die we met zijn tweeën in Covarrubias hebben doorgebracht, zonder de telefoon op te nemen of op de klok te letten, momenten van slaap afwisselend met muziek, koffie en gedichten, terwijl we onophoudelijk praatten, lachten en elkaar liefkoosden, zijn een creatie van Raimundo, die slechts mijn instemming nodig had om gestalte te krijgen tegen dit versleten decor en dat zodoende te vernieuwen. Hij was degene die de dirigeerstok hanteerde in die exclusief aan mij gewijde symfonie van zijn wederopstanding. Hij voelde dat hij me fascineerde en dat stimuleerde zijn verbale improvisatietalent, dat toch al niet gering is. Ik was ineens vergeten dat hij cyclothymisch is, dat hij het nog maar amper een week geleden in zijn hoofd had gehaald om allerlei voorwerpen en meubelstukken als een postume herinnering naar een aantal vrienden te sturen, dat ik hem daarna bijna in coma naar het ziekenhuis had moeten brengen, ik was vergeten dat geen mens hem kan verdragen en dat geen mens het in zijn huis uithoudt. Ik had hem in jaren niet zo gezien, intens bezig mij te behagen, olie op het vuur gooiend van de *coup de foudre* tussen twee verwante zielen, zo wijs, zo provocerend en verblindend dat ik op een gegeven moment zei: 'Je hoeft je niet zo uit te sloven, Piet!' Het was alsof ik hem opnieuw ontdekte, alsof ik hem net had leren kennen, maar het was méér, een nog intenser gevoel, want hoewel ik door me over te geven aan die roes alles vergat, toch blijft er bij een dronkeman altijd iets diep in zijn geheugen hangen, hoeveel hij ook drinkt. En het enige wat ik niet kon vergeten was de reden die die roes zo goddelijk en anders dan alle andere maakte: dat Raimundo bijna dood was geweest, en dat het kijken in zijn donkere, schitterende ogen was als samen met hem uit de dood opstaan.

Iets terugkrijgen is altijd opwindender geweest dan iets krijgen, al loop je meer kans op luchtspiegelingen. En nu ik dit schrijf, vraag ik me overigens af of het idee dat ik jou heb teruggekregen niet evenzeer een luchtspiegeling is. Maar dan wel een heerlijke luchtspiegeling, Sofia. Je weet niet hoe goed het me doet te bedenken dat jij de enige persoon bent aan wie deze brief gericht kan zijn, een brief die op zijn beurt mijn enige houvast is. En ik heb geen haast hem af te maken, dat had ik ook niet met die van een week geleden. De hele nacht ligt nog voor me. Met het voordeel dat er vandaag geen onderbrekingen kunnen zijn, want niemand weet waar ik op dit moment ben. Zelfs jij niet.

*

Ik herlees het voorafgaande en ga verder, na twee uur in de restauratiewagen te hebben gezeten. Ik had honger gekregen en begreep bovendien dat ik vast begon te lopen en een pauze nodig had om het verhaal dat ik je wil vertellen te structureren. Het heeft te veel vertakkingen die je niets zeggen, en ik wil er beslist geen 'schot hagel' van maken. Ik heb een schriftje gepakt, en toen ik achter de ober met het belletje aan van de ene wagon naar de andere liep, kwam ik ineens op het idee een soort schema te maken, om de draad niet kwijt te raken en ervoor te zorgen dat jij hem ook niet kwijtraakt. Dat is een routine die ik heb opgedaan op mijn reizen naar congressen en symposia, het vliegtuig of de trein benutten om punten op te schrijven voor een lezing die ik slechts oppervlakkig, met de Franse slag, heb voorbereid.

Maar toen ik even later zat te eten en de nacht zwaar

over de velden zag vallen, heb ik alleen maar aan jou zitten denken, aan hoe vreemd het is dat jij weer bent verschenen en aan het onbekende toeval dat jouw gedachten en jouw stappen gedurende deze week zal hebben gestuurd. En ik bedacht me ook dat we op dit moment geen andere keus hebben dan ieder onze eigen kant op te dwalen, zonder de illusie te hebben dat onze respectievelijke dwaalwegen bij elkaar zullen komen, hoezeer we elkaar ook op de hoogte houden. Hoewel ik slechts een glimp van jouw leven heb opgevangen, heeft het duidelijk een ander ritme dan het mijne. En we zijn volwassen geworden. Volwassen worden is natuurlijk beginnen met je los te maken van anderen, inzien dat er afstand is en die accepteren. Ons enthousiasme wanneer we in onze jeugd personen tegenkwamen die onze belangstelling wekten was gebaseerd op de veronderstelling dat er een constante uitwisseling tussen ons leven en dat van hen bestond, het leek mogelijk elkaar te annexeren. Weliswaar zijn er nog momenten waarop deze illusie van permeabiliteit wordt gewekt, maar die momenten zijn zeldzaam en vluchtig en je kunt niet verlangen dat ze voortduren, dat ze blijvend zijn. Toen ik jong was – en jij had hetzelfde – was ik er zeker van dat de mensen die van me hielden zich nooit van me los zouden maken, dat mijn leven onontbeerlijk voor het hunne was. Maar eigenlijk wilde ik dat ze me altijd nodig zouden hebben. En dat is niet zo. Later zie je dat dat niet zo is, en het is maar beter ook dat niemand je erg nodig heeft.

Ik bedacht met weemoed hoe makkelijk het vroeger voor me was je te schrijven, toen het overbodig was een 'samenvatting van het voorafgaande' te geven, toen het voldoende was een simpele toespeling te maken, een beroep te doen op een gemeenschappelijke taal, die een gemeenschappelijke smaak, humor en gevoelswereld weerspiegelde. Behalve dat je lekkageproblemen, drie kinderen en een man van het type 'yuppie' hebt, weet ik momenteel haast niets van jouw afgelopen dertig jaar. Bovendien schakelt deze reis de mogelijkheid uit om wat jij mij vertelt en wat ik jou vertel min of meer synchroon te laten lopen, want als je deze brief ontvangt is jouw huiswerk reeds god mag weten wat voor richting opgegaan, als je er al zin in hebt gehad ermee door te gaan. Ik heb vergeten tegen de portier te zeggen dat hij mijn post naar Puerto Real moet sturen. Eerlijk gezegd heb ik de portier niet eens gezien. Ik ben even langs huis gegaan om een paar spullen in een koffer te gooien, de sleutels van de Lijdensweg op te halen en telefonisch een treinkaartje te bestellen. Toen ik al in de hal beneden stond, ben ik weer naar boven gegaan om een haastig briefje voor Josefina Carreras, mijn waarneemster, achter te laten. Verder had ik nergens tijd voor, anders zou ik de trein missen.

En hier zit ik dan, drinkend en denkend aan jou, met mijn ellebogen op het tafeltje in een restauratiewagen, terwijl de nacht valt. Wat was je leuk op je dertiende, toen je je vlechten zo boven op je hoofd gebonden droeg, die vlechten die ik zo vaak losgemaakt en geborsteld heb op avonden dat jij bij mij thuis in de calle de Serrano mocht komen slapen! 'Jullie mogen niet te lang blijven praten, want dan zijn jullie morgen weer niet wakker te krijgen,' zei mama altijd als ze ons een nachtzoen kwam geven. Maar we trokken ons daar nooit iets van aan, en zij wist dat we dat niet zouden doen. We praatten onvermoeibaar door, fluisterend van bed tot bed, ons gelach onder de deken smorend, terwijl we soms merkten, ondanks dat het donker was, dat er tegelijkertijd tranen ontsnapten. Jij was het vooral die praatte, jouw woorden stegen op naar de exotische gebieden van de fantasie, je zei dat de nacht je tong losmaakte. En de nacht veranderde, net als alles wat jij opnoemde, in een sprookjesfiguur. Hij was het kaboutertje Nak, je voelde hem rondfladderen met zijn zwarte, iriserende vleugels, je voelde hem zachtjes op jou neerdalen, op je geopende mond, en je lichaam binnengaan; hij knoopte de banden van je tong los, stormde door de gangen van je longen, je hart en je darmen binnen, en je merkte hoe hij in het voorbijgaan schakelaars die een schok geven uitdeed en die maanlicht geven aandeed. In al jouw verhalen was maanlicht. En het liefst fantaseerde je over de toekomst, en je deed dat zo gedetailleerd dat het dan net was alsof ik een boek las. Een steeds terugkerend thema in die verhalen was ons weerzien wanneer we groot zouden zijn, na lange tijd door allerlei omstandigheden van het leven gescheiden te zijn geweest. Zowel deze omstandigheden als die van ons weerzien namen de meest verrassende vormen aan, volgens patronen uit de gothic novel of de ridderroman, wat de genres waren die ons in die tijd het meest boeiden. Maar mijn leven was altijd gevaarlijker en romantischer dan het jouwe, en nu eens zat ik gevangen in een kasteel waaruit ik bijna niet kon ontsnappen, dan weer deed er zich een duel tussen twee van mijn minnaars voor of stond ik op het punt een oceaanstomer te nemen om nooit meer naar Europa terug te keren. En op een bepaald moment kwamen we elkaar weer tegen, het landschap verschilde maar er was altijd maanlicht, en dan vertelde ik jou een heel lang verhaal dat jij vervolgens opschreef. 'Want ik ben Per Abat,' zei jij, 'die het Poema del Cid heeft opgetekend.' En het was grappig om te horen hoe jij je stem hol liet klinken om een dramatische tint te geven aan dit schimmige personage uit het verleden, aan wie jij je bijnaam ontleende. 'Toe, vertel me een verhaal, Per Abat.'

Daarom moest ik lachen in de restauratiewagen. Wat fijn dat je bent herrezen, mijn lieve Per Abat! Eén ding moet je goed beseffen, dat we in wezen droomden over wat we nu meemaken. Is er iets mooiers dan dat? We hebben altijd alleen aandacht voor wat we al hebben beleefd of nog hopen te beleven; op wat ons in het heden overkomt slaan we bijna nooit acht, dat beschouwen we als iets normaals. Maar het is niet normaal, Sofia, wat we in het heden meemaken is helemaal niet normaal. Een zo speciale brief als deze zou je nooit hebben kunnen verzinnen om je verschillende versies van de toekomst mee op te sieren, en toch, wie zou hem dolgraag hebben gelezen? Je snapt het al. Eigenlijk is hij gericht aan het meisje met de vlechten, voor haar archief.

En daar ergens begonnen mijn gedachten af te dwalen naar hoe lastig het is een coherente tekst te schrijven zonder af te zien van sprongen in de tijd, en naar wat jij over gebroken spiegels zei, en naar het verband tussen de inhoud van een boodschap en de situatie van degene die hem ontvangt, en naar Roland Barthes – *Le plaisir du texte* – kortom, een vlucht die me Raimundo totaal deed vergeten.

En bovendien, denk je eens in, zijn we net langs Aranjuez gekomen, mijn lieve Per Abat! Wat kan iemand nog meer verlangen? Plotseling werd het schoolreisje dat we samen naar Aranjuez hebben gemaakt, in de herfst voorafgaand aan het zwart worden van ons goud, een magnetische pool voor al mijn inwendige geraaskal. Je begrijpt wel, wat een moment om langs Aranjuez te komen, een herdenkingstocht die niet beter getimed had kunnen zijn.

Dáár heb ik voor het eerst met je over Guillermo gesproken, weet je nog? En dáár zijn we begonnen om twee te zijn in plaats van één, om volwassen te worden. De zonnestralen van die middag aan de oever van de Taag, nadat we door de paleistuinen hadden gewandeld, vallen samen met de laatste schitteringen van het pure goud die als een krans de symbiose in onze puberteit omgeven, goud in de bomen, goud in de wolken, goud in jouw haar. En een hevig, haast pijnlijk verlangen dat de tijd niet zou verstrijken. Maar jij vond dat ik anders dan anders was en begon me uit te horen. 'Hoe, anders?' 'Gewoon anders, ik weet niet, alsof je op een schilderij van de Vlaamse School staat en tussen je ineengeklemde handen iets verbergt wat je mij niet wilt laten zien.' Nee, ik wilde het je niet laten zien. Daar wilde ik mee wachten. Ik had het idee dat er iets kapot zou gaan als ik mijn handen zou openen en het je liet zien. En toen we aan het eind van de middag thee dronken in De Groene Kikker en ik ze uiteindelijk opendeed en de naam Guillermo uitsprak, besefte ik dat mijn terughoudendheid terecht was geweest. Ik wilde die naam helemaal niet zeggen; een week lang had ik hem slechts heel zachtjes en in het geheim tegen hèm gezegd, om in ruil daarvoor de mijne te horen, een uitwisseling van onoverdraagbare adem, mond-op-mond, en daar had zelfs jij niets mee te maken. Er viel een ongemakkelijke stilte, en de naam Guillermo stond voor altijd tussen ons in. Tot dan toe hadden we elkaar als vanzelfsprekend nauwgezet verslag gedaan van onze scharrelpartijtjes, ons er allebei van bewust dat het het leukste was de ander erin te laten delen, en in zekere zin kregen die prille verliefdheden gestalte door erover te praten, dan gingen ze pas leven. Maar nee. Jij voelde dat dit iets anders was, alleen al door de manier waarop ik de naam Guillermo zei en onmiddellijk weer in mijn schulp kroop. Je bleef heel stil naar de rivier zitten kijken. Toen vroeg je me hoe hij was. 'Ik weet het niet, ik heb nog nooit zo iemand als hij gekend. Hij is niet erg aardig, en hij heeft een wolvekop.' 'Ik benijd je,' zei jij.

En nu moet je toch eens zien, Sofia, Raimundo heeft ook een wolvekop. Dat had ik je het eerst van al moeten zeggen. En kijk eens aan, zonder dat ik punten heb hoeven opschrijven, ben ik weer bij mijn verhaal terechtgekomen.

Ik lig nu al een tijdje op mijn couchette, met dit blok luchtpostpapier steunend op mijn opgetrokken knieën, het lichtje is aan en het gordijntje open zodat ik kan kijken naar de nacht, waarin zich vluchtige contouren aftekenen. Het kaboutertje Nak is in mijn bloed gekropen en de maan is in zijn eerste kwartier. Ik geef me over aan het gedender van de trein, die me razendsnel meevoert.

Ja, inderdaad, hij heeft een wolvekop. En ik geloof dat het me gisteren, dat begrijp ik nu, voor het eerst is opgevallen dat hij een wolvekop heeft en dat ik toen mijn hoofd verloor. Want het rare is dat ik ineens niet bang meer voor hem was, en zelfs zijn hol, dat ik zo vaak vervloekt heb en dat me afkeer is gaan inboezemen, lokte me aan als een hemelse belofte van hartstocht en wanorde, als de grot van een tovenaar die je in een bitter drankje jeugdelixer te drinken geeft. Ja, ik verloor mijn hoofd. Wat een genot! Ik ben het beu het op zijn plaats te houden, het in labiel evenwicht op mijn schouders te moeten dragen; het rolde onder de bank, stuiterde tegen de muren, streek neer op de boekenkast, en hurkte vooral neer tussen de poten van die wolfman die het recht had het kapot te maken of aan doodenge mutaties te onderwerpen, gek hoofd, ja, krankzinnig hoofd, overgeleverd aan de hekserij van een wispelturig, wreed beest. Met mijn hoofd en mijn leven mocht hij doen wat hij wilde, op voorwaarde dat hij al zijn gejank van genot of pijn en al zijn blikken aan mij zou blijven wijden, op voorwaarde dat ik zijn enige prooi zou zijn, dat hij nooit meer iemand anders nodig zou hebben. Zoals een zigeunerversje zegt: 'Als jij me vroeg me in het vuur te werpen,/ zou ik als hout verbranden./ Als jij me vroeg mijn aderen te openen,/ zou mijn bloed op jou belanden.' En in het psychoanalytische jargon van dokter León: 'Je opofferen omwille van het discutabele geluk dat jouw desintegratie bij een ander teweeg kan brengen'. Maar het is geen grapje, Sofia, het erge is dat het geen grapje is. Wat een kruis torsen wij vrouwen mee met die mooie woorden over onbaatzuchtigheid, wat heeft dat ons toch te pakken, hoezeer we ook ons hele leven ons best doen erom te lachen! Hoewel ik me ervoor schaam, moet ik je toch bekennen – want deze brief fungeert als bekentenis – dat ik in mijn meest geheime erotische fantasieën verteerd word door het verlangen in een ander op te gaan, me zonder voorbehoud aan iemand over te leveren zodat die iemand naar eigen goeddunken over me kan beschikken; een verlangen dat ik dan vervolgens in slapeloze uren meedogenloos analyseer en zonder enige consideratie de kop indruk. Want ik weet dat het een hellend vlak is. En meer nog dan om te vallen ben ik als de dood dat iemand het ontdekt.

Welnu, gisteren heeft Raimundo het ontdekt. En ik vermoed dat hij zich daardoor zo gelukkig, zo opgewonden en zeker van zichzelf voelde. En dat hij zich daardoor ook begon te vervelen nog voordat er uit mijn houding het geringste blijk van verveling sprak. Anderen te snel af zijn, dat vindt hij heerlijk! Na vijf uur 's middags begon zonder enige gerechtvaardigde overgang zijn euforie, veroorzaakt door het feit dat hij zich meester van de situatie wist, grilliger paden te volgen.

Aanleiding waren twee telefoontjes met tussenpauze van een kwartier. Raimundo nam in beide gevallen niet op, maar hij reageerde anders dan op eerdere telefoontjes, die hem of onverschillig hadden gelaten of hem een verveeld commentaar hadden ontlokt, waarna hij soms het besluit had genomen de hoorn een tijdje naast de haak te leggen. Even later legde hij hem er dan weer op, met de opmerking dat dat nog erger was, dat de in-gesprek toon voor sommige vrienden juist een aansporing kon betekenen om even langs te komen. Hij weigert een antwoordapparaat te nemen.

Deze twee telefoontjes brachten hem echter wel van zijn stuk, ook al zei hij niets. Ze dompelden hem in een stilzwijgen dat een voorbode was van vreemde veranderingen. Toen de telefoon voor de tweede keer, ondraaglijk hardnekkig, begon te rinkelen, stond Raimundo abrupt op en begon door de kamer te drentelen. Hij liep naar de pick-up, waar de Vijfde Symfonie van Beethoven, onder leiding van Von Karajan, op stond, en zette de plaat af zonder te vragen of ik hem misschien verder wilde horen. Hij ging naast de telefoon staan en bleef er met zijn handen in zijn zakken naar kijken, maar hij nam niet op. Toen het tot mijn grote opluchting weer stil werd, deed hij alsof hij in dat gedeelte van de kamer een boek aan het zoeken was. Dat duurde een hele tijd. Ik durfde hem niets te vragen. Daarna ging hij weer in de stoel tegenover de mijne zitten. Met voluptueuze gebaren streek hij door zijn haar, terwijl hij afwezig naar het raam keek. Het mooiste aan Raimundo is zijn haar, dat is zacht, golvend en bijna helemaal wit. Hij koketteert ermee, want hij weet dat het zijn eerste erotische lokroep is.

'Ik neem aan dat je iets te doen zult hebben,' zei hij ineens. 'We kunnen niet ons hele leven zo doorbrengen.'

Het was een volstrekt logische opmerking, maar ik werd erdoor overrompeld. Bovendien keek Raimundo me niet aan. Hij bleef maar door zijn haar strijken.

'Ja, natuurlijk heb ik iets te doen, dat weet je best, een hele hoop dingen. Maar herinner me daar nu niet aan.'

Hij gaf geen antwoord. Toen liep ik naar zijn stoel toe en knielde neer op het tapijt.

'Raimundo, wat is er? En ga nu niet beweren dat er niets is. Kijk me alsjeblieft aan.'

Hij keek me aan, zijn ongeduld onhandig verbergend achter de glimlach van een slecht acteur.

'Wat zou er zijn, Mariana? Ga nu niet alles bederven, laten we geen verhoren gaan afnemen.'

Ik richtte mijn ogen op het tapijt. Het was heel smerig, er lagen zelfs uitgetrapte peuken. Ik vroeg me af hoe lang er geen vrouw in Covarrubias was geweest om er schoon te maken. En plotseling zag ik mezelf tot mijn verbazing met een schort en stoffer en blik, terwijl ik vrolijk zingend ramen openzette en er uit de keuken de geur van een zelfgemaakte stoofschotel kwam, en ik haast devoot naar de grote tafel liep om Raimundo's papieren te ordenen.

'Nee, maar ik dacht dat je me eruit wilde gooien,' zei ik op enigszins vleierige toon, zonder mijn ogen van het tapijt op te heffen.

Ik was begonnen van het hellende vlak te glijden en dat wist ik. Nu zou hij mij moeten vragen hem aan te kijken, maar hij liet zijn beurt voorbijgaan. De kamer rook muf, naar tabak en zweet.

'Ik gooi je er niet uit, dame, je mag gerust blijven,' zei hij op onverschillige toon. 'Het enige is dat ik even naar buiten wil. Ik begin een beetje claustrofobisch te worden en moet een luchtje scheppen. Ik neem aan dat je dat begrijpt, nietwaar?'

'Ja, natuurlijk. Wil je dat ik met je meega?'

'Eerlijk gezegd liever niet. Je hebt het dus niet begrepen.'

'En waar ga je heen?'

'Geen idee, misschien ga ik wel bij mensen langs die jij niet zo mag. Er hebben vast een heleboel vrienden opgebeld. Aangezien jij niet wilde dat we de telefoon opnamen.'

Ik hief mijn gezicht op en voelde dat het gloeide. Ineens werd ik des duivels.

'Ik? Jij was degene die van niemand iets wilde weten! Dat heb je gister gezegd, denk erom. Dat je meer dan genoeg aan mij alleen had. Raimundo, geef in godsnaam antwoord. Heb je dat gezegd of niet?'

Hij begon te lachen.

'Toe, schatje, ga nu geen scène maken, dat past niet bij je. Wat doet het ertoe of ik dat gezegd heb! Dan ben ik zeker van mening veranderd. En hoor wie het zegt! Ben jij soms nooit van mening veranderd?'

En toen sloegen bij mij alle stoppen door. Ik begrijp best dat die doorsloegen. De stoppen van de redeneerkunde, in dit geval. Ik ken dat fenomeen heel goed. Het houdt in dat je niet meer naar de ander luistert, het geschut van je eigen obsessie laadt en dat in het wilde weg afschiet, totaal niet voor rede vatbaar. Ik sloeg mijn armen om zijn knieën, die plotseling van steen waren geworden. Ik smeekte hem zich niet weer in die spiraal te storten waarin hij die mensen opzoekt die hem vergiftigen en vervolgens uitlachen, zich in godsnaam niet mee te laten slepen in dat riool van afhankelijkheid, want dat zij het waren die hem zijn wil hadden ontnomen en hem de goot in duwden. Ik had het zelfs over achterbakse praktijken. Echt zo'n preek van een bezitterige moeder die haar zoon waarschuwt voor slecht gezelschap. Maar wanneer hij op die manier benaderd wordt, begint Raimundo te stijgeren en rare sprongen te maken, wat natuurlijk logisch is. Ieder probeert zich zo goed als hij kan te verdedigen.

Riool? Achterbaks? Vergiftigen? Hou toch op, het leek wel een hoorspel. Hij stelde me voor de zaak meer theoretisch te bespreken, en op dat terrein was hij in het voordeel om de simpele reden dat hij volkomen rustig was en ik helemaal buiten mezelf. Hij beschuldigde me van subjectiviteit en gebrek aan inzicht, weerlegde mijn metaforen, die hij te simpel vond, en verloor zich in een briljante verhandeling over de keerzijde van de hang naar dramatiek die de Spanjaarden kenmerkt en waardoor zij het recht op plezier als een zonde beschouwen. Gevaarlijke emoties ondergaan hoeft nog niet te betekenen dat je in de goot belandt, je kunt ze verkennen, eroverheen vliegen. Leren je te verdiepen in de duisternis en niet alleen in het licht. Ik kon hem amper volgen. Het enige wat tot me doordrong was de arrogante klank in zijn stem en die maakte me bang. Hoeveel uur zou het nog duren voordat deze dialectiek waarmee hij andermans ellende uitploos zich uitgeput tegen hemzelf zou keren?

'Bovendien,' zei hij tot slot, 'wat weet jij van de goot?'

Nou, ik wist een heleboel van de goot. Waarom zou ik niet weten van de goot en van riolen en van ondergrondse leidingen?

'Uit boeken, natuurlijk,' zei hij.

'Uit boeken en door wat jullie me erover verteld hebben!'

Dat is het allerstomste wat je kunt doen, tegen een patiënt hardop dezelfde argumenten herhalen die hij misschien ooit heeft gebruikt om zijn eigen tegenstrijdigheden duidelijk te maken. Een goede psychiater moet doen alsof hij zich geen van de confessies die in eerdere sessies zijn gedaan herinnert, veinzen dat ze niet hebben bestaan. Maar soms is dat niet mogelijk. Van wie anders dan Raimundo heb ik gehoord dat hij zich willens en wetens in uitzichtsloze situaties begeeft, zich inlaat met mensen die hem niet begrijpen en niet aan hem kunnen tippen? En bovendien vindt hij zichzelf niet altijd knap in deze gehuurde spiegels, die net als de lachspiegels in de callejón del Gato zijn, dat heeft hij zelf met deze woorden gezegd, het staat in geen van mijn studieboeken. Als hij niet wilde dat ik de details te weten was gekomen van dit proces dat hem uiteindelijk in een stakker heeft veranderd, had hij het me niet in honderden versies moeten vertellen en me niet te hulp moeten roepen toen hij was ingestort. Ik kan het niet helpen dat ik een goed geheugen heb.

Ik gooide het er allemaal uit, ondoordacht en roekeloos, haast schreeuwend, alsof er brand in de kamer was ontstaan en ik de enige getuige was die zag hoe de vlammen zich verbreidden en in staat was om hulp te roepen. Ik kon dat soort dingen niet theoretisch benaderen, dat kon hij niet van me verlangen, echt niet.

De ogen van Raimundo werden steeds donkerder, totdat ze een haast woeste glans hadden. Een blik die dokter León inmiddels goed kent en die ze soms, met tact en geduld, onschadelijk heeft weten te maken. Maar dokter León was er niet, ze kon me niet de helpende hand bieden. Ze zou zich hebben geschaamd me daar als een hoopje ellende op het tapijt te zien, terwijl ik onsamenhangende argumenten spuide, vaste grond onder mijn voeten verloor en wanhopig de knieën van de wolfman omklemde.

'Je zult weer in je oude gewoonten vervallen, maar doe dan geen beroep op mij, ik waarschuw je, Raimundo! Je zult in je eentje uit dat zwarte gat moeten kruipen, dat zweer ik je! Of een andere psychiater moeten zoeken die je eruit haalt, en het zal je niet makkelijk vallen die te vinden!'

Hij schudde me van zich af en ging staan.

'Hou op, Mariana, zo is het wel genoeg! Denk eens even goed na, als je aanval over is, en vertel me dan wie hier de psychiater is, jij of ik?'

Dat was het toppunt. De maat was vol. Ik begreep dat ik overeind moest komen en een besluit moest nemen. Maar ik had de kracht niet. Nu was hij weer naar me toe gekomen. Ik zag zijn korte suède laarzen die vlak bij mijn knieën bleven staan, de grijze fluwelen broek gespannen om de rechte kuit. Met zijn vingertoppen streek hij even over mijn haar.

'Soms, moet je weten, meisje, hebben jullie psychiaters een labiel persoon nodig die jullie de ogen opent,' zei hij op minzame, superieure toon, heel anders dan die hij in de taxi had gebruikt om me zo poëtisch te vragen mijn ogen dicht te doen.

Ik verborg mijn hoofd tussen mijn armen en legde het op de zitting van de stoel waaruit hij net was opgestaan, in een poging de warme ademtocht op te roepen van die stem die me in het oor had gefluisterd: *'Ferme tes jolis yeux, car tout n'est que mensonge.'* Mijn ogen dichtdoen. Slapen. Het is allemaal één grote leugen. Alles.

'Je bent doodmoe, dat straalt van je af,' zei Raimundo. 'Het zou je goed doen twee dagen achtereen te slapen, ik meen het. Maar goed, doe wat je wilt. Ik ga mijn haar wassen, want dat is ontzettend smerig.'

Ik gaf geen antwoord. Zijn voeten verwijderden zich weer uit mijn gezichtsveld. Ik hoorde dat de telefoon ging en dat hij onmiddellijk opnam. Ik keek op en spitste mijn oren. De kamer werd in tweeën gedeeld door een halve muur van boekenplanken en de telefoon staat aan de andere kant, zodat ik Raimundo kon horen zonder dat we elkaars gezicht zagen. Maar te oordelen naar de klank van zijn stem, moest de uitdrukking op het zijne er een van intense vreugde zijn. Hij praatte zachtjes.

'Gegroet, kerel! Wat er aan de hand is...? Met mij? Met mij niets, ik voel me beter in vorm dan ooit... Als een feniks, ja, in een nieuw vel... Echt waar? Kietel mijn lage instincten niet, *honey*... Nou, alleen... Ja, serieus, ik ben alleen. Waarom...? Ah, nu begrijp ik het.'

Zonder geluid te maken stond ik op, pakte mijn tas en de bos seringen en sloop op mijn tenen naar de deur. Ik hoorde hem nog net, nu op meer fluisterende toon, zeggen: 'Ben je thuis...? Ik stond toevallig net onder de douche, er is niets mysterieus aan... Ja, uiteraard, naakt... Hé, hou je mond... Ik bel je over tien minuten... Heus, op mijn woord... Ja, op het woord van een griezel... Wat zeg je?'

Heel stilletjes ging ik weg, de deur zachtjes achter me dicht trekkend, met de langzame en zorgvuldig getimede gebaren van de slinkse dief in een film, en eenmaal buiten die bedreigende ruimte begon ik alsof de duivel me op de hielen zat de trap af te rennen, met verwarde haren en gloeiende wangen.

Ik weet niet wat Raimundo zal hebben gedacht toen hij terugkwam en mij niet vond. Ik weet niet hoe het hem vergaan is en of hij me gebeld heeft of niet, noch aan wie hij in deze nacht met zijn zachte bries de glorieuze litanie van zijn wederopstanding zal wijden. Ik weet niets en wil er ook niet over nadenken.

Het was kwart over zes en een heel mooie avond. Ik liep een hele tijd doelloos over straat, zwalkend en tegen mensen opbotsend, zoals wanneer je uit de achtbaan komt. Toen herinnerde ik me dat we nauwelijks iets hadden gegeten en wel aan één stuk door hadden gerookt en gedronken. Mijn misselijkheid kon daardoor komen. En door slaapgebrek.

Ik ging een café op de plaza del Dos de Mayo binnen, bestelde een koffie aan de bar, maar die was nog niet door mijn keel gegleden of het klamme zweet brak me uit, ik begon te kokhalzen en moest als een haas met een zakdoek voor mijn mond naar de wc rennen.

De seringen had ik op de tapkast laten liggen, en toen ik ze na het overgeven weer rook had ik de illusie dat ik weer een beetje bijkwam. Maar in de spiegel achter de flessen zag ik een lijkbleek gezicht en bovendien voelde ik me zo slap als een vaatdoek, ik kon bijna niet op mijn benen blijven staan. Ik moest denken aan het gedicht van Poe: 'Nooit weer, nooit weer.'

'Zeg, ik ga even aan dat tafeltje zitten,' zei ik tegen de ober.

'Wil je nog een koffie?'

'Nee, een glas water, graag.'

Toen hij het me kwam brengen, leunde ik met mijn hoofd tegen de muur, en met halfgesloten ogen keek ik naar de figuren die zich daar buiten, aan de andere kant van het raam, traag bewogen. Ik probeerde diep adem te halen en me te concentreren op mijn besluit geen scène te maken door te gaan huilen, een wankel besluit, zoals mijn hele gemoedsgesteldheid op dat moment.

De ober zette het glas water op het tafeltje en ging naast me zitten alsof dat de gewoonste zaak van de wereld was. Het was een magere, knappe jongen met afro-haar. Hij droeg een oorbel in zijn linkeroor. Zo nu en dan rook ik nog steeds de seringen.

'Hoe gaat-ie?' vroeg hij me glimlachend. 'Je bent lijkbleek.'

'Het gaat al weer, dank je.'

'Is het een flauwte of zit het in het koppie?'

'Het zal wel allebei zijn. Weet ik veel!'

'En nu neem je een shotje op basis van seringensap?

Maar huil nou maar niet, meid. Kom, neem een slokje water. Je pols is goed.'

Hij had mijn pols gepakt en liet hem niet meer los, zo zaten we een tijdje zonder te praten. Ik vond het helemaal niet erg om te huilen en hem zo dicht bij me te voelen, terwijl hij zich op mijn polsslag concentreerde. Integendeel, ik vond het prettig. De namiddag hing statisch boven het plein.

'Zeg, wat is er met je aan de hand? Zie je het soms niet meer zitten?'

'Hoezo?'

'Ik weet niet, door de manier waarop je huilt, ik ga daarvan uit mijn dak. Heb je *Casablanca* gezien?'

'Ja, maar daarin huilde niemand, voor zover ik me herinner.'

'Nou ja, dat doet er niet toe, hier is ook geen piano; ik moest eraan denken omdat jij net zo binnenkwam als Ingrid Bergman wanneer ze Humphrey zoekt. Of niet? Te gek, zeg. Ik zie je in zwart-wit.'

Het café was bijna leeg, er zaten slechts drie jongens aan de bar, maar die keken niet naar ons. Met mijn vrije hand droogde ik mijn tranen.

'Tino!' riep een van de jongens, 'mag ik nog een baco?'

Tino stond op en gaf me een vriendschappelijk klopje op mijn knie.

'Ik laat je alleen met je eigen gedachten. Maar ga niet zitten piekeren. Wil je echt niet nog een koffie?'

'Echt niet, ik ga trouwens zo.'

'Blijf zo lang je wilt. Rustig nou maar. En luister naar wat ik zeg, ga niet zitten piekeren, want dat is het niet waard.'

'Dank je. Je hebt gelijk.'

Ik koesterde me een tijdje in die deken van onbekende mensen en ging me steeds beter voelen. Ja, het was inderdaad als een scène uit een zwart-witfilm. Zo nu en dan keek Tino even naar me vanachter de bar en dan lachte ik naar hem. Toen ik opstond om te betalen, wilde hij geen geld aannemen, hij zei dat bij hen overgeven gratis was. Ik trok een tak seringen uit de bos en overhandigde hem die. Hij keek me strak aan terwijl hij hem aanpakte, en zonder zijn blik van me af te wenden boog hij zich over de tapkast naar me toe.

'Hé, was jij niet zoiets van een week geleden op de tv om te praten over de drugscene?'

De anderen hadden het gehoord en keken nu ook naar me.

'Op de tv? Ik niet. Dat moet iemand anders geweest zijn.'

'Ze leek anders heel erg op jou,' zei er een, die een spijkerjack met een tijger achterop droeg.

'Zij is veel mooier,' zei Tino. 'Een wereldwijf. Je bent een ongelooflijk stuk!'

'En dan die seringen, die doen het helemaal,' zei de jongen met de tijger.

Gesterkt nam ik afscheid, met de belofte binnenkort terug te komen. Wat is het soms toch heerlijk 's middags in een Madrileens café!

Toen ik buiten kwam en de calle de Ruiz insloeg zei ik bij mezelf, terwijl ik mijn gewone wandeltempo weer aannam, dat noch Raimundo noch iemand anders het waard is om knettergek van te worden, dat ieder zijn eigen verantwoordelijkheid moet dragen, dat hij meer verliest dan ik en dat hij het recht niet heeft om mij zo te laten lijden. En precies op dat moment diende zich in mijn verbeelding, als in een wolkje in een stripverhaal, het huis van mijn vriendin Silvia in Puerto Real aan. Bij de glorieta de Bilbao gekomen, nam ik een taxi. De wijk nemen, ervandoor gaan, wat een heerlijkheid! Met mijn leed naar de Lijdensweg.

En daar ben ik nu op weg naar toe, richting Lijdensweg. We zullen wel zien wat er gebeurt.

Maar luister, in één ding had Raimundo gelijk, ook al deed het nog zoveel pijn het hem te horen zeggen, want dat heeft me nog het meest pijn gedaan. Het werd tijd dat het tot me doordrong en dat iemand me op mijn plaats zette. Ik heb harder een psychiater nodig dan al mijn patiënten bij elkaar. Neem dat maar van mij aan, mijn lieve Per Abat. Gelukkig ben jij verschenen, zodat ik me kan voorstellen dat je naar me luistert.

Het is drie uur en ik begin slaap te krijgen. Ik ga het licht uitdoen en me verkneukelen in het idee dat jij in de couchette boven me gaat slapen. Ik heb het zeer naar mijn zin.

Goedenacht, waar je ook bent.

Ik zal je weer schrijven vanuit Puerto Real.

Veel liefs,

Mariana

5 *Octopussen in een garage*

Sinds ik ben gaan schrijven heeft mijn leven een Copernicaanse wending genomen. Ik dacht eerst dat ik het alleen zelf merkte, maar kennelijk straalt het van mijn gezicht af.

'Er is iets met u aan de hand, ontken het maar niet,' zei Consuelo vanmorgen bij wijze van groet tegen me toen ik pas gedoucht de keuken binnenkwam om een kop koffie te maken.

Al twee dagen komt zij, omdat haar moeder last van spit heeft. Consuelo zegt dat ze 'een klap van de heks' te pakken heeft, dat ze de hele dag ruzie zoekt en niet te genieten is, vooral 's ochtends niet.

'Daarom ben ik 'm vanmorgen eerder gesmeerd, want u moest eens weten hoe onuitstaanbaar ze is, met een kungfu-gezicht van heb ik jou daar, alsof ik de schuld ben van haar kwalen, kortom, ze is wat je noemt totaal opgefokt.'

'En ik ben ook totaal opgefokt? Bedoel je dat?' onderbrak ik haar terwijl ik de bus met koffie zocht, die ik nergens zag staan.

'Kom nou! Uw gedoe heeft daar niks mee te maken. Blijkbaar druk ik me slecht uit of snapt u het niet. Als u de koffie zoekt, die heb ik in de pantry zien staan, op een kruk, ik zal hem zo halen. Wat ziet de keuken eruit, allemachtig. Het lijkt hier wel de schuil. Je weet gewoon niet waar je moet beginnen.'

'Begin met te proberen je beter uit te drukken, misschien snap ik je dan. Wat is mijn gedoe?'

'Dat zult u zelf het beste weten. Ik ga me niet met uw leven bemoeien. Maar u ziet er zelfbewuster uit dan een paar dagen geleden, ik weet niet, alsof de rest u gestolen kan worden. Toen ik u net zingend door de gang hoorde aankomen, dacht ik bij mezelf: Dat zal Amelia zijn, want zeg nou zelf, op dit uur van de dag met *Yellow Submarine* komen binnenvallen, dat moet u toch eens uitleggen. Het was toch *Yellow Submarine*? U zingt het trouwens hartstikke mooi, en dan met die speciale uitspraak van u, "jéllo supmerien", prachtig gewoon.'

'Je denkt toch niet dat jij de enige bent die kan zingen.'

'God bewaar me, ik kan er geen fluit van en ben geen steek beter dan een ander, integendeel. Als ik er dat Engelse accent aan zou kunnen geven zou ik wereldberoemd zijn, tjé, ik ben niet zomaar een beetje jaloers. Dat zei ik gisteren nog tegen Encarna en tegen een vriend van haar die ook in de schuil was, Engels is nog het gaafst. Onwijs gaaf. En als je bedenkt hoe u uw best hebt gedaan het mij te leren, maar toen ik jong was was ik nu eenmaal een enorme stomkop, vandaar, ziet u, daarin geef ik mijn moeder helemaal gelijk. Maar met de jaren word je wijzer, hoe moet ik het zeggen, dan snap je dat je bij moet blijven. U zou eens wat teksten van Beatles-liedjes voor me moeten opschrijven. Het is een kwestie van geduld hebben, hè?'

'Jazeker, meisje, het is allemaal een kwestie van geduld hebben.'

'Laat maar, ik zal wel koffie voor u zetten.'

De keuken was inderdaad een puinhoop. Toen

Eduardo en ik gisternacht thuiskwamen, lag er in de hal een briefje van Amelia waarop stond dat ze Soledad mee naar huis had genomen en dat ze alletwee in haar kamer sliepen, en of we hen niet vóór de lunch wilden wekken want ze zouden pas laat gaan slapen. Wij kwamen om halfvier thuis en toen ze de sleutel in het slot hoorden deden ze snel het licht uit. Eduardo merkte het niet en ik zei er niets over. Maar algauw zagen we sporen van wanorde, want we waren allebei rechtstreeks naar de ijskast gelopen om water te pakken. Blijkbaar hadden ze met nog een paar mensen in de keuken zitten eten, en ze hadden niet de moeite genomen op te ruimen of de asbakken leeg te gooien. In het geval van Amelia, die volgens haar zus hard op weg is een ouwe vrijster te worden, leek het me een goed teken. Ik ken haar en weet dat ze zich alleen ontspant als ze het echt naar haar zin heeft, en ik vond het een verheugende gedachte dat ze misschien de stap had genomen om haar vriendje mee te nemen. Bovendien heb ik in principe geen hekel aan rommel. Dat zijn sporen van leven. Maar Eduardo trok een vies gezicht, en die rotzooi was voor hem aanleiding om weer eens terug te komen op zijn huidige allesoverheersende obsessie: dat dit huis niet aan de eisen voldoet. 'Welke eisen?' vraag ik dan, 'terwijl je er amper bent!' Enfin, steeds hetzelfde liedje. In de auto had hij er ook al over zitten zeuren, en ik had daar maar met een stalen gezicht gezeten, want door hem tegen te spreken wordt het alleen maar erger. Achter dit soort opmerkingen schuilt altijd de min of meer bedekte toespeling dat ìk niet aan de eisen van huisvrouw voldoe. Dat is een punt dat al heel lang speelt en dat zich heeft toegespitst omdat ik niet bereid ben het soort party's en feesten dat zijn huidige vrienden geven te organiseren. Ik weiger me aan te passen, de rol te spelen van echtgenote van standing, die haar verveling achter een glimlach verbergt, in onbenullige gesprekken het hoogste woord voert, met dienblaadjes rondgaat en vindt dat haar gezwoeg voldoende beloond wordt met het geijkte zinnetje 'Je was geweldig, schat', dat haar man tegen haar zegt wanneer de gasten, van wie niemand zich ook maar een greintje heeft vermaakt, vertrekken. Gelukkig heeft hij de hoop inmiddels opgegeven; dat heb ik in ieder geval bereikt, wat niet niks is. En dat alleen maar door een passieve houding.

'Toen ik er aankwam ging meneer net naar buiten,' zei Consuelo. 'Hij had een pesthumeur. Maar misschien kwam dat doordat hij iets tegen mij heeft.'

'Nee, joh. Hij werkt gewoon hard.'

'Jeetje, maar dan verdient hij vast ook veel poen. Geen rozen zonder doornen, zeg ik altijd maar. Maar hij ziet er heel modern uit tegenwoordig. Hij heeft wel iets weg van Mario Conde.'

Daarna vroeg ze of we gisteravond een feestje hadden gehad.

'Ja, maar niet hier, bij iemand anders. In een heel blits huis. Herinner je je die lange meneer die onze badkamer heeft opgeknapt? Daar dus.'

'Die van het Escorial? Reken maar dat ik me die herinner. Dat was een stuk, vindt u ook niet?'

'Nou nee, maar smaken verschillen.'

De ijskast was leeggeplunderd. Ik dronk mijn koffie op en gaf Consuelo geld, zodat ze een heleboel boodschappen kon doen en een lekkere stoofschotel voor de meisjes kon klaarmaken, die vast zouden blijven lunchen.

'Wat krijgen we nu? Gaat u ervandoor?'

'Jazeker, meisje, ik ga ervandoor. Het is 1 mei en ik ga weg om deze dag op mijn eigen manier te vieren.'

'Is het uw trouwdag?'

'Van mijn huwelijk met mei. Heb je gezien wat voor weer het is? Hier ben ik teveel, maar mei ziet me te weinig.'

Consuelo keek me met grote ogen aan.

'Wat knap! Mei ziet me te weinig. Hebt u dat bedacht?'

'Ja, zo zie je maar.'

'Goh, dat is een te gekke titel voor een liedje, een titel die het helemaal zou maken, ik meen het. Waarom schrijft u er geen liedje bij?'

'Wie weet doe ik dat nog wel eens. Het hangt ervan af uit welke hoek de wind waait. Ik vertrouw alleen nog maar op de wind.'

'Wat zei ik...! Ziet u wel dat het u allemaal gestolen kan worden? En u weet niet half hoe u daarvan opknapt. U ziet er zelfs knapper uit. Maar u hebt een geheim. U zit ergens op te broeden.'

'Ja, dat klopt, ik zit ergens op te broeden.'

Ik ging Amelia's kamer binnen om een briefje achter te laten. Soledad lag op de slaapbank met het speelgoedbeertje in haar armen, zoals toen ze klein waren. Het rook er behoorlijk naar sigaretten en ze hadden de rolgordijnen niet neergelaten. Het fotoalbum lag opengeslagen op het kleed. Ik bukte me om het dicht te doen en vanuit een straat in Brighton lachten de twee meisjes, allebei in minirok, me toe. Die foto had ik gemaakt toen ik ze aan het eind van die bijzondere zomer ging ophalen, de eerste keer in jaren dat ik alleen op reis was, toen Guillermo plotseling weer voor me had gestaan, net zo onverwacht als Mariana een paar dagen geleden, als 'de haas in het open veld'. Ik zou een opstel moeten maken over mijn reis naar Brighton, de titel zou kunnen zijn: 'Weerzien met Guillermo op Victoria Station', ach, ik heb inmiddels al ik weet niet hoeveel onderwerpen genoteerd om mijn huiswerk te kunnen voortzetten, mijn hoofd loopt er van over.

Geen van tweeën werd wakker, hoewel Amelia met een gelukzalig gezicht begon te kreunen toen ik me voorover boog om haar een kus op haar voorhoofd te geven. Daarna liet ik heel zachtjes de rolgordijnen neer. Op het briefje schreef ik: 'Het is alsof de muzen me het hof maken. Ik ga naar het Ateneo want thuis word ik afgeleid. Als jullie me ergens voor nodig hebben of langs willen komen, het telefoonnummer is 4194939. Consuelo zal een lekkere maaltijd voor jullie klaarzetten. Ik bel jullie om één uur. Jullie kunnen het Escorial gebruiken. Kusjes, Groot Opperhoofd.'

Het is nu vier uur 's middags, ik zit in de bibliotheek van het Ateneo en daarnet kwam een van de conciërges, die me al heel lang kent, naar boven om me te zeggen dat er telefoon voor me was. Het was Amelia. Haar stem klonk heel lief en geruststellend. Alles in orde. Weggaan is de beste manier om niet langer onmisbaar te zijn. Het eten geweldig. Niemand gebeld. Ze hadden enorm gelachen met Consuelo. En hoe was het met mij? Schoot ik op? Amelia vertrekt morgen weer met een transatlantische vlucht en ze wil me vanavond uitnodigen voor een film met Mastroianni. Soledad gaat ook mee, want die wil me graag zien. Ik heb om tien uur met hen bij de ingang van de bioscoop afgesproken. Ik heb er enorm veel zin in, maar meer nog

in de zes uur die me resten. Nog zes uur voor mezelf. Het was duidelijk dat mei me te weinig zag.

Ik zit aan lessenaar 22, dezelfde als waar ik in mijn studententijd meestal aan zat, en heb een poosje naar de enigszins vuile ruiten die het plafond van deze zaal vormen zitten kijken, met de ietwat verwonderde glimlach van iemand die probeert allerlei periodes uit zijn leven tegelijk op te roepen, terwijl niet bekend is wanneer ze begonnen en wanneer ze geëindigd zijn. Ik heb het altijd prettig gevonden om in openbare bibliotheken te lezen en te schrijven, en nog steeds zoek ik soms 's middags mijn toevlucht in dit oude gebouw waarvan ik zo veel houd, ofschoon ik niemand van de mensen die hier komen meer ken. Ik heb even een broodje gegeten in de kantine en voel me vrij en gelukkig nu ik mijn huiswerk weer kan oppakken. Ik begin het serieus te nemen.

Ik was gebleven bij Cayetano Trueba. Maar aangezien Mariana me nog niet geschreven heeft en ik evenmin iets van haar heb gehoord, heb ik vanochtend bij het wakker worden besloten deze laatste portie huiswerk in voorbereiding in mijn schrift te schrijven, voordat ik de losse blaadjes met de ruwe versie kwijtraak.

De tijd is ongemerkt voorbijgegaan, want het plezier dat het verschaft je aantekeningen op je gemak en in een zo duidelijk mogelijk handschrift in het net te schrijven, terwijl je probeert te begrijpen wat er staat, maakt tevens dat je ze gaat corrigeren en verfraaien met allerlei anekdotes, die alleen nog maar in klad bestonden, zoals bijvoorbeeld dat verhaal over Cayetano Trueba. En als ik hem in deze tweede versie in mijn nieuwe schrift zo veel aandacht heb gegeven, is dat met de bedoeling Mariana wanneer ze het leest aan het lachen te maken. Ik moest er zelf om lachen, want C.T. was werkelijk een heel grappig personage, al zal hij niet meer ten tonele verschijnen. Mariana was altijd dol op de bijrollen in Amerikaanse films. Die kon ze zich het best herinneren wanneer we het na afloop over de film hadden.

Ineens krijg ik zin om gewoon van alles en nog wat op te schrijven, zoals zij me laatst op die cocktailparty aanraadde, zoals ze ook altijd tegen me zei toen we klein waren en me vroeg haar verhalen te vertellen, toe, ga verder, het maakt niet uit waarover. Nu gaat het erom dit nieuwe schrift vol te schrijven om het haar op de dag dat ik haar weer zie cadeau te kunnen geven. 'Kijk, ik heb als cadeau een schrift met huiswerk voor je meegenomen. Ben je er blij mee?' Ik weet niet welke dag dat zal zijn of waar we ons zullen bevinden of hoe ze zal kijken. Ik hoef me alleen maar voor te stellen dat het gebeurt. Dat is voor mij voldoende motivatie. Ik hoef alleen maar zeker te weten dat ik haar weer zal zien. Vóór de expositie van Gregorio Termes was de gedachte Mariana ooit weer te zien een abstracte hoop, als een verwelkte bloem die zijn geur heeft verloren. Nu niet meer. Nu beleef ik het wachten heel rustig, gesust door het zachte geluid van de vulpen die over de gesatineerde pagina's glijdt. Het wachten beleven. Dat was de heersende retoriek in onze jeugd. De fundering voor een verlangen leggen en dat dan voeden opdat het blijft bestaan. Het leek alsof het geluk ons door de vingers glipte zodra we het aanraakten. Er zijn maar weinig dingen waarnaar ik zo sterk heb verlangd als op dit moment naar een weerzien met Mariana, waar dan ook, wanneer dan ook (ik weet dat het zal gebeuren), om tegen haar te kunnen zeggen: 'Kijk, ik heb als cadeau dit schrift voor je meegenomen'; en daarom geniet ik er zo van het langzaam en in mijn netste handschrift vol te schrijven. Want dan is het alsof ik terwijl ik dit schrijf ook al bij haar ben, een voorproefje van het geluk, dat de tijd van het wachten bezweert. En het schrijven zelf geeft ook voldoening, een vreemd genoegen dat voortkomt uit het ouderwetse ervan, want wie wijdt er nog met zoveel zorg een schrift in? Zelfs kinderen niet. Midden in dit tijdperk van computers en beeldschermen voel je je tegen de stroom in roeien, alsof je tot het uitstervende soort van ambachtslieden behoort. En gefilterd door de ruiten van het bovenlicht meen ik behalve het licht van begin mei ook de ziel van de niet-aanwezige Ateneobezoekers uit de negentiende eeuw te zien, van wie enkele gezichten mij vanaf de portrettengalerij gadeslaan als ik de trap oploop. Ooit namen zij ook plaats in deze bibliotheek om het wachten te beleven, terwijl ze ondertussen aantekeningen in hun schriften maakten.

Het mijne is van folioformaat, met een spiraal, lijntjes en een zwarte kaft. Vrij duur, omdat het papier van goede kwaliteit is. Ik heb het voordat ik hiernaar toe ging bij Muñagorri gekocht, samen met een pot inkt, lijm en een map met roze linten. Het is lang geleden dat ik in een kantoorboekhandel ben geweest. Op de eerste bladzijde heb ik de collage van de witte haas geplakt, hoewel hij nog niet helemaal af is. Ik heb er al wel de driehoekige stukjes spiegel op geplakt die ik uit het zilverpapier van het pakje Winston had geknipt.

En over gebroken spiegels gesproken, ik moet het nogmaals over Gregorio Termes hebben, want we zijn gisteravond bij hem thuis geweest. Hij gaf een informeel diner om zijn expositie te vieren, die naar het schijnt een grandioos succes is geweest. In nog geen week was hij van al die doeken met kledders gebakken ei erop verlost, en dat terwijl ze geprijsd zijn vanàf vijfentwintig mille. Of misschien heeft hij ze juist daarom wel kunnen verkopen. Van goedkoop moet men tegenwoordig niets hebben, alles wat goedkoop is wordt uit principe gewantrouwd, dat is algemeen bekend. Maar gisteren kreeg ik bovendien de indruk dat het in bepaalde kringen zelfs enigszins aanstootgevend is om het te hebben over personen, instellingen of organisaties die niet veel geld hebben, en met geld hebben bedoelen ze bakken met geld, er wordt gegoocheld met getallen waar een normaal mens met zijn hoofd niet meer bij kan, wat een overdreven gedoe. En de rekeneenheid is een ton.

Gregorio Termes woont in een gigantische villa met zwembad, die hij onlangs in Puerta de Hierro heeft laten bouwen; en uit de opmerkingen van sommige aanwezigen op het feest (dat ook werd gegeven om dat postmoderne Escorial in te wijden), kwam ik te weten dat alle voorwerpen, meubels en huisraad voor de inrichting en het huishouden van exclusief ontwerp zijn, *first class*, en dat het lijkbleke blondje met haar onvriendelijke gezicht en harembroek van gevlamde zijde ook deel uitmaakt van de inboedel. Eerst dacht ik dat ze een dochter van de gastheer was, want ze was de enige die, ook al was het met afstandsbediening, dat verwarde Babel leek te kunnen besturen. Maar nee. Zijn kinderen en zijn brave echtgenote heeft Gregorio blijkbaar in zijn huis in Argüelles gestald, waar ze woonden voordat hij zo modern werd. In de loop van de avond kwam ik dit en nog veel meer dingen te weten, je hoeft alleen maar naar de gesprekken van de anderen te luisteren en een gezicht te trekken alsof je overal van op de hoogte bent. De vrouw van Gregorio is de dochter van een zakenman, ze is vijf jaar ouder dan hij en er wordt over haar gesproken als 'die arme Fefa'. Ze zijn uit elkaar gegaan toen hij uit New York terugkwam, waar hij een jaar had vertoefd om min of meer op kosten van zijn schoonvader zijn kennis uit te breiden. De feiten combinerend denk ik dat Eduardo hem in die tijd moet hebben leren kennen, toen men over toetreding tot die gezegende Europese Gemeenschap begon te praten. De datum waarop het blondje in de harembroek op het toneel is verschenen is onbekend, maar ik neem aan dat het iets recents is, want ze ziet er niet ouder uit dan negentien, hoezeer ze ook haar best doet op Marlene Dietrich en andere vamps van de klassieke film te lijken. Ze heet Aglae en is een veelbelovend mode-ontwerpster. Wat ik niet weet is of ze vast in de villa woont of op basis van halfpension. Het is alsof er tussen haar en alles om haar heen een dikke wand van gekleurd glas staat.

Ze keek enigszins geschokt toen ik haar om talkpoeder vroeg voor een mayonaisevlek die op mijn rok was gekomen. Toen begon ze te lachen, een lach die verschillende geluiddempers was gepasseerd en een mix van speciale effecten had ondergaan.

'Talkpoeder? *Are you kidding? There are no babies here, oh, thanks.*'

Consuelo heeft gelijk. Engels is onwijs gaaf. Maar ik had al een paar glazen op en luchtte mijn hart liever in de taal van mijn ouders, die beheers ik beter.

'Luister, liefje, ook al zijn er geen kleine kinderen,

een huis zonder talkpoeder, bicarbonaat en een houten ei heeft slechte fundamenten.'

Een dame in een vestje met glittertjes, die al een poosje om me heen draaide, barstte in een schel gelach uit, zo luid dat enkele hoofden zich omdraaiden; maar Aglae vond het helemaal niet leuk, ze zei dat stomerijen er toch niet voor niets waren en liep met een wezenloze blik naar het buffet. In de verte stuitte ik op de ernstige ogen van Eduardo en ik zwaaide naar hem als in een Amerikaanse comedy: 'Ik kom zo bij u, mister Frivoly!'

'Met wie praat je nu?' vroeg de dame met het glittervestje, die duidelijk een beetje teut was.

'Met William Powell.'

Eduardo beantwoordde mijn gezwaai met dezelfde gespannen glimlach als toen we in de auto hiernaar toe reden. Het is duidelijk dat mijn nieuwe houding hem verwart. Hij stond te praten met een tamelijk knap roodharig meisje, dat me op de dag van de cocktailparty ook al was opgevallen, omdat ze een tv-programma presenteert. Alletwee hadden ze een bord met eten in hun hand. Ze verwijderden zich uit de omgeving van het buffet en schoven in de richting van de terrasdeur.

Het buffet, met zijn overhangende laken en zijn uitgestalde spijzen in technicolor, sommige koud, andere warm, stond aan de linkerkant van de immense living opgesteld. Het was er een drukte van belang, een soort drenkplaats waar men naar toe ging om euforie bij te tanken. Om ongeveer middernacht stonden de mensen er ongegeneerd te dringen. Ik vroeg de dame met het glittervestje of het haar niet deed denken aan de metro tijdens het spitsuur en ze begon hard te lachen –

ze lachte om bijna alles – maar bekende dat ze sinds de moord op Carrero Blanco geen voet meer in de metro had gezet, want dat zijn dingen die in je hoofd blijven hangen, ze had het in de calle Velázquez gehoord en sindsdien vindt ze het doodeng om over straat te lopen. Al meer dan vijftien jaar. Nu durft ze niet meer ondergronds of bovengronds of waar dan ook, het is een ramp! Ze droeg haar haar in een ingewikkelde wrong van vlechten en had een ietwat hinderlijke tic die maakte dat ze voortdurend met haar ogen knipperde. Maar ze was beslist niet lelijk. Ik schatte haar een jaar of vijftig. Het was duidelijk dat ze zich daar niet erg gelukkig voelde en om een praatje verlegen zat.

'En er moeten nog meer mensen komen,' merkte ze op. 'Sommigen komen pas na het theater of na een andere afspraak. Het uitgaansleven van Madrid, één grote mensenmassa, je kent het wel op vrijdagavond.'

Uiteraard bleven er gasten binnenkomen. En telkens als ik die Aglae met jassen naar de achterkamers zag lopen, wierp ik een onderzoekende blik op het groepje nieuwkomers. Zou Mariana komen? Tenslotte kent zij een heleboel van deze mensen, het waren de figuranten van een paar dagen geleden, de stukjes spiegel ter versiering om de grote witte haas heen.

Maar een wonder voltrekt zich zelden twee keer achter elkaar. Wie op jacht gaat zal de haas nooit in het open veld zien slapen, natuurlijk niet, hoe had ik dat kunnen vergeten, nadat ik daar zo op gehamerd had? Ik schrok op toen de dame met het glittervestje me vroeg waarom ik toch zo vaak naar de deur keek, of ik misschien iemand verwachtte. Ik antwoordde haar vol overtuiging van niet en hield op met naar de deur spieden, dat wil zeggen met op Mariana wachten. In plaats daarvan zou ik meer om me heen kijken zodat ik haar grappige opstellen over de figuranten kon schrijven. Dat was het moment waarop ik besloot met een schrift in het net te beginnen. Hoe schokkender hetgeen waar je naar kijkt, hoe beter. Oké, maar dat schilderij dan? Dat was bijna net zo groot als *Las Meninas* van Velázquez, wat een hoeveelheid verspilde gebakken eieren!

'Je bent een rare,' zei de dame met de glittertjes tegen me. 'Waar lach je nu weer om?'

'Ik was naar dat grote schilderij aan het kijken, en daardoor moest ik aan andere dingen denken, aan wat iets maken is en wat niets maken is. Dus in plaats van te zeggen: "Ik voel me als een octopus in een garage; wat heb ik hier te maken?" ga je aandachtiger kijken en dan heb je er al meer te maken dan wie ook.'

'Meid, wat een woordspeling! En vind je dat schilderij mooi? Ik helemaal niet, moet ik je zeggen. Het is van Gregorio.'

'Ja, daar hoef je geen adelaarsoog voor te hebben.'

Ze legde haar hand op mijn schouder en haar lach werd vertrouwelijk.

'Al zijn schilderijen zijn hetzelfde. Maar als je op de titels afgaat, raak je het spoor bijster en denk je: het komt zeker doordat ìk er niets van begrijp. Weet je hoe dit hier heet...? *Geometrische transformatie met orgasme*, echt waar, dat heeft hij me daarnet verteld, en ook dat het zijn beste schilderij is, dat hij het nog voor geen ton zou verkopen. Trouwens, waar ken jij Gregorio van?'

'Hij heeft mijn badkamer verbouwd. Mijn kinderen noemen hem het Escorial. De badkamer, bedoel ik. Maar nu ik erover nadenk, hij zou ook "Geometrische transformatie zonder orgasme" kunnen heten.'

Die dame kwam niet meer bij van het lachen, en ik begon ook in een goed humeur te raken. Er kwam een bediende met glazen langs en we namen alletwee champagne.

'Zeg,' zei ze, 'als je toch op niemand wacht, ik ben hier alleen... Ik heet Daniela. En jij?'

'Sofia.'

'Ik ben een beetje teut. Ik vind je erg mooi, waarom maak je je niet op?'

'Dat doe ik nooit.'

'Sinds Fernando bij me is weggegaan, verf ik mezelf op als een oude koets. Maar aan het eind van de avond begin ik altijd te huilen en dan loopt mijn mascara uit. Waarop zullen we drinken? Bedenk jij maar iets, je lijkt me behoorlijk bijdehand.'

'Op de figuranten, vind je dat wat?'

'Op de figuranten, precies! Een slok lest de dorst!' riep Daniela uit terwijl ze haar glas hief.

Ze dronk het in één teug leeg. Daarna verergerde de tic van haar ogen, ze zei dat het leven afschuwelijk was en ze begon een beetje vervelend te worden.

Nog steeds liepen er mensen met een bord eten in hun hand rond. Plotseling vond ik de kamer op een enorme hangar lijken, en ik herinnerde me dat ik Lorenzo had horen zeggen dat dat de laatste modegril in New York is. De avant-garde-architecten hebben zich toegelegd op het verbouwen van halfingestorte magazijnen en pakhuizen in Soho, en het is helemaal in om overal heel veel ruimte open te laten, met hier en daar een pilaar, een kale inrichting zodat het is alsof je in een garage woont. Als een octopus in een garage, zou ik zeggen. Ik bedacht dat dat een leuk idee voor een collage kon zijn. De garage van Gregorio Termes vol kleurrijke octopusjes, met twee grotere die de zijkanten flankeren, een in zilver met mijn gezicht en een in goud met Eduardo's gezicht. Onze gezichten zou ik uit pasfoto's knippen. Het zou prachtig kunnen worden. *Octopussen in een garage*. De champagne begon naar mijn hoofd te stijgen en vanuit de verte wierp octopus-Eduardo nog steeds af en toe een geïntrigeerde blik op me, alsof hij me in de gaten wilde houden. Maar hij kwam niet naar me toe. Dat durft hij niet.

In de auto was hij al gereserveerd geweest, zwijgzaam, zo nu en dan vanuit zijn ooghoeken naar me kijkend, want sinds een paar dagen heeft hij hetzelfde als Consuelo, hij begrijpt niet waarop ik zit te broeden. Het had hem bevreemd dat ik, zelfs met een zeker blijk van enthousiasme, meteen had ingestemd met zijn voorstel om met hem mee te gaan om de villa van Gregorio Termes te bezichtigen. En dat begrijp ik best. Een paar maanden geleden was het ondenkbaar geweest dat iemand me op zo'n festijn zou tegenkomen. Ik zou een smoes hebben verzonnen en hij zou niet hebben aangedrongen, dat weet ik zeker. Mijn depressie, die ten gevolge van de verbouwing van de badkamer erger is geworden – maar waaraan ik, in de vorm van een algehele lusteloosheid, al lang daarvoor leed – moet hij de laatste tijd als voorwendsel hebben aangegrepen om over mij te praten als over 'die arme Sofia', daarmee zinspelend op mijn kritische leeftijd en mijn onvermogen me aan mijn omgeving aan te passen. Ik weet het niet, als ik samen met hem word uitgenodigd is dat altijd uit beleefdheid, iedereen denkt vast dat we half uit elkaar zijn. En ook al heb ik zelf, puur door een apathische houding, inderdaad aanleiding gegeven tot die interpretatie van de feiten, meende ik gisteravond te begrijpen dat Eduardo die onder zijn nieuwe contacten aanmoedigt. Mij werd niets gevraagd, maar er werd wel behoorlijk vaak naar me gekeken. De arme Fefa's en de arme Daniela's zijn per slot van rekening bepaald geen uitzonderingen, en omdat mensen aan elkaar voorstellen niet gebruikelijk is, moet iedereen het zelf maar uitzoeken; als je je niet op je gemak voelt, is dat vast vooral aan je eigen karakter te wijten. Dat had ik al gemerkt op de cocktailparty, die ook zo massaal was. Maar daar was natuurlijk Mariana verschenen, en wie let er dan op details, realiseer ik me nu. Het begint allemaal te bezinken. Gisteravond was ik, om in het taaltje van Consuelo te spreken, vastbesloten het helemaal te maken.

Het eten, zo vertelde Daniela me, was besteld bij een zeer gerenommeerd restaurant, dat het thuis aflevert, inclusief twee obers, één om het buffet te verzorgen en één om drankjes rond te brengen.

'En na afloop ruimen ze zelf alles op, hoe laat het ook is. Wat moet dat niet gekost hebben, stel je voor, een fortuin. Minstens dertig mille... wat zeg ik?... meer nog. En Fefa maar thuis zitten huilen, alsof ze kan zien wat hier gebeurt. Zodra ze hun brave echtgenote hebben verlaten, gaan ze uit hun bol. En hij maakt het wel heel erg bont.'

Het adjectief informeel dat voor dit soort eetpartijen wordt gebruikt verwijst dus niet naar improvisatie of naar het feit dat er op de kosten is gelet. Als het al ergens naar verwijst, verwijst het volgens mij naar ongemak. Alles wat we kregen was overheerlijk, en zowel het bestek met matglazen handvatten als het achthoekige servies van zwart porselein dat op het buffet stond opgestapeld, is ongetwijfeld van exclusief ontwerp. Maar het vervelende is dat je, wanneer het je gelukt is tussen al die porrende ellebogen door je bord te vullen, niet weet of je dat alles zittend of staand tot je zult nemen. Het informele zit hem in dat gedwaal door de garage, samen met andere octopussen die door hetzelfde dilemma worden gekweld, heimelijk op zoek naar een nog enigszins prettig plekje.

De stoelen in het huis van Gregorio Termes, in een kleurengamma van lila tot appelgroen, staan allemaal een flink stuk uit elkaar en zijn heel laag, het zijn van die stoelen waaruit je als je eenmaal bent gaan zitten onmogelijk nog kunt opstaan. En behalve dat de tafels – er staan er een heleboel, hoewel er makkelijk nog een stuk of tien bij zouden kunnen – eveneens heel laag zijn en op hun beurt ver van de stoelen staan, kun je er niets opzetten vanwege de enorme hoeveelheid tijdschriften, verzamelingen doosjes, fotolijstjes en logge abstracte beelden. De ober loopt rond om lege glazen op te halen en volle aan te bieden, maar het probleem om je bord en glas kwijt te raken lost niemand voor je op. Het gevolg is natuurlijk dat veel mensen op hun kleren morsen. Dat is logisch.

Ik kreeg zin om te vragen waar de telefoon was en dan Encarna in de schuil te bellen, alleen maar om tegen haar te zeggen: 'Zeg, weet je dat ik in een huis ben met van die tafeltjes waarop je geen boek, glas, asbak of zelfs maar een trieste elleboog, zoals jij dat zegt, kunt zetten,' en om haar dan te horen lachen. Want ik had behoefte aan de hartverwarmende lach van een gelijkgestemde. Maar toen bedacht ik dat ik haar voor hetzelfde geld in een 'depri' bui zou kunnen treffen, of dat ik haar, wat nog het meest waarschijnlijk was omdat het nu eenmaal vrijdagavond was, helemaal niet thuis zou treffen, 'depri noch contra noch zonder op achter', wat ook een van onze surrealistische struikelrijmpjes is. Van alle dingen in het leven die iemand uiteindelijk misschien in zijn eentje zal doen, is lachen het moeilijkste. Robinson wordt in ieder geval altijd met een ernstig gezicht afgebeeld, totdat Vrijdag kwam. 'Goed,' zei ik tegen mezelf terwijl ik nog een glas nam, 'vandaag heb ik een robinsonvrijdag.' Maar toch lukte het me niet te lachen.

Tegen enen ging ik naar het terras, op de vlucht voor Daniela, die inmiddels groggy was. Ze had me tot in de kleinste details verslag gedaan van de streken die ze van haar ex-man had moeten verdragen, al had ze bij hoog en bij laag gezworen dat dat haar geen biet kon schelen. Maar zonder hem voelde ze zich onzeker en amuseerde ze zich nergens. Ik vroeg haar of ze zich vroeger wel had geamuseerd en toen zei ze dat dat evenmin het geval was geweest, maar dat ze stug had doorgezet en dat geluk betaald met tranen meer waard was. Ze zong de woorden, op de melodie van een bolero, en het klonk behoorlijk vals omdat haar stem verstikt werd door tranen. Ik had de vergissing begaan om met haar op een van die ontzettend lage sofa's te gaan zitten en wist niet hoe ik weer overeind moest komen. Dat was op zich al een probleem, maar bovendien was mijn voornemen ook nog eens moeilijk uitvoerbaar omdat Daniela haar hoofd op het puntje van mijn schouder had gelegd. Zoals ze zelf al had voorspeld begon haar mascara zwarte sporen op haar wangen achter te laten, ze knipperde voortdurend neurotisch met haar ogen en haar wrong was half losgeraakt.

Ze bleef maar zeggen dat ik heel aardig en heel knap was en dat we elkaar vaker moesten zien.

'Zeg, ben jij ook bij dokter León onder behandeling?' vroeg ze me plotseling.

'Ik niet, nee. Hoezo?'

'Omdat je laatst zo lang met haar stond te praten.'

'We hebben bij elkaar op school gezeten.'

Ze begon een verhaal vol tegenstrijdigheden over Mariana. Ze had haar nodig en kon niet zonder haar, maar ze was onuitstaanbaar. Altijd even onaangedaan, stond altijd overal boven, zo koud als een ijsberg, wist niet wat hartstocht was, en Fefa had hetzelfde, Fefa vond dat ook.

Het was alsof ik een messteek in mijn buik voelde bij de plotselinge herinnering aan haar reactie toen ik verliefd was geworden op Guillermo. Ik dacht dat ik die zo oude wonden inmiddels goed bedekt had. En het hele bouwwerk van mijn leven begon te wankelen. Daniela ging verder met haar onsamenhangende betoog en streelde met haar ene hand mijn rug, terwijl ze met de andere slapjes een bord met etensresten boven haar schoot hield. Ze praatte over haat-liefdeverhoudingen en over haar huwelijksreis. Ik besloot niet meer te drinken en een luchtje te gaan scheppen op het terras.

'Laat me alsjeblieft even los, Daniela. En geef me je bord, dan breng ik het voor je naar het buffet. Je maakt jezelf helemaal vies,' zei ik vastberaden.

En toen ik opstond merkte ik dat mijn benen stijf waren en dat mijn hoofd tolde. Maar ook dat het was alsof ik uit een put klom. Daniela zat met haar hoofd tegen de rugleuning van de bank te huilen.

'Het spijt me, Sofia, maar kom alsjeblieft terug.

Laat me niet alleen,' zei ze met gesloten ogen. 'Er is niemand meer die van me houdt.'

Ik kwam Gregorio tegen.

'Wat is er met Daniela?' vroeg hij terwijl hij naar de sofa keek. 'Probeert ze je te versieren? Tegenwoordig valt ze op vrouwen.'

'Nee, ze heeft alleen maar te veel gedronken. Ze voelt zich vast ellendig.'

'Ik zal kijken wie haar naar huis kan brengen. En anders moet ze maar ergens in een bed gaan liggen. Altijd dezelfde act. Het is een onmogelijk mens. Zoek je je man?'

'Niet speciaal.'

Gregorio keek me deels aandachtig deels nieuwsgierig aan. 'Zeg, jij bent er stukken op vooruitgegaan sinds ik je heb leren kennen,' zei hij.

'In wat voor opzicht?'

'Ik weet het niet, het is alsof je losser bent.'

'Tja, een koe die los is kan vrij grazen.'

'Gevat hoor!'

'Zo zie je maar. Tot straks, maestro.'

Ik liep het terras op, nadat ik Daniela's bord op een dienblad had gezet en een rondje door de garage had gelopen. Eduardo zag ik nergens. Enkele octopussen waren begonnen te dansen op de klanken van een schreeuwerig nummer. Anderen, de meesten, bleven doorpraten over geld en over succesvolle ondernemingen. Je hoorde regelmatig de woorden thema, problematisch, beurskoers, planning, conjunctureel en verouderd. Maar vooral het woord ton. Geen tonnen vlees of tonnen goud of tonnen papier, tonnen met niets, met een bruine, kleverige, vormeloze massa waarin ze dwangmatig rondspartelden en waarmee zelfs hun ogen vol zaten, tonnen stront.

Vanaf het terras kwam je via een paar treden in een parkachtige tuin met in het midden een verlicht zwembad. Het was een heerlijke nacht en een paar ijle wolken dreven schuin tussen de sterren door. Ik zuchtte diep. Soms vergeten we hoe goed het is om te zuchten. Er wordt dan iets door de schmink van de ziel heen zichtbaar. Het is de lichamelijke behoefte aan een adempauze, zoals wanneer het doek wordt neergelaten om met een nieuwe akte te kunnen beginnen. En een zucht inhouden kan stoornissen teweegbrengen.

De maand mei was aangebroken. Ik ging bij het zwembad zitten, dacht aan Mariana en begon ontroostbaar te huilen.

6 *Een gevangenis met spiegels*

Puerto Real, 11 mei

Lieve Sofia,

Ik wist dat wat me nu overkomt me zou overkomen, maar ik had niet gedacht dat het zo snel zou gebeuren. Ik kan niet tegen de eenzaamheid, ik kan er niet tegen, ik ben er bang voor. De muren van Silvia's huis komen op me af en als ik naar buiten ga, ben ik, ondanks dat het mooi weer is en dat ik wandelingen door het dorp en de omgeving maak, niet in staat om iets ook maar een beetje spannend te vinden of om met de lente, de natuur of de mensen te communiceren. En dat terwijl iedereen hier heel vriendelijk is en graag een praatje aanknoopt. Je gaat een willekeurige kroeg of strandtent binnen, ze zetten een schoteltje gegrilde inktvis of gebakken sardines voor je neer, en algauw merk je dat je je thuis zou kunnen voelen en dat bovendien niemand je een indiscrete vraag zal stellen, dat ze je gewoon zien zoals je op dat moment bent, een vrouw van middelbare leeftijd die daar net als zij aan de bar staat, het maakt niet uit waar ze vandaan komt of wat voor leven ze achter de rug heeft. Ik heb het aan mezelf te wijten, dat maakt me juist zo razend. Het is alsof ik de deur op slot heb gedaan voor de woorden en gebaren van anderen, die naar binnen willen om mijn nieuwsgierigheid te prikkelen, om me een beetje warmte te geven.

Zeggen dat ik Madrid en het leven dat ik daar nu zou kunnen leiden mis, zou een van die stekelige halve waarheden zijn die je noch durft te accepteren noch durft af te wijzen. Het enige wat vrij zeker is, is dat de telefoon vaak zou rinkelen, dat ik om de haverklap in mijn agenda zou kijken en dat ik geen tijd zou hebben om met mezelf alleen te zijn en me af te vragen waarom ik mezelf niet kan verdragen. Ik zou de patiënten die naar mijn spreekuur komen omdat ze onder hetzelfde onvermogen gebukt gaan recepten geven voor hoe zij zichzelf kunnen verdragen. Aan dit onderwerp heb ik vele pagina's gewijd en inmiddels ken ik mijn les, die ik voortdurend uitbreid met citaten uit andere publikaties en die ik zonder haperen kan opzeggen. Het is cruciaal dat je leert een openlijke confrontatie met je vrije tijd aan te gaan door koelbloedig de arena te betreden en die te bevechten, in plaats van ervoor op de vlucht te slaan. Dit soort vergelijkingen met het stieregevecht gebruik ik vrij vaak, want onder mijn cliënten wemelt het van de liefhebbers van ons nationale vermaak, maar ik neem ook wel mijn toevlucht tot een ander soort metaforen, ik beschik over een vrij gevarieerd repertoire. Als ik jou zou willen imponeren, zou ik er slechts de briljantste zinnen uit hoeven pikken om die vervolgens, zoals ik meestal doe, te gebruiken als een soort pantser waarachter ik mij kan verschuilen. Ik doe dat niet altijd met voldoende overtuiging, en sommigen van mijn patiënten – in dit geval bijna altijd vrouwen – hebben door dat het een pantser is. En of ze er nu iets van zeggen of niet, ik merk het aan de manier waarop ze naar me kijken, en zodra dat gebeurt val ik door de mand.

Gisteren bijvoorbeeld heb ik de eigenares van dit

huis, mijn vriendin Silvia, die nu op haar landgoed in Carmona zit, gebeld omdat een deel van het dak is ingestort en een storm een aantal bomen heeft uitgerukt en ik weet niet wat voor schade nog meer heeft aangericht. Het was laat in de middag, ik trof haar op een moment van euforie en vond dat haar stem een beetje raar klonk, wat ik toeschreef aan de invloed van alcohol. Maar ik ben er zo aan gewend dat ik in de positie zit om leugens van anderen op te sporen dat ik pas na een tijdje doorhad dat zij degene was die, met haar door de drank verhoogde scherpzinnigheid, mijn gevoel van onbehagen doorgrondde en me de helpende hand probeerde toe te steken. Blijkbaar had mijn stem háár van begin af aan raar geklonken.

Maar over begin gesproken, wat vertel ik je dit allemaal op een slechte manier, Sofia. Eens kijken of ik het beter kan. Ik realiseer me dat ik in deze brief tot nu toe geen enkele opening heb gemaakt waar je je glanzende oog voor kunt houden, om een idee te krijgen van hoe de plek waar ik me bevind eruitziet. Het is alsof ik je hoor zeggen: 'Nee, hoor; òf je schrijft me niet òf je houdt je aan de regels van het correspondentiespel, en geen gesjoemel.' Jawel, m'n lieve Per Abat, jouw gulden regels. Misschien zullen die regels me nu opnieuw helpen een halt toe te roepen aan mijn ontregeling, aan het verval van het bouwwerk binnen in mij, waarvan ik niet weet of dat alleen het dak of ook de fundering betreft. Als het verhaal wankelt komt dat doordat ik me er niet toe kan zetten het te ordenen binnen het raamwerk van zijn decor.

Laten we beginnen met de spiegels. In dit huis zijn een heleboel spiegels, te veel spiegels. De vorige keren dat ik hier geweest ben, is me dat niet zo opgevallen.

Waarschijnlijk was ik toen in een andere stemming en maakten ze me daarom niet zenuwachtig. En het ergste is nog dat het statige, bijna tragische spiegels zijn die uitgerekend op me af komen (of ik loop er als door een magneet aangetrokken naar toe) wanneer ik het zien van mijn eigen spiegelbeeld als een messteek in mijn rug ervaar, wanneer de strijd die ik voer tussen mezelf accepteren en mezelf ontvluchten een kritiek punt heeft bereikt en een onhoudbare spanning heeft veroorzaakt. Je kunt er de klok op gelijk zetten. Op die momenten, juist dàn, verschijnt er ineens een spiegel voor me of blijk ik er zonder dat ik het in de gaten had al een poosje voor te staan. Er zijn vier levensgrote spiegels, maar de spiegel die me vooral de rekening presenteert is er een met een bewerkte lijst van zwart hout, met bovenop een allegorie van de dood. De anonieme meester-timmerman moet wel een bizarre fantasie hebben gehad om, god weet wanneer, zo'n ornament te hebben kunnen bedenken. Die spiegel was me natuurlijk al eerder opgevallen, want hij is te pompeus om onopgemerkt te blijven, maar goed, het is er zo een waarvan je zegt 'Mijn hemel, als Visconti die in handen zou krijgen', en met dat je dat zegt zie je hem al in een film van Visconti en niet meer in het script van je eigen film die, al zijn er dan geen camera's, op dat moment wordt gedraaid; op die manier maak je dus literatuur van iets wat op zichzelf al pure literatuur is. Hij hangt in de salon beneden, een enorm vertrek behangen in rood en goud, met een schoorsteen van groenachtig marmer, fluwelen overgordijnen en een heleboel stoelen met kwasten, een heleboel gesigneerde schilderijen van de voorouders van Silvia en een heleboel bedomptheid.

Wat ik niet begrijp is waarom ik zo'n sterk verlangen heb om naar die salon te gaan en erdoorheen te dwalen, terwijl ik al bang word als ik de knop van de deur vastpak en deze openduw. Om maar te zwijgen over hoe eng ik dat vind wanneer de zon onder is en de salon in duisternis is gehuld, want om het licht aan te doen moet je op de tast de bolle vergulde lichtknop met ribbeltjes zoeken die zich vrij hoog links van de deur bevindt. Ik zweer je dat ik als ik met mijn hand langs de muur strijk om hem te vinden en dan het afgebladderde stukje er vlak onder voel, bijna begin te gillen. We zouden Freud van stal moeten halen om te kunnen begrijpen waarom ik zo vaak die ruimte binnenga, heimelijk en bijna tegen mijn wil, alsof ik toegeef aan de kracht van een beheksing. Maar goed, aan wie zou ik het moeten vertellen?

De verleiding van de afgesloten kamer, die al in sommige sprookjes en in zoveel van de jou verzonnen verhalen voorkomt, zal je duidelijker worden als ik je vertel dat ik niet in dit vertrek op de benedenverdieping verblijf (dat we, als je het ermee eens bent, de spiegelzaal zullen noemen), maar in een van de appartementen die daarmee via een wenteltrap in de hal in verbinding staan. Ik bewoon het appartement links, met een eigen ingang die toegang geeft tot een ruime, zeer modern ingerichte living met een keukentje, een badkamer en een slaapkamer met ingebouwde radio. Je loopt de trap op en overbrugt in een paar minuten anderhalve eeuw, als in een science-fictionfilm. De twee appartementen op de eerste verdieping, die Silvia in een van haar kortstondige vlagen van enthousiasme besloot te verbouwen zodat haar vrienden naar Puerto Real zouden kunnen komen en het daar naar hun zin zouden hebben, zijn pas kort geleden helemaal voltooid. Maar je kunt je niet voorstellen wat een gigantische onderneming dat is geweest. Niet eens zozeer vanwege de kosten, al waren die vast ook aanzienlijk, maar vooral omdat dit plan, zoals sinds ik Silvia ken met alles wat ze bedenkt gebeurt, op noodlottige wijze afhankelijk is geweest van haar wisselende stemmingen.

Het was de eerste omvangrijke verbouwing waaraan ze zich na de dood van haar vader waagde, en kort na aanvang van het project kreeg ze zo'n verschrikkelijke depressie dat ze zich niet meer met de werklui bemoeide en van niemand nog iets wilde weten. De huishoudster was niet in staat beslissingen te nemen en de slordig opgestapelde bakstenen, balken, zakken en bidets bleven maandenlang op de trap, achter in de gang en op een prachtige patio liggen, die vervolgens eveneens gerestaureerd moest worden want door hem vol te stouwen met bergen puin en al die moderne meubels en apparaten die Silvia voor de bovenverdieping had besteld en die maar bleven komen, waren er een heleboel tegels beschadigd. Kortom, het huis leek wel een geplunderde kazerne. En zij lag maar in haar bed in de grote slaapkamer beneden, waar haar vader gestorven was, zonder een vin te verroeren, zich vastklampend aan de fles, dagen achtereen. Af en toe stak ze een hand boven het dek uit om een blanco cheque te tekenen. Dat was de enige handeling die ze verrichtte. In die tijd ben ik begonnen haar te behandelen. Dat is nu dertien jaar geleden. Hier eindigt de beschrijving van het decor en kan het verhaal beginnen.

Het was zomer en ik was op vakantie in Cadiz, half voor mijn plezier en half om me af te zonderen. De bedoeling van mijn afzondering was overigens, hoe vreemd het misschien ook klinkt, een nogal ambitieus essay over erotiek te schrijven. Aan dat essay heb ik later met tussenpozen verder gewerkt, ik ben er inmiddels al ver mee gevorderd en ben van plan het hier af te maken. (Een plan dat ik eerlijk gezegd pas vlak vóór mijn vertrek, terwijl ik mijn koffer aan het pakken was, snel in elkaar heb geflanst om deze krankzinnige reis nog een schijn van logica te geven.) Dus de systeemkaarten en boeken die ik die zomer naar Hotel Atlántico in Cadiz had meegenomen, zijn min of meer dezelfde als die ik nu hier op tafel heb liggen en verveeld opzij heb geschoven om jou te gaan schrijven, aangezien ik over dat andere onderwerp geen zinnig woord op papier kan krijgen. Want geloof me, Sofia, om een gevecht met de erotiek aan te kunnen gaan, al is het maar een gevecht op basis van systeemkaarten, moet het leven je goedgezind zijn.

En in die tijd was dat zo; mijn lichaam was voor zijn rechten opgekomen en er met het vaandel van de overwinning vandoor gegaan; maar het had een pact met het hart gesloten en dat dus niet als een gevangene geboeid naar zijn kamp meegevoerd. Dat zinnetje van het lichaam dat een pact met het hart sluit kwam zomaar bij me op, en ik schreef het op een kaart die ik op de muur prikte, zoals jij altijd in de examentijd deed met citaten die je moed inspraken, kortom, ik imiteerde je, zoals ik zo vaak heb gedaan. En ik moest in mijn eentje lachen bij de gedachte dat jij het misschien leuk zou hebben gevonden er een collage naast te hangen van dat lichaam met vleugels en een vlag, tussen de wolken, met aan zijn hand een aangekleed hart, dat eventueel zelfs een broodje aan het eten is. Maar omdat dat soort dingen niet mijn sterkste punt is, had ik er slechts met plakband een rode roos – die ik natuurlijk van een jongen had gekregen – opgeplakt, die in de loop van een maand langzaam op die muur verdroogde, ik heb hem nog steeds. En wanneer ik 's avonds naar het hotel terugliep, als ik tenminste terugging, bedacht ik ook hoe raar jij het zou vinden dat ik een roos op de muur had geplakt om hem langzaam oud te zien worden, zoals wanneer je steeds weer een blad van de kalender ziet verdwijnen. Die zomer – inmiddels drie zomers geleden – heb ik vaak aan jou gedacht en ben ik zelfs een paar keer met een brief begonnen, waarvan ik van het begin af aan wist dat ik hem niet zou opsturen. Enfin, ik was dus erg gelukkig. Ik beleefde een soort uit de hemel gevallen liefde, zo een die als een haas in het open veld opduikt, je tijdelijk hoop op wederopstanding geeft en de meest meedogenloze spiegels weet te weerspreken. Het ging om een schilder uit Cadiz, een man die een stuk jonger was dan ik en die ik daar toevallig had ontmoet, op de opening van een expositie van zijn aquarellen. Een van die keren dat je in je eentje door een stad loopt die niet de jouwe is en je het naar je zin hebt, het wordt donker, op een plein spelen kinderen, je hebt de hele dag met niemand gepraat en dan zie je ineens ergens een gezellige drukte en je zegt: 'Daar ga ik naar binnen.' De aquarellen waren me buiten al opgevallen, ze waren heel romantisch, met schepen. Maar goed, laten we dit verhaal voorlopig opschorten. Ik vertel je alleen nog dat ik mezelf die zomer, die in mijn herinnering door fonkelende lichtjes is omgeven, niet alleen mooier maar ook heel slim vond en dat er voortdurend ideeën in me opkwamen over hoe ik dat essay over erotiek moest opzetten, terwijl het nu als een loden last op me drukt.

Toen ik op een middag op het balkon, dat uitkijkt over de zee, allerlei dingen aan het opschrijven was, kreeg ik op mijn kamer een telefoontje doorverbonden. Het was Raimundo vanuit Madrid. Hij maakte zich ernstig zorgen over een vriendin van hem in Puerto Real, die in het begin van het jaar haar vader had verloren. Raimundo doet altijd hetzelfde, hij begint onmiddellijk te praten over iets wat hem bezighoudt zonder zelfs maar te vragen hoe het met jou gaat, in wat voor bui je bent en of je het misschien druk hebt. In die tijd zag ik hem zelden, maar vlak voor mijn vertrek waren we elkaar in Hispano tegengekomen en toen had ik hem verteld over mijn plan om mijn vakantie in afzondering door te brengen. Een paar acteurs die bij hem aan tafel zaten merkten op dat het vanwege dat gedoe met de Carranza-trofee een heel slechte tijd was om naar Cadiz te gaan, maar ik had al een kamer gereserveerd, en toen viel de naam van Hotel Atlántico en wilde Raimundo weten of ik daar vrienden had, hij vindt het heerlijk om mij te controleren.

Ik hoorde hem aan terwijl ik ondertussen naar de roos keek, die toen nog heel vers was, en zei op een gegeven moment dat hij het niet te lang moest maken, dat ik nog een telefoontje verwachtte. Maar eerlijk gezegd begon die familie waarover hij het had me te intrigeren. Zoals wanneer je met niet al te veel zin aan een roman begint, maar die na een poosje niet meer weg kunt leggen. Silvia's vader was een markies die weduwnaar was geworden en graag de intellectueel uithing. Hij was vrij bekend in sommige kringen in Madrid, waar hij vaak kwam, altijd vergezeld van zijn enige, ongehuwde dochter. Ze hadden permanent een suite in het Palace gereserveerd. Don Armando – want zo heette hij – hield tot op vrij hoge leeftijd een onbetwistbare reputatie van vrouwenversierder. Hij was een heel goede vriend geweest van Raimundo's moeder, met wie hij in zijn jeugd een romance had gehad. Silvia's broer, die arme slappeling van een Félix, was ten gevolge van een auto-ongeluk overleden zonder nageslacht achter te laten en de weduwe, een zekere Mari Luz, was hertrouwd met een steenrijke industrieel, zodat de hele erfenis van de markies aan Silvia toeviel. Een onschatbaar fortuin aan landgoederen. Maar het bleek haar allemaal teveel te zijn. De symbiose met haar vader was te sterk geweest. Silvia had zijn hele boekhouding gevoerd, ellenlange gedichten geïnspireerd op *Las soledades* van Góngora voor hem uitgetypt, ze waren altijd samen naar concerten, feesten en toneelstukken gegaan, wanneer ze op reis waren deelden ze één kamer en *sotto voce* deed zelfs het verhaal de ronde dat ze een incestueuze verhouding hadden gehad. Nu was ze ziek.

'Wat scheelt haar?' vroeg ik hem.

'Mari Luz, want zij heeft me gebeld om het me te vertellen, kan het niet goed uitleggen. Maar dat verbaast me niets, ze is weinig objectief en dikt de zaak aan, want ze heeft Silvia nooit zo gemogen, je weet wel, zo'n typische schoonzussenrelatie. Maar in ieder geval ziet het er niet best uit. Ik was er al bang voor. Ze ligt nu al een maand in het donker op haar bed, en de dokter zegt dat haar niets mankeert. Ik geloof dat ze vooral een psychiater nodig heeft.'

Hij vroeg me bij haar langs te gaan, aangezien ik zo

dicht in de buurt was, wat ik bovendien als geloofwaardig voorwendsel voor mijn bezoek kon gebruiken.

'Je gaat er gewoon naar toe en dient je aan alsof je van niets weet. Je zegt dat je in Puerto Real op doorreis bent, dat je een vriendin van mij bent en dat je haar al een tijd graag eens wilde ontmoeten omdat ik het vaak over haar gehad heb en gezegd heb dat jullie elkaar vast goed zouden liggen. Wat ik trouwens ook echt denk.'

'Maar, luister, Raimundo,' onderbrak ik hem, 'als je dat echt dacht, zou je het wel eens met me over haar gehad hebben, nietwaar? Het is voor het eerst dat ik iets over dit personage hoor.'

'Ik weet zeker dat ik het wel eens over haar gehad heb maar dat je je het niet herinnert.'

'O nee, Raimundo. Je kunt zeggen wat je wilt, de dingen die jij me vertelt herinner ik me altijd perfect.'

'Oké, Mariana, wat doet het ertoe? Gedraag je toch niet altijd als een wandelende kaartenbak. Ik wil alleen maar zeggen dat je er geen spijt van zult krijgen haar te leren kennen, los van het feit dat je haar kunt helpen. Silvia is geweldig, je moest eens weten hoe goed ze kan zingen en mensen kan imiteren, hoeveel ze voor haar vrienden overheeft. Toen haar vader stierf dacht iedereen dat er een last van haar af zou vallen, maar misschien was ze al te oud toen dat gebeurde. En het merkwaardige is dat toen ik haar in februari, vlak na de begrafenis zag, het juist heel goed met haar ging en ze vol plannen zat. Ze was zelfs zo euforisch dat ik me zorgen maakte. Enfin, je kunt zelf wel beoordelen wat er met haar aan de hand is, je hebt een scherp oog voor dat soort dingen. Je loopt gewoon naar binnen en zegt...'

'Hoor eens, Raimundo, je kunt me niet van een afstand besturen. Ik maak zelf wel uit wat ik wel en niet tegen haar zeg. En begrijp goed dat ik nog niet besloten heb of ik wel naar haar toe zal gaan. Als ze er zo aan toe is, zal ze me waarschijnlijk niet eens ontvangen.'

'Zodra ze hoort dat je een vriendin van mij bent, zal ze je zeker ontvangen. Voor haar zal dat zijn alsof er een straal licht door het raam naar binnen komt. Ze is altijd een beetje verliefd op me geweest, al sinds we klein waren.'

'Kom nou toch! En waarom ga jij dan niet naar haar toe en laat je mij rustig mijn vakantie afmaken?'

'Ga nu niet vervelend doen, Mariana. Mij heeft ze al te vaak gezien. Dat zou averechts werken.'

Op dat moment voelde ik de eerste steek van jaloezie, dat beken ik eerlijk, en ik begon een ziekelijke nieuwsgierigheid – die alleen maar erger is geworden – naar de zielsgeheimen van die vrouw te ontwikkelen. Tot dan toe had ik altijd gedacht dat ik Raimundo's beste vriendin was, mogelijk zelfs de enige, en de inbreuk van dat vrouwelijke personage bracht me van mijn stuk. Bij het lezen van romans ben ik altijd een beetje ongeduldig, je weet vast nog wel dat ik zo iemand ben die geneigd is bladzijden over te slaan, iets waar jij geen goed woord voor over had, maar in de loop van de jaren heb ik echt mijn best gedaan om die fout te corrigeren.

'Heeft ze je dan zo vaak gezien?' vroeg ik Raimundo.

Aan zijn stem hoorde ik dat hij de verandering in de mijne had geregistreerd. Hij kent me te goed.

'Nou ja, bij wijze van spreken. Ik ben niet met haar naar bed geweest, als je me dat wilt vragen.'

‘Hoe kom je erbij dat ik je dat wil vragen?’

‘Goed, goed, sorry, laten we nu geen ruzie maken. Ik zei het maar voor als het je interesseert, want ik had het idee dat je een aantal hoofdstukken wilde overslaan. Ik bedoelde dat in dergelijke gevallen een vreemde meer resultaat boekt, en zeker als die vreemde gewend is om met labiele personen om te gaan. En bovendien, Mariana, kun je niet ontkennen dat Silvia inmiddels je nieuwsgierigheid heeft geprikkeld.’

Hij wist niet hoezeer mijn nieuwsgierigheid was geprikkeld, maar ik reageerde niet op die opmerking. Ik stelde me professioneel op en beloofde de volgende dag naar Puerto Real te gaan. En toen gaf hij me het adres van Silvia en hoorde ik voor het eerst de naam van de Lijdensweg.

‘Een naam als uit een roman, hè?’ zei hij.

‘Ja, inderdaad een beetje als uit een roman. Maar je weet best dat ik nu mijn eigen roman beleef. Mijn god, negen uur! Ik hang op. In de callejón del Tinte zit Manolo Reina op me te wachten, een heel knappe man uit Cadiz. Hij is daar altijd vanaf acht uur, voor het geval ik kom. En vandaag heb ik zin om te gaan.’

Hij begon te lachen, waar ik ontzettend van baalde.

‘Ga me nu niet vertellen dat je een vriendje hebt die Manolo Reina heet, zeg! Het lijkt wel iets uit een ouderwetse smartlap.’

‘Jij zou hem maar wat graag ontmoeten!’

Ik had spijt als haren op mijn hoofd dat ik zelfs maar van hem gerept had, en vooral dat ik me had laten meeslepen in dat steekspel van woorden dat hij zo vermakelijk vond. Zodra ik kon beëindigde ik het gesprek, maar ik hield er een slechte smaak in mijn mond aan over.

Manolo, die inderdaad in een café in de callejón del Tinte op me zat te wachten, vertelde ik niets over het voorval, omdat ik het als een persoonlijke aangelegenheid beschouwde. En ook omdat hij, aangezien ik laat was, inmiddels bij een groep vrienden zat die daar regelmatig bij elkaar kwam en hij me niet vroeg waarom ik verlaat was, hij was iemand die weinig vragen stelde. Op een gegeven moment zei ik tegen hem dat we elkaar de volgende dag niet konden zien, dat een patiënt in Puerto Real me nodig had. Toen hoorde hij voor het eerst dat ik psychiater was. Hij had een uitstapje met mij naar Arcos de la Frontera gepland en dat stelden we uit, hij leek het niet erg te vinden. Als er anderen bij waren liet hij eigenlijk nooit merken dat hij een verhouding met me had. Hij was die avond in een van zijn extroverte buien, en we bleven daar tot vrij laat met zijn luidruchtige vrienden. Op een gegeven moment stelden ze voor om te gaan stappen in La Viña, en ik voelde me niet op mijn gemak. Zodra zaken die met Raimundo te maken hebben weer mijn pad kruisen, begin ik opnieuw in zijn baan mee te draaien. Manolo zocht af en toe over tafels en togen heen mijn ogen, maar ik was afwezig, en die nacht wilde ik niet mee naar zijn atelier, ik zei dat ik hoofdpijn had. Ik was geobsedeerd door de vraag waarom Raimundo het nooit over Silvia had gehad als hij haar inderdaad al zo lang kende.

Zo is mijn interesse voor haar ontstaan, en tevens een van de 'divan-verhoudingen' die me in mijn hele loopbaan het meest ontwricht en uit mijn evenwicht hebben gebracht. Maar nooit heb ik dat zo goed beseft als de afgelopen dagen, vooral na de afschuwelijke slapeloze nacht die ik achter de rug heb en waarin de brief die ik je aan het schrijven ben in mijn hoofd vorm heeft gekregen. Eigenlijk was ik je deze brief al jaren verschuldigd, sinds je begon te protesteren omdat jij altijd degene was die de lange verhalen moest vertellen.

Ik heb even pauze gehouden om een broodje te eten en de radio aan te zetten, op zoek naar iets ontspannends. Ik luister nu naar Vivaldi. Ik zit in mijn appartement op de bovenverdieping en vertoef daar inmiddels al een paar uur, sinds het moment dat ik je begon te schrijven. Het raam staat wijdopen en de maan is in haar laatste kwartier. Loop eens naar het raam, Sofia, en kijk naar de maan. Je moet op dit moment merken hoe hard ik je nodig heb en hoe belangrijk het voor me is dat je op mijn brief zit te wachten, de maan zal je deze boodschap op een of andere manier overbrengen. Mariana is je aan het schrijven, rustig maar, merk je het niet? Je krijgt een lang verhaal, jazeker. En misschien sta je echt naar de maan te kijken, je hebt altijd een zwak gehad voor haar en voor de verhalen die onder haar bedwelmende invloed verzonnen of opgerakeld worden. Ik ben je vanavond dingen aan het vertellen die ik nog nooit heb verteld, die ik zelfs niet op die manier, zo meedogenloos, aan mezelf heb verteld. Nu is het mijn beurt voor de divan, zo zie je maar. En voor het eerst sinds ik in Puerto Real ben voel ik me rustig, zonder die verstikkende angst waardoor ik nog geen half uur stil kon zitten. Dank je wel, Sofia. Ik heb mijn brief tot zo ver overgelezen en geprobeerd in jouw huid te kruipen om me een voorstelling te maken van wat jij ervan zult vinden. Ik geloof dat het verhaal weer in het goede spoor is gekomen en dat ik er, ook al was ik gedwongen om hoofdstukken over te slaan, best iets van gemaakt heb. Maar het zal jou als opmerkzaam lezeres van romans niet ontgaan zijn – net zo min als het mij is ontgaan – dat Silvia geleidelijk aan een verandering heeft ondergaan.

In de brief die ik je in de trein heb geschreven kwam ze naar voren als een personage dat onbelangrijk was voor de plot, en ik heb me dan ook met een weinig genuanceerde beschrijving van haar afgemaakt. Maar nee, onbelangrijk voor de plot is ze natuurlijk niet. En dan heb ik ook nog, toen ik er de eerste keer over schreef, een vertekend beeld van mijn relatie tot de Lijdensweg gegeven. Die is weliswaar nooit zo moeizaam geweest als deze keer, maar turbulent was hij altijd wel. Toen ik een paar dagen geleden verdwaasd met mijn bos seringen op straat stond en in een opwelling besloot Madrid te verlaten, hield ik mezelf voor de gek door me dit huis als een oase voor te stellen, ik weigerde de duistere motieven van mijn plotselinge vlucht naar Puerto Real te zien, terwijl ik zoveel andere plaatsen had kunnen kiezen die geschikter waren om uit te rusten en te vergeten.

En nu ik hier naar de muziek van Vivaldi zit te luisteren, vraag ik me af waarom ik uitgerekend deze plek heb uitgekozen, waarom ik, ondanks dat ik het niet naar mijn zin heb en ik evenmin verder kom met mijn werk, niet in staat ben te vertrekken. En vooral waarom ik gisteren voor de verleiding ben bezweken om naar Carmona te bellen, terwijl ik van tevoren donders goed wist dat het gesprek op Raimundo zou komen, van wie ik juist beweer te willen wegvluchten. Maar onder al deze vragen sluimert nog een andere, die bij me opkwam zodra ik had opgehangen. Zijn Silvia en ik echt vriendinnen? Houd ik van haar of niet?

Over de ups en downs in onze relatie zal ik niet in details treden, tenminste, niet vanavond. Ik zou een Faulkner moeten zijn en maanden de tijd moeten hebben. Alleen al om je uit te kunnen leggen hoe ik haar heb leren kennen had ik vier blaadjes nodig, zodat ik het wat de figuur Manolo Reina betreft bij een simpele schets heb moeten houden, terwijl hij toch een van de mannen is die mij het best behandeld en begrepen hebben, echt een schat. Een paradijs dat door mijn schuld verloren is gegaan, want ik was degene die na het onstuitbare crescendo van die zomer terugkrabbelde. Wat hem betreft zouden we de stap hebben gewaagd en waren we voorlopig gaan samenwonen, ondanks het leeftijdsverschil. Maar ik was bang. Nu woont hij in New York met een galeriehoudster en schrijft me nog af en toe, hoewel hij beweert dat het geschreven woord niets voor hem is. Dat hij mensen juist moet zien, hen in de ogen moet kijken.

Maar terugkomend op Silvia, ik wil je wel zeggen dat er al bij mijn eerste bezoek aan haar, toen die meubels voor het appartement nog beneden stonden opgestapeld, een weinig stabiele basis werd gelegd voor wat zij als haar belangrijkste vriendschap met een andere vrouw beschouwt. Ik moet bekennen dat ik haar in het begin reden heb gegeven om dat te geloven, dat ik haar, met of zonder opzet, wie zal het zeggen, heb misleid. En toen ze me dat gisteren over de telefoon verweet, verdedigde ik me met argumenten waarvan ook een minder intelligent wezen dan Silvia het zwakke zou hebben ingezien. Ik heb mijn argwaan jegens haar nooit laten varen, daar heeft ze gelijk in. Ik ben steeds deels in het defensief geweest en heb deels op de loer gelegen.

Om je dit alles beter te laten begrijpen zal ik je vertellen dat het soort werk dat ik doe een merkwaardig evenwicht tussen nieuwsgierigheid en passiviteit vereist. Je moet natuurlijk met interesse luisteren naar wat iemand je vertelt, maar het gaat fout als de ontvanger van de confidenties ongeduldig probeert meer te weten te komen dan hij te horen krijgt. Die gretigheid maakt een juiste interpretatie van de ontvangen informatie onmogelijk: dan luister je slecht. Tegenover Silvia ben ik altijd, vanaf de eerste dag, heel gretig geweest en dat is alleen maar erger geworden. De dingen die ze me over Raimundo vertelt maken me zó in de war – en al helemaal omdat ik mijn best doe daar niets van te laten merken – dat ik niet meer in staat ben me bezig te houden met wat háár in de war maakt. Zij heeft Raimundo zien opgroeien, ze heeft zijn jeugdvrienden en zijn moeder gekend, en een zusje dat heel jong gestorven is en over wie hij bijna nooit praat. Ze kent zelfs een paar van zijn gedichten van vroeger uit haar hoofd, waarin hij al zijn conflict met de homoseksualiteit aanstipt. Maar ik kan de beelden die ze me in de loop van haar psychoanalyse heeft aangereikt niet goed plaatsen. Ze vormen een verhaal dat het mijne ondergraaft.

Zodra de behandeling serieuzer begon te worden (al snel begon ze regelmatig naar Madrid te komen, uitsluitend om mij te zien), realiseerde ik me dat zij Raimundo beter kende dan ik, wat mijn gevoel voor eigenwaarde een flinke deuk gaf. Hoe het ook zij, het ergste kwam ik pas vorig jaar te weten: dat hij haar vertrouwelijke dingen over mij vertelt. Ik vertrok geen spier toen ik het hoorde, je kent me, maar ik heb er een paar nachten achtereen slecht van geslapen. Ik voelde me alsof ik op een tweesprong stond en niet wist welke kant ik op moest. Er was een onrustbarend en verleidelijk luikje voor me opengegaan, en ik wist niet of ik mijn kans moest grijpen om erachter te komen hoe Raimundo me in werkelijkheid zag. Het is een nog steeds onopgelost dilemma, dat me voortdurend kwelt. Door onverschilligheid voor te wenden heb ik er bijna altijd voor gezorgd dat Silvia van onderwerp veranderde en me dat soort informatie niet verschafte. Maar soms heb ik dat juist op slinkse wijze gestimuleerd, hoewel ik mezelf daar dan later om vervloekte. Maar het is nooit in me opgekomen mijn hart bij haar uit te storten, haar mijn angsten toe te vertrouwen als aan een echte vriendin. Ik had het mezelf verboden haar directe vragen te stellen. En zich niet bewust van mijn gespannenheid flapte zij er, met die mengeling van brutaliteit, humor en tederheid die zo typerend voor haar is, allerlei bizarre opmerkingen uit, die echter nooit in de freudiaanse sjabloon pasten.

Voordat ik haar gistermiddag belde, heb ik eerst met Brígida gepraat, een vrouw die als een schaduw in het benedengedeelte van het huis woont en die ik in gedachten mevrouw Dean noem. Ik neem aan dat je je door deze verwijzing naar *De woeste hoogte* een voorstelling van de situatie kunt maken. Steeds moet Emily Brontë weer opduiken. Drie jaar geleden vergeleek ik haar al met mevrouw Dean, toen ze voor het eerst de deur van dit huis voor me opendeed en met tranen in haar ogen zei dat geen mens daar nog wilde komen, dat juffrouw Silvia door de duivel was bezeten en dat God mij gezonden had. Deze keer heeft ze me echter heel koel ontvangen, ik merk dat ze me ontloopt, dat ze geen zin heeft om met me te praten, en eigenlijk zie ik haar nauwelijks. In het begin vond ik dat een zegen, maar in de loop van de dagen is haar stille aanwezigheid haast onverdraaglijk geworden. Het is een van die oude huishoudsters voor het leven, die uiterst zorgvuldig alle verhalen archiveren en heel goed een roman over de familie zouden kunnen schrijven, omdat ze jarenlang zonder een woord te zeggen hebben gekeken, van alles nota hebben genomen en het oppervlakkige hebben geëlimineerd om het essentiële over te houden.

Gisteren had ik haar de hele dag niet gezien. Ik was al heel vroeg wakker en had de bus naar Cadiz genomen. Daar heb ik in La Caleta en La Viña door straten en over pleinen gezworven die een geïdealiseerd beeld van Manolo bij me opriepen. En ik heb een poosje vanaf het uitkijkpunt Santa Elena staan kijken naar de treinen, naar het labyrint van elkaar kruisende rails met op de achtergrond de baai. Het geheel heeft de desolate schoonheid van een oude ansicht. 'Van jongs af aan ga ik hier altijd heen als ik zin heb om te huilen,' bekende Manolo me tijdens de laatste wandeling die we die zomer samen maakten, vlak voordat mijn trein zou vertrekken. We hadden niet veel gepraat. Hij had gezegd dat hij me zou komen opzoeken in Madrid, maar ik wist dat alles anders zou worden, dat zo'n zomer als die nu ten einde liep nooit meer terug zou komen. 'Ga maar,' zei ik toen we, veel te vroeg, op het station arriveerden. 'Ik houd niet van afscheid nemen, je weet dan nooit wat je moet zeggen.' Hij zei niets. Hij had me net geholpen mijn koffers in het bagagenet van mijn coupé in de slaapwagen te zetten, en we zaten daar als twee idioten op het randje van de bank. Ik herinner me nog de kus die hij me gaf voordat hij opstond en wegrende alsof de duivel hem op de hielen zat. Een kus van vloeibaar vuur, zo een die een litteken achterlaat. Toen even later de trein begon te rijden stond ik voor een van de gangraampjes en zag in het licht van de zonsondergang de vestingmuur, waarop in gigantische letters de naam van de stad geschilderd staat. Daar, boven die muur, is het uitkijkpunt Santa Elena. In een opwelling keek ik omhoog. Er stond een man met een zakdoek te zwaaien.

Toen ik gisteren aan die middag terugdacht had ik zelf zin om op dat uitkijkpunt te gaan staan huilen, starend naar de elkaar kruisende rails. Ik ben naar het hoofdpostkantoor gegaan om Manolo een telegram te sturen. Ik ken zijn adres in New York uit mijn hoofd, hoewel ik hem niet vaak geschreven heb. Ze wonen op de East Side. De loketbeambte keek me even nieuwsgierig aan nadat hij de tekst had gelezen, 'Men bezingt wat men verliest', een versregel van Machado die Manolo heel mooi vond. 'Moet er geen naam onder?' vroeg de man achter het loket. 'Nee, meneer, dat is niet nodig.' Hij haalde zijn schouders op. 'Dat weet u zelf het beste, en u bent goedkoper uit.'

Daarna werd ik bevangen door kooplust, zoals altijd wanneer ik een depressie voel aankomen. In een winkel in de buurt van de kathedraal kocht ik een spijkerbroek, die ik ter plekke heb aangetrokken en sindsdien niet meer heb uitgedaan. Maat 44 was misschien beter geweest, ik weet niet wat hij zou vinden. Onder het lopen bekeek ik mezelf steels in de etalageruiten, waarbij ik me de druk van zijn hand op mijn middel voorstelde, het ritme van zijn voetstappen naast de mijne, de gewaagde woorden die hij onverwacht in mijn oor fluisterde en die me als een ring van vuur langzaam insloten, in afwachting van de nacht. Was het het waard geweest van dit alles afstand te doen om een essay over erotiek te schrijven?

Ik had nauwelijks trek, en aan het eind van de middag, toen ik ongelooflijk genoeg van mezelf had, liep ik het busstation binnen en aanvaardde de terugreis naar Puerto Real. Het was een rare namiddag, met onstuimige, violetachtige wolken, en een onwerkelijke sfeer. Tijdens de rit begon een gedachte zich een weg te banen in mijn geest, als een spookschip dat woelige wateren doorklieft, namelijk dat ik hier niets te zoeken had en dat ik absoluut naar Madrid moest terugkeren.

Toen ik op de Lijdensweg was aangekomen en de sleutel in het slot stak, veranderde die gedachte bijna in een besluit. De doodse stilte in het huis viel bovenop me. Ik bleef in de gang staan. 'Nee, Mariana,' zei ik tegen mezelf, 'zo kun je niet doorgaan, zo word je nog gek. Je gaat nu meteen naar boven, pakt je koffer, neemt een slaappil en morgenochtend, op naar het station.' Mijn stappen gehoorzaamden mijn woorden echter niet. Dat is typerend voor iemand die is vastgelopen, dat weet ik maar al te goed: er komt een loomheid over je waardoor je precies het tegenovergestelde doet van wat goed voor je is.

Zoals altijd liep ik zonder enige reden de salon in. Het was iets over achten zodat het er al een beetje schemerig was, maar ik deed het licht niet aan. Met een onbestemd gevoel liep ik langzaam in de richting van de spiegel. Intuïtief begreep ik dat ik hem eerder moest raadplegen over mijn besluit om te vertrekken dan over hoe de spijkerbroek me stond. Hij gaf een matte glans af, als van ongepoetst zilver. Nauwelijks stond ik ervoor of er tekende zich een gedaante in af die zich achter mij bevond, en geschrokken draaide ik me om.

Mevrouw Dean zat kaarsrecht in een leunstoel achter in de salon. Met gesloten ogen liet ze de kralen van een rozenkrans door haar vingers glijden. Toen ze me weer weg hoorde lopen deed ze haar ogen een beetje open, maar ze vroeg me niet of ik iets nodig had of zoiets. Onverstoorbaar bad ze verder. Ik ging in een stoel dicht bij de hare zitten, en gedurende enkele ogenblikken bleef het stil. Als haar lippen en haar vingers niet hadden bewogen, al was het dan bijna onzichtbaar, had je haar voor een wassen beeld kunnen houden.

'Wat moet er van ons arme zondaars terechtkomen,' fluisterde ze ten slotte, nadat ze een diepe zucht had geslaakt.

Het was een van die momenten waarop het verleden vermengd met het heden, met je eigen en met andermans leven, op je af komt stormen, waarop elke poging om een dam tegen je gevoelens op te werpen belachelijk is en je alleen nog maar weet dat je onherroepelijk bescherming moet zoeken bij een ander mens, zoals wanneer er een groot onheil dreigt. Ik kon zelfs niet meer slikken. Ik stond op uit mijn stoel en ging op het kleed zitten, aan de voeten van Brígida, die, met haar ogen in het niets starend, gebeden bleef prevelen. Aan de andere kant van de salon stond de spiegel met de allegorie van de dood, waarin vaag onze twee gedaanten te onderscheiden waren. Ik merkte dat Brígida hardop begon te bidden, maar nog heel zachtjes.

'Het vijfde Droeve Mysterie. Jezus sterft aan het kruis. Onze Vader die in de hemelen zijt...'

Plotseling betrapte ik mezelf erop dat ik reageerde op dat Onze Vader, toen op de Ave-Maria's die erop volgden en ten slotte, met een klinkend ora pro nobis, op de litanie in het Latijn die het bidden van de rozenkrans afsluit, een snoer dat gloeit van de loftuitingen op de allerwijste, bewonderenswaardige, onbevlekte, onaantastbare Koningin des Hemels. Brígida's stem werd steeds krachtiger en gloedvoller en pauzeerde af en toe even, wachtend op mijn keerzang.

Na afloop legde ze een hand op de mijne en keek me aan. Toen zei ze dat ze sinds de dood van don Armando nooit meer met iemand samen de rozenkrans had gebeden. Ik voelde me heel verlegen worden en wist niet wat ik moest zeggen. De handen van mevrouw Dean voelden ruw aan. We bleven alletwee roerloos zitten.

'Jullie gedragen je als dolende schapen, mevrouw, het spijt me dat ik het zeg,' oordeelde ze plotseling. 'En een kudde zonder herder kan niet anders dan de weg kwijtraken en het ongeluk tegemoet gaan. Je altijd maar uitsloven, altijd maar van hot naar haar rennen, altijd maar meer willen doen. En waartoe dient het, als er geen liefde is? Kunt u, die zoveel gestudeerd hebt, me dat uitleggen?'

Ik liet mijn hoofd hangen.

'Nee, Brígida,' gaf ik toe. 'Dat kan ik niet uitleggen.'

En toen begon ze me te vertellen hoe ongerust ze was over Silvia en me te verwijten dat ik nog niet naar Carmona had gebeld. Ze zei dat Silvia weer enorm veel was gaan drinken en dat het helemaal niet goed voor haar was om daar in haar eentje te zitten terwijl ze het hoofd moest bieden aan rampen en zinkende schepen die zelfs voor een echte man te veel waren.

'Jullie zouden het hier samen zo heerlijk kunnen hebben,' besloot ze, 'jullie zouden kunnen wandelen, naar de bioscoop kunnen gaan, over van alles en nog wat kunnen praten, afijn, noem maar op.'

Mijn geweten begon te knagen.

'Is ze er zo slecht aan toe?' vroeg ik. 'Hebt u haar gesproken?'

'Ja, mevrouw, twee uur geleden. En ze is niet te volgen, ze slaat wartaal uit. Ik heb haar niet verteld dat u hier bent, en niet omdat ik daar geen zin in had... maar omdat u nu eenmaal niet wilt dat zij dat weet. Dat was het eerste dat u tegen me zei, nog bijna voordat u me begroet had, toen ik laatst naar de deur liep om u open te doen en ik u ineens al hoorde binnenkomen, u weet het vast nog wel, dat zijn toch geen manieren om een huis binnen te gaan, neem me niet kwalijk.'

Ze zocht mijn blik, en ik gaf haar slechts met een hoofdknikje gelijk.

'Ik begrijp het echt niet,' ging ze verder. 'Het zit me helemaal niet lekker dat mevrouw niet weet dat u hier bent. Dat is toch niet normaal.'

'Maar ik voel me ook niet goed, Brígida. Ik kan er niet nog een probleem bij hebben. Ik ben hier gekomen om tot rust te komen.'

'U komt helemaal niet tot rust! Denkt u dat ik u niet heen en weer hoor lopen door dat vervloekte appartement dat zelfs de duivel van streek maakt, met de hele nacht de radio aan? Trouwens, hoe kunt u uitrusten na wat er met don Raimundo is gebeurd? Nog zo'n arme drommel die de weg kwijt is, moge de Heer hem behoeden! En hèm laat u ook al in de steek, terwijl hij u nu misschien wel het meest nodig heeft... Here Jezus!'

Zo kwam ik te weten dat Silvia en Raimundo elkaar over de telefoon hadden gesproken, en dat hij haar de dingen op zijn eigen manier had verteld, zowel zijn zelfmoordpoging als het feit dat ik van de ene dag op de andere uit Madrid was vertrokken zonder een adres achter te laten.

'En ik kan niets anders doen dan mijn mond houden,' vervolgde mevrouw Dean haar preek, 'zo is het nu eenmaal. Dat is kennelijk mijn lot.'

Ze pauzeerde even om een kruis te slaan en mompelde toen: 'God onze Heer, vergeef ons omwille van uw kostbare bloed de woorden die ons buiten onze schuld ontsnappen en de woorden die wij uit lafheid inslikken. U begrijpt hoe zwaar mijn kruis is, omdat ik weet dat u hier bent terwijl u als een voortvluchtige gezocht wordt. Voor wie verbergt u zich? Voor mijn arme mevrouw? Vroeger gingen vriendinnen een stuk eenvoudiger met elkaar om, zonder al die poespas en geheimen. We hadden waarschijnlijk minder vrienden, dat zal ik niet ontkennen. Maar ze deugden tenminste.'

'Heeft Silvia gevraagd of ik hier was?'

'Nee, maar het niet zeggen is ook liegen, en bovendien raak ik verzeild in toestanden die ik niet begrijp.'

Ik beloofde mevrouw Dean dat ik Silvia meteen zou bellen, gaf haar een kus en ging naar mijn kamer, haar iets minder verdrietig achterlatend.

Silvia was behoorlijk dronken, zoals ik je aan het begin al zei, en een van de uitwerkingen die alcohol op haar heeft is dat ze tijdelijk alle contact met de werkelijkheid verliest. Zodra ze mijn stem hoorde begon ze, zonder me zelfs maar te vragen waar ik was en zonder enige inleiding, een bizarre geschiedenis te vertellen over een werkman, Fabián geheten, die een nieuw dak op haar landhuis in Carmona aan het maken was en haar oneerbare voorstellen had gedaan. Zij mocht die kerel wel, wat vond ik dat ze moest doen? Als ze op zijn avances inging, zou de roddel ongetwijfeld als een lopend vuurtje door heel Carmona gaan. En bovendien wist ik ook wel dat alles wat met erotiek te maken had voor haar nogal gecompliceerd lag. Het was onbegrijpelijk dat Fabián geil kon worden van zo'n oud mens, hoewel ze natuurlijk een stuk opgekikkerd was, dat wilde ze niet ontkennen. Het klonk mij allemaal een beetje als een indianenverhaal in de oren. Het was niet de eerste keer dat Silvia verhalen rond een nietsbetekenend voorval verzon; ze heeft me dat zelf wel eens bekend. Ze zegt dat het leven zonder dat soort fantasieën nauwelijks vol te houden is. Met tegenzin praatte ik met haar mee, terwijl ik uit haar stembuigingen probeerde op te maken wat er in haar relaas waar en wat er onwaar kon zijn. Maar ik voelde me steeds onbehaaglijker. En onbehagen uit zich bij mij in een gebrek aan belangstelling. Silvia voelde dat ineens.

'Zeg, Mariana,' onderbrak ze me plotseling, 'mag ik verdomme weten waarom je me gebeld hebt? Want mij houd je niet voor de gek, hoor. En kom nu niet aanzetten met dat ik agressief doe. Want daar heb ik mijn redenen voor. En jouw kritiek kan ik er nog wel bij hebben.'

'Dat zeg je allemaal zelf. Ik heb je gebeld omdat ik wilde weten hoe je je voelde, want ik heb al heel lang niets van je gehoord. Wat is daar voor raars aan?'

'Je liegt!' schreeuwde ze. 'Je bekommert je helemaal

niet om mij, totaal niet. En om niemand. Ook niet om Raimundo. Zodra hij je tot last is stuur je hem weg. Je hebt hem in een hoek gedreven. En dat vind je leuk, hè, hem in een hoek drijven! En buiten dat, waar zit je eigenlijk?'

'In Puerto Real, in jouw huis. Maar vertel hem dat niet als je hem spreekt, ik smeek het je. Ik kan je nauwelijks uitleggen hoe slecht het met me gaat.'

Ze begon te lachen en ik voelde me alsof ik naakt tegenover haar stond.

'Slecht? Met jou? Dat zal ik in mijn dagboek noteren. En wat scheelt eraan, heeft je verdedigingsmechanisme het begeven?'

Ja, mijn hele verdedingsmechanisme had het begeven, ik wilde alleen nog maar huilen.

'In godsnaam, Silvia, praat niet zo tegen me.'

'Ik zou Raimundo nooit in de steek laten, nooit,' ging ze steeds opgewondener verder. 'Want ik heb altijd van hem gehouden, niet zoals jij. Ik zou er alles voor geven als hij, al was het maar tien minuten, op dezelfde manier naar me zou kijken als Fabián. Het is ongelijk verdeeld in de wereld. Jij bent niet in staat om van iemand te houden, terwijl iedereen wel van jou houdt.'

'Misschien troost het je te weten dat Raimundo niet van me houdt. Hij doet me voortdurend pijn. Als hij jou het tegenovergestelde vertelt, geloof hem dan niet. En bovendien ben ik het zat! Ik wil het niet over Raimundo hebben en hoef hem niet meer te zien. Die affaire is voor altijd afgelopen.'

'Is dat echt waar?' vroeg Silvia, nu op een andere toon.

'Ik zweer het je.'

'En hoe kun je dat zeggen zonder te huilen?'

Er viel een stilte. De tranen stroomden uit mijn ogen en ik zat luid te snikken. Silvia werd wat milder.

'Het spijt me, Mariana. Ik heb te veel gedronken. Ik wil je nog één ding vragen dat voor mij heel belangrijk is. Beschouw je me als een goede vriendin? Maar antwoord me niet met wat je in je hoofd hebt uitgedacht, antwoord me vanuit je hart, vanuit je gevoel.'

Ik zei dat ik me afschuwelijk voelde en dat het me geen zaak leek om over de telefoon te bespreken, en toen werd ze woedend en barstte los met een preek over 'keiharde waarheden', die me vervolgens de hele nacht heeft wakker gehouden. Om halfeen heb ik haar weer gebeld, totaal over mijn toeren. Maar ik moest mijn geweten sussen en haar om vergiffenis vragen. Ik vroeg haar of ze alsjeblieft naar Puerto Real wilde komen en zei dat ik rustig met haar wilde praten. En dat ik anders wel naar Carmona zou komen. Het duurde even voordat ze reageerde. Ik realiseerde me dat ik haar wakker had gemaakt.

'Dank je wel, Mariana,' zei ze ten slotte heel vriendelijk. 'Dat is de eerste keer dat je me vraagt iets voor je te doen. Ik moet nog een paar zaken afhandelen, maar overmorgenmiddag ben ik bij je.'

Morgen komt ze. Maar de gedachte alleen al de confrontatie met haar te moeten aangaan ligt als een steen op mijn maag. Ik moet uitgerust zijn en nu gaan slapen. Het is drie uur 's nachts. En toch ga ik vandaag naar bed in de overtuiging dat er iets duidelijk is geworden.

Ik begrijp nu tenminste waarom ik naar Puerto Real ben gekomen, Sofia. Om deze brief te schrijven. Ik hoop dat ik je niet verveeld heb.

Slaap lekker. Ik zal de maan vragen daarvoor te zorgen.

Een kus,

Mariana.

P.S. Omdat ik met geen mogelijkheid kan slapen, ben ik opgestaan om mijn notities over erotiek door te kijken. Ik ben daar nu al een poosje mee bezig, maar het middel is erger dan de kwaal want wat ik heb geschreven vind ik helemaal niet goed. En als ik me afvraag waarom ik het niet goed vind, waar de analyse waaraan ik een paar jaar geleden zo vol zelfvertrouwen ben begonnen faalt, gaat de wond van mijn meest geheime obsessies weer open. Toen ik Raimundo een keer behoorlijk enthousiast over dit essay vertelde, omdat ik meende het allemaal heel helder te zien, zei hij met een glimlach dat dat juist het zwakke van mijn argumenten was, dat ik het allemaal te helder zag, terwijl erotiek in essentie juist tegenstrijdig en duister is. Volgens hem verwaardig ik me niet in die poelen van duisternis af te dalen omdat ik bang ben.

'Nou ja,' nuanceerde hij zijn laatste woorden toen ik protesteerde, 'ik zeg niet dat je er nooit in bent afgedaald, maar dan wel als een behoedzame, perfect uitgeruste duiker, beveiligd door allerlei vernuftige ademhalingsapparatuur, die hij van tevoren zorgvuldig heeft nagekeken zodat er niets mis kan gaan. Zo gaan wetenschappers over het algemeen te werk. Daarom zijn jullie bijdragen aan de opheldering van ingewikkelde kwesties correct maar ontoereikend. Erotiek is als een vloedgolf die door de dijken van het verklaarbare heen breekt. En jij wilt begrijpen zonder het risico te lopen door die vloedgolf te worden meegesleept.'

'Ik loop niet graag risico's die mijn inzicht vertroebelen.'

'Ja, dat weet ik. Maar ga ook eens af op de ervaring van mensen die die risico's wel hebben gelopen. Waarom lees je bijvoorbeeld Bataille niet nog eens?'

Na dat gesprek begon mijn essay over erotiek een ranzig luchtje, als van te lang sudderende hersenen, af te scheiden en dat doet het nog steeds. Vannacht besef ik dat meer dan ooit. Mijn ogen zijn uitgerekend bij een citaat van Bataille blijven steken dat mijn gevoel van onbehagen doet toenemen.

Het menselijk leven – zegt hij – neigt tot overvloed. Een koortsachtige rusteloosheid diep in ons vraagt de dood om ten koste van onszelf zijn vernielingen aan te richten. Liefde en dood zijn slechts hoogtepunten op een feest dat de natuur met de onuitputtelijke veelheid der wezens viert, want beide dragen de grenzeloze verspilling in zich waartoe de natuur is geneigd, tegen het verlangen naar duurzaamheid in dat ieder wezen eigen is.

Nu ik deze zin lees en hem voor je overschrijf, komt me iemand voor de geest die hem hartstochtelijk onderschreven zou hebben, die zichzelf opbrandde. Je weet wel wie ik bedoel. Al zijn theorieën over begeerte kwamen toch uit dit vat? Eigenlijk waren het niet eens theorieën, het waren golven die alles zonder meer overspoelden. En ik was degene die daar theorieën tegenover zette, in een onhandige poging de zee in te dammen zodat die mijn huis niet zou binnendringen. Ik heb me nooit aan zijn ritme durven aanpassen en ik ben ook nooit gelukkig met hem geweest, het wordt tijd dat je dat weet, Sofia. Ik moest me hem anders voorstellen dan hij was om tegen hem op te kunnen en te kunnen dromen dat ik hem in mijn macht had. De extase waarin hij mijn zinnen bracht onderwierp ik aan een soort alchemie en veranderde ik in een soort polemische opwinding. Ik genoot niet van hem zoals hij was, maar van de strategieën die ik uitdacht om zijn liefde op de proef te stellen, die vanaf mijn eigen terrein te verkennen en de onstuimigheid ervan in banen te leiden. Via de Guillermo die ik bedacht maar die niet bestond – de Guillermo die nederig en vol ontzag voor mij stond, getemd door een serene, superieure intelligentie – hield ik meer dan ooit van mezelf. Dat was mijn eerste vergissing, hoewel ik er lang over heb gedaan dat in te zien, de eerste schakel van een keten van grootspraak, die slechts tot doel had mijn lafheid ten opzichte van de woeste erotiek te verhullen.

Ongetwijfeld was jij beter in staat dan ik om hem te volgen in zijn neiging tot overvloed en verspilling, in de sensuele vreugde die het geeft om bij het moment te leven en je daarbij puur te laten leiden door je instincten. Jij was ook zo, jij werd ook aangetrokken door het vuur. Jullie waren voorbestemd om elkaar te ontmoeten en te beminnen, 'tegen het verlangen naar duurzaamheid dat ieder wezen eigen is in'. Vannacht benijd ik jullie met terugwerkende kracht en denk ik dat alleen blindheid en hoogmoed me soms hebben kunnen doen geloven dat jullie mijn absolutie nodig hadden. Wat een onzin! Catherine noch Heathcliff heeft ooit behoefte gehad om vergiffenis aan de bezadigde Linton te vragen. De roman kon niet op een andere manier aflopen, evenmin als de romance tussen jou en Guillermo een *happy end* had kunnen hebben, want erotiek is een vuur dat verteert wat het zelf gecreëerd en aangestoken heeft. Dat is de enige reden.

Ik vermoed dat jij dat al lang geleden hebt begrepen.

Het begint licht te worden. Goedemorgen, meisje.

M.

7 *Gesprek met Daría*

Ik geef toe dat ik niet dol op de werkelijkheid ben, dat ben ik nooit geweest. Ik heb me er naar behoren aan gehouden wanneer het onmogelijk was de wetten ervan te ontduiken, maar de tekst van die wetten – die ook nog eens zeer talrijk zijn – dringt niet tot me door. Ik probeer die tekst zo'n beetje te onthouden, maar ineens ben ik hem dan weer kwijt. Ik val van de ene schrik in de andere, knopen ontwarrend die me van de wijs brengen, en steeds blijf ik me afvragen of ik ze wel goed heb ontward: ik heb geen idee.

Dat had ik ook met wiskundeproefwerken. Ik heb nooit een onvoldoende voor wiskunde gehaald, zelfs twee keer een negen, één in de vierde en één in de zesde. Ik kan het haast niet geloven, maar toch is het de waarheid. De officiële waarheid. Ik heb het vandaag nog, voorzien van een blauw stempel, in een oud rapport zien staan dat ik aantrof op de bodem van een grote kist met rommel, waarin ik aan het graven was op zoek naar een papier – ik weet niet wat voor – waar Eduardo ik weet niet waarvoor om had gevraagd. Ik heb een vaag idee dat het wel eens geel en een beetje gekreukt zou kunnen zijn. Maar stel dat ik het zou vinden, wat dan nog? Het zou me niets nieuws leren en ik zou er evenmin plezier aan beleven. Het is een blad vol nep-hiërogliefen zonder enige bekoring, die ons op een dwaalspoor brengen en de echte hiërogliefen verdoezelen. Echte hiërogliefen. Ik heb die woorden een paar keer halfluid gezegd, lettergreep voor lettergreep, met pauzes die de zin vervormen, wiegend op het ritme. 'Ech-te-hië-ro-glie-fen-lie-fen.' Ik heb het altijd leuk gevonden aan woorden te gaan hangen, al vanaf dat ik heel klein was. Het is een niet ongevaarlijk spel, net zoiets als je vastgrijpen aan een ring die op zijn beurt in het luchtledige hangt. Maar dat maakt het juist zo opwindend.

Ik zat op het tapijt, voor de geopende kist waarin het gele papier misschien verborgen zat, en keek naar het raam, terwijl ik het zinnetje neuriede en het ontleedde en het weer bij zijn staart greep. Het begon donker te worden. Er dreven roze wolken voorbij die ongemerkt bewogen, die ongemerkt van silhouet, consistentie en kleur veranderden. Alle vormen die ze aannamen, de een nog suggestiever dan de andere, waren messteken van vergankelijkheid, die erom schreeuwden ontcijferd te worden. Altijd al, al eeuwenlang; een tekst die veranderlijk en oneindig is als de reizen in onszelf. We reizen samen met de wolken, die uiteenwaaien en donker worden, we veranderen samen met die wolken zonder het te beseffen, overeenkomstig hun fragiele tekening die gedoemd is op te lossen voordat iemand hem begrepen heeft. In de wolken, en nooit op papier, staan de ware hiërogliefen.

Ik ging weer verder met zoeken, maar deed het lusteloos en met tegenzin, zonder enig vertrouwen iets te zullen vinden. Want bovendien had toen ik de kist openmaakte het handvat losgelaten. De schroeven zaten los en ik hield het ineens in mijn hand. En dat was al een waarschuwing dat het geen zin heeft dingen die niet van belang zijn te voorschijn te halen.

Maar, mijn god, dat zijn er zoveel! Ze woekeren op eigen houtje voort, hardnekkig als onkruid, of ze nu van belang zijn of niet, dat is de ellende. Ieder jaar, iedere maand, iedere dag weer een nieuwe laag papieren waarmee ik van doen heb, die mijn naam en soms zelfs mijn handtekening dragen, en onder dat laatste kan ik echt niet uit. Is mijn leven zo lang geweest, heb ik zoveel papieren kunnen voortbrengen? Certificaten, kwitanties, bankafschriften, dwangbevelen, rekeningoverzichten, bezwaarschriften, garantiebewijzen, kranteknipsels, röntgenfoto's, doopcelen, verlopen pasjes, schenkingsakten, levensverzekeringen, boetes, huurcontracten, trouwboekje. Hoe vervelend ik ze ook vind, het zijn zaken die iets met mij te maken hebben; vroeg of laat zal iemand me er rekenschap over vragen. En dan zal ik het desbetreffende papier moeten zoeken, het aan zijn uiterlijk moeten herkennen. Ze zullen het me op een dwingerige manier verzoeken, zonder zich af te vragen of het me misschien tegenstaat, zoals wanneer ze je bellen om een dode te identificeren en je geen andere keus hebt dan erheen te gaan en het laken op te lichten.

Toen Eduardo me gisteren om dit onduidelijke document vroeg en zag wat voor gezicht ik trok, was hij zo tactloos me in herinnering te brengen dat mijn ziektebeeld uit die aversie tegen ambtelijke papieren voortkomt, mijn obsessie om me op te sluiten in wat de psychiater een paar jaar geleden 'onwerkelijke ervaringen' noemde. En al sprak hij erover in de verleden tijd en al trok hij een luchtig gezicht en forceerde hij zich zelfs tot een glimlach, in zijn stem en zijn blik bespeurde ik hetzelfde harde, autoritaire ongeduld als toen hij eens zei (ik weet niet meer wanneer dat was):

'Er moet iets met je gebeuren, Sofia. Ik hoop dat je zult meewerken.'

Voordat ik op het rapport stuitte, zat ik er juist aan te denken hoe verschrikkelijk ik het vond toen Eduardo voor de eerste keer met me meeging naar de psychiater, hoe graag ik had willen weglopen. En alleen al door daaraan te denken, dienden dezelfde symptomen zich weer aan. Tot twee keer toe hield ik op met in de kist rommelen en vroeg me, daar midden op het tapijt zittend, af: Wat doe ik op deze plek? Wat wil dat zeggen, 'ik'? En alles begon te draaien. Ik werd heel bang, want het gevoel van vervreemding nam duizelingwekkend snel toe en begon in mijn hersenen uit te dijen als een kwaadaardige tumor die het geheugen, het verstand en de wil aantast. En ik betrapte mezelf erop dat ik, alsof ik in een uiterst gevaarlijke situatie de goden aanriep, zachtjes voor me uit herhaalde: 'geheugen... verstand... wil', en ik wist niet wie ik was en sinds wanneer en waarom ik op dat tapijt zat. Slechts door het met het tapijt van Aladdin te vereenzelvigen wist ik mijn angst even van me af te zetten en ik bedacht me dat ik me moest concentreren als ik wilde dat het ging vliegen. En terwijl ik daarmee bezig was, kreeg ik mijn wilskracht weer terug. Want dat wilde ik, het was het enige wat ik wilde: het raam uitvliegen om door de meihemel te suizen voordat de boodschap van de wolken zou zijn uitgewist.

Op het rapport met de blauwe harde kaft zit een pasfoto geplakt. Dat meisje met haar blonde vlechten en dat vragende gezicht kon ongetwijfeld ooit wiskundevraagstukken oplossen; anders hadden ze haar geen voldoende gegeven. Maar ze begreep niets van getallen. Getallen waren niet meer dan een onveranderlijke tekening en de namen waarmee ze werden aangeduid spraken niet tot haar verbeelding. Ik keek weer naar het raam en toen begon de draad van het geheugen zich te herstellen. Een blond meisje tijdens de wiskundeles, en de leraar die zegt: 'U zit te dromen, juffrouw Montalvo.'

Ze hield ervan woorden te bedenken en woorden die ze voor het eerst hoorde uit elkaar te halen, combinaties te maken van de resulterende delen, die te scheiden en weer samen te voegen. De wat langere woorden waren als damespakjes, met een lijfje, een vest en een rok, en je kon het vest van het ene combineren met de rok van het andere met hetzelfde lijfje, of omgekeerd, juist de rok wisselen. Door bijvoorbeeld de volgorde van de letters te veranderen kun je verschillende vormen van iets plezierigs, onprettigs of heilzaams krijgen: attractie en tractatie, ploerterig en proleterig, genezing en zegening: het was een leuk spel om met het woordenboek te spelen. Sommige lijfjes, zoals 'filos', wat vriend betekende, en 'logos', wat woord betekende, hadden een heleboel in zich en maakten heel interessante variaties mogelijk. Op een dag had ze ze samengevoegd en het resultaat was een ronduit bekoorlijk personage geweest: de filoloog of liefhebber van woorden. Ze had hem in een schrift getekend zoals ze zich hem voorstelde, met een lila bril, een punthoed en in zijn hand een groot vlindernet. In het net verdween een spiraal van zinnen waaraan ze vleugels had getekend. Later kwam ze te weten dat het woord 'filoloog' al bestond, dat zij het niet had bedacht.

'Maar dat geeft niet, wat u gedaan hebt is het woord begrijpen en het toepassen,' zei don Pedro Larroque, de leraar letterkunde. 'Laat nooit het vlindernet los.

Het is een van de gezondste manieren om je te amuseren: woorden vangen en ermee spelen.'

Hij moedigde haar dus aan haar vleugels uit te slaan. En zij moedigde de woorden aan door ze vleugels te geven, want zij was hun vriendin, en bevriend met iemand zijn betekent dat je wenst dat hij kan vliegen. Ze tekende een andere, meer gedetailleerde versie van de filoloog, ditmaal met blonde vlechten. Een engel met weinig haar en een kromme neus maakte een paar zilveren vleugels aan haar schouders vast.

De leraar wiskunde vond dit soort spelletjes daarentegen helemaal niet leuk en was van mening dat ze de aandacht afleidden van serieuze vraagstukken, een gevaarlijke manipulatie van twee en twee is vier, een verspilling van tijd. Toen hij op een goede dag zonder enige inleiding over logaritmen begon te praten, werd de les onderbroken door een onverwacht en enigszins schokkend voorval. Het meisje van het vlindernet was gaan staan om te vragen of die term, die ze voor het eerst hoorde, een combinatie van woord en ritme kon zijn. De overige leerlingen zaten met open mond te kijken en de leraar werd boos.

'Dat doet niet ter zake, juffrouw Montalvo. U zit altijd te dromen,' zei hij met een streng gezicht. 'Het zou meer lonen als u zou opletten.'

Het blonde meisje, dat al begonnen was een pact met de werkelijkheid te sluiten en te beseffen dat dingen die lonen voor sommige mensen niet lonen voor andere, ging zonder verder iets te zeggen zitten en schreef in haar schrift: 'Logaritme: woord zonder ritme en zonder vleugels. Niet lonend.'

Ik kijk naar haar op de pasfoto. Een paars stempel, waarop in uitgelopen inkt staat te lezen: 'Beatriz Galindo School', reikt tot haar schouder en bekladt het patroon van haar trui. Ze ziet er best leuk uit. Maar hoe stelde ze zich logaritmen voor? Hoe speelde ze het klaar ermee te worstelen zonder te weten wat het waren? Daar is geen spoor meer van terug te vinden. Als ik nu 'logaritme', 'priemgetal', 'vierkantswortel' of 'vergelijking' zeg, zie ik grijze, gelede stokjes die als een colonne wormen over het tapijt kruipen. En je durft ze niet aan te raken. Eenheden, dozijnen, honderdtallen, duizendtallen, pi, drie-veertien-zestien. Je wordt er eng van. Ze kronkelen door elkaar heen, verdringen zich bij mijn linkerzij (want ik heb me reeds gewonnen gegeven en ben op het tapijt gaan liggen), en vol walging zie ik vanuit mijn ooghoeken hoe ze naar beneden oprukken, langs mijn middel kruipen en om mijn benen heen trekken. Me verplaatsen kan ik ook niet: ik ben omsingeld. Ik ontdek dat er nog een colonne wormen is, even talrijk, die nog sneller langs mijn rechterzijde optrekt. Deze zijn groen en bij mijn voeten gekomen keren ze om en mengen hun gelederen zich met die van de grijze ploeg. Ze krioelen door elkaar heen, vormen groepen en smeden complotten, als de kwade geesten die ze zijn. Het lijkt alsof ze bijna niets wegen en alsof ze wanneer ik zou blazen als een wolk veren uiteen zouden dwarrelen. Maar dat is gezichtsbedrog. Ze wegen meer dan het tapijt, en met z'n allen verhinderen ze dat het wegvliegt. Ze geven me niet de kans te vergeten dat ze er zijn. Een gevangene kan de tralies van zijn cel ook niet vergeten.

De groene wormen zijn de verloren uren, alle verpeste uren van mijn leven, uren die ik heb verspild met het omzeilen van de klippen van de werkelijkheid om een voldoende te halen voor vakken waarvan ik me niet kan herinneren waarover ze gingen, waarin ik me zelfs niet als geëxamineerd beschouw, ondanks dat ik er zo mee heb geworsteld. Want het enige wat ik van die vakken weet is dat je ze altijd te lijf moet gaan alsof het de eerste keer is, en de angst om een onvoldoende te halen blijft. Bovendien lijkt die sterk op de angst dat je de papieren die kunnen bewijzen dat je een voldoende hebt gehaald bent kwijtgeraakt. Je deed die vakken voor het cijfer. Ze waren niet facultatief. Een voldoende als dochter. Een voldoende als verloofde. Een voldoende voor huishoudkunde. Een voldoende voor echtelijke omgang en verplichtingen jegens de schoonfamilie. Een voldoende voor bevallen. Een voldoende voor scherpe kantjes weghalen, voor overal een plaats voor zoeken en voor het beste ervan maken. Een voldoende voor actief moederschap, al moet dat vak, omdat het het moeilijkste is, voortdurend worden bijgesteld. Al die vakken, vooral het laatste, kunnen op den duur fascinerend worden. Het hangt ervan af hoe je ertegenaan kijkt. Maar één ding hebben ze met logaritmevraagstukken gemeen: dat je van het ene moment op het andere niet meer weet hoe je ze hebt kunnen oplossen, noch waarom je ze moest oplossen. Grijze en groene broedplaats van wazige, discutabele, benauwende kennis.

Daría kwam binnen zonder geluid te maken, zoals ze meestal doet, en ze maakte me zo aan het schrikken dat ze er zelf dubbel van schrok. Maar haar verschijning betekende het contact met iemand wiens geur je herkent, zoals wanneer we uit een nachtmerrie ontwaken en er een bevriend paar ogen naar ons kijkt. Ze knielde naast me neer en legde een arm om mijn schouders.

'Maar wat doet u hier languit op het tapijt? Voelt u zich niet lekker?' vroeg ze. 'Het spijt me enorm dat ik u heb laten schrikken! Ik kwam vragen of u thee wilde. Wat is er aan de hand? U trilt helemaal!'

Ik verborg mijn gezicht tegen haar schouder. We zaten vlak naast elkaar, want ze had me geholpen rechtop te gaan zitten.

'Ik weet niet wat ik heb. Ik voel me niet lekker, Daría. Ik heb waarschijnlijk plotseling last van een lage bloeddruk.'

'Hebt u gedronken of zo?'

Ze keek steels om zich heen, maar niet zo verholen dat ik niet doorhad wat ze zocht en zij niet doorhad dat ik dat doorhad. Ik volgde de richting van haar blik. Er was nergens een fles te zien. Daría knipperde even zenuwachtig met haar ogen.

'Kom, gaat u staan. Diep ademhalen. Het is niets.'

Het was inderdaad niets. Ik kon perfect lopen, was niet duizelig en alleen maar een beetje stijf, zoals wanneer je in een verkeerde houding in slaap bent gevallen. Mijn ademhaling was normaal. En op het tapijt, temidden van die her en der verspreid liggende papieren, was geen enkel beestje, grijs noch groen, te bekennen.

'Zal ik die papieren die u daar op de grond heeft liggen oprapen? Lieve hemel, wat een papieren!'

'Nee, laat ze maar even liggen, Daría.'

Maar ze had zich al gebukt en keek ernaar, en toen ze aanstalten maakte om ze op te rapen, kwamen de certificaten, kwitanties, bankafschriften, garantiebewijzen, röntgenfoto's, doopcelen, boetes en verlopen pasjes ineens weer tot leven. En ik raakte helemaal over mijn toeren. Ik geloof dat ik zelfs mijn handen voor mijn gezicht sloeg.

'Laat liggen, heb ik je gezegd! Laat liggen! Ik wil ze niet zien. Laat liggen!'

Ik voelde haar vingers, als van iemand die een gewonde bijstaat, op mijn schouder. En haar stem had een toon die je aanwendt om kinderen te troosten.

'Goed, goed, rustig nu maar. Ik wilde alleen maar dat er niet op getrapt zou worden. Wacht, we zullen even het raam openzetten, goed? Het ruikt hier heel erg naar sigaretten.'

Ze deed het open en ik ging op een stoel zitten. Er kwam geen koude lucht binnen. De zon was net onder en boven de verbleekte hemel doofden de laatste zwarte vegen van de hiërogliefen uit.

Daría bleef tegenover me staan, alsof ze wachtte. We zeiden allebei niets. Ik zag dat ze argwanend naar het ladenkastje van mijn moeder keek, dat eerder tegen een andere muur had gestaan. Maar wanneer? Eerder dan wat? Ik heb al dagen niet geschreven, niet gelet op het wanneer en het waarom van de dingen – hoeveel dagen? – en ben de draad kwijtgeraakt, dat is er met me aan de hand. Als verdwaald liet ik mijn ogen van de ene muur naar de andere gaan. Toen hief ik ze op naar Daría en zag dat er een ontstemde trek op haar gezicht lag.

'Ik houd mijn hart vast als u de meubels gaat verplaatsen, dat zal ik u eerlijk zeggen. Bovendien staat het kastje van wijlen mevrouw hier meer in de weg.'

Ik zei niets. Ook in de periode dat ik de psychiater begon te bezoeken was ik ineens verwoed meubels van de ene plek naar de andere gaan verslepen, ogenschijnlijk zonder enig doel. Ik weet zeker dat Daría daaraan moest denken toen ze naar het ladenkastje keek. Ze heeft een verbluffend associatievermogen. Om weer terug te komen op de reden van haar binnenkomst, vroeg ze me of ik zin in een kop thee had. Ik voelde dat er iets van herstel in werking begon te treden. 'Ik zal u een kopje brengen samen met een stuk cake, die ik net heb gebakken, want u bent in staat nog niet geluncht te hebben. Ik ben om vier uur gekomen, en in de keuken was natuurlijk niets van resten van een maaltijd te zien.'

Ik keek voor het eerst op mijn horloge. Het stond op zeven uur. Ik had Daría niet horen binnenkomen. Dat zei ik tegen haar.

'Natuurlijk, u lag te slapen.'

'Te slapen? Dat komt doordat de dagen soms zo lang zijn...'

'Voor u misschien,' zei Daría, 'voor mij vliegen ze om.'

'Maar het is niet goed voor me om overdag te slapen, dat is helemaal niet goed. En hoe lang zou ik al hebben liggen slapen?'

Daría haalde haar schouders op.

'Hebt u samen buitenshuis geluncht?' vroeg ze toen, in een poging om me te helpen de dingen op een rijtje te zetten.

Dat 'samen' bracht me het beeld van Eduardo voor de geest, met zijn keurig gekamde haar, zijn Italiaanse colbertjes, zijn eeuwig gestresste gezicht, en ik schoof het als een leugen terzijde. Het was een personage dat bij vergissing op het toneel was verschenen. Met hem buiten de deur lunchen? Nee, dat is zo ontzettend vervelend. Gelukkig maar dat hij dat al heel lang niet meer heeft voorgesteld. En is het normaal dat ik daar zo laconiek onder ben? Sinds wanneer? Wanneer begon zijn bestaan me onverschillig te laten? Ik moet

Mariana León zien. Niet mijn schoolvriendin om te vragen of ze mijn eerste portie huiswerk heeft ontvangen, maar de psychiater die dames met glittervestjes en zakenvrouwen met moeilijke kinderen behandelt, mensen van wie het hoofd over de ene rail en het leven over een andere loopt. Ik moet haar zien omdat ik me niet herinner waar ik vandaag heb geluncht en niet weet welk papier ik daarnet zocht, omdat ik het afschuwelijk zou vinden als mijn man me belde om naar de film te gaan, omdat ik mijn eigen gedrag niet begrijp en niet onder controle heb. Kortom, omdat ik rijp ben voor de psychiater. Eduardo mag daar nu absoluut niet achter komen en hij mag ook in geen geval weten dat ik daar achter ben gekomen. Ik zal hem misleiden, ik zal iedereen misleiden. Ik zal mijn eigen boontjes doppen. Misleiden is wat ik nu het liefst doe, een dubbelleven leiden. Ik kies mijn eigen psychiater, omdat ik daar zin in heb. Ik heb hem al gekozen. En niemand weet dat. Dat is een geheim tussen Mariana en mij, net als toen we klein waren. Wat spannend!

'O, u moet niet zo zitten staren, het lijkt wel of u een beroerte hebt gehad,' zei Daría, geschrokken door mijn stilzwijgen.

'Maar ik weet niet meer of ik heb geluncht en wanneer ik de ladenkast heb verzet. Ik weet niets meer, Daría, niets! Vind je dat normaal?'

Daría haalde gelaten haar schouders op.

'Nou, dat is het niet!' zei ik heftig. 'Wat ik heb is echt zorgelijk, ik meen het serieus. Ik zal een beslissing moeten nemen.'

'Kom, laten we erover ophouden. Wat u om te beginnen moet nemen is een kop thee,' zei ze, terwijl ze aanstalten maakte de kamer uit te gaan. 'En die ga ik nu meteen voor u maken.'

'Goed, graag. Wil je er een beetje honing in doen? En sluit de deur alsjeblieft achter je.'

Zodra ze de kamer uit was pakte ik mijn agenda, die in mijn tas zat. Onder de L had ik bij het adres van Mariana ook haar telefoonnummer opgeschreven, die avond dat ik haar op de expositie had gezien. Resoluut draaide ik de zeven cijfers, met energieke gebaren, en mijn hart klopte wild. Maar het wachten duurde niet lang. Na twee keer rinkelen klonk er een licht gekraak.

'U luistert naar het automatisch antwoordapparaat van dokter León. Ik ben de komende dagen niet aanwezig. Voor zaken die verband houden met de praktijk kunt u zich wenden tot dokter Carreras, telefoon 5768527. Ik herhaal: 5768527. Als u een boodschap van persoonlijke aard wilt achterlaten, kunt u dat na het signaal doen. Dank u.'

Automatisch noteerde ik het telefoonnummer van dokter Carreras, en daarna, toen de pieptoon klonk, stond ik op het punt om op te hangen. Maar in plaats daarvan reageerde ik boos:

'Zeg Mariana, eerlijk gezegd begrijp ik niet dat je met zo'n ijzige stem nog cliënten hebt! Laatst zei een van je patiënten dat ook al tegen me, dat je praatte alsof je op de Olympus zat. Je boodschap is niet bepaald uitnodigend en bovendien grammaticaal onjuist, want het lijkt alsof het antwoordapparaat op reis is. O ja, met Sofia. Ik heb je wat huiswerk gestuurd. Heb je dat ontvangen? En daarna heb ik nog wat dingen in een schrift geschreven. Het werd best goed, maar nu is

ineens de benzine op, ik zie de zin er niet meer van in. Je moet me opnieuw de opdracht geven te schrijven, want anders heb ik het gevoel dat het een waanidee van mij is, dat ik je die avond toen met die haas in het open veld niet echt heb gezien. Ik weet trouwens niet eens hoeveel dagen dat geleden is, ik heb geen benul meer van tijd. Ik weet niet of je wat ik zeg privé of iets voor je spreekuur vindt. Misschien selecteert je antwoordapparaat dat wel voor je. Ik zou het zelf als een schot hagel bestempelen. Maar zonder gekheid, het gaat behoorlijk slecht met me en ik wil je over een paar dingen raadplegen. Bel me wanneer je terug bent van waar je nu ook bent. Ik houd van je en vond het heerlijk om je tegen te komen. Op die cocktailparty praatte je niet met zo'n ijzige stem tegen me. Dag.'

De laatste woorden waren geloof ik niet meer opgenomen, want de band brak af. Maar ik was ineens rustig geworden. Mariana León bestaat. Ze is geen verzinsel van me. Ze is op reis, maar ze bestaat.

Toen Daría met de thee binnenkwam bood de kamer weer een volkomen herkenbare aanblik, en bovendien verschafte hij me gegevens over de chronologie van de afgelopen dagen. De ladenkast had ik maandag verplaatst, namelijk toen Soledad me was komen opzoeken; nadat ze was vertrokken, want het gesprek dat we hadden gevoerd had een heleboel bij me losgewoeld. Het zou een hoofdstuk in het schrift kunnen worden. We hadden het over de scheiding van haar ouders gehad en dat onderwerp had weer andere losgemaakt en mij ertoe verleid confidenties te doen. Naderhand had zich een vreemde opwinding van mij meester gemaakt, alsof ik dronken was. Al vanaf haar jeugd heeft Soledad het heerlijk gevonden om naar me te luisteren. Amelia was de vorige dag vertrokken. Er waren allemaal oude verhalen naar boven gekomen, over mezelf, over Mariana en over Guillermo, dingen die ik nooit aan iemand verteld had. Het werd bijna nachtwerk. Later heb ik wat aantekeningen van het gesprek gemaakt en er een datum boven gezet. Ik geloof dat dat de laatste keer is dat ik iets heb geschreven. Niet in het schrift, maar op losse blaadjes. Waar zou ik die gelaten hebben? Losse blaadjes zijn een ramp. Ik zou ze in het net moeten schrijven, weet ik nog dat ik dacht toen ik de ladenkast verplaatste. Het is allemaal een kwestie van langzaam doorgaan met schrijven, haal voor haal.

Daría schoof een tafeltje bij mijn stoel en zette er het blad met de thee en de cake op. Ze sneed een plak voor me af.

'Waar denkt u aan, als ik vragen mag?'

'Aan een paar vellen papier waarvan ik niet weet waar ik ze gelaten heb. Ik heb geen idee, en ik heb ze nodig.'

'Ach, laat die papieren nu maar even! Ze zullen u nog opvreten. Drink uw thee, dan kunt u ze straks zoeken.'

'Goed, maar kom even bij me zitten. Of heb je haast?'

'U weet dat het met haast hebben maar net is hoe je het bekijkt,' zei ze, en tegelijkertijd schoof ze een stoel bij en ging tegenover me zitten. 'Ik ben al klaar met schoonmaken. Maar het is wel te zien dat ik een paar dagen niet geweest ben, en òf je dat ziet.'

'Dat is waar. Hoe is het trouwens met je spit? Ik was vergeten ernaar te vragen.'

'Beter. Morgen moet ik beginnen met het huis een

flinke beurt te geven, want mijn Consuelo is niet bepaald dol op stofzuigen en dweilen. En aangezien u er nooit iets van zegt. Ze is een geboren luilak. Als ze het in haar leven net zo zwaar te verduren had gehad als ik... Ze heeft slechts een fractie gekregen van wat ik heb doorgemaakt toen mijn Elías gevangen zat. Maar het is onzin om met de jeugd over onze burgeroorlog te praten, want wat hebben zij daarmee te maken, zeggen ze dan, weg met die ellende.'

De stem van Daría bracht me weer naar een prettige wereld, vol samenhang, rust en gezond verstand. De in de thee gedoopte cake smaakte heerlijk.

'Ik snap niet dat u haar kunt verdragen,' ging ze verder. 'Dat zeg ik tegen haar ook altijd: "Als je nou eens een andere mevrouw als deze had getroffen." En voor de kinderen geldt hetzelfde. Ze vinden net als u alles best. Ze overdrijven het zelfs, heus waar. Consuelo zegt het zelf tot vervelens toe, dat de eerste keer nog moet komen dat ze haar op een onvriendelijke manier iets vragen. Of op een vriendelijke. Dan vragen ze haar dus nooit iets, is mijn conclusie. Haar kennende, en omdat ze haar nooit iets vragen en ze alleen doet waar ze zin in heeft, zal die beroemde schuilplaats er wel fraai uitzien. Als wijlen mevrouw haar hoofd zou opheffen...!'

Ik zat mijn thee met kleine slokjes op te drinken. Daría verstrekt altijd betrouwbare informatie om weer op aarde te landen.

'Ik heb het Consuelo heel duidelijk gezegd, neem dat maar van me aan, dat ik met geen stok de schuilplaats in te krijgen ben. Ik ben er één keer geweest en dat was meer dan genoeg. Je moet er maar zin in hebben. Want dat is het punt met Encarna en Lorencito, dat ze het van jongs af aan vertikt hebben om te gehoorzamen of ooit iets op te ruimen. En hun vrienden al net zo. Don Eduardo heeft weinig met die vrienden op, hè?'

'Zij hebben ook weinig met de zijne op.'

'Ja. Ze kunnen niet met elkaar overweg. Weet u nog die ruzies, de laatste maanden dat ze hier zaten, vooral vlak voor de dood van hun grootmoeder. Als hun vader wit zei zeiden zij zwart, en omdat u er niet was om de klappen op te vangen... Wat een zomer hebben ze me bezorgd! Ik wil er niet meer aan denken.'

'Over welke zomer heb je het?'

'Toen u naar Londen ging om Amelia en haar vriendin op te halen. U had trouwens meer van dat soort reizen moeten maken, want u kwam als herboren terug. Maar dat duurde natuurlijk niet lang... Wat is er van dat aardige meisje geworden? Soledad heette ze, is het niet?'

'Ja. Ze is hier laatst geweest. Haar ouders zijn aan het scheiden.'

'Nou, beter laat dan nooit. Eens zien of het voorbeeld navolging vindt. Ik snap het best. Als je toch geld hebt, zou je wel gek zijn om je hele leven iets wat je niet leuk vindt te verdragen. Maar wat is er aan de hand? Wordt u weer duizelig?'

Ik schudde met gesloten ogen van niet, maar mijn hoofd tolde.

'Omdat u uw ogen dichtdoet... Als u wilt, laat ik u alleen.'

'Nee, nee. Het komt doordat ik me bepaalde dingen wil herinneren, wanneer ze gebeurd zijn, hoe ze gebeurd zijn, het verband tussen de dingen van vroeger en die van nu, en tussen het leven van anderen en dat van mij, want alles heeft met elkaar te maken, daar ben ik van overtuigd... Het is alsof je probeert knopen te ontwarren van een kluwen die verstrengeld is met andere kluwens, met duizenden andere... Ik word er gek van, Daría, ik weet niet waar ik moet beginnen, ik kan me niet concentreren.'

'En waarom zou u zich concentreren? Dan maak je jezelf ook gek. Dat mag niet, al was u God zelf. Zelfs God moet zich niet concentreren, zoals de wereld er nu uitziet, en hij, die arme ziel, is al zo oud dat hij de wereld niet zal herkennen als hij ernaar keek. Hij zou zeggen: "Maar is dit het resultaat van die ingeving van mij, van 'naar mijn beeld en gelijkenis'? Nou, mooie boel heb ik ervan gemaakt." En één van de twee, of hij ziet in dat hij zich heeft vergist, of hij zal siësta moeten gaan houden. De cake schijnt u te smaken. Hij is lekker luchtig, hè?'

'Ja, hij is heerlijk.'

'Hij wordt nog lekkerder als hij helemaal is afgekoeld.'

'Maar, Daría, vertel me eens... Wanneer zijn ze begonnen me voor die overspannenheid te behandelen? Was dat in het jaar dat ik in Engeland ben geweest?'

'Allemachtig! Wat doet dat er nog toe? Gedane zaken nemen geen keer.'

'Alsjeblieft, Daría, je moet je dat herinneren, want jij herinnert je alles. Het was dat jaar, hè?'

'Ja, inderdaad, in tachtig. Na de zomer. Vlak nadat de kinderen waren verhuisd naar het appartement dat hun grootmoeder hun had nagelaten. Zij stierf in september, God hebbe haar ziel. En al na een paar maanden zijn zij verhuisd. Met Kerstmis, geloof ik. Ik weet niet of het wel goed was dat ze dat zo jong al van hun grootmoeder erfden.'

'Ik weet het ook niet, ik weet niets... En toch, door mijn schuld is er iets fout gegaan. Ik herinner me nu dat ik dat toen ik uit Londen kwam heel duidelijk zag.'

'Maar wat zag u dan duidelijk?'

'Nou, dat Encarna en Lorenzo de werkelijkheid niet accepteren zoals hij is, dat ze in niets op hun vader willen lijken. En dat dat mijn schuld is. Daar heb ik met mijn psychiater over gepraat. Ik begrijp hen, ik moedig hen niet aan maar ik begrijp hen wel. Ik kan het niet helpen.'

'Nou, mijn Consuelo begrijp ik niet en ik moedig haar al helemaal niet aan. Maar die heeft net zo'n grote mond tegen haar vader als die van u. Ze noemt hem zelfs in zijn gezicht ouwe sok. Het is toch verschrikkelijk. Nou, als ik zo tegen mijn vader zou praten, zou hij me een enorme oplawaai geven. Dus u hoeft zich echt niet schuldig te voelen, met de jeugd van tegenwoordig doe je het altijd fout. En wat is er met Lorenzo? Heeft die nog steeds niet besloten te gaan werken voor de kost? Don Eduardo zou hem best kunnen helpen, met al die relaties die hij tegenwoordig heeft.'

'Maar dat is onmogelijk, Daría, hoe beter de zaken van hun vader gaan en hoe meer invloedrijke mensen hij kent, des te meer minachten ze zijn geld.'

'Ja, verdorie, omdat ze het hebben.'

'Van dat van hun grootmoeder zal niet veel meer over zijn.'

'Natuurlijk niet, doordat ze dat van begin af aan over de balk hebben gegooid. Het getuigde ook niet van respect, zeg nou zelf, die goeie meubels van wijlen mevrouw voor een paar dubbeltjes te verkopen, het leek wel alsof ze er hinder van hadden. Gelukkig maar dat Santi er een heleboel heeft meegenomen. Maar ook in Amerika, zo ver weg... U was daar behoorlijk overstuur van.'

'O nee, ze hinderden mij ook, ik ben niet gehecht aan oude spullen. Wat mij overstuur maakt, Daría, is beslissingen nemen. Partij kiezen. Raad geven. De een gelijk geven en de ander dus ongelijk geven, betrokken worden in het leven en het lot van anderen. Hoe na ze me ook staan! Dat is wat mij overstuur maakt! Als ze dan zo graag wilden gaan, nou, dan moesten ze dat maar doen, maar ik kon niet in hun huid kruipen, en ook niet in die van mijn broer en die van mijn man, ieder moet zijn eigen strijd strijden, bah!'

'Oké, maar windt u zich niet op. Waarom ben ik verdorie op het idee gekomen de schuil te noemen?'

'Wat had ik ermee te maken? En iedereen maar wachten tot ik me zou uitspreken, tot ik iets zou zeggen, en iedereen maar kijven. Ik vond het allemaal best, verkopen, kopen, verdelen, een hypotheek nemen, het ging mij niet aan. Zelfs, en luister goed naar wat ik je nu ga zeggen, zelfs de dood van mijn moeder ging mij niet aan. Het zou monsterachtig hebben geklonken als ik dat toen gezegd had, daarom zei ik het niet, maar zo voelde ik het wel.'

'U heeft nooit veel van haar gehouden.'

'Nee. En dat knaagde aan me. En ik voelde me schuldig.'

'Ach Heer, die verdomde schuldgevoelens! De schuldige is degene die de wereld heeft geschapen, dat heb ik u al gezegd.'

'Die reis naar Engeland was fantastisch. En het was alsof ik daarna in de hel belandde. Ik ben er niet meer uitgekomen.'

'Kom, u moet nu ook weer niet overdrijven.'

Ik keek naar het raam. Hoeveel dagen geleden ben ik gestopt met schrijven? En waarom? Schrijven haalde me uit de hel. Ik moet die aantekeningen vinden van die avond dat Soledad er was. Daar staan zeker cruciale gegevens in. Daría was gaan staan. Ik voelde dat ze, terwijl ze het theeblad oppakte, weer naar me keek, alsof ze me bespioneerde.

'Wel, Consuelo heeft gezegd dat u de laatste dagen heel vrolijk was, dat u jaren jonger leek en de hele tijd aan het zingen en grapjes maken was. Op een gegeven moment opperde ze zelfs, u weet hoe ze is, dat u misschien ergens een avontuurtje zou hebben, en toen heb ik geantwoord: "Nou, kindje, laten we het hopen!" Het kwam recht uit mijn hart. En het is waar, het zou u meer dan goed doen. Mannen zoeken het toch ook buiten de deur?'

'Die dingen interesseren mij niet meer, Daría.'

'Logisch, door onthouding! Ik heb het omgekeerde, ik moet mijn man juist van me afslaan. Want ziet u, invalide door de spit als ik de afgelopen dagen was, maar niks hoor, het maakt hem niks uit. Die boef zei zelfs dat hij de geur van de spray die ik van de dokter moet gebruiken zo lekker vond. Zo, mevrouw, fijn dat u lacht! Ik heb nooit iemand gezien bij wie het gezicht in een halve minuut zo kan veranderen als bij u. U hebt het zelf niet eens in de gaten. U bent me er eentje.'

'Ja, dat zei Soledad ook al.'

Ik ging staan. Het was me net te binnen geschoten waar ik de aantekeningen had gelegd die ik had gemaakt op de dag dat Soledad me was komen opzoeken: in een roman van Patricia Highsmith die ik aan het lezen was. Met die aantekeningen, wat oude brieven en stukken uit het dagboek van mijn reis naar Engeland kan ik een collage maken die me misschien in staat stelt beter te begrijpen wat Guillermo voor me betekende. Ik sloeg een arm om Daría's schouders.

'Ja, het zijn vlagen. Ik voel me ineens weer prima. En vol energie. De menselijke geest is net een wolk. Niemand kan hem ooit in dezelfde stand vangen.'

'Nou, mevrouw, als u dat weet, laat hem dan vrij en probeer niet steeds een lokmiddel te bedenken om hem te vangen. Dat is verkeerd!'

'Het is verkeerd, je hebt gelijk. Ik zal het proberen.'

'En ik zei u al, niks hel of schuld. Wij vrouwen van rond de vijftig hebben de beste leeftijd om in bed te genieten, omdat je dan nergens meer bang voor hoeft te zijn. U zult mijn man misschien wel een beest vinden, maar hoe stom Elías ook is, dàt ziet hij in ieder geval in. En als die van u het niet begrijpt, nou, zoek dan elders een andere en daarmee uit.'

Ik schoot in de lach.

'Zo makkelijk is dat ook weer niet, dat snap je toch wel. Daría. Er zijn niet veel wat je noemt echte mannen meer.'

'Daar hebt u gelijk in. Goed, en nu ga ik, als u me niet meer nodig hebt, want het is al laat.'

Ik bedankte haar voor haar gezelschap en zij raadde me aan me niet urenlang in mijn eentje thuis op te sluiten en er wat vaker uit te gaan.

Toen ze even later met haar jas al aan haar hoofd om de deur stak om afscheid te nemen, had ik net *Deep Water*, de roman van Patricia Highsmith, gevonden. De blaadjes zaten er inderdaad in. 'Dat van Guillermo vertellen zoals ik het vanavond aan Soledad heb zitten vertellen,' las ik. 'Als een roman. Alsof alles wat er gebeurd is iemand anders is overkomen. Met de humor en de afstandelijkheid waarvan hij vond dat ik die moest aankweken om te kunnen overleven.'

'Waren dat de papieren die u zocht?' vroeg Daría.

'Ja. Bedankt.'

'Ziet u wel dat alles uiteindelijk weer te voorschijn komt...? O ja, over papieren gesproken, dat was ik vergeten. Er is een aangetekende brief voor u. Een hele dikke.'

Ik sloeg mijn ogen van de naam Guillermo op.

'Een brief? Waar?' vroeg ik met bonzend hart.

'Op het blad bij de voordeur. Hij is daarnet gekomen. Omdat u lag te slapen, heb ik het ontvangstbewijs getekend. Zal ik hem u brengen?'

'Nee, dat hoeft niet. Ik ga zo zelf wel.'

Ik deed mijn best om normaal te praten.

'Nou, tot morgen dan.'

'Dag, Daría.'

Ik wachtte tot ik de buitendeur dicht had horen gaan en rende toen naar de hal om datgene te gaan halen waarvan ik al wist, zonder het te hebben gezien, dat het de eerste brief van Mariana León na al die jaren was.

8 *Eenzame striptease*

Lieve Sofia,

Dit is mijn derde brief sinds ik uit Madrid ben vertrokken, en ik zet er geen plaats en datum boven om hem te onderscheiden van de andere twee, die ik je schreef met de bedoeling ze te versturen, wat ik vervolgens, deels uit luiheid maar ook uit gierigheid, niet heb gedaan. Ze zitten in een blauwe map die ik in Cadiz heb gekocht, waarin ik ook wat losse notities over erotiek bewaar. Een van die brieven – die uit de trein – zit al wel in een grote envelop met jouw adres erop, de andere zelfs dat niet. Ze zijn heel stimulerend voor mij. Het herlezen ervan helpt me de draad van de afgelopen tijd op te pakken en is niet alleen bevorderlijk voor mijn geestelijk herstel maar ook voor de voortgang van mijn werk, dat eindelijk van de grond begint te komen. Daarom heb ik van begin af aan besloten de brief die ik je nu ga schrijven niet te versturen. Jouw naam en de herinnering aan jou dienen weliswaar als steun om zekerheden los te laten, maar dat betekent nog niet dat ik me verplicht voel je te bewijzen dat ik aan jou en jouw problemen denk.

En dat is een bevrijdend besluit. Wat een opluchting mezelf ronduit te kunnen bekennen dat deze brievenverslaving – die ik natuurlijk dankzij jou weer heb ontdekt – zoals bijna alle verslavingen een eenzame is! En ik weet niet of het komt doordat de tekst van mijn niet-verstuurde brieven in de blauwe map besmet is met het virus van mijn overpeinzingen over liefde en seks, maar in ieder geval heb ik het idee dat alles deel uitmaakt van een en hetzelfde verhaal: de gedachtengang die, begonnen na de plotselinge ommezwaai in de houding van Raimundo, me naar de Lijdensweg heeft gevoerd en me, om een metafoor te gebruiken, op diezelfde weg van het kastje naar de muur stuurt. Al jaren dwaal ik daar zwalkend doorheen, dronken van de vragen zonder antwoord. Het zijn vragen die ik mezelf blijf stellen, uit beroepsdeformatie maar ook omdat ik dat diep in mijn hart leuk vind. Ik ben nu zo ver dat ik de enige zin van het leven het zoeken naar de zin ervan vind, ook al weet ik dat geen enkel spoor iets zal ophelderen, dat ik tijdens mijn speurtocht keer op keer zal falen. Je ziet wat een dwaas vermaak het is. Net zoiets als met niet-aflatend plezier een detective lezen waarin de moordenaar nooit opduikt.

Maar goed, zoals mijn vader zei, het gaat erom de tijd door te komen. Dat zei hij heel vaak. Ik vond dat altijd een banale uitspraak, maar op een dag, toen hij al vrij oud was, heeft hij me uitgelegd dat die sloeg op de tijd van leven die ieder van ons bij zijn geboorte krijgt toebedeeld.

'En het vervelende is dat er op het briefje van de tombola waar kinderen worden verloot niet staat aangegeven om hoeveel tijd het gaat. Het hangt van onszelf af of die lang of kort zal zijn, het gaat erom die tijd te leren gebruiken overeenkomstig ons lichaamsritme, als een soort gymnastiek, mijn kind. Je moet jezelf niet kwellen door te gaan nadenken over hoeveel tijd je hebt. Het is niet aan ons dat te berekenen.'

Later, toen hij dood was, moest ik vaak denken aan wat hij had gezegd. Want mijn vader wist altijd zoveel mogelijk van het leven te genieten en haatte zinloos getob.

Het gaat erom de tijd door te komen, en dan natuurlijk wel zo dat je er ook nog iets aan hebt en plezier uit dit onvermijdelijke proces put. In deze wereld schrijft een ieder zich in voor de sport die hem het meeste trekt, en de sport om alles in twijfel te trekken is er nog steeds een als iedere andere. Ik slinger mijn betoog de ether in, puur vanwege de lol de echo van mijn eigen stem tegen de hoeken te horen weerkaatsen. En wat dan nog? Ik hoef me helemaal niet te verdedigen als Silvia me dat weer voor de voeten werpt. Ik vind dat namelijk leuk: striptease in mijn eentje. Zij heeft er zelf voor gezorgd dat ik dat inzie en accepteer. Maar over Silvia zal ik het straks hebben.

Denk je eens in. Welbeschouwd hebben we niet meer dan dat: het genot adem te halen en je eigen stem in zijn verschillende varianten van droefheid, verontwaardiging of enthousiasme te gebruiken; dat is het enige basiselement. En bij mij werkt het verslavend de touwtjes van mijn eigen stem in handen te hebben, het volume te laten aanzwellen tot een schreeuw of het te temperen tot een gefluister, ook al wordt hij slechts begeleid door de klacht over het gebrek aan gezelschap. Een zuiver retorische klacht, zoals wanneer er in flamenco-versjes de vocatief wordt gebruikt: 'Ach, vriendinnetje van mijn hart!' om op hartverscheurende wijze de afwezigheid te onderstrepen van degene door wie de zanger het zo moeilijk heeft terwijl de geliefde onwetend is van zijn jammerkreet en ook absoluut geen zin heeft ernaar te luisteren, want zeg nou zelf waar zou zo'n uitbarsting anders voor dienen?

Het komt er dus op neer, Sofia, vriendinnetje van mijn hart dat je eens was, dat hoe lang we er ook over piekeren, alles eenzaamheid is. En door daarvan te getuigen, door de barrières die me verhinderen dat openlijk te zeggen te doorbreken, kan ik makkelijker verder trekken door een gebied dat ik al kiezende definieer, terwijl ik het aftast en verken, wat inhoudt dat ik mezelf verken, en dat is hard nodig. Want dit gebied openbaart zich en neemt vorm aan tijdens het schrijven. Liever gezegd, het is het schrijven zelf, zoals dat zich afscheidt en bast vormt, en de contouren die door de blik worden opgevangen in woorden omzet; daarmee creëer ik mijn eigen vaderland en dat is weliswaar aan veranderingen onderhevig, maar het is onbetwistbaar van mij. Mijn woeste, verborgen vaderland, altijd wachtend op mij: beekjes waarin de rode vissen van de onvoltooid verleden tijd wegschieten, gekartelde bergen van het gerundium, hellingen geflankeerd door uitroeptekens en gedachtenpuntjes, smalle bergpassen waar de samengestelde zin wordt gesponnen, bomen bladerrijk van adjectieven of juist kaal, weiden vaag in dromen gezien, waar je slechts kunt komen over de gammele brug van de conditionalis.

Toen ik een punt achter het woord 'conditionalis' zette, heb ik mijn ogen opgeslagen en genietend de geur van de zee opgesnoven, die zich onmetelijk voor me uitstrekt. En ter afsluiting van het voorgaande wil ik graag een voorbeeld geven van een zin in de conditionalis die zeer toepasselijk is: 'Als mijn vriendin Silvia zich anders had gedragen, zou ik nog in haar huis zitten of naar Madrid zijn teruggekeerd om de uitoefening van mijn beroep te hervatten.'

Achter me, buiten beeld, klinkt een onmiskenbare stem, de meest vertrouwde van alle die ik ken, kalm en onverbiddelijk.

'En vind je dat jammer?' vraagt de stem.

'Nee,' haast ik me te antwoorden. 'Ik houd meer van de tegenwoordige tijd dan van de conditionalis.'

'Dat hangt van de consequenties af.'

'Die kunnen me niet schelen, dat zei ik al. Ik vind het helemaal niet jammer.'

'Daarnet beweerde je het omgekeerde, dat je evenwicht verstoord was en dat je als een stuurloos bootje ronddobberde,' houdt dokter León aan.

'Sorry dat ik je in de rede val, maar moet je die wolken zien. We krijgen vandaag een fantastische zonsondergang. Heb ik dat van dat bootje echt gezegd?'

'Ja, dat Silvia je onder de waterlijn had weten te raken. Pas op dat je jezelf niet voor de gek houdt.'

'Dat probeer ik ook. Maar denk eraan dat er niet één enkele waarheid is, maar vele. Dat ieder moment barstensvol atomen zit die het in wel duizend mogelijke gevoelens versnipperen. En houd als je wilt nog even je mond, breng me alsjeblieft niet in herinnering wat ik daarnet heb gezegd, laat me eenvoudigweg genieten van wat ik nu zie.'

Ik glimlach, starend naar de onduidelijke lijn van de horizon, die de zon wanneer ze over enkele ogenblikken wegzinkt in zee vuurrood zal kleuren. 'Laat je strelen door de lucht, want die is vol engelen.' Dat is een zin van jou, Sofia, die jij je misschien niet herinnert. Net als die van de haas in het open veld behoort hij tot jouw eerste pogingen het gebied van de poëzie te veroveren. We kwamen terug van een schoolreisje naar Avila en zaten in de trein, aan het raam. En ik was, waarom weet ik niet meer, in een slecht humeur. De wind woei door onze haren. 'Ik wou dat ik al groot was!' zei ik. Zonder iets te zeggen wees jij op een groep goudkleurige wolken die zich boven de rotsen aftekende. Ik moest me dus laten strelen door de lucht, die vol engelen was. Wat zijn er veel jaren verstreken voordat ik je kan gehoorzamen. Nu die zin me ineens is ingevallen, vluchtend vanuit jouw vaderland naar het mijne en de barrières van de tijd slechtend, geniet ik van het wonder zonder om een verklaring te vragen, en de engelen in de lucht wuiven me werkelijk koelte toe, beroeren met hun vleugels mijn lippen en spelen met mijn haar. Ik wil niet weten hoe laat het is en bestel nog een gin-tonic. Het tij komt op. Sommige golven maken de onderste treden van het strandtentje al nat. Ik geloof dat de ober, een heel aardige, donkere jongen, me herkend heeft. Ik ben hier verscheidene keren met Manolo Reina geweest, aan het begin van onze romance.

Vanavond zal ik het bandje draaien dat hij, toen we elkaar al niet meer zagen, naar Madrid heeft gestuurd. Brieven heeft hij me nauwelijks geschreven. Schrijven lag hem niet, hij hield niet van brieven, net als de minnaar uit het versje,

> ...want ik kan niet lezen, niet lezen
> stuur me geen woorden/
> want ik kan niet lezen...

Ik begin het versje zachtjes te neuriën en probeer daarbij de toon van Manolo te imiteren.

Stuur me jezelf
In een brief
in een brief
want ik heb je zo lief

Die stem van twee zomers geleden was niet te verdragen. Mijn ademhaling gaat sneller en ik wil niet dat iemand het ziet.

Ik doe mijn ogen halfdicht en tussen de flonkeringen van mijn iris meen ik in de verte de nauwelijks zichtbare tekening van een bootje te zien. Misschien stuurloos. Ik bedenk me dat ik zonder Silvia's schoten onder de waterlijn van mijn bootje niet in de beschutting van deze haven zou zijn beland. Maar tegelijkertijd is het ook waar dat er geschoten is en dat de strijd is aangebonden. Een strijd met mezelf, die van binnenuit door dokter León wordt aangewakkerd.

Ze laat niet toe dat ik Silvia uit mijn hoofd zet en zorgt ervoor dat ik zo af en toe met onrust haar aanwezigheid nog voel, die zich verspreidt over het dal van de bittere spiegels, als zuiver kwikzilver dat de ruimte binnenstroomt en alles besmet. En het vervelende was dat ik me niet eens mocht beklagen. Ik was immers degene die haar had gebeld om te vragen of ze naar Puerto Real wilde komen: 'Ik moet met je praten.' Niemand hoefde me daaraan te herinneren.

Ze kwam tegen het vallen van de avond binnenstormen, en vanaf het moment dat ik haar schelle stem onderaan de trap hoorde roepen, verzette mijn hele wezen zich tegen haar komst. In de eerste plaats omdat ze me in mijn werk stoorde op een moment van echte helderheid, toen het me eindelijk lukte mijn persoonlijke ellende buiten het raamwerk van mijn tekst te houden, en in de tweede plaats omdat ze niet alléén was, maar met een Amerikaanse leraar die ze een lift had gegeven vanaf Sevilla en had uitgenodigd om te blijven slapen. Onderweg waren ze natuurlijk bij de ene bar na de andere gestopt, want ik weet waar Silvia van houdt; en ze waren behoorlijk bezopen, vooral zij. Ze droeg een gele jurk en praatte aan één stuk door, zonder iemand anders aan het woord te laten.

Algauw, vlak nadat de leraar en ik aan elkaar waren voorgesteld, begreep ik dat het gezelschap van een vreemde haar er niet alleen niet van weerhield onmiddellijk persoonlijke onderwerpen aan te roeren, maar dat zelfs stimuleerde. We zaten in de salon beneden, ik voelde dat ik mezelf steeds minder in de hand had en de Amerikaanse leraar scheen zich onbegrijpelijk genoeg te amuseren. Hij was lang, blond en tamelijk knap, en rookte een pijp.

'Laat mevrouw niet zoveel drinken,' fluisterde Brígida me in mijn oor toen ze voor de tweede keer met drankjes binnenkwam. 'U weet hoe ellendig ze zich daarna voelt.'

Die woorden maakten dat ik mezelf nog ellendiger voelde. Per slot van rekening blijf ik haar psychiater, ach ja, altijd hetzelfde liedje. Maar ondertussen brak op verschillende punten de zo moeizaam weer vastgeknoopte draad van mijn gedachtengang en de kralen van de ketting schoten los en rolden als zinloze tranen over de grond. En jij, dokter, belette me te gaan schreeuwen en beval me beheerst antwoord te geven op dat geraaskal van mijn patiënte, door me geen kans te geven te denken dat ik eigenlijk de patiënte was, al was het alleen maar vanwege het geduld dat ik moest opbrengen om een minimum aan logica van haar te verlangen of haar te vragen die hysterische stem een beetje te temperen. Na een uur vormde de naam Raimundo, vermengd met steeds warriger filosofemen, een van de bestanddelen van een volslagen inconsistent, leugenachtig verhaal dat iets weghad van een hoorspel.

Ineens voelde ik de behoefte mijn hoofd uit dat wespennest te halen en zelf een reden te vinden om tegen mezelf te kunnen zeggen dat ik bij die liefdesgeschiedenis betrokken was, om me wanhopig en jaloers te voelen, bezorgd over het lot van Raimundo, naar zijn aanwezigheid of iets dergelijks te verlangen, maar ik moet bekennen dat ik die reden niet vond. Ik kon slechts denken aan een zin die ik halfafgemaakt in de typemachine had laten zitten en die over eenzame erotiek ging. De gedachte nog met Raimundo in zijn huis in Covarrubias opgesloten te zitten, ten prooi aan zijn wisselende humeuren, schoot door mijn hoofd en plotseling kwamen de dagen na die middag van mijn flauwte in de bar in Malasaña me als een heerlijke, bevrijdende periode voor. 'Ik heb me bevrijd van een ware straf,' zei ik tegen mezelf. 'Ik heb weten te ontsnappen!'

Het was alsof er een lampje in mijn geest was gaan branden. Want niet alleen was ik blij dat ik dat nu inzag, maar die vreugde bracht ook nog eens het besluit tot een nieuwe ontsnappingspoging met zich mee. Al met al zijn de tralies van de Lijdensweg makkelijker te breken. Voorlopig moest ik die twee cipiers om de tuin zien te leiden en mijn plan koelbloedig uitwerken. Ik was veel te gespannen. En omdat ik in mijn schulp kroop was de Amerikaanse leraar, die maar door zat te drinken, ook nog eens begonnen me rechtstreeks vragen te stellen, misschien in de hoop dat door zijn tussenkomst het agressieve, incoherente gedrag van zijn gastvrouw enigszins getemperd zou worden. Ik beperkte me ertoe te glimlachen, waarop hij zei dat ik hem aan de Mona Lisa herinnerde.

'Je weet nooit waar ze aan denkt,' zei Silvia. 'Dat is een van haar trucs.'

'Misschien aan die vriend waar jullie allebei van houden,' opperde hij. 'Zulke extreme hartstochten komen alleen in Spanje voor.'

Hij was een hispanist uit Seattle, zeer geïnteresseerd in de zinswendingen van het gesproken Spaans, naar later bleek, en ineens was ik bang dat hij het ook nog in zijn hoofd zou halen onze mening te vragen over de toetreding van Spanje tot de NAVO of over de liefde van Don Quichot voor Dulcinea.

De hispanist interesseerde me niets, en Silvia ook niet, en evenmin of het wel of niet waar was dat Raimundo haar dagelijks belde om te vertellen hoezeer hij leed. Het enige waar ik zin in had was naar mijn kamer te gaan zonder al te bot te lijken. Want van jou, dokter, mag ik niet bot zijn en een patiënt niet in de kou laten staan, hoe graag ik dat ook zou willen. En ik ben nu eenmaal tot die symbiose met jou veroordeeld.

Ik probeerde het gesprek op meer neutrale onderwerpen terug te brengen. En als een flauw zonnetje tussen de wolken kwam het onderwerp van de onherroepelijke eenzaamheid van de mens te voorschijn. Het is te vermoeiend je hele leven tegen de eenzaamheid te vechten. Zou het niet handiger zijn het ermee op een akkoordje te gooien? Zonder veel geestdrift weidde ik daarover uit, me ervan bewust dat ik met opgeklopte slagroom bezig was. Maar desondanks vond de leraar uit Seattle mijn argumenten enorm inspirerend.

'Het is allemaal kolder wat ze zegt,' ging Silvia tegen hem in. 'Ze doet dat alleen om van onderwerp te veranderen. Om met haar geheimen veilig in haar schulp te kunnen blijven.'

'Dat kan zijn,' antwoordde ik koel. 'En wat dan nog? Denk je soms dat alles gedeeld kan worden?'

Ze ging voor me staan en keek me aan alsof ze zich op me wilde storten. Mijn benen trilden en mijn vingers waren ijskoud. Van angst. Mijn eeuwige angst om mijn zelfbeheersing te verliezen, of om aangestoken te worden door het gebrek aan zelfbeheersing van een ander. Silvia barstte in lachen uit. Als ze in zo'n bui is klinkt haar stem als een nasynchronisatie van een oude film.

'Nee! Iets met jou delen? Nee, natuurlijk niet, schat. Dank je feestelijk, maar dat zou geen mens ter wereld willen. En weet je waarom niet? Omdat jij altijd bang bent je vingers te branden. Wanneer heb jij je ooit in het hol van de leeuw begeven, zeg dan, wanneer? Nooit! Jij houdt meer van striptease in je eentje!'

Ze was helemaal buiten zichzelf, dat had iedereen kunnen zien. Maar ik voelde me ook nog eens verantwoordelijk. Als het me op dat moment allemaal niet teveel was geweest, had ik op de juiste wijze gereageerd, haar automatisch op een enigszins gekwetste toon mijn curriculum van bezoeker van de meest uiteenlopende, duistere leeuweholen breed uit de doeken gedaan. Dat zou als balsem hebben gediend om haar vertrouwen te kunnen herstellen, en mij zou het weer de touwtjes van de situatie in handen hebben gegeven. Kortom, dokter, hadden jouw gezond verstand en jouw normen maar de bovenhand gekregen. Verboden, zelfs op momenten van grote neerslachtigheid, een patiënt je gebrek aan roeping of aan altruïstische motieven te bekennen. Maar nee, jouw normen kregen niet de bovenhand. Wel duurde het, omdat je altijd zo streng tegen me bent, enkele ogenblikken voordat ik ongehoorzaam durfde te zijn. Maar ten slotte riep ik, tot Silvia's onbegrip, uit:

'Ik vind dat leuk, ja, kan ik het helpen!'

'Waar heb je het over?' vroeg ze perplex.

'Over striptease in je eentje. Ik ben dat leuk gaan vinden, heel leuk, ja. En daar ben ik blij om. Waarom kijk je me zo verbaasd aan? Omdat ik dat toegeef?'

Silvia staarde me inderdaad aan, half fronsend half hulpeloos, alsof ze haar best deed mijn woorden te begrijpen.

'Nee,' zei ze met gebroken stem. 'Ik kan het niet geloven, Mariana. Het is niet waar.'

'Dat ik het toegeef?'

'Nee. Dat je het leuk vindt in je eentje te praten en alleen aan jezelf te denken, dat je daar genoeg aan hebt. Dat je niet tegen de eenzaamheid vecht.'

De Amerikaanse leraar keek naar ons als naar een exotisch landschap, met zijn lichte ogen die van de een naar de ander sprongen.

'Dat heeft ze niet gezegd,' kwam hij tussenbeide, alsof hij een discussie leidde. 'Eerder dat ze, door te veel tegen de eenzaamheid gevochten te hebben, tot het inzicht is gekomen dat daartegen blijven vechten niet de juiste weg is, *and I think she is right*. Montaigne zei...'

Silvia werd razend en begon ons te beledigen en pedant te noemen, alsof ze ons plotseling als een gemeenschappelijk blok tegen haar beschouwde. Ze greep antieke boeken van een plank en smeet ze op de grond en tegen de muren. Toen liet ze zich in een stoel vallen en bedekte haar gezicht met haar handen.

'Boeken, boeken, wat een plaag!'

Ik liep naar haar toe, ging op een armleuning van haar stoel zitten, mijn beroep vervloekend, en legde een hand op haar schouder.

'Kom, Silvia, je moet niet meer drinken. Wat hebben boeken er nu mee te maken?'

'Nou, die hebben er een heleboel mee te maken, die hebben er toevallig alles mee te maken. En ga weg,' zei ze op een toon van kinderlijke woede. 'Kom bij mij niet aanzetten met citaten uit boeken, dat doe je maar bij Raimundo, want daarmee breng je mannen het hoofd op hol, met citaten uit boeken.'

'Ik heb haar geen enkel boek horen citeren,' greep de Amerikaan weer in.

'En waar bemoei jij je mee?' krijste Silvia.

'Ik geloof dat ik zolang ik in dit vertrek ben mijn mening te berde mag brengen,' ging hij bedaard en met een zweem van ironie tegen haar in.

Silvia zei grof dat hij naar bed moest gaan, maar hij begon zonder acht op haar te slaan zijn pijp te stoppen. Ik was bekaf en had geen zin om me nog voor iemand in te spannen. Ik had het punt bereikt waarop ik deze dwaze beproeving niet meer kon verdragen en was tot de conclusie gekomen dat met Silvia discussiëren een bij voorbaat verloren strijd was. Maar ik voelde ook vagelijk aan dat ze onder de waterlijn van mijn boot had geschoten, liever gezegd onder die van het flamboyante schip van dokter Léon. Ik stond op. 'We kunnen er beter over ophouden, Silvia. Goedenacht. We zijn moe.'

'Je hoeft geen meervoud te gebruiken. Jij bent dat misschien. Jij, jij. Altijd jij!'

'Oké. Ik ben moe. Ik ben het beu, om precies te zijn. Omdat er met jou niet te praten valt, omdat je zelfs een ezel verveelt. De draad kwijtraken is één ding, maar zonder draad toch proberen te naaien is weer iets heel anders.'

'Meen je dat serieus? Wat voor draad?' vroeg ze met plotseling zwakke stem. 'Sorry, laten we redelijk praten. Ik luister.'

De Amerikaanse leraar zei dat 'de draad kwijtraken' en 'naaien zonder draad' zeer interessante uitdrukkingen waren. Hij pakte een schriftje om ze in op te schrijven en nam nog een glas toen Silvia dat ook deed. Eerlijk gezegd was de situatie zonder drank moeilijk te verdragen.

'Ik erger me, Silvia, het spijt me. Wat een gekissebis.'

'*Gekissebis! Gekissebis!*' lachte de leraar enthousiast, zonder zijn ballpoint een moment rust te gunnen. 'Dat is pas een mooi woord! Ik was het vergeten. Valle Inclán gebruikt het, *I guess*...'

'Houd je mond, Norman, houd op met dat gezeur!' zei Silvia boos. 'Vooruit, Mariana, geef me een voorbeeld, alsjeblieft. Ik vraag het je oprecht, het spijt me...'

'Een voorbeeld van wat?'

'Ik weet het niet... van dat met die draad.'

Ik nam me voor geduldig te blijven, terwijl ik boeken van de grond begon op te rapen.

'Je zei bijvoorbeeld dat ik van striptease in mijn eentje houd. Dat zei je toch?'

'Dat weet ik niet meer. Maar wat dan nog?'

'Nou, als ik je dan vervolgens gelijk geef, ga je ineens zeggen dat ik zit te liegen.'

'Dus we zijn het eens?' vroeg ze met onvaste stem en troebele blik. 'Bedoel je dat soms?'

Ik knikte met tegenzin en op dat moment merkte ik dat Norman voortdurend naar me zat te kijken. Van buiten kwam het geluid van pratende mensen en gedempt gelach. Een jongetje stak een rotje af en klom op het hek om naar binnen te kijken. Even later verdween hij weer met een sprong. Ik benijdde hem, als een gevangene die vanuit zijn cel een vogel ziet vliegen. Er klonk gelach en het geluid van voetstappen die zich in draf verwijderden. Silvia's stem had nu een smartelijke klank gekregen. Ze dook diep weg in haar stoel.

'Jij en ik het eens, zomaar zonder slag of stoot? Je zegt dat alleen om me de mond te snoeren. Je geeft me gelijk zoals je een gek gelijk geeft. Ze heeft veel verstand van gekken, dat is haar beroep, moet je weten, Norman.'

Toen ze zich tot de Amerikaanse leraar wendde, merkte ze dat hij zijn ogen geen moment van me afhield. Aangezien ik niet wist hoe ze tegenover hem stond en wat ze met hem van plan was, was ik bang dat ze een rel zou trappen vanwege mogelijke pogingen van mij om hem te versieren. Dus liep ik naar de deur, vastbesloten definitief een eind aan de situatie te maken.

'Laten we er alsjeblieft over ophouden, wat doet het er allemaal toe. Bovendien interesseren deze kwesties je vriend vast geen zier.'

'Integendeel, ze interesseren me heel erg,' verzekerde hij me onverstoorbaar.

'Hij is mijn vriend niet,' zei Silvia bits, 'ik heb gezegd dat hij kon blijven slapen, dat is alles. Ik heb zoveel plaats dat ik iedereen kan meenemen die ik maar wil. Vriend! Dat mocht ik willen. Hij zei net nog dat hij verschrikkelijke slaap had. Blijkbaar is hij weer wakker geworden.'

Ze kwam vertrouwelijk op me af en omhelsde me bij de deur, in een poging me tegen te houden. Ze was al erg dronken. Maar het was absurd te verwachten dat ze dat zou toegeven. Ze mompelde iets over dat als ik Norman leuk vond, we het op een akkoordje konden gooien. Ik deed of ik die opmerking niet gehoord had.

'Ik begin daarentegen wel slaap te krijgen, hoor,' zei ik op verzoenende toon. 'Morgen is er weer een dag. Ik ga naar boven. Welterusten.'

'Maar morgen wil je me vast niet zien. Je hebt gezegd dat je het liefst alleen bent. Of heb ik dat gezegd? Ga alsjeblieft niet weg, Mariana.'

We keken elkaar aan, en over haar gezicht trok een woeste uitdrukking. Het mijne – bedenk ik me nu – moet niets dan afwijzing hebben uitgestraald.

'We zullen je echt niet missen!' riep ze uit. 'Donder op! Ik wil je niet meer zien!'

En wankelend liep ze de kamer weer in. Ze wilde zich in de armen van Norman laten vallen, die op dat moment nog op de bank zat maar opstond om haar op te vangen.

'Ze wil je niet,' zei Silvia met slepende stem. 'Ze wil niemand. Maar ik wel. Je bent heel mooi, *darling*. Kus me.'

Ineens keek ik naar die kamer met al die zware gordijnen en oude schilderijen en voelde me heel triest. Ik had het idee dat wij, die drie wezens daarbinnen, spoken waren die in het verkeerde theater terecht waren gekomen. Ik legde me neer bij mijn eenzame striptease en begreep dat ik geen andere uitwijkmogelijkheid had dan het schrijven. Silvia weet beter dan wie ook dat we altijd alleen zijn, en mijn mislukte pogingen gehoor te vinden waren daar het beste bewijs van. Pogingen waarvan overigens het geklapwiek steeds minder was geworden, als bij de dikke nachtvlinders die, terwijl wij zaten te praten, tussen het smeedwerk door waren gevlogen om rond de lamp te fladderen en waarvan sommige als door een dodelijk attaque getroffen op de vloer waren gevallen. Dat vluchtige maar aangrijpende beeld draag ik op mijn netvlies mee, als symbool van de tweede gevangenis die ik binnen een paar dagen heb afgewezen.

Ik glipte de kamer uit naar boven, pakte mijn koffer en wachtte tot het licht werd, met gespitste oren luisterend totdat de geluiden in huis ophielden. Op een gegeven moment herkende ik de stem van Brígida en meende ik haar voetstappen op de trap te horen, op weg naar de deur van mijn appartement. Maar het licht was uit en ze, als zij het was – wat ik niet weet – durfde niet binnen te komen.

Zelden heb ik meer gespannen op de dageraad gewacht. Ik liet een kort briefje op de tafel achter met een gedicht van Pessoa, dat jij, Sofia, altijd heel mooi vond.

> Vanochtend ben ik heel vroeg weggegaan
> omdat ik nog vroeger was opgestaan
> en er niets was waar ik zin in had.
> Ik wist niet welke weg ik zou nemen,
> maar de wind woei hard

en duwde me van achteren voort;
zodat ik deze weg heb genomen.

Ik voelde me opgelucht door deze handige zet: hij staafde mijn beslissing, was een voorproefje van de vreugde over mijn ontsnapping en betekende bovendien een hommage aan jouw liefde voor de Portugese literatuur. Het was alsof ik daarmee degene voor wie het briefje eigenlijk bedoeld was omzeilde en verving door een minder vijandelijk iemand.

De sleutels legde ik op het briefje, samen met een jasmijntak. Ik was me ervan bewust dat Silvia, meer nog dan door het gedicht geïrriteerd zou zijn door het feit dat ik haar de sleutels teruggaf. Maar ik had besloten de verhouding te verbreken en moest dat besluit bezegelen.

Ik deed de deur heel stilletjes open en sloop op mijn tenen de trap af, totdat ik in het grote portaal kwam, waar de vloer altijd een beetje kraakte. En toen ik naar buiten liep, met mijn koffer in de hand, durfde ik niet om te kijken. De angst dat ze achter me aan zouden komen deed mijn ademhaling een tijdje sneller gaan, maar langzaamaan werd hij weer rustig. Het was nog bijna donker, en bij het horen van mijn voetstappen die in de verlaten straat weergalmden, moest ik denken aan een schilderij van Remedios Varo getiteld 'Het doorbreken van de vicieuze cirkel', waarop een vrouw staat met in haar borst een door prikkeldraad omgeven bos. Niets troostte me op dat moment zozeer, Sofia, als de gedachte dat jij dat schilderij misschien kent.

Dit is allemaal twee dagen geleden gebeurd, geloof ik. Of misschien drie. Als het zin heeft, zal ik later de gebeurtenissen in de tijd plaatsen en vertellen over het strandhotel, vergeven van de Duitse en Deense toeristen, waar ik op het ogenblik verblijf om me verder uit te leven in mijn eenzame striptease.

En toch, nu de zon net onder is en een bloederig spoor boven de zee heeft achtergelaten en die hachelijke expeditie door de smalle steeg van de nacht begint, waar in iedere bocht onverwachte griezels op de loer kunnen liggen, kijk ik jaloers naar het silhouet van een jongen en meisje die hand in hand, op blote voeten, langs de vloedlijn komen aanlopen. De tijd is voor hen een verrukkelijke, oneindige tuin. Ze blijven zo nu en dan staan, bukken zich om iets uit het zand op te rapen, rennen weg als er een golf komt aanrollen, lachen en omhelzen elkaar. Even later vervolgen ze met de armen om elkaars middel hun weg. Ze lopen heel langzaam, in een traag en vederlicht ritme. Het is zo duidelijk als wat. Die blijven zeker bij elkaar vannacht.

Het licht van de vuurtoren, die rechts op een heuvel staat, is net aangegaan. Ik drink mijn gin-tonic op en vraag de ober om de rekening. Hij kijkt naar me en lacht. Ditmaal weet ik zeker dat hij me heeft herkend.

'Wat is er van meneer Manolo geworden? Hij is hier nooit meer geweest.'

Ik probeer me in te denken dat hij net is opgestaan en naar de bar is gelopen om een vriend te begroeten en dat hij zo weer terugkomt. Daar komt hij al. Ik wacht op zijn aanraking op mijn schouder. 'Zo, meisje, zullen we gaan?' Die stem van hem! En die manier van zijn vingers heel licht op de wereld van dat moment leggen, en van opzij naar je kijken alsof hij niet kijkt!

'Ik heb al een hele tijd niets van hem gehoord. Hij woont tegenwoordig in Amerika.'

De ober begint te lachen, terwijl hij me het wisselgeld teruggeeft.

'En wat zoekt hij zo ver weg? Die zal niet lang in Amerika blijven, dat zult u zien, daar ken ik hem te goed voor. Die kan niet zonder Cadiz. Doe hem de groeten van Rafa, als u hem schrijft.'

'Ik schrijf hem eerlijk gezegd niet vaak.'

'Nou, dat is een slechte zaak, dan gaat een ander er misschien met hem vandoor. Een ontzettend aardige vent. Jullie vormen een mooi stel.'

Ik vind het leuk dat hij dat in de tegenwoordige tijd zegt. Ik glimlach, bedank hem en sta op om te vertrekken. En ineens boort de giftige pijl van een oude angst zich in mijn zij, en ondanks al mijn pogingen om hem onschadelijk te maken zal hij – dat weet ik – de belangrijkste reden zijn dat ik vannacht niet zal kunnen slapen. Ik zal proberen die angst te verlichten door de cassetterecorder aan te zetten. Ik heb het bandje meegenomen dat Manolo kort nadat we uit elkaar waren gegaan voor me heeft opgenomen en naar Madrid heeft gestuurd. Ik weet nog dat ik het in die dagen heel druk had en het pas na een tijdje gedraaid heb. Toen maakte het niet zoveel indruk op me als nu. Net als goede wijn gaat het er met de tijd op vooruit. Maar al knijp ik mijn ogen nog zo hard dicht, het lukt me haast nooit die stem te horen alsof hij op het moment zelf tot mij gericht is. Omdat de adem, het gebaar en de blik ontbreken.

En hier zouden mijn aantekeningen over erotiek wel goed passen. Ze staan te dringen om aan de beurt te komen, vol verlangen om dijken te doorbreken en de stroom van deze brief te doen aanzwellen, als je een verhandeling die bestemd was om uit te monden in de blauwe map maar eerder een zijrivier is geworden, tenminste zo mag noemen.

Uiteindelijk bemin of praat of schrijf je niet om iemand anders ergens van te overtuigen, maar om jezelf te overtuigen van het feit dat je nog steeds in vorm bent en nog steeds acrobatische toeren kunt uithalen die het lichaam, de geest en vooral de juiste verhouding tussen die twee op de proef stellen. Een wonderbaarlijk evenwicht, net als dat van de ademhaling, die zo eenvoudig lijkt, zo zie je maar.

Een paar weken geleden, toen Raimundo met kunstmatige ademhaling op de intensive care lag, heb ik vaak stilgestaan bij het feit dat we te weinig belang hechten aan de ongemerkte, aanhoudende en nauwkeurige beweging die de longen iedere dag weer maken om ons van lucht te voorzien. Alles – je lichaamsritme, je blik, je ideeën, je gebaren en woorden – hangt af van deze zuurstofvoorziening. Maar zelfs op dat moment, toen ik daar in mijn wanhoop aan dacht, dacht ik dat vanuit de bevoorrechte positie zelf te kunnen ademen. En zo is het altijd. Het feit dat op dit moment Raimundo, Silvia, Manolo of jij doorgaat met ademhalen komt mij voor als een abstracte zekerheid, waarvan ik noch kan genieten noch kan getuigen. Omdat het niet mezelf betreft. Ik zou liegen als ik het tegendeel beweerde.

Ik ben weer op mijn hotelkamer, die een balkon heeft. Als avondeten heb ik eenvoudig een broodje en een glas melk genuttigd, en er zijn een heleboel sterren te zien. Ik denk nog steeds verschrikkelijk veel aan

Manolo Reina, die voor jou, ook al zou ik besluiten je deze zo openhartige brief te sturen, niet meer dan een naam zal zijn. Want op onze leeftijd, Sofia, kunnen maar weinig dingen, of ze nu plezierig of onplezierig zijn, werkelijk worden gedeeld. En de liefde natuurlijk al helemaal niet. Daarom verschaft die zoveel stof voor de literatuur.

Ik zei je eerder al dat mijn vaderland schrijven is. Eens zal ik je uitnodigen het te bezoeken. Zoals toen we als kinderen elkaars dagboeken lazen. Maar het plezier om dat vaderland te bedenken en de last om ervoor te zorgen zijn voor mij, uitsluitend voor mij. Zoals de wil en de moed die nodig zijn om een denkbeeldig landschap te creëren, waardoor er plotseling een appelboom in jouw badkamer gaat groeien en je in de schaduw daarvan kunt bijkomen van je lekkage-problemen waar de buurvrouw van de zevende je voor stelt, alleen van jou zijn. Een vluchtige, weidse schaduw die je slechts verkoeling biedt als je hem weet op te roepen. Ik kan lachen om het surrealistische van het beeld, maar maak er geen deel van uit.

Ja, eens zullen we elkaar opzoeken. Jij zult naar mijn land komen en ik naar het jouwe, en elk van ons zal met de ogen van een vreemdeling naar dat van de ander kijken, zich er tegelijkertijd van bewust dat wat die ogen weerspiegelen gretig zal worden opgevangen. Wat vind je hiervan? En zie dat of dat eens. We zullen er misschien een hele tijd over praten en daarna zullen we afscheid nemen. Dat zal alles zijn. Ik wil daarmee niet zeggen dat het onprettig zal zijn als we elkaar bezoeken, absoluut niet. We hebben al een test doorstaan, en in ieder geval is de jouwe (jouw eerste portie huiswerk, die ik vaak herlees) een krachtige mest voor

mijn uitgedroogde en verwaarloosde tuin geweest, want sindsdien ben ik voortdurend bezig geweest met snoeien, onkruid wieden en de boel steeds grondiger aanharken.

En ik heb je daarvoor bedankt, al kan ik me niet meer herinneren in wat voor termen. Dat is een belangrijk gegeven dat in mijn blauwe map ontbreekt en dat ik nu mis. Ik heb het over mijn eerste brief, de enige die ik op de bus heb gedaan. Ik neem aan dat je die inmiddels zult hebben ontvangen, en het doet me genoegen te bedenken dat hij misschien aanleiding heeft gegeven tot volgende zendingen.

Maar als je wilt dat ik eerlijk tegen je ben, op dit moment komt mijn belangstelling voor jouw nieuwe 'huiswerk' niet voort uit altruïsme. Ik ben gewoon ontzettend benieuwd hoe je zult antwoorden op wat ik je heb geschreven, om me dat weer voor de geest te kunnen halen, want dat is uit mijn geheugen gevaagd, al weet ik wel dat ik een fles champagne heb ontkurkt en me gelukkig voelde. Veel gelukkiger dan als ik jou aan mijn zijde had gehad, want ik kon je nu op mijn eigen manier bedenken. Dus wat ik graag zou willen is dat je me het monster van mijn grond dat ik je stuurde weerspiegeld in je commentaar teruggeeft. Ik zit erop te wachten als op het resultaat van een biopsie. Want het is goed mogelijk dat je, verborgen in een plooi in het terrein, het onkruid van de leugen – jou ontgaat er geen enkele – hebt ontdekt.

Ik zal het kunnen zien bij mijn terugkeer in Madrid, waarvan ik nog niet weet wanneer die zal plaatsvinden, gezien de sappen in de distilleerketel van mijn ziel, en bovendien vanwege de verslechtering van mijn relatie met dokter Léon.

9 *Bezig met de tijd*

Lieve Mariana,

Op de zin van don Pedro Larroque die jij aanhaalt – 'ga zo door, juffrouw Montalvo, ga altijd zo door' – precies op dat 'altijd' heb ik een traan laten vallen, en meteen daarna nog een, en nu heb ik die brief waarnaar ik zo had uitgekeken en die zo ruimschoots aan mijn verwachtingen heeft voldaan opzij gelegd om te voorkomen dat hij kletsnat zou worden. Maar ik moest ook een beetje lachen, en toen ik lachte miste ik je nog meer dan toen ik huilde, want zeg nu zelf, het is toch grappig dat deze naam valt meteen nadat ik 'lieve Mariana' heb geschreven, alsof er geen tijd is verstreken en het om iemand van nu gaat, die ons straks in de klas de *Coplas* van Jorge Manrique zal verklaren, en hij las ze altijd voor met trillende stem, hoezeer hij ook zijn best deed dat niet te laten merken.

> En dan aanschouwen we het heden,
> hoe dat in een oogwenk is vergaan
> en is vergleden.
> Als wij wijs oordelen over ons bestaan
> zullen we het nog niet beleefde
> reeds beschouwen als verleden.

Ik schrijf deze strofe zo voor je over, heel netjes en in het midden, zoals hij op de eerste bladzijde van mijn letterkundeschrift uit de derde klas stond, weet je nog, met links een getekende bloem en rechts een paar gedroogde bladeren, want doordat die versierde pagina jouw aandacht trok werden we op een andere manier vriendinnen. En ik zei tegen je – ik geloof dat het op dezelfde dag was – dat je van de stem van don Pedro wanneer hij Jorge Manrique voorlas niet kon zeggen of het die van een verliefde jongeling of van een opatje was. En jij moest vreselijk lachen. Maar nu weet ik dat alleen degene die een grote liefde gekend en vervolgens verloren heeft, de gave kan hebben om die fries met in zijde geklede, geparfumeerde dames, die ridders en minstrelen aan het hof van koning don Juan op te roepen, hen uit die lang vervlogen tijd naar het heden te brengen en door de ongastvrije aula te laten paraderen, zodat het podium verandert in het strijdperk van een spectaculair toernooi, dat echter, kortstondig als de bladgroenten in een moestuin, gedoemd is een snelle dood te sterven.

> Hoe is het de dames vergaan,
> hun hoofdtooien, hun jurken,
> hun zoete geuren?
> Hoe is het de vlammen vergaan
> van de door hun minnaars
> aangestoken vuren?
> Hoe is het de zang vergaan,
> de harmonieuze melodieën
> die ze speelden?
> Hoe is het de dans vergaan
> en die goudkleurige gewaden
> die ze droegen?

En voor het eerst voelde ik dat ik, via die serene, hulpeloze stem, werd getroffen door het raadsel tijd, als door een verraderlijke pijl die in staat is de meest onverwachte veranderingen aan te brengen. En ik vond het op een verontrustende manier opwindend om over de rand van die afgrond te kijken, om vroegtijdig te spelen met het begrip nostalgie. 'Hoe zullen we op ons twintigste zijn, Mariana? Zullen we ons deze zonnige middag dan nog herinneren?' En jij, altijd even rationeel en verstandig: 'Wat doet dat er nou toe! Dat is zo abstract. Het duurt nog heel lang voordat we twintig zijn. We zitten pas in de derde.' Zo zie je maar, we maten de tijd in schooljaren, terwijl dat nu allemaal bijna meer dan drie keer onze hele middelbare schooltijd geleden is.

Maar don Pedro Larroque moet toen al heel wat over de tand des tijds hebben geweten, daarom werden zijn ogen vochtig achter zijn brilleglazen wanneer hij, uit het raam kijkend, declameerde: 'Nee, laat niemand zich vergissen, door te denken dat hetgeen nog komen gaat/ langer duurt dan wat hij heeft meegemaakt.' Hij had een stem die mij van binnen een beetje deed huiveren. Af en toe streek hij peinzend over zijn kalende hoofd met hier en daar een grijze haar. En wij vroegen ons af of hij mooi of lelijk, of hij oud of jong was. Totdat we op een dag hoorden, want dat vertelde hij zelf in de klas, dat hij net zo oud was als Jorge Manrique toen deze, bij de bestorming van fort Garci-Muñoz, aan een speer werd geregen; negenendertig jaar. 'Zo oud en nog ongetrouwd,' zei ik vol medelijden tegen je. Als hij nog leeft zal hij nu rond de tachtig zijn. Waarschijnlijk zou hij niet meer weten wie we zijn, als we hem ergens tegen zouden komen. En toch blijft hij door jouw mond tegen me praten, zoals Jorge Manrique door zijn mond tegen ons praatte. Je ziet het, altijd bezig met hetzelfde, met de tijd.

Want het meest wonderbaarlijke is, Mariana, dat ik, terwijl er zo veel jaren zijn verstreken zonder dat don Pedro Larroque ooit in mijn gedachten is opgekomen, je zult het niet geloven, maar dat ik vlak voordat ik je brief kreeg ineens aan hem moest denken, dus dat hij weer gewoon, alsof er niets gebeurd is, op het toneel is verschenen om mijn herinneringen aan te vullen met de jouwe. En ook moedigde hij me aan om te schrijven, met een zinnetje waarvan ik niet eens weet of hij dat destijds gezegd heeft of dat ik het zelf heb verzonnen, want – en ik weet niet of jij dat ook hebt – als ik heel lang in m'n eentje mijn herinneringen zit te voeren maak ik ze af en toe mooier, zonder veel overtuiging en een beetje *à fonds perdu*, zoals die vrouwen die voortdurend een ander kapsel nemen wanneer ze beginnen te beseffen dat hun mannen zich niet meer voor hen interesseren. 'Laat nooit het vlindernet los, juffrouw Montalvo', heeft don Pedro of zijn geest zojuist tegen me gezegd. Maar ik was niet ontroerd en ik had weinig aan een zinnetje dat hoe dan ook bestemd was voor een ontzield meisje ergens ver weg, dat niets met mij te maken heeft en gedoemd is tot in de eeuwigheid wassen vlinders bezaaid met tweeklanken te vangen. Mooi, surrealistisch zo je wilt. Maar het is een gebalsemd tafereel waar geen frisse lucht komt en ook nooit zal komen zolang het geloof in dat meisje en in mijn gelijkenis met haar alleen door kunstmatige ademhaling nieuw leven kan worden ingeblazen.

Maar als ik nu, na al die jaren dat ik geen brief van je heb gekregen, ineens in jouw onmiskenbare handschrift lees: 'Ga zo door, juffrouw Montalvo, ga altijd zo door', dan is dat iets anders. Het woord 'altijd' krijgt zijn kracht van talisman terug, tilt het deksel van de doodskist waarin Doornroosje ligt op, en zowel juffrouw Montalvo als ik, dat wil zeggen mevrouw de Luque, krijgen weer kleur op hun wangen.

Stel je voor, zelfs als onze oude leraar nu dood zou zijn, wat heel goed mogelijk is, banen zijn woorden zich, alleen maar omdat jij ze me nu in herinnering brengt, toch nog een weg door het kreupelhout dat het kasteel van Doornroosje aan de blikken van buitenstaanders onttrekt, en ze gaan recht naar mijn hart en mijn zintuigen om die wakker te schudden, net als bij ons gesprek van laatst, dat zonder jouw bijdrage zeker ook niet had willen vlotten en vaag en dubieus was geworden. De haas in het open veld begon dus op kunstmatige ademhaling te leven, net als onze middelbare schooljaren en Guillermo en de klok die aan het eind van jouw gang in de calle Serrano hing. Eerlijk gezegd was ik me al een paar dagen aan het afvragen: Maar heb ik Mariana wel echt gezien? En zij mij? En wat zou ze gezien hebben toen ze naar me keek, als we elkaar echt hebben gezien? Heeft ze me echt gezegd dat ik moet gaan schrijven? Nu weet ik echter zeker dat ik het niet verzonnen heb, omdat je me een plattegrond stuurt van de kamer van waaruit je me de ontvangst van mijn huiswerk bevestigt en me vraagt door te gaan, omdat je me vertelt wat ik op de cocktailparty tegen je heb gezegd en omdat je je zelfs nog de kleur van de jurk herinnert die ik droeg op die avond in juni, toen het net mis was met Guillermo, vlak voordat jij in Barcelona ging wonen en ik je helemaal niet meer zou zien, een rode jurk, ja, met een vierkante hals, die mijn peettante uit Parijs me had gestuurd. Het lijkt wel een sprookje, hè? Later, als de gelegenheid daar is, zal ik je het sprookje van de rode japon vertellen, hoewel ik plotseling overspoeld word door zoveel verhalen die allemaal aan de beurt willen komen dat ik niet weet waar ik moet beginnen. Voorlopig ga ik alleen maar van je brief genieten en me wentelen in jouw 'weet je nog's', alsof ik me na een lange winter laat kussen door de zon.

We beseffen niet, Mariana, hoe fantastisch het is om aan iemand te kunnen vragen: 'Weet je nog?' en dan te merken dat iemand het inderdaad nog weet. Herinneringen die je in je eentje hebt gekoesterd vormen vanbinnen een verwarde, vastgepinde kluwen, en op een gegeven moment kun je wat je hebt meegemaakt niet meer onderscheiden van flarden van scènes die je op straat of in de bioscoop hebt gezien; maar het ergste is dat je met al dat gewroet in die warboel door het verleden wordt vergiftigd, de lucht wordt ijl en het daglicht om je heen wordt je ontnomen. Het is moeilijk om uit de tumor van het verleden te kruipen zonder het weefsel van het heden, dat zo fijn en teer is als een bloemblaadje, te beschadigen.

Iets dergelijks gebeurt met lang-bewaarde brieven, vooral als je bij het herlezen ervan verwacht dat de tekst dezelfde verrassing en dezelfde emotie teweeg zal brengen als de eerste keer. IJdele hoop, natuurlijk. Verrassing is een haas, zoals je heel goed weet, en wie op jacht gaat zal hem nooit in het open veld zien slapen. Mijn dochter Encarna zegt dat onderaan oude brieven een vervaldatum zou moeten staan, net als op medicijnen. En na hoogstens een jaar zou je ze moeten weggooien in plaats van de kast ermee vol te stouwen.

Ik heb naar de data op de jouwe gekeken. Hij was een week geleden af, maar is waarschijnlijk pas later op de bus gedaan. Hij heeft niet de tijd gehad zijn genezende kracht te verliezen. Het 'altijd' van 'ga altijd zo door, juffrouw Montalvo' is een pas geplukt altijd, verse vitamine die al begint te werken, daarom zijn de tranen me in de ogen gesprongen. Het was precies wat ik moest horen. Wat heeft het me snel verlichting gebracht!

Ik ben een poosje met mijn ellebogen op tafel en mijn kin op mijn handen blijven zitten, genietend van de tranen die over mijn gezicht rolden, zoals in de bioscoop bij een romantische film, en ik realiseerde me hoe goed het me deed zo, zonder verdriet of spijt, te huilen. Ik herken het gevoel, dus het is kennelijk niet de eerste keer dat ik zo'n prettige huilbui heb die het kwaad bezweert en duistere knopen ontwart, maar hoeveel tijd er ligt tussen deze en die vorige keer, wat er toen ook aan de hand was, kan ik niet berekenen. Want, Mariana, en ik wil je dit meteen zeggen zodat je weet dat het leven me er tenminste op dit terrein niet onder heeft gekregen, ik heb de tijd nooit kunnen berekenen en ben daarin ook nooit geïnteresseerd geweest. Ik wens alleen vurig dat hij me wil ontvangen, dat ik zonder angst zijn heiligdom kan betreden in plaats van hem van buitenaf te moeten bestoken, me tegen hem te moeten verdedigen, hem te moeten meten. Daaruit bestaat het hoogste geluk, uit te kunnen zeggen, zoals Guillermo dat deed, 'nu is altijd', en dat dan echt geloven en in staat zijn die overtuiging op anderen over te brengen. En terwijl ik daaraan denk en aan Guillermo's blik die strak op de sterren was gericht toen hij dat op de avond dat ik hem leerde kennen zei, begint het woord 'altijd' hier naast me, in jouw handschrift, tegen me te knipogen als het licht van een vuurtoren in de mist. Het is vlekkerig geworden door mijn twee tranen van daarnet, wat betekent dat jij ook nog steeds met vulpen schrijft, alweer een overeenkomst.

Maar kom, genoeg omwegen en uitweidingen. De spanning is opgelost in mijn tranen en we zijn bij een open plek in het bos aangekomen. Laten we daar even blijven, als je het goed vindt.

Ik geloof met een aan zekerheid grenzende twijfel dat de affaire Guillermo nu aan de beurt is, al wordt het misschien een rommeltje door alle verhalen die eraan vastzitten, en dat zijn er een heleboel, ik waarschuw je maar vast, want ik ben namelijk niet van plan het mes in die aanhangsels te zetten. Ik weet niet in wat voor stemming jij bent. Wat mezelf betreft durf ik het aan. Op dit moment, dit 'nu' dat tussen twee polen van 'altijd' is neergestreken, zit ik naar mijn gevoel op een strategisch punt om de kijker op te stellen en de wijde omgeving af te speuren, zonder te vergeten wat mijn gezichtshoek is en die natuurlijk zonodig bij te stellen. En misschien lijkt de plek je metaforisch, maar hij bestaat echt; en de grond onder mijn voeten is betrouwbaar. Geloof me, alsjeblieft. Bovendien worden we vandaag niet omringd door figuranten die ons voortdurend storen. Wil je met mij het verhaal binnentreden, Mariana?

Ik zeg je vast wel dat ik van stijl ga veranderen, aangezien je me daarvoor carte blanche hebt gegeven. De briefvorm houd ik achter de hand, want je weet nooit of ik daar niet weer naar terug moet grijpen als versiering, maar vooralsnog is hij niet bruikbaar. Vooral vanwege een reden van praktische aard: ik kan je de brief niet sturen.

Ik heb mijn visgerei in gereedheid gebracht om dit schuwe verhaal dat ons alletwee evenveel aangaat op te hengelen, en aangezien ik me, al was het maar bij benadering, een voorstelling moest kunnen maken van jouw kardinale punten, heb ik dokter Josefina Carreras gebeld om haar te vragen hoe het met je vriend is en om te weten te komen waar jij bent. Ze heeft een stem als uit een nagesynchroniseerde film. Ze zegt dat ze mij niet kan helpen en dat ze niet gemachtigd is om jouw adres door te geven. Het was alsof er ineens een brug voor mijn voeten werd weggehaald, maar ik bedwong de neiging om op te hangen.

'Maar ik neem aan dat ze u zal bellen om te weten hoe het met haar cliëntèle gaat.'

'Ja, zo nu en dan.'

'Wel, en hoe is het met haar? Voelt ze zich goed?'

'Waarom zou ze zich niet goed voelen?'

'Nou kijk, mevrouw, omdat dat vaker voorkomt. Voelt u zich nooit eens ellendig? Of zijn psychiaters daarvan vrijgesteld?'

Er ontsnapte haar een kort, beleefd lachje, misschien omdat tot haar geestelijke computer het probleem begon door te dringen dat aanleiding heeft gegeven tot haar eerste directe vraag: ze wil weten of ik een vriendin van jou ben of een patiënte. Wat een vreemde gewoonten houden jullie psychiaters er toch op na. Maar plotseling ben ik in een heel goed humeur en zoals altijd als ik me vrolijk voel krijg ik zin om te spelen, om een beetje theater te maken. Op zo'n moment sla ik het liefst een geaffecteerde toon aan. Dokter Carreras ziet mij waarschijnlijk voor zich met een sigarettepijpje in mijn hand.

'Een vriendin?' vraag ik met slepende stem. 'Wat gelooft u zelf, *chèrie*? Nou? Ik geef u een minuut. Vooruit, laat de zenuwcellen maar werken.'

Er valt een stilte.

'Ik hoef helemaal niets te geloven,' zegt ze ten slotte.

'O nee? Gelooft u nergens in? Zelfs niet in Freud?'

Plotseling krijgt haar stem een geërgerde klank.

'Neem me niet kwalijk, maar bent u bij dokter León onder behandeling? Dat is het enige wat ik u wilde vragen.'

'Ach, weet u, op het ogenblik alleen per brief. Een schriftelijke behandeling, snapt u?'

'Schriftelijk? Wat vreemd! Dat begrijp ik niet.'

Ik probeer mijn antwoord half vertrouwelijk half geheimzinnig te laten klinken.

'Dat verbaast me niets. Het is een delicate kwestie. Er was een misverstand tussen ons ontstaan, verdenkingen met betrekking tot een vermoedelijke diefstal, ik hoop dat u dit op grond van uw beroepsgeheim niet verder vertelt, de zaak is lange tijd opgeschort geweest en wordt een dezer dagen behandeld. Elke getuigenis, al lijkt hij nog zo onbelangrijk, kan beslissend zijn.'

'Ik begrijp het nog steeds niet.'

'Dat geeft niet. Tussen twee haakjes, weet u of een vriend van dokter León die een zelfmoordpoging heeft gedaan nu buiten levensgevaar is? Of is ze misschien samen met hem op reis? Hij heet Raimundo, half patiënt half vriend, volgens mijn informatie, ik vertel het u voor op zijn kaart. Kent u hem?'

'Eh, ik ken hem omdat hij de laatste tijd vaak gebeld heeft,' zegt ze op iets andere toon.

Maar je merkt meteen dat ze spijt heeft dat ze dat

heeft gezegd. Ik maak van de gelegenheid gebruik om het spel voort te zetten.

'Aha!' zeg ik, mijn imitatie van een detective overdrijvend. 'Dat betekent dat ze niet samen op reis zijn, want hij kan gelokaliseerd worden. Juist.'

'Ik weet niets. Dat heb ik niet gezegd.'

'Al goed. U begint me te vervelen, maar wees niet bang; ik zal u nergens in betrekken. Hartelijk dank voor uw medewerking en ga eens wat vaker naar de film.'

Ik weet niet of dokter Carreras inmiddels een duidelijk beeld heeft van de geestesstoornis waaraan ik lijd. Wat mijzelf betreft, ik heb de conclusie getrokken dat het geen zin heeft te schrijven naar je adres hier in Madrid als ik niet weet wanneer je terugkomt.

Deze brief is dus niet langer een brief en zal in plaats daarvan mijn schrift met huiswerk dikker maken. Want daarin – en eens zul je dat zien – draait alles om spiegelscherven. Het geluk sluit geen deur, of het opent weer een andere. Van het verhaal van Guillermo bestaat meer dan één versie en het kan niet in zijn geheel worden weerspiegeld, zoals dat bij een doorzichtige, onschuldige keukenmeidenroman het geval is. Het verdient een andere behandeling, die ik gaandeweg zal ontdekken, want ik wil het verhaal niet zozeer vertellen als wel onderzoeken, de verbijstering overbrengen die de hiaten, scheuren en het *trompe l'oeil* ervan in mij teweegbrengen. Ik zal gebruik maken van de techniek van de collage en soms sprongen maken in de tijd. Behalve de in jouw brief aangedragen versie – die onvolledig en partijdig is – beschik ik nog over andere elementen die me kunnen helpen mijn geheugen op te frissen: verschillende liefdes- en afscheidsbrieven, waarvan de vervaldatum al lang is verstreken, fragmenten uit een dagboek waarmee ik vlak na de dood van mama ben begonnen en iets wat veel recenter en literair gezien bruikbaarder is: enkele notities die ik een paar dagen geleden na mijn gesprek met Soledad heb gemaakt en die ik in het net in mijn schrift zal schrijven. (Zij is de beste vriendin van Amelia, mijn jongste dochter, en op eerdere pagina's van dit schrift wordt ze verschillende keren genoemd, dus ik zal niet terugkomen op wat ik al geschreven heb. Je zult zelf wel de verbanden leggen.)

Het speurwerk kan beginnen. Ga nu even een eindje verderop staan, goed? Want ik zit nu met iemand anders over jou te praten. Laten we kijken wat daar uitkomt.

*

'Vanaf de eerste keer dat Mariana het met mij over Guillermo had tot ik hem leerde kennen? Eh, ik weet niet, daar zal ongeveer een half jaar tussen liggen... Ik vind het zo raar om dat te gaan berekenen, als ik eerlijk moet zijn...'

'Natuurlijk moet je eerlijk zijn. Hoezo raar?' vraagt Soledad.

En in de stilte die volgt proef ik een sfeer die overeen zou kunnen komen met wanneer een verdachte zich door de detective in het nauw gedreven voelt. De laatste tijd lees ik veel misdaadromans.

'Nu je het vraagt,' zeg ik ineens peinzend, 'misschien omdat er zonder dat ik het besefte teveel gebeurde in een schijnbaar saaie periode. Aan Mariana was duidelijk te merken dat ze het niet leuk meer vond om met mij samen te zijn, of liever gezegd, dat werd me langzaamaan duidelijk; de bom barstte met Kerstmis. En ik ervoer die verwijdering als een ondraaglijke verminking, als een leegte.'

'Maar hoe lang heeft dat geduurd?' dringt Soledad aan. 'Soms doe je me aan mijn moeder denken.'

'Eens kijken... tweede helft van september, oktober, november, de kerst, januari, februari. Ja, precies, vijfeneenhalve maand, zoals ik al zei.'

In de kamer begint het schemerig te worden. We zitten al een hele poos te praten. Zij heeft me op mijn vingers zien tellen en wacht nu even, met een in zichzelf gekeerde blik, alsof ze blij is met deze pauze. Ik ben er zelf ook blij mee. Hoe is het mogelijk dat juist de episoden die iemand zorgvuldig in de meest verborgen plooien van zijn geheugen heeft opgeslagen de belangrijkste uit zijn leven blijken te zijn. Ineens wil ik me graag afzonderen, net als in de loop van die maanden waarin ik het gevoel had dat er niets gebeurde, en ze in stilte opnieuw beleven, me erin inkapselen. Want ik besef nu wat die maanden eigenlijk geweest zijn: het zich inkapselen van een rups die zich zonder dat hij dat weet gereedmaakt om in een pop te veranderen. En door die maanden te begrijpen haal ik ze terug.

'Goed, ga door, sorry,' zegt Soledad. 'Vind je het vervelend als ik het licht aandoe?'

Ik schud mijn hoofd en de rode gloed van het schemerlampje brengt de kamer van Amelia even terug naar de jaren waarin zij en Soledad bevriend raakten en elkaar vertrouwelijke dingen vertelden die je op die leeftijd niet aan je moeder vertelt. Op een middag liep ik deze kamer binnen en zag haar hier zitten, op dezelfde plek als waar ze nu zit. Ik had haar nooit eerder gezien. Een meisje van negen in een lichtblauwe jurk dat me recht aankeek. Toen ik het huis binnenkwam had ik hen vanaf de gang horen lachen. Ze zwegen, maar de pret danste nog in hun ogen. Ik zag dat Amelia een paar vellen papier wegstopte, maar ik deed alsof ik het niet gezien had. 'Dit is Soledad, een vriendin van mij van Franse les,' zei ze. 'Ze blijft theedrinken, als je het goedvindt.' Ik liep naar haar toe om haar een kus te geven. Ik had allerlei boodschappen bij me. Later zei Amelia tegen me dat haar vriendin me heel knap had gevonden. 'Waarom zou ik het niet goedvinden? Ik heb croissants gekocht. Ik roep jullie zo.' Ik had ook een pakje Tampax voor Encarna meegenomen, die voor het eerst ongesteld was geworden. Ik weet nog dat terwijl ik thee voor hen zette en ondertussen naar het gepraat van Daría luisterde, mijn middenrif zich samentrok bij de gedachte aan die papieren die ik in een flits had gezien voordat ze zich aan mijn vermeend waakzame oog hadden onttrokken, een waarschuwing dat ook Amelia uit haar kindertijd begon te ontsnappen en geheimen voor me begon te krijgen.

Soledad laat haar blik nu langzaam door de kamer glijden. Vervolgens schenkt ze voor zichzelf nog wat thee in. Misschien denkt ze net als ik aan die eerste middag dat ze hier thee kwam drinken. Een tijdlaag toegevoegd aan al die andere lagen die, als kolen waarin je pookt, ons gesprek van deze middag vlam hebben doen vatten, een gesprek dat nu eens een welriekend smeulend vuurtje, dan weer een meedogenloze vlammenzee is. Bij het licht van de rode lamp ziet ze er moe uit. Daarnet zat ze nog te huilen. 'Bel Soledad eens. Ze heeft veel verdriet vanwege dat gedoe met haar ouders,' had Amelia eergisteren bij het afscheid tegen me gezegd. 'Ik denk dat het haar goed zal doen met jou te praten.' Was het echt eergisteren? Soledad zet haar kopje op tafel en kijkt me aan.

'Dat van die data is beroepsdeformatie; als ik mezelf niet in de tijd plaats, begrijp ik nergens meer iets van,' verontschuldigt ze zich als ze merkt dat ik niet verder ga met het verhaal over Guillermo. 'Dat is natuurljk niet zo vreemd, met die scriptie en met Richard...'

Ze is in Parijs bezig met een doctoraalscriptie over de betrekkingen tussen Spanje en Frankrijk in de jaren voor onze burgeroorlog. Dankzij dat onderzoek heeft ze kort geleden op het Archive des Affaires Étrangers een oudere hoogleraar leren kennen op wie ze stapelgek is, hij is zo interessant, zo mysterieus, zo ouderwets galant. Natuurlijk is ze niet met hem naar bed geweest, ze weet niet eens waar hij woont, alleen dat hij Richard heet en dat zijn vader republikein was en gefusilleerd is. Twee maanden later is hij geboren, in een dorpje in het zuiden van Frankrijk. 'Je ziet het,' zegt ze met een voldane glimlach, 'hij had mijn vader kunnen zijn.' Haar vragen over wat ik mij van de jaren na de oorlog herinner en wat ik over de regering van de Republiek gehoord heb wisselt ze af met veel nijpender vragen (die eigenlijk niet meer aan mij zijn gericht) aangaande de reden van het onderbreken van haar *amitié amoureuse* en haar studie: de plotselinge scheiding van haar ouders. Ineens is die zaak voor haar ook onderzoeksmateriaal geworden. En ze is wanhopig omdat haar ouders haar in dat onderzoek belemmeren. Haar vader ziet ze nauwelijks, haar moeder laat niets los en zij heeft behoefte aan duidelijkheid over de periode waarin de sleutel tot dit onverwachte proces verborgen ligt; ze weigert iets wat ze niet begrijpt te accepteren.

'Zo ben je altijd geweest,' zeg ik met een glimlach. 'Daarvan mag je niet je scriptie of Richard de schuld geven. Van jongs af aan wilde je alles altijd per se meteen begrijpen. "En wanneer is dat dan gebeurd?" Orde scheppen in het leven. En dat is niet altijd mogelijk.'

'Dat is waar. Wat weet je dat nog goed! Ik maakte iedereen dol met mijn gevraag. In de bioscoop moesten de mensen achter me me altijd tot stilte manen.'

'En nu nog steeds. Laatst, bij die film van Mastroianni, zei Amelia nog tegen je dat ze graag ongestoord wilde kijken.'

(Ze waren me van het Ateneo komen ophalen. Ik was net het feest van Gregorio Termes aan het beschrijven, in het schrift dat ik in Muñagorri had gekocht. Inmiddels ben ik met een nieuw begonnen. Wat is er in de tussentijd gebeurd? Tijd is bedriegelijk. Ik sta even stil bij de prettige dubbelzinnigheid van de uitdrukking 'laatst'.)

'Ja,' zegt Soledad, 'maar in die film hebben ze dingen gestopt die niks met het verhaal van Tsjechov te maken hebben. Zoals die ober in het begin, die is er toch met de haren bijgesleept.'

Ik zeg niets, want ik heb geen zin om nu met haar de film te gaan analyseren. Vooral omdat hij nogal wat losmaakt. Mij heeft hij flink aan het denken gezet over de verhouding tussen de liefde en de leugen, over het verraderlijke van woorden, over de noodzaak dat er iemand naar je luistert en over hoe moeilijk het is je eigen verleden onder ogen te zien zonder het te verfraaien. Oftewel, werkelijkheid versus illusie, het oude liedje. En ik denk dat het door dat soort overpeinzingen kwam dat ik het ineens absurd vond op de 'ikke-ik'-manier (zoals Encarna narcisme noemt) een schrift vol te schrijven dat, in het beste geval, ik weet niet wanneer gelezen zal worden door een vriendin die ook al niet meer mijn middelbare-schoolvriendin is maar bot- en eenvoudigweg een mode-psychiater. En de depressie sloeg toe. Het is me vaker overkomen dat ik, de ene keer vastberadener dan de andere, met een dagboek begon en dat dat op niets uitliep. Als klein meisje dan. Maar er komt een moment waarop je je afvraagt: wie probeer je voor de gek te houden? Enfin, ik wil daar nu niet in graven. Soledad accepteert geen enkel zijspoor dat niet goed gemotiveerd is, en ons gesprek heeft op zich al genoeg vertakkingen.

Ik schenk mezelf nog wat thee in en zeg alleen maar dat ik Mastroianni een erg goede acteur vind. Zij glimlacht. Kennelijk lijkt haar Richard een beetje op Mastroianni. Maar dan op de Mastroianni uit de films waarin hij er jonger uitzag, zonder vetrollen en zonder wallen onder zijn ogen.

'Nou, meisje,' zeg ik, 'met die gelijkenis en dat mysterieuze waas moet hij geweldig zijn.'

Ze zegt dat dat inderdaad zo is, dat ik heus niet moet denken dat ik daar het patent op heb. En we schieten in de lach. En ik bedenk dat de meisjes van nu en die van mijn tijd wat dat betreft volkomen hetzelfde zijn, misschien alleen wat dat betreft. Het is nog steeds een waarborg als je de beschrijving van je vrijer onderbouwt met het noemen van een held van het witte doek. Zoëven heb ik de kans gekregen mijn schade op dat gebied in te halen. De eerste keer dat Mariana me over Guillermo vertelde, zei ze dat hij een wolvekop had, maar ze vergeleek hem niet met James

Dean, want toen bestonden er nog geen films met hem en was hij waarschijnlijk nog een stuurs kijkende snotneus die niet in staat was om de aandacht van wie ook te trekken. Maar toen ik het daarnet met Soledad over Guillermo had, heb ik eindelijk kunnen zeggen dat hij op James Dean leek, en ik was opgelucht dat zij dat ook vond toen ik haar een foto van hem liet zien waarop hij half van opzij staat, met een coltrui aan. Nu heeft ze die foto weer opgepakt en kijkt ernaar.

'Ik heb geen enkele foto van Richard,' zegt ze. 'Er staat er een op het omslag van een boek van hem over Marat. Maar daar staat hij niet goed op. En bovendien heb ik het boek in Parijs laten liggen. Dat kun je je wel voorstellen. Ik heb niet meer bij me dan dat wat ik aanheb, zoals dat heet. En zodra het wat beter met mama gaat, ga ik terug. Maar ik weet niet wat ik moet doen, ze is zo hopeloos passief!'

Soledad heeft kringen onder haar ogen, en als ze zich opwindt bewegen haar lange, expressieve handen heftig om haar betoog kracht bij te zetten, om te proberen het weer de goede kant op te sturen. Ze strijken het haar uit haar gezicht, zoeken een sigaret, strelen de mijne. Ze verontschuldigt zich voor haar voortdurende onderbrekingen en ik zeg tegen haar dat het leven één grote onderbreking is, dat ze niet steeds moet proberen de dingen van elkaar te scheiden, want dat die allemaal door elkaar heen lopen, hoe we ook ons best doen dat te voorkomen, het alledaagse vermengd met het verhevene, het heden met het verleden, het onherroepelijke met het toevallige, en je begrijpt de dingen gewoon op de manier waarop je ze begrijpt, je moet ervan uitgaan dat die wanorde het goede spoor is. Daarom is het zo moeilijk om een roman te schrijven.

'Ben jij een roman aan het schrijven?' vraagt ze me oprecht nieuwsgierig. 'Amelia zegt dat ze denkt van wel.'

'Ach, ik heb het een paar keer geprobeerd. Er liggen daar een heleboel mappen met een eerste aanzet. Maar daarna wordt het altijd ingewikkeld.'

'Maar je moet ook dateren! Zie je wel?' zegt Soledad ongeduldig. 'Het wordt ingewikkeld omdat je niet dateert.'

'Ja, maar ook om andere redenen. In een roman komen een heleboel personages voor. En het gaat erom de verschillende versies van al die personages op elkaar af te stemmen. Natuurlijk komen ze meestal niet overeen. Want niet iedereen beleeft de dingen op dezelfde manier. En niet alle personages zeggen de waarheid, of in ieder geval zeggen ze in verschillende omstandigheden verschillende dingen. Het geheugen is wispelturig. En zodra het verandert, veranderen wij ook allemaal, zonder te weten hoe. Als je geen rekening houdt met leugens en onbegrijpelijke gedaanteverwisselingen, heb je weinig aan data.'

Ineens bedenk ik dat mijn roman zou moeten beginnen met de analyse van die vijf maanden en nog wat waarin de huidige dokter León voor mij een volslagen vreemde werd. En aangezien Soledad om data vraagt, zou ik een avond in de tweede helft van december kunnen kiezen, toen ik ruzie met mijn moeder had gemaakt en zonder erover na te denken besloot bij Mariana langs te gaan, ondanks het risico haar niet thuis te treffen. Het sneeuwde. Het moet ongeveer de twintigste zijn geweest. Ze was haar koffer aan het pakken, want ze zou de feestdagen bij haar grootouders in Barcelona doorbrengen. Ik merkte meteen dat ik ongelegen kwam. En erger nog: dat we geen vriendinnen meer waren. Een cruciale dag in die periode: de laatste keer in mijn leven dat ik in haar bijzijn heb gehuild.

(Nu moet ik even iets tussen haakjes zeggen, Mariana, en tijdelijk terugvallen op de briefvorm, voor mij de enige geschikte vorm om verwijten te maken. Mijn gesprek met Soledad, dat ik nu met de passende literaire versieringen aan het vastleggen ben, vond plaats voordat ik jouw brief kreeg. Nu heb ik die net overgelezen ter vergelijking, en ik moet je eerlijk zeggen, Mariana, ik vind het niet fair. Met geen woord rep je over die vijf maanden en nog wat. Voor jou hebben die niet bestaan. Het lijkt alsof de breuk in onze vriendschap uitsluitend dateert van de dag waarop een klasgenoot je vertelde dat ze mij met Guillermo in het park had gezien. Maar daarvóór dan? Wie begon afstand te nemen van wie? Soledad heeft gelijk, je moet dateren, vertel de dingen niet zoals ze in je hoofd opkomen, want daar heeft niemand iets aan. De vraag 'wie heeft het goud zwart gemaakt', die jou naar je beweert die hele lente heeft gekweld, heb ìk je bij jouw thuis gesteld, fris je geheugen eens op, terwijl er buiten sneeuw viel, op diezelfde avond vlak voor de kerst, toen ik onverwacht bij je op de stoep stond. Weet je dan niet meer hoe je me verwelkomde en op wat voor toon je me kinderachtig noemde toen ik begon te huilen? Goed, aangezien je me toch geen antwoord kunt geven ga ik buiten haakjes verder, om te voorkomen dat ik er als in een tunnel in stik. Ik zal je de scène van buitenaf beschrijven, zoals hij mij nog voordat ik je brief had gelezen in een flits voor de geest kwam terwijl ik met Soledad zat te praten. Doordat ze een ongeduldig gebaar met haar wenkbrauwen maakte dat leek op een gebaar dat jij die bewuste avond had gemaakt, zo zie je maar. Weer zo'n typische gedachtenassociatie.)

'Er hoeven helemaal geen onbegrijpelijke veranderingen plaats te vinden!' zegt Soledad geïrriteerd, terwijl ze haar wenkbrauwen fronst. 'Je bent net als mama, het lijkt alsof jullie je willen verschuilen achter de bewering dat alles ingewikkeld is en dat er nergens een oplossing of verklaring voor is om de werkelijkheid te ontvluchten, om die niet onder ogen te hoeven zien. Nou ja, zij in ieder geval, van jou weet ik het niet. Ze is bang voor de werkelijkheid, dat is ze altijd geweest. Bang om volwassen te worden.'

Ik doe mijn ogen dicht om me die periode te herinneren.

'Het is te hopen dat je deze Peter Pan-etappe snel achter je laat!' zegt Mariana geïrriteerd, terwijl ze haar wenkbrauwen fronst. 'Die duurt al veel te lang, het is zorgwekkend. Er zijn zó veel mensen die honger lijden, die in de gevangenis zitten en huilen om dingen die echt belangrijk zijn. Heb je daar ooit bij stilgestaan?'

Door mijn tranen heen zag ik haar in een waas, en misschien kwam het daardoor dat haar bewegingen terwijl ze haar spullen in de koffer stopte niet in harmonie en losgekoppeld van hun doel leken. Ze droeg een zwarte ribfluwelen broek. Het was voor het eerst dat ze zo tegen me praatte, althans oog in oog. Aan de telefoon had ik haar soms kortaf en ongeduldig gevonden. Of ze was er niet, of ze had het druk. Ik was juist bij haar langs gegaan omdat ik al een hele tijd niet meer van haar wist dan wat ze me snel en met tegenzin over de telefoon vertelde, en ik wilde haar vragen wat er met haar aan de hand was dat ze zo tegen me deed. Want er was iets met haar aan de hand, dat kon ze toch niet ontkennen. En de tranen waren me in de ogen gesprongen onder die sneeuwvlokken van eenlettergrepige woorden, nog kouder dan die uit de lucht neerdaalden en in het licht van de lantaarns dansten, nee, er was niets, alsjeblieft zeg, wat een kinderachtig gedoe, en dit alles zonder me tegemoet te komen. Ik kon niet accepteren dat het me zo zwaar viel haar vragen te stellen, ik was niet in staat die angst om indiscreet te zijn te vereenzelvigen met het verlies van het vertrouwen en de liefde tussen ons. Ik vond niet – en dat zei ik ook tegen haar, ook al kostte het me moeite – dat het hebben van een vriendje een reden was om een vriendschap zo te laten bekoelen, integendeel. Ik wist zeker dat als ik op een dag verliefd zou zijn, ik veel meer van iedereen zou gaan houden, dat ik aardiger, edelmoediger en vrolijker zou zijn, dat ik drie keer zoveel energie zou uitstralen. Of had ze onenigheid met Guillermo en wilde ze me dat niet vertellen? Ik sprak die naam behoedzaam uit, als die van een angstaanjagende verschijning. Zonder antwoord op mijn vraag te geven zei Mariana dat mijn beeld van de liefde tussen man en vrouw volledig uit de wereld van Walt Disney kwam en dat ik mezelf had overvoerd met romans. Dat was allemaal maar burgerlijk egocentrisme en zelfgenoegzaamheid. Alsjeblieft zeg, waren we daar nu niet te oud voor? En er gebeurden afschuwelijke dingen in de wereld. In ons eigen land, om dicht bij huis te blijven. Maar ze keek me niet aan terwijl ze dat zei. Ik droogde mijn tranen en leunde tegen de muur.

'Wie heeft het goud zwart gemaakt?' herhaalde ik

alsof ik in mezelf praatte. 'Waarom heeft het fijne goud zijn glans verloren?'

En voor het eerst begreep ik dat er op dit soort vragen nooit een antwoord is. En ook dat ik voor het eerst mezelf tegenkwam, slechts gesteund door het feit dat ik mijn eenzaamheid accepteerde. En dat ik moest gaan schrijven: dat was mijn enige toevlucht.

'Waarom doe je je ogen dicht?' vraagt Soledad. 'Voel je je niet goed? Je wordt natuurlijk dol van mijn problemen, ik ben ook een egoïst.'

Ze is op haar knieën naast me komen zitten en legt haar hoofd op mijn schoot. Er valt een stilte. Ik begin langzaam haar haar te strelen, alsof ze een klein kind is. Een kind – stel ik met stomme verbazing vast – zo wijs dat het me kan helpen vergeten episoden op te halen van een verhaal waaraan ik met tegenzin was begonnen, om haar van haar spookbeelden en angsten af te leiden.

'Het spijt me, Sofia,' zegt ze. 'Maar ik moet mijn hart bij iemand luchten. Ik ben helemaal op van de afgelopen dagen. Ik heb er zo genoeg van moeder van mijn eigen moeder te moeten zijn!'

Ik blijf haar haar strelen en zeg dat ze het zich allemaal niet zo moet aantrekken, maar ik kom niet met argumenten om die raad te onderbouwen, *take it easy*, zeg ik eenvoudigweg, en ik weet dat de pijl doel heeft getroffen, want vroeger, toen zij en Amelia wat beter Engels begonnen te spreken, vonden wij het ontzettend leuk om deze zin driestemmig uit te spreken. Hij vormde een soort bezwering, en alleen al door hem langzaam en heel duidelijk te herhalen ('teekitiesie-teekit-iesie-teekitiesie') hadden we zo'n plezier, dat hoe chagrijnig we ook waren de duivels weer uit ons voeren, wij ontduivelden ons, zoals Amelia het noemde. 'Weet je nog,' vraag ik, en Soledad weet het nog, natuurlijk, hoe zou ze het niet meer kunnen weten; want de taalgrapjes uit je jeugd zijn de laatste teksten die uit je geheugen worden gewist, zelfs wanneer alle andere door elkaar zijn gaan lopen en één grote brij zijn geworden. En ze schiet in de lach. Dat is precies wat ik wilde, dat ze ontduiveld zou worden.

'Maar Amelia noemde het niet ontduivelen,' corrigeert ze me, 'ze zei "ontspoken", een nog raarder woord, en ze gebruikt het nog steeds, want ze zei het bij ons afscheid, dat ik me moet ontspoken.'

Ze heeft dit zachtjes gezegd, zonder haar gezicht van mijn schoot op te heffen, alsof ze me vraagt door te gaan met haar hoofd te krauwen en over van alles en nog wat te praten, ze gaat gemakkelijker zitten en wijst op haar slapen, en ik zeg dat ze zulk mooi haar heeft, dat ze het niet in haar hoofd moet halen het af te knippen of te permanenten en ze maakt een ontkennend gebaar met haar vinger en kreunt zachtjes van genot, en ik besef hoe belangrijk lichamelijk contact is tussen twee mensen die van elkaar houden. Maar dan denk ik niet aan seksueel contact, bah, je zou haast zeggen dat dat het enige mogelijke contact is. De tijd wordt eeuwig wanneer zich onderweg dit soort verkwikkingen aandienen, het is alsof je zomaar ergens heen gaat, maar niet alleen en via een mooie route, de aanraking van de ander kalmeert je en doet de mist die je bestaan omringde oplossen. Ik vind het zo heerlijk dat Soledad er is en dat ze zich als een katje laat aaien.

'In je eentje raak je soms het spoor bijster,' zeg ik.

'Je ontspoort in plaats van dat je je ontspookt,' zegt zij met een lach in haar stem. 'Wat een verschil, hè? Terwijl die woorden zo hetzelfde klinken.'

En ik zeg dat dat inderdaad zo is, dat alles eigenlijk een kwestie van woorden is, van ze combineren, ermee spelen, dat dat het goede van de literatuur is, die volgens iedereen vanwege de video gaat verdwijnen, maar dat slaat nergens op, dat is onzin, mensen zijn nog steeds dol op het verzinnen van teksten die op een of andere manier overtuigen of ontroeren, ook al zijn ze niet waar, want ja, of je ze gelooft hangt af van hoe die woorden tegen je gezegd worden en hoe jij ze hoort. De liefde bijvoorbeeld, is die niet vooral een kwestie van woorden? Die uit romans, die je aan het huilen maakt, in ieder geval wel, water moet toch iets hebben dat ze het wijden, en zij knikt en doet tegelijkertijd haar haar omhoog zodat haar nek bloot komt.

Jaren geleden heeft een leraar letterkunde op de middelbare school me dat al op het hart gedrukt, dat ik mijn vlindernet om woorden te vangen nooit los mocht laten, hij zei dat naar aanleiding van een collage die ik had gemaakt met als titel 'De filoloog', don Pedro Larroque heette hij en dankzij zijn raad heb ik me staande weten te houden, want de literatuur heeft mij uit een heleboel donkere putten gered.

'Herinner je je dat spel met het woordenboek nog?' zegt Soledad. 'Wie had dat bedacht?'

En ja, ineens herinner ik het me weer, ik had het bedacht om de kinderen bezig te houden. Om de beurt moest iemand een weinig bekend woord in het woordenboek opzoeken en de echte definitie noteren, samen met twee of drie zeer uiteenlopende, verzonnen omschrijvingen, 'tropische vrucht', 'verlangen om zich te wreken' en 'bewoner van bergachtige gebieden' bijvoorbeeld, en dan moesten de andere spelers raden wat de echte betekenis was. Soms kwamen er definities uit die zo treffend en misleidend waren dat ze beter bij het woord pasten dan de echte, wat ook wel eens het geval is bij achternamen die dan aan de verkeerde mensen lijken te zijn gegeven.

'Jij was ontzettend goed in het woordenboekspel,' zeg ik tegen Soledad, terwijl ik haar nek een beetje begin te masseren. 'Wij verloren altijd als het jouw beurt was om definities te verzinnen.'

'Ah ja, hier bij mijn wervels, wat heerlijk!' antwoordt zij. Ze knoopt haar blouse een stukje los, gaat gemakkelijker zitten en ik voel zelf een weldadige energie in mijn vingertoppen stromen.

De ene helft van mij praat en de andere denkt, alsof ik tegelijkertijd over twee parallelle spoorbanen rijd, een acrobatentoer die de fantasie overigens flink prikkelt. Ik verbeeld me dat ik een medicijnman ben wiens magische recepten zowel hemzelf als de zieke genezen, dat is een fantasie die ik soms heb, met kleine variaties in mijn leeftijd en kleding, in het landschap en de identiteit van de mensen die naar mij toe komen en zeggen dat ze ziek zijn, maar wat altijd hetzelfde is is het gevoel dat de recepten van de medicijnman ter plekke mondeling moeten worden toegediend en dat ze pas werken als hij ze uitspreekt, gewoonlijk komen de woorden zijn mond uit als in een stripverhaal, maar het wolkje met de tekst lost altijd meteen weer op, dus vluchtigheid is de essentie ervan, daarna hebben ze geen effect meer en herhaling is niet mogelijk, het is iets heel bijzonders, je moet uiterst alert zijn en het recept in de lucht vangen, want dat is bovendien nu net wat de medicijnman geneest en hem de mogelijkheid geeft zijn werk voort te zetten, anders verandert hij in een arme bedelaar.

'Het is heerlijk, je hebt vandaag positieve energie in je vingers,' zegt Soledad.

'En jij in je nek, het is een gedeelde kick.'

En denkend aan de kracht van gedeelde kicks, herinner ik me een lang, eentonig lied dat ik van mijn grootmoeder heb geleerd en later voor mijn kinderen heb gezongen om ze in slaap te krijgen. Het begon zo:

> Goddelijke, heilige Antonius
> smeekte onze almachtige Heer
> uit goddelijke genade
> zijn geest te verlichten
> opdat zijn tong
> het wonder zou noemen
> dat jullie op achtjarige leeftijd
> in de moestuin verrichtten...

Heel raar dat 'jullie', want plotseling gaat de vorm van de derde persoon over in de tweede en is het alsof er een dialoog plaatsvindt met de Schepper in eigen persoon of met de heilige Antonius op oudere leeftijd, dat blijft volstrekt onduidelijk; maar mijn grootmoeder zei zeker te weten dat het 'jullie' moest zijn, want zo had men het lied altijd gezongen, en wie dacht ik wel dat ik was om haar de les te lezen, wat een kleine muggezifter – dat woord gebruikte zij om te zeggen dat ik een wijsneus of zoiets was. En het wonder was dat op een zondag een vader zijn zoontje Antonius had opgedragen om, terwijl hij zelf de mis bijwoonde, erop toe te zien dat al die verschillende soorten vogels die gewoonlijk in de buurt op zoek naar voedsel waren niet in de moestuin zouden komen, want dan pikten ze het zaad op en ruïneerden ze alles; en de jongen ging inderdaad de moestuin bewaken, maar omdat hij heel goed wist dat zijn pogingen om al die verschillende zwermen die op hem af kwamen te verjagen vruchteloos zouden zijn leek het hem beter ze heel zacht en overredend toe te spreken, en hij deed dat zo goed dat die honderden kwetterende vogels, waarvan de soorten allemaal in de tekst genoemd werden, om hem heen op de grond kwamen zitten om naar hem te luisteren en hem gehoorzaamden, dus toen zijn vader van de kerk terugkwam, stond hij perplex bij het zien van zijn achtjarige zoon die de vogels verhalen vertelde om ze tot rede te brengen, maar het was een ellenlang verhaal – en juist daarom zo goed als slaaplied – want aan het eind zou meneer de bisschop in hoogst eigen persoon arriveren, die, van het wonder op de hoogte gesteld, had gezegd dat hij er geen geloof aan kon hechten als hij het niet met eigen ogen had gezien. En tegen de tijd dat de bisschop kwam waren zowel het kind dat niet wilde slapen als de moeder die zijn wieg heen en weer schommelde opgenomen in dezelfde rust als die de eindeloze, naïeve ballade ademde, en wat me vooral opviel was dat de haast om het kind in slaap te krijgen was verdwenen. En ook het gevoel van afkeer waarmee ik het liedje altijd inzette (en nu, alsof de dag niet enerverend genoeg is geweest, mag je als toetje goddelijke-heilige-antonius zingen!); ik had me erop toegelegd de strofen altijd zuiver en geconcentreerd te zingen, zonder er een over te slaan, en ik hoefde geen steelse blikken in de wieg te werpen om te zien of het middel werkte, want dat voelde ik al aan mezelf, aan mijn gekalmeerde zenuwen, en daardoor viel dan het kind in slaap, doordat ik rustig was geworden. Nu zijn er een paar strofen uit mijn geheugen gewist en dat verontrust me, niet alleen omdat ik me realiseer hoeveel tijd er is verstreken sinds ik goddelijke-heilige-antonius voor de laatste keer zonder haperen heb gezongen, namelijk toen Amelia een baby was, maar ook omdat ik me herinner dat ik rond mijn laatste bevalling de verdovende werking van die nachtelijke drug meer dan ooit nodig had. In die tijd was het al overduidelijk dat Eduardo en ik niets meer te delen hadden, noch in het rijk van de dromen noch in dat van de werkelijkheid.

Het is een herinnering die me automatisch gespannen heeft gemaakt. Ik blijf zwijgen, en de stilte wordt ongemakkelijk. Het magische fluïdum dat mij met Soledad verbond is onderbroken en zij merkt het. Ze richt zich op, bedankt me, en strijkt haar haar glad.

'Je massage wordt met de dag beter. En aan het eind neurie je ook nog. Je bent beter dan een beroeps.'

'Zo zie je maar. Maar dat komt niet doordat ik zoveel oefen.'

'Nog even en ik was in slaap gevallen.'

Er valt een stilte. Soledad heeft haar blouse dichtgeknoopt en kijkt me nu verdwaasd aan.

'Zeg, waar hadden we het daarnet ook al weer over?'

'Hoezo daarnet? Over de tijd denk ik, eigenlijk hebben we het de hele avond over niets anders gehad. Ik geloof dat we hebben geprobeerd om vijf maanden en nog wat van mijn leven af te bakenen.'

'Ja, maar er is iets met je, je bent ineens verdrietig.'

'Nee hoor, wat een onzin. Het begon allemaal met dat van die data. En ik geloof dat we zeiden... Ik weet het niet. De tijd is natuurlijk een verraderlijk en weinig betrouwbaar onderkomen. Als iemand bijvoorbeeld zegt "de avond leek eeuwig te duren", wat denk jij dan?'

'Dat hij heel vervelend was.'

'Zie je wel, nou ik niet, voor mij lijkt juist wat niet vervelend is eeuwig, wanneer je zo gelukkig bent dat de tijd ongemerkt voorbijgaat. Maar juist daarom, omdat iedereen de tijd op zijn eigen manier beleeft moeten er een paar regels zijn anders wordt het natuurlijk een rommeltje. Daarom is het ook niet zo slecht met de tijd af te rekenen. Dateren, je hebt gelijk. Vijf maanden zijn vijf maanden. Trouwens, hoe laat is het? Had je niet met je moeder afgesproken?'

'Ja,' zegt ze, en werpt een lusteloze blik op haar horloge. 'Maar ik heb nog even.'

Ze is in gedachten verzonken. Ze vindt het niet leuk om aan haar moeder herinnerd te worden. Ik merk het aan de geëxalteerde toon waarop ze het gesprek weer op haar favoriete onderwerp brengt.

'Natuurlijk, dateren. Dat heb ik uitentreuren tegen haar gezegd. Dat ze op zijn minst een onderscheid moet maken tussen wat er eerder en wat er later is gebeurd, vind je niet? Elk proces, of het nu gerechtelijk, psychologisch of historisch is, moet geordend worden, dat is essentieel, mijn lieve Watson. Maar zij, ho maar, met haar is dat onmogelijk, ze leeft in een voortdurende chaos.'

Nu boren haar ogen zich in de mijne alsof ze smeekt om de raad van een verstandig iemand. Ik zie ervan af om over mijn eigen chaos te beginnen en trek een verstandig gezicht. Maar die geschiedenis van dat mislukte huwelijk begint me een beetje te benauwen, en opnieuw ga ik, wat me tot rust brengt, in gedachten terug naar die vijf maanden en nog wat voordat ik de liefde ontdekte. Als ik daarin begin te wroeten zullen er ongetwijfeld een heleboel dingen bovenkomen. Wat ik me vooral herinner is dat ik heel veel schreef. Gedichten, aanzetten tot romans, een dagboek. Sommige schriften ben ik kwijtgeraakt of heb ik verbrand. Andere heb ik nog. In die periode heeft mijn verhouding met de literatuur zich geconsolideerd. Hoewel die nooit op een vaste verbintenis is uitgelopen. En als onze verhouding voortduurt komt dat doordat hij altijd wisselend, tegenstrijdig en gewaagd is geweest, zoals mijn verhouding met Guillermo later. Daarom denk ik daar nu nog steeds aan. Er zijn liefdes uit boeken en liefdes om mee te trouwen.

'Met mama is geen zinnig gesprek te voeren,' zegt Soledad. 'Ze schermt zich af. Want volgens mij moet ze toch op een gegeven moment gemerkt hebben dat er tussen haar en mijn vader iets fout begon te gaan, nietwaar? Niets gebeurt zomaar van de ene dag op de andere. Of wel soms? Waar denk je aan, Sofia?'

'Nou,' zeg ik, 'geloof dat maar niet. Sommige veranderingen voltrekken zich sluipend. En andere doen zich plotseling voor. Als een vulkaanuitbarsting. Of een wonder. Ik weet het niet. Het hangt ervan af.'

'Bedoel je de liefde?'

'Ja, maar ook het genoeg krijgen van elkaar. En in het algemeen alle stemmingen die in de loop van de dag door ons heen trekken, het ene moment wil je bijvoorbeeld het liefst dood en het andere moment ben je dronken van levensvreugde. Jouw moeder heeft het ongetwijfeld moeilijk, ja, maar zet haar niet onder druk. Ze is waarschijnlijk in haar eentje naar een verklaring aan het zoeken. Soms kan de kluwen alleen ontward worden door degene die hem heeft opgewonden.'

Soledad zucht. Ze gaat ergens anders zitten.

'Ze heeft weinig vriendinnen. Waarom bel jij haar niet een keer?'

'Maar kindje, ze zou vreemd opkijken, ik ken haar toch nauwelijks. Ik heb haar alleen toen op het vliegveld gezien, op die dag dat Amelia en jij naar Brighton gingen. Ik had het idee dat ze een onverbrekelijk blok met je vader vormde. Dat is al wel tien jaar geleden, hè? Jij bent toch zo gek op data.'

Soledad knikt. Ze kijkt somber, terwijl ze met de stapel oude foto's zit te spelen die ik eerder te voorschijn heb gehaald om ze haar te laten zien. Ze heeft een verbeten, gesloten, afwezige uitdrukking op haar gezicht. Een beetje zoals de jongen met de coltrui. Hoewel die duizenden verschillende gezichten had. Hij zou geschikt zijn geweest voor de film.

'Ik zou willen weten of er ooit een Guillermo in haar leven is geweest. Waarom kun jij me zoiets wel vertellen en zij niet?'

'Heel eenvoudig. Omdat ik je moeder niet ben. En je hoeft de last van mijn verhalen niet te dragen. Zoals die van jou ook geen belasting voor mij betekenen. Hoeveel we ook van elkaar houden.'

Ze kijkt peinzend.

'Dat is waar. Dat zegt Amelia ook.'

Die opmerking komt aan als een zweepslag. Het is alsof ik plotseling uit mijn schuilplaats ben verjaagd en opnieuw word blootgesteld aan de sneeuwstorm van de werkelijkheid.

'Wat zegt Amelia? Je had eens moeten zien hoe

vreemd ze deze keer tegen me deed!'

'Ze zit over haar broer en zus in.'

'Ja, ik ook. Maar wat zegt ze over mij? Kom, dat is toch geen geheim...'

'Natuurlijk niet. Precies wat je net zei, dat er tussen haar en jou altijd een gebied van halve waarheden ligt en dat jij, hoe je ook je best doet haar als een vriendin te behandelen, toch haar moeder blijft, en dat daar niets aan te doen is. Bovendien... Nou ja, laat maar.'

'Nee, alsjeblieft, vertel het me, wat het ook is. Bovendien wat?'

'Ach, ik weet niet... ze vindt dat jij voor sommige dingen je kop in het zand steekt. Ze zegt het op een aardige manier, niet als kritiek. Ze houdt ontzettend veel van je en zit meer over je in dan je denkt. Maar enfin, over dat van jullie heeft ze eindeloos zitten tobben, het komt voor haar niet als een verrassing. Natuurlijk was ik ook, omdat ik al zo'n tijd elders woon...'

'Wàt komt voor haar niet als een verrassing?' onderbreek ik haar. En ik voel dat ik in een zwembad met ijskoud water duik.

Soledad kijkt me bedremmeld aan, alsof ze spijt heeft van wat ze gezegd heeft. Vervolgens wendt ze haar blik af.

'Dat Eduardo niet van je houdt en zo.'

Ik sla zenuwachtig mijn ogen neer. Daar ga ik niet graag in spitten, en Encarna, de meest directe van mijn kinderen, weet dat maar al te goed. Houd ik dan wel van hèm? Heb ik ooit van hem gehouden? Ik moet naar de schuil om met Encarna te praten, daarover en over een heleboel andere dingen. En ook met Lorenzo, ook al maakt die me altijd overstuur. Zijn vader mag niet in de waan blijven dat hij klaar is met zijn studie en een baan heeft. En ik mag mijn kop niet in het zand blijven steken. Het is niet alleen Eduardo's schuld dat we nog maar nauwelijks met elkaar praten. Ik weet niet waarom ik beweer dat hij me teleurgesteld heeft, terwijl ik nooit moeite heb gedaan om hem echt te leren kennen. Ik ging ervan uit dat ik hem kende en heb het daarbij gelaten; je wordt alleen verliefd op wat je intrigeert, ik ben met Eduardo getrouwd terwijl ik niet verliefd op hem was en zo is het allemaal gekomen. Hij had de fouten kunnen hebben die hij heeft, je houdt niet op van iemand te houden vanwege zijn fouten, maar omdat je ontdekt dat het je niet interesseert ze te verklaren of te begrijpen. Het lukt hem niet eens me boos te maken. Ik moet nergens over klagen, het is niet zijn schuld.

Maar genoeg hierover, ik wil me niet opnieuw in die poel van schuldgevoelens storten, want dat breekt me op. Encarna zegt dat steeds weer tegen me, dat niemand ergens de schuld van heeft, dat dat overblijfselen van mijn joods-christelijke opvoeding zijn; en Lorenzo zegt hetzelfde, maar die is nog feller – 'houd erover op, mama, de dingen gebeuren gewoon en daarmee uit, pieker er niet meer over' – en daarmee is dan de kous af. Zouden zij inderdaad zo los van ieder schuld- en zondegevoel leven als het lijkt? Onze gesprekken eindigen altijd hetzelfde: 'Rustig nou maar, je ziet spoken, haal de batterijen eruit', en dan voel ik me even heel prettig, alsof ik zweef, maar vervolgens zie ik in dat er bij hen nooit iets wordt opgelost, dat alles in de lucht blijft hangen. Je kunt de dingen natuurlijk gewoon niet zeggen, zodat het op een gegeven moment lijkt alsof je ze ook niet meer denkt, maar dat is niet waar, je denkt ze evengoed, erger nog, diep in je beginnen ze overal krassen te maken, geulen te graven, en wie weet of die geulen niet je milt of je alvleesklier beschadigen, ikzelf voel de uitholling altijd in die gebieden. Eduardo verveelt me, hij verveelt me verschrikkelijk. Ik ben er niet zeker van of ik alles van hem weet, maar wat ik weet interesseert me geen zier. En waarom zeg ik dat niet tegen hem? Hij merkt het natuurlijk wel, maar het zou een enorme opluchting zijn als ik het tegen hem zou zeggen, een zogeheten catharsis, en bovendien de enige manier om er een punt achter te zetten. Met veel geschreeuw en een klap met de deur tot slot. Maar nee, dat alsjeblieft niet.

Op zoek naar steun kijk ik Soledad aan, net zoals zij mij zoëven heeft aangekeken. De angst moet op mijn gezicht te lezen staan. Ik kan zelfs geen adem meer krijgen, daar is reeds het stalen lemmet dat zich tussen mijn ribben boort. En ik krijg het nog benauwder bij het idee dat ze zich zorgen maakt over mijn benauwdheid. Ik sla mijn ogen neer.

'Sorry,' zeg ik met een iel stemmetje.

Ik weet dat er inmiddels tranen op mijn handen vallen. Dat maakt me razend. Soledad reikt me een Kleenex aan.

'Ach, lieverd, wat een onzin. Huil zoveel je wilt, toe maar.'

Haar stem klinkt nu heel zacht. Zou het dezelfde zijn als waarmee ze haar moeder troost? Of zou die haar nerveuzer maken dan ik?

'Was jouw moeder verliefd op je vader toen ze met hem trouwde?' vraag ik haar.

'Zij zegt van wel, waanzinnig verliefd.'

'Zie je wel, het maakt niets uit. Het loopt altijd hetzelfde af,' zeg ik zo zachtjes dat ik denk dat ze me niet gehoord heeft.

Als ze me wel gehoord heeft blijft ze in ieder geval zwijgen. Ze is vast helemaal niet blij met de richting die ons gesprek is opgegaan. Eerder heeft ze gezegd dat dat van ons voor Amelia niet als een verrassing komt. En toch herinner ik me niet mijn kinderen ooit verteld te hebben dat ik niet verliefd op hun vader was toen ik met hem trouwde. Hem heb ik dat wel verteld. Maar ik leidde hem natuurlijk om de tuin met die beruchte halve waarheden, want over Guillermo praatte ik slechts in het verleden, alsof het om een onbelangrijk avontuurtje ging. En Eduardo was praktisch ingesteld en zeker van zichzelf. Hij voerde de politiek van de voldongen feiten. Hij rustte niet voordat hij mij het zo felbegeerde 'ja' had ontfutseld, maar daarvoor had hij me al zwanger gemaakt. 'Je zult wel van me gaan houden,' zei hij, 'het is altijd goed dat de man meer van de vrouw houdt. Ik zal voor twee van je houden.' En ik vond het fijn dat te horen. Ik wilde het liefst zo snel mogelijk het huis uit. En kinderen krijgen. Het was ook niet Guillermo's schuld. Er zijn mannen om mee te trouwen en mannen om altijd aan te blijven denken als aan liefdes uit romans. Van Guillermo heb ik van begin af aan geweten dat hij tot de tweede groep behoorde.

Jaren later heb ik dat eens tegen hem gezegd, toen ik hem in Londen weer tegenkwam. Toen was hij trouwens degene, ongelooflijk maar waar, die me voorstelde van Eduardo te scheiden zodat hij en ik konden trouwen of er gewoon samen vandoor konden gaan, dat zouden we nog wel zien. Maar ik wilde niet dat onze roman zou eindigen zoals Anna Karenina. 'Nee, Guillermo, ik wil niet eindigen als Anna Karenina,' zei ik in een moment van helderheid tijdens onze laatste nacht. We waren in zijn blauwbehangen pensionkamer in Londen, en vanuit mijn ooghoeken keek ik naar onze ineengestrengelde lichamen in de spiegel van een kleerkast, die overigens slecht sloot. Een wat armoedige kamer, maar gezellig, net als de pensionhoudster, een zekere Mrs. Morrison, die van Guilermo hield als van haar eigen zoon. Guillermo woonde daar sinds hij van zijn vrouw was gescheiden, hoewel het me eerder leek dat zij bij hem was weggegaan. Hij vertelde weinig over hun huwelijk, slechts dat het maar kort had geduurd en dat ze geen kinderen hadden gekregen.

'Wat ik alleen niet begrijp, en Amelia ook niet, is waarom Eduardo en jij niet uit elkaar gaan,' zegt Soledad.

Ik haal mijn schouders op.

'Ik weet het niet, uit lafheid. Ik ben nu eenmaal als de dood voor scènes. Voor alles wat met agressie te maken heeft. Ik ben nooit in staat geweest met deuren te slaan. Dat komt waarschijnlijk omdat mijn moeder dat zo vaak deed.'

'Je hoeft ook niet met deuren te slaan. Je moet alleen met hem praten. Eduardo is een redelijk iemand, hij lijkt me geen bruut.'

'Nee, maar het idee om met hem te gaan praten vind ik doodeng.'

'Ik begrijp niet waarom.'

'Nou goed, kindje, jij begrijpt dat misschien niet, maar het is zo. Want je weet niet hoever ik terug zou moeten gaan om de draad op te pakken. En bovendien, welke draad...? Ai! Er zijn overal losse eindjes, het is om dol van te worden.'

'Word nu niet nerveus, toe, Sofia. Ik bedoelde dat je het met hem alleen maar over jullie situatie zou moeten hebben, heel rustig, over wat er nu met jullie aan de hand is, ik bedoel niet dat je oude koeien uit de sloot moet halen.'

'Met hem praten valt me steeds zwaarder, ik meen het, niet alleen daarover, maar over alles. Hij zou zich er niet voor lenen.'

'Ach, Sofia, ik weet het niet, laat dan een brief voor hem achter, zoals in romans.'

'Ja, dat is makkelijk gezegd. En waar moet ik naar toe?'

'Naar de schuil. Je gooit hen eruit en gaat er zelf zitten. Gewoon. Dat zegt Amelia.'

Langzaamaan kalmeer ik. Bij het ademen voel ik geen mes meer tussen mijn ribben.

'Zeg eens eerlijk, wanneer heeft Amelia het daar met jou over gehad? Over Eduardo en mij, bedoel ik.'

'Tja, wanneer was dat ook al weer? Voor het eerst toen we samen in Brighton waren. Of misschien al eerder. Maar vooral toen.'

'In Brighton?'

'Ja. Aangezien we de hele dag samen waren, in dezelfde kamer sliepen en zo, je kent dat wel, dan heb je geen geheimen voor elkaar. En dan komen ook de ouders ter sprake, dat is logisch. Nou ja, de mijne minder. Bij die van mij zag ik geen conflicten.'

'En zij bij ons wel?'

'Ja, natuurlijk, gigantische problemen. En zij vond het vreselijk voor jou, ze voelde zich haast schuldig omdat ze het zo naar haar zin had. Soms huilde ze terwijl ze je brieven las. Daarom spoorde ze je aan ons te komen ophalen.'

Mijn brieven? Het is ongelooflijk hoe allerlei dingen uit je geheugen worden gewist. Ik moet in mijn leven zoveel brieven hebben geschreven die ik me niet meer herinner... Ik voel met terugwerkende kracht een blinde, haast slijmerige wroeging, en dat is de ergste soort. Op de reeds opgevouwen en tussen appels en tijm in kisten opgeborgen herinneringen laat dit soort een vies, kleverig spoor achter van het kwaad dat je zonder het te willen hebt aangericht.

'Arme kleine Amelia! Huilde ze echt? Ik herinner me niet dat ik haar verdrietige dingen heb geschreven.'

'Niet echt verdrietige dingen. Maar je schreef haar wel vaak, prachtige brieven waren het. Af en toe las ze me een alinea voor. Ik weet niet goed meer wat je vertelde. Geen concrete dingen, het was allemaal heel poëtisch maar depri. Worstelend met de tijd, als ik het me goed herinner.'

'Ach ja, het oude liedje. Daar worden we niet wijzer van. En heeft zij me aangespoord jullie te komen ophalen...? Dat is waar ook, ik wist het niet meer... Ze zei het waarschijnlijk niet van harte, neem ik aan.'

Ineens heb ik zin om alleen te zijn, alles wat de herinnering aan mijn aankomst in Londen verstoort hindert me. Ik had hun geschreven dat ze me niet hoefden op te halen, dat ze zich geen zorgen over mij moesten maken. Op het vliegveld nam ik een taxi, 'naar het Victoria Station'. Onderweg telde ik mijn bagage, en ik vond het leuk om na zo lange tijd weer eens alleen op reis te zijn, het was alsof ik vleugels kreeg. Vrij en alleen, hunkerend naar avontuur. 'Weerzien met Guillermo op Victoria Station', eigenlijk zou dat het eerste hoofdstuk moeten zijn, daarmee zou mijn roman moeten beginnen. Ik overladen met bagage, informerend naar de trein naar Brighton, en toen die botsing met een lange, onbekende man, die ik zowat in zijn armen viel. Als in een film. *Sorry*. Maar het was geen onbekende. Het was de blonde wolf, met een enkele grijze haar.

'Nou ja,' zegt Soledad, 'omdat het aan het eind altijd het leukst is en we inmiddels helemaal gewend waren en alletwee zo half een vriendje hadden, zagen we het eigenlijk niet meer zo zitten toen jij eindelijk besloot te zullen komen. Amelia dacht dat we overal met je mee naar toe zouden moeten, voor gids moesten spelen om je te laten zwijmelen bij de Palace Pier en bij het strand van grijze kiezelsteen dat in iedere film voorkomt. Maar ja, inderdaad... We sprongen een gat in de lucht toen je vanuit Londen belde om te zeggen dat je een paar vrienden tegen het lijf was gelopen en dat je een week bij hen zou blijven logeren, dat Londen per slot van rekening een stuk interessanter was dan Brighton. Dat was voor ons een lot uit de loterij, waarom zou ik je wat voorliegen. Vooral omdat volgens Amelia je stem zo vrolijk klonk.'

Ja, heel vrolijk. Hij stond naast me in de telefooncel. En daarvóór had hij me in zijn armen genomen, daar midden op het perron, met mijn koffers om ons heen op de grond. Het was als een droom. Hij nam me meteen mee naar zijn pension, alsof dat een logische voortzetting van onze ontmoeting was, de enige mogelijke. En ik vond het ook vanzelfsprekend, ik bood geen enkele tegenstand en vroeg niets. Willoos liet ik me meevoeren. Wat een dagen, vooral de eerste! Daarna veranderde alles een beetje, ook al bleef het verlangen levend. Maar de luchtspiegeling begon langzaamaan te vervagen. Ik was altijd gefascineerd geweest door het beeld van een Guillermo die zijn rebelse jeugddromen trouw bleef, die weigerde zich aan te passen aan een maatschappij die hem vijandig was en een pact met het geld te sluiten. Maar later kreeg ik steeds meer het idee dat hij tegenover mij te veel koketteerde met deze houding, dat het enthousiasme waarmee ik bereid was naar zijn woorden te luisteren hem de brandstof verschafte om een verhaal waarvoor hij geen gehoor meer vond te doen herleven. (Daarover ging precies de film met Mastroianni.) Ik begon te vermoeden dat hij mij als zijn laatste redmiddel zag toen hij me vroeg – waardoor zijn betoog, dat tot dan toe één grote lofzang op de vrijheid was geweest, alle geloofwaardigheid verloor – om van mijn man te scheiden en bij hem te blijven. Maar dat was pas later. Want ik heb hem meerdere malen opgezocht. Nou ja, eerlijk gezegd weet ik niet goed meer hoe de tijd verstreken is.

'En later, toen je die zaterdag eindelijk kwam, overladen met cadeaus, weet je nog, zei Amelia: "Zie je hoe ze kan veranderen zodra ze alleen is? Vind je haar niet hartstikke mooi? Zonder papa leeft ze nu eenmaal helemaal op, dan maakt ze er wat van. Zie je dat? Ze lijkt toch een totaal ander mens?" En ze had gelijk, ik zag het ook. Je leek een ander iemand. Nou ja,' voegt ze er na een stilte aan toe, 'eigenlijk verander jij heel vaak.'

'Iedereen verandert,' zeg ik afwezig.

'Maar bij jou gebeurt dat van het ene moment op het andere.'

Als ik me niet zo verward had gevoeld, zou ik Soledad misschien hebben opgebiecht waarom het een andere vrouw was – en dat niet alleen leek – die zij uit die trein van Londen naar Brighton hadden zien stappen. Maar ja als ik dat hoofdstuk er nu tussen zou voegen, zou dat botsen met Soledads criteria van chronologie. Zij wil alles liever punt voor punt. Nog los van het feit dat je er lekker voor moet gaan zitten en veel tijd moet hebben om zo'n verhaal te vertellen. En het zou nog beter zijn om het op te schrijven. Ik denk dat het goed zou worden in de derde persoon.

Soledad blijft me ontredderd aankijken. Ze moet merken dat ik niet dezelfde persoon ben als die enkele ogenblikken geleden haar nek masseerde.

'Ja, dat is waar, ik verander vaak,' zeg ik met een glimlach waarachter ik mijn plotselinge lusteloosheid probeer te verbergen. 'Maar zeg, besef je niet dat dit net het verhaal is van de slang die in zijn staart bijt?'

'Dat is mijn schuld,' zegt Soledad. 'Wat wilde je gaan vertellen?'

'Waarover?'

'Over die vriendin van je.'

'O ja... ach, ik weet het niet eens meer.'

Verveling werkt aanstekelijk, dat heb ik al vaak gemerkt. Er hoeven geen lichamelijke symptomen als bijvoorbeeld geeuwen waargenomen te worden om te weten wanneer zowel bij de spreker als de luisteraar de fut eruit is. Zo kun je ook de slappe gedeelten van een roman herkennen, omdat het verhaal op dezelfde plekken taai wordt als waar het voor de auteur taai begon te worden. Je weet het zeker, ook al valt het niet aan te tonen en ook al is er geen apparaat uitgevonden dat de verveling van twee mensen op elkaar kan afstemmen.

Soledad pakt de foto's, die inmiddels door elkaar op de tafel liggen, één voor één op, alsof ze zonder veel overtuiging het smeulende vuur van dat nog niet vertelde verhaal probeert op te porren. Ze pakt een foto waarop Mariana tegen een boomstam geleund staat. Die heb ik in Aranjuez gemaakt. Ze draagt een blouse met v-hals.

'Je vriendin was beeldschoon,' zegt Soledad.

'Ja, dat is ze nog steeds. Ik heb je al verteld dat ik haar pas geleden op een cocktailparty heb gezien. Ik weet niet of ze misschien een facelift heeft laten doen. En bovendien lijkt ze zo zelfverzekerd. Je zou er haast bang van worden.'

'Dwaal nu niet af. We waren bij dat je zei dat ze een vriendje had. En het duurt vijf maanden en nog wat voordat jij hem ontmoet. En in die maanden dan? Daarin moet toch iets gebeurd zijn.'

'Niets bijzonders, voor zover ik me herinner. Ik zag haar bijna nooit meer. En als ik haar zag was ze afwezig, afstandelijk. De weinige keren dat ze me nog iets over Guillermo vertelde gaf ze me heel terloopse informatie; ik concludeerde daaruit dat ze een problematische verhouding hadden. "En wanneer stel je hem een keer aan me voor?" vroeg ik haar. Maar dan veranderde ze van onderwerp. Totdat ik daarmee ophield. Er was iets kapot tussen ons, ik weet niet wat.'

'Maar door verschillende loopbanen te kiezen groei je ook uit elkaar,' zegt Soledad. 'Ik had het daar de afgelopen dagen nog met Amelia over. Dat is ons overkomen.'

'Ja, dat kan meegespeeld hebben. Bovendien was Mariana zich met politiek gaan bezighouden, dat had ik je niet verteld. Nou ja, dat deed bijna iedereen in die tijd, zelfs Eduardo..., Eduardo zat bij de FUDE*, moet je je voorstellen, zeg; enfin, jij weet waarschijnlijk niet wat de FUDE was. Maar dat maakt niet uit, dat wist ik toen ook niet.'

'Was jij niet geïnteresseerd in politiek?'

'Niet erg, nee. Voor mij was het een soort achtergrondmuziek. Nu ben ik meer op de hoogte van wat er in die tijd in de wereld gebeurde dan toen. Ik zou bijna zin krijgen een doctoraalscriptie als de jouwe te gaan schrijven, nu ik alles van een afstand kan bekijken...'

'En zat Guillermo ook bij de FUDE?'

'Nee, hij liet zich niet met politiek in. Hij was een vrijbuiter. Maar dat wist ik pas later. Omdat Mariana me niets over hem vertelde, was hij voor mij een activist.'

'En hoe verklaar je dat zij niet over hem wilde praten?'

'In die tijd kon ik dat niet verklaren.'

Ik begin verschrikkelijk genoeg te krijgen van dit kruisverhoor, dat moet op mijn gezicht te zien zijn.

'Kijk, als je de dingen achteraf gaat verklaren, pers je er allerlei redenen uit, maar vervolgens drink je alleen het sap van de redenen die je het minst bitter vindt.'

'Je dwaalt opzettelijk af om me dat van Guillermo niet te hoeven vertellen.'

'Dat kan zijn. Ik ben ook een beetje moe.'

'Maar vertel me nog één ding. Je werd verliefd op hem op het moment dat Mariana hem aan je voorstelde, waar of niet?'

* FUDE: *Federación Universitaria Democrática Espanola,* de Spaanse democratische studentenbond (noot van de vert.)

Ik bleef naar het raam kijken, alsof ik de windstreken wilde afzoeken. Nee, niet in die richting. Het was in het noordwesten, en het was volle maan. 27 februari, die datum zal ik nooit vergeten. Ik wist dat er die avond iets met me moest gebeuren, ik moest dronken worden, Mariana vergeten, me in het leven storten.

'Zij heeft hem niet aan me voorgesteld,' zeg ik. 'Ik leerde hem kennen in een huis vlak bij Pozuelo, waar we alletwee bij toeval terecht waren gekomen. Geen van beiden waren we erg bevriend met de mensen die daar waren. Ze vierden een verjaardag. Het waren allemaal van die progressievelingen, van die mensen die de maagd van Lourdes van de muur hadden gehaald om Che Guevara op te hangen. Je weet toch wel wie Che Guevara was?'

Soledad glimlacht.

'Che Guevara, ja, zeg, zover kom ik nog wel. Jij wist daarentegen niet wie James Dean was.'

'Daar is-ie dan; en zijn verschijning overrompelde me. Want het was echt een verschijning. Enfin, om kort te gaan, toen ik er later achter kwam dat die James Dean *avant la lettre* de Guillermo van Mariana was, was het voor mij al te laat, ook al klinkt dat misschien als een liedje van Rocío Jurado. Ik neem aan dat je wel weet wat er gebeurt wanneer een man voor het eerst je zinnen wakker schudt. Het is zinloos tegen dat overweldigende gevoel te vechten.'

'Ja,' zegt Soledad, 'totaal zinloos.'

'Goed, dan heb je het belangrijkste begrepen. We bewaren het verhaal voor een andere keer, oké? Want het is al heel laat.'

'Akkoord, Sheherezade.'

Maar ze kijkt op haar horloge, staat op en zegt dat

het inderdaad ontzettend laat is geworden.

Ik loop met haar mee naar de deur en we geven elkaar een kus. We zijn allebei triest.

'Bedankt voor de massage,' zegt ze.

'Jij ook bedankt. Het was het beste van de avond.'

'Nee, joh, alles was goed.'

Als ze weg is, ben ik ineens heel nerveus. Ik beloof mezelf door te gaan met schrijven, wat, zoals altijd, betekent met iets nieuws beginnen. Maar het enige wat ik uiteindelijk doe is meubels verzetten en de ene sigaret na de andere opsteken.

10 *Sleutel tot de duisternis*

Ik heb in de loop van mijn leven in veel hotelkamers geslapen, Sofia, en daarvan herinner ik me vooral hoe vreemd het wakker worden er is, die nare seconden die de vraag 'waar ben ik?' begeleiden, terwijl onze ogen, nog vol slaap, blind naar een aanknopingspunt zoeken dat een sleutel kan geven tot die vreemde ruimte en aanhaakt bij de gebeurtenissen die ertoe hebben geleid dat we daar slapen.

Hier hangt tegenover mijn bed een grote prent, dat is het eerste waar mijn ogen als ik ze opendoe op stuiten. Het stelt een oud schip met gestreken zeilen voor, op het moment dat het tussen twee ijsbergen doorvaart. Een beetje misplaatst, nietwaar, want we zijn in het zuiden. Ik verwacht dat als dat beeld van die zeilboot op een dag door mijn hoofd zal schieten, ik het zal associëren met mijn onvermogen iets over pas vervlogen dromen op te schrijven, al zal ik het hotel dan misschien verwarren met dat in een ander land en me niet herinneren of het zomer of winter was en natuurlijk evenmin om welke droom het ging, want ik ben er nog steeds niet in geslaagd er ook maar een op te roepen. En dat terwijl ik de laatste dagen toch enorm aan het dromen ben. Ik ken de symptomen. Wordt u wakker met een drukkend gevoel in uw hoofd, alsof er iets zwaars tussen uw ogen zit? Ja, dokter, zo voelt het. En hebt u dan ook even het gevoel dat u datgene waar u naar kijkt niet werkelijk ziet? Ja, ja, soms de hele ochtend. Juist, ja; wel, blijf proberen u uw dromen te herinneren, al zijn het maar gedeelten ervan, dat is belangrijk. En schrijf ze op, om ze niet te vergeten. U moet zich van uw dromen bevrijden.

Onder het schilderij staat een soort langgerekte lessenaar met een spiegel en laden, onhandig als schrijftafel want er is nauwelijks ruimte voor je benen. Bovendien staat hij bijna helemaal vol met glanzende kartonnen piramiden met daarop informatie voor de klant over kengetallen in Spanje en in het buitenland, aanvangstijden van excursies, prijzen van de bar, de sauna, de stomerij en andere extra diensten. In de calculaties van de directie van dit type hotels wordt nooit rekening gehouden met de mogelijkheid dat de gast het wel eens prettig zou kunnen vinden de kamer te bewonen alsof het een klein huisje was. Er zitten nooit gezellige hoekjes in.

Ik heb een extra tafel gevraagd en die bij de glazen deur gezet die de hele achtermuur beslaat. Dat was de enige plaats waar hij kon staan. De lessenaar met de kartonnen driehoeken heb ik een beetje opzij moeten schuiven, want die is zo groot dat ik er anders niet goed langs zou kunnen om de slinger van het rolluik te bedienen.

Het rolluik optrekken en de glazen deur, die uitkomt op een balkon met rieten meubels, openschuiven is het eerste wat ik doe als ik wakker word. Ik doe het haast automatisch, zoals een dronkeman naar de fles grijpt. En de glorieuze huisvredebreuk gepleegd door het stralende licht van de zee doet het misleidende effect van de ijsbergen teniet en verbant ze naar de kwartieren van de fantasie, samen met de resten van mijn nachtelijke beelden, zonder dat dit mijn verdwazing echter doet afnemen. Integendeel, hij neemt er eerder door toe. Het is lente, ja, en dit is een dorp aan de kust in het zuiden van Spanje, de zeilboot tussen ijsschotsen slaat nergens op, totaal nergens op, denk er niet meer aan, die heeft de eigenaar van het hotel daar in een opwelling opgehangen. Goed, akkoord. Maar waarom slaap ik hier? Wat heb ik hier te zoeken of waar ben ik voor op de vlucht? In mijn droom van vannacht gebeurde iets wat me misschien een clou kan geven, maar ik kan het me niet meer herinneren, een verborgen clou. Hoe ging het ook alweer...? Iemand zei 'geef haar geen voedsel', ja, dat was het, iemand die ook in de kamer was, al konden we elkaar niet zien en wist die persoon of geest in kwestie niet dat ik hem hoorde. Bovendien ging het om een geheimtaal, dat was het belangrijkste van de hele droom. Wacht eens even. Gegevens voor mijn speurwerk. Wat was je gisteravond voor je in slaap viel aan het lezen?

Ik kijk naar de extra tafel, waarop zoveel boeken en papieren liggen dat het lijkt alsof die tafel en ik hier al een jaar verblijven, een verontrustende gedachte die meteen weer verdwijnt, samen met het gevoel tussen ijsschotsen te zijn wakker geworden. Ik vind nog steeds niet dat hij daar prettig staat, zo in een hoek, het is geen gezellig plekje en bovendien loop je er voortdurend tegenaan. Een detective, ik was een detective van Ruth Rendell aan het lezen, *Talking to Strange Men*, over een jongen uit Londen die verslaafd is aan codetalen. O ja, en ook stukken uit het dagboek van Katherine Mansfield. Op het boek staat een portret van de schrijfster uit 1920, met half bange, half dromerige ogen en een heel donkere pony, als van een Japanse. Ze stierf zonder nageslacht, dus wie weet waar het origineel van deze foto terecht zal zijn gekomen. Ze kijkt daarop naar me als naar een arts die op de hoogte is, 'ja, jij gaat het me vertellen, hè?' Ze had toen al niet lang meer te leven, ze stierf op haar drieëndertigste, tuberculose was in die tijd moeilijk te genezen, en zij wist dat, ze zegt het in haar dagboek.

Toen ik medicijnen ging studeren, was de bacil van Koch nog absoluut geen spookbeeld uit het verleden. Wat ik niet wist, en ik weet niet of jij dat wel weet, is dat die bacil genoemd is naar de Duitse geleerde die hem ontdekt heeft, we realiseren ons niet hoeveel mensen heimelijk onze gesprekken en onze denkwereld zijn binnengeslopen, ze vormen als het ware een stevig borduurraam waarin onze eigen levensloop geborduurd wordt. Ik zie het ovale portret van Robert Koch voor me, een Boogschutter geboren in het midden van de negentiende eeuw, tot in de puntjes verzorgd, met een vlinderdasje, een witte baard en een rond brilletje, precies zoals hij in mijn encyclopedie stond. Het is nu een eeuw geleden dat hij in Berlijn bekendmaakte dat hij meende na allerlei ingewikkelde experimenten de bacterie die verantwoordelijk is voor tuberculose geïsoleerd en ontdekt te hebben. Hij stierf in 1910 in Baden-Baden, tien jaar voordat Katherine Mansfield poseerde voor het portret waar ik nu naar kijk en dat buiten mijn wil overvloeit in dat van de vriendelijke, oude Duitse geleerde, want beelden vloeien nu eenmaal altijd over in andere beelden. Zoals ik daarnet al zei, had de bacil van Koch toen ik met mijn studie begon zijn oude glorie nog niet verloren en sleepte nog steeds mensen het graf in. Een machtig monarch op zijn retour die inmiddels door andere horden van zijn staf is beroofd, terwijl de superman met het brilletje die de strijd met hen moet aanbinden nog niet is verschenen; er zal altijd wel een of andere epidemie heersen. De slachtoffers van de bacil van Koch waren weerloze, opstandige en bleke jongeren, mislukkelingen die een hoog risico liepen, broeders van de maan, met hun Mansfield-blik dwalend door het onzichtbare. Ze stierven dromend van een andere wereld en van een minder vergankelijke liefde, heen en weer geslingerd tussen hun verlangen naar het oneindige en hun wanhoop over de belemmeringen van een lichaam dat ze als een kerker ervoeren. Het hele dagboek van Katherine is één lange, zware tocht, waarin ze beurtelings haar onmacht moet bekennen en pogingen doet tegen die onmacht te vechten en daarvan te getuigen, terwijl de tijdstroom die haar van de dood scheidde steeds smaller werd. Je ziet, Sofia, hoe hadden wij kunnen weten toen we *Garden Party* lazen, dat welbeschouwd een luchtig boekje is, dat de schrijfster onmenselijk leed en dat toevertrouwde aan een zwaarmoedig, hartverscheurend dagboek, een hard drug waar je geen idee van hebt. Of beter gezegd, waar ìk geen idee van had, want jij kent dat gevoel misschien wel.

Dit soort boeken koop ik wanneer ik naar het dorp wandel, in een raar winkeltje dat ik daar ontdekt heb en waar ze van alles verkopen. Het lijkt wel alsof ik een huis aan het inrichten ben, idioot hè, en ik neem altijd een zak vol min of meer onbruikbare, impulsieve aankopen mee naar het hotel terug. Een slecht teken, of in ieder geval verontrustend. Zo lees ik op het moment ook gewoon waar ik zin in heb, een beetje van alles wat, en alles tezamen vormt het niet meer dan een onderhuidse injectie. Maar denk maar niet dat me dat alleen met boeken overkomt, het overkomt me met alles, Sofia, want ik ben rusteloos en ontworteld. Ik verander ieder moment van plaats, en van houding en gezichtspunt, ik probeer in verschillende stijlen te schrijven maar vind geen enkele bevredigend, steeds ben ik op zoek naar aanknopingspunten, in de literatuur, in mijn dromen, in gesprekken met vergeten patiënten en zelfs in de gezichten van de mensen die in het hotel rondlopen, om uit te vissen hoe zij, die anderen, zich staande houden, hoe zij hun tijd indelen. Want het gaat erom, zoals mijn vader al zei, de tijd door te komen, hem onbeschadigd door te komen, ervoor te zorgen dat je je niet snijdt aan de glasscherven van deze verwoestende tijd.

Het is uitsluitend uit trots dat ik je niet opbel, Sofia, en dat ik niet schreeuw 'Kom!', en om dezelfde reden zal ik deze brief niet naar je opsturen, om niemand met mijn langdradige gezeur lastig te vallen. En toch, zodra ik mezelf ga onderzoeken, duikt onveranderlijk jouw naam op. Of liever gezegd de mijne, want wanneer ik probeer me de klank van jouw stem te herinneren, zegt die stem 'Mariana', dat zegt hij steeds weer, met een zachte nadruk op de i, ik zeg hem zelf, ik doe jou na, begrijp je, alsof dat mogelijk is. Ik kan mijn stem en mijn stek niet vinden, weet je, dat is in het kort wat er met me aan de hand is, en ik moet die nu van een ander stelen, van wie dan ook, in de huid van iemand anders kruipen, of die nu dood of levend, fictief of werkelijk is, zijn territorium plunderen. Ik geloof dat jij er niet zo slecht aan toe bent, nee, jij niet, al beklemt het huishouden je nog zozeer, jij weet zelfs op een cocktailparty ruimte te creëren, je te omgeven met die onzichtbare vestingmuren die je beschermen, dat is waar ik je het meest om benijd, je vermogen je af te zonderen, en dat is ook waar Guillermo je het meest om benijdde.

En ineens vraag ik me het volgende af: zou het feit dat Mansfield in mijn dromen voorkomt, als dat tenminste gebeurd is, niet ook een neiging van mijn onderbewustzijn kunnen zijn om me met jou te identificeren? Ik kom hierop vanwege het begin van jouw 'huiswerk', dat hier voor me op de extra tafel ligt en dat ik zo vaak heb gelezen dat alles wat ik daarna heb geschreven het stempel van jouw minutieuze beschrijvingen draagt. En het merkwaardige is dat ik noch iemand anders tegen je heeft hoeven zeggen 'schrijf je dromen op'. De nacht voordat we elkaar tegenkwamen op de expositie van Gregorio – wat me alweer eeuwen geleden lijkt – waren we samen bij de moerassen van Gimmerton geweest, oftewel het was Emily Brontë die je heeft aangekondigd dat we binnen luttele uren werkelijk weer samen zouden zijn, ook al geef jij er niet die uitleg aan. Het lijkt alsof je op die lenteheuvel net zo echt bij me was als toen je je hoofd van het schilderij met de gebakken eieren afdraaide en we temidden van die menigte tegenover elkaar stonden en elkaar aankeken, je verandert niet van stijl, dat is wat me nog het meest opvalt. Je beperkt je ertoe het ene verhaal na het andere te vertellen, zonder overal iets achter te zoeken, alsof alles tot één en hetzelfde rijk behoort, het dagelijks leven en de wonderen, mevrouw Acosta en de gezusters Brontë, het onwerkelijke en het tastbare, je bent altijd zo geweest, en dat maakte mij razend. 'Maar je bent niet goed bij je hoofd, Sofia, je praat over Yolande, de dochter van de Zwarte Piraat alsof je haar net gezien en gesproken hebt.' En jij, met die heldere ogen vol verbazing: 'Natuurlijk, maar ik heb haar toch ook gezien, ik ken haar, jij niet?' En ik benijdde je juist daarom, hoewel je dat geloof ik nooit hebt geweten, omdat jij geen scheidsmuur tussen het leven en de literatuur zag, omdat jij altijd met je hoofd in de wolken liep. Ik benijdde je verschrikkelijk en wilde je nadoen. Maar dat is me nooit goed afgegaan en natuurlijk maakte me dat razend, het was alsof jij kon vliegen en ik niet, en bovendien besefte jij niet eens dat je aan het vliegen was en dat anderen niet dezelfde landschappen zagen als jij. Soms deed ik alsof ik die wel zag en hield ik je voor de gek door je te observeren en jouw licht en jouw woorden te stelen. Wat ik deed was het volgende: van de restanten stof die jij zonder het te merken liet vallen naaide ik kleren waarvan jij dacht dat ik die zelf ontworpen had, maar ik wist heel goed dat dat niet het geval was. Totdat ik me ongemakkelijk begon te voelen en bitter werd van je eeuwige goedkeuring, je enthousiasme over die Montalvo-stijl die ik je in karikatuur teruggaf. En daarom ben ik me vanaf een bepaalde leeftijd, het wordt tijd dat ik het je opbiecht, gaan losmaken van die symbiose met jou die ik wanhopig voor mezelf probeerde te ontkennen. En ik sloeg helemaal door naar de andere kant door de verschillen tussen ons te overdrijven. Dat gebeurt heel vaak.

Maar goed, wat klinkt het goedkoop nu het er zo staat, wat simpel, mijn lieve Watson, uiteindelijk komt altijd de dokter weer te voorschijn. Ondertussen ben ik de draad van mijn droom definitief kwijtgeraakt en het gezicht dat zei 'geef haar geen voedsel' is vervaagd, het was heel onduidelijk, maar ik geloof toch dat het het gezicht van Katherine Mansfield was, bleek, met de zwarte, starende ogen van een stervende, ik keer het boek om, ik wil haar niet meer zien. Wat heb ik een hoofdpijn! Ik ga om mijn ontbijt vragen.

Het ontbijt gebruik ik meestal op het balkon, omdat het buffet beneden te veel verleiding op het gebied van proteïnen biedt en de spijkerbroek die ik in Cadiz heb gekocht al moeilijk dichtgaat ('koffie met melk, toost en een sinaasappelsap voor kamer 203'), en voordat het naar boven wordt gebracht kijk ik hoe laat het is, zet de ingebouwde radio aan en ga onder de douche. En dan biedt de dag zich als een blanco cheque aan mij aan, blanco en traag, zonder schokkende of opwindende dingen. En voor de zoveelste keer realiseer ik me dat het leven zich afspeelt op die stortplaatsen van afval en verwarring die ik zo vaak heb onderzocht zonder mijn handen vuil te maken, er van bovenaf met een stok in roerend om de etiologie van de verschillende resten te analyseren en te proberen die te classificeren. Niet zo'n gemakkelijke opgave, want al die resten smelten met het organische afval samen tot één borrelende massa en van het mengsel stijgt een sterke, niet altijd even opwekkende, eerder misselijk makende geur op; en met wisselende overtuiging heb ik volhard in mijn poging met mijn rechterhand in andermans rotzooi te wroeten, terwijl ik met de andere mijn neus dichthield, al is meer dan eens de gedachte bij me opgekomen dat ik degenen die ik pretendeer te helpen bedonder en hen aan een pijnlijk en zinloos experiment onderwerp, hen van hun tijd en hun geld beroof, want je kunt het leven niet rubriceren zonder het geweld aan te doen; het leven dat vanaf verschillende flanken tegelijk spuwt en vuurt en als een octopus onze nek omknelt, dat leven moet je hoe dan ook vermijden, met alle middelen die je hebt, en dat lukt de ene keer beter dan de andere, daar zijn geen regels voor. En wanneer je dat begrijpt, neemt je onrust alleen maar toe.

Schrijf uw dromen op.

'Natuurlijk, dat is makkelijk gezegd,' was eens het antwoord van een niet meer zo jonge weduwe, die regelmatig geplaagd werd door dringende seksuele behoeften en het nodig vond zichzelf die te verbieden, 'of het zijn dromen en dan beschouw je ze als zodanig, of je schrijft ze op en dan zijn het geen dromen meer. Bovendien kost het me al moeite genoeg overdag de weduwe uit te hangen in plaats van luidkeels te gaan zingen als ik daar zin in heb, en 's nachts niet de straat op te gaan om een kerel te zoeken, want zo ben ik niet opgevoed, en dan nog de angst om iets op te lopen, en wat zouden mijn kinderen wel niet zeggen, want die komen er toch altijd achter. Maar mijn dromen gaan daar wel altijd over, waar moeten ze anders over gaan. Dat ik in het wit trouw en boodschappen doe en op visite ga en eten maak en koffers pak en dat ik altijd met dezelfde meneer naar de film ga, daar droom ik nooit van, want dat is oersaai, en zo een jaar of twintig doormodderen zou ik niet willen, ik moet er niet aan denken, maar ik wil wel een beetje lol. Dat zijn dingen die je niet mag zeggen en daarom word je zo gespannen, maar ik mis Luis alleen maar 's nachts, ja, het bed, ik ben dol op het bed.'

Ze heette Almudena en kwam uit een lagere maatschappelijke klasse dan haar echtgenoot. Ik heb haar op een bandje staan waarvan ik in Puerto Real een samenvatting hebt getypt, een werkje dat ik nog altijd moest doen, en gisteren heb ik haar kaart gelezen, wat hoopt er zich veel achterstallig werk op, en waar dient het allemaal voor. Almudena Sánchez, weduwe van de heer Portillo. Ze is heel vaak bij me geweest en wat ze zei was bevrijdend, losbandig en uitbundig, ik stond telkens weer paf en natuurlijk met mijn mond vol tanden.

'Ik vertel u dit,' zei ze op een dag tegen me, 'zodat u het kunt opschrijven, want dan is het niet helemaal voor niets geweest, en ook een beetje om stoom af te blazen, daarom praat ik met u, want u vindt niets choquerend, wat natuurlijk logisch is, en dat vind ik prettig. Maar niet omdat u me moet genezen, dat zou niet in mijn hoofd opkomen, want tegen het leven, mevrouw de dokter, tegen het leven is geen kruid gewassen.'

Nee, daar is geen kruid tegen gewassen. Dat is precies wat ik zelf gisteravond dacht, want ik zat te luisteren naar een bandje dat Manolo Reina, met die stem van hem die me nog steeds kippevel bezorgt, voor me had ingesproken en toen moest ik ineens denken aan Almudena, die overigens een oude patiënte van me is die niet meer komt, aan die keer dat ze zei dat het voor sommige vrouwen het moeilijkste is te proberen een liefde niet op te smukken, om er gewoon wel of niet van te genieten, maar hem in ieder geval rauw, zonder verdere smaakmakers, te verteren.

'Dat komt vast doordat we als klein meisje al zoveel recepten voorgeschoteld krijgen en zoveel tijdschriften over opsmuk lezen, en al dat opsmukken en kokkerellen is natuurlijk ook om dat van "tot de dood ons scheidt" te rechtvaardigen, wat trouwens een leugen is, want vervolgens scheidt de dood ons en dan heb je nog niets, kijk nou naar mij.'

Ze was ontzettend geestig, die Almudena, ze leek een actrice uit een Italiaanse film en was razendsnel van begrip, zo iemand die dwars door je heen kijkt. En gisteravond, toen ik op het balkon naar Manolo's stem zat te luisteren en naar de sterren keek, kwam haar beeld me zonder dat ik wist waarom voor de geest: ik had het idee dat ik haar weer met die schertsende blik van haar naar me zag kijken. 'En wat is er met u aan de hand? Bent u van steen? Want mensen met uw beroep laten nooit iets los. Het zou beter zijn als u ook eens iets aan mij vertelde.'

En toen begon ik ineens tegen haar te praten. Eerst richtte ik me nog tot Manolo. Ik had de cassetterecorder stopgezet om zijn verhaal op een kritiek moment te onderbreken: hij begon het gespin van een kat te imiteren – wat hij heel goed kan, vooral in je oor – en daarna hoorde je de zee, 'dat zijn speciale effecten, Mariana,' en nu ging hij op een andere toon door met mijn naam een heleboel keer te herhalen, langzaam, alsof hij ademhaalde, en na een pauze, met op de achtergrond het breken van de golven, opnieuw zijn stem: 'Ik heb je nodig, nu meteen, weet je dat? Nu-me-teen nu-me-teen nu-me-teen, ik moet heel erg aan je denken, je hoort de zee, hè?' En ik deed een onbespeeld bandje in het apparaat om hier bijna drie jaar later op te antwoorden, want hij heeft me een stem, die kan je dronken maken ook al is hij ingeblikt, je helemaal van slag maken, en dat gebeurde ook met me, want ik voelde me als verdwaald in een labyrint waarin de tijd was weggevaagd en het perspectief verkeerd was ingesteld, dat kwam vast door het geluid van de golven daar beneden op het strand, eeuwig en altijd aan zichzelf gelijk. Mijn vingers trilden toen ik de recorder aanzette, puur vanwege mijn haast om dat samenvallen van ritmen te grijpen, om mijn roes op die van hem af te stemmen. 'Ik hoor de zee, ja, ik hoor hem, wat een stem heb je toch, zeg alsjeblieft nog meer, maar luister ook naar mij, nu-me-teen nu-me-teen, ik heb jou ook nu-me-teen nodig, vind je het fijn dat ik dat zeg...?' En plotseling, zonder enige overgang, stokte mijn gefluister en dacht ik: alles goed en wel, maar als hij alweer een andere vriendin heeft, en een ander leven, als er duizenden mijlen tussen ons in liggen, waar praat ik dan over en tegen wie praat ik eigenlijk? Dit is jezelf op alle fronten bedonderen, er is immers geen enkele overeenkomst, zelfs de tijd komt niet overeen, want in New York zal het nu laat in de middag zijn en het kan niet eens dat hij nu naar deze zelfde sterren kijkt als waar ik naar kijk, en de tranen begonnen over mijn gezicht te stromen, hij zal wel met zijn vriendin naar de film zijn, een yuppie van dertig. Hoe zou ze zijn? Hij heeft me nooit foto's gestuurd, vast dominant, die Sheila, ze gunt hem waarschijnlijk geen moment rust, vijf uur 's middags op Manhattan, ze wonen op de East Side, misschien ligt hij in hun appartement te wachten tot zij terugkomt van de galerie, of wellicht hebben ze een hond en is hij die aan het uitlaten, of hij is in een supermarkt blikjes aan het uitkiezen, wat doet het er ook toe, wat heeft het in vredesnaam voor zin te dromen van hem als ontvanger van deze veel te late boodschap? Hij zou er geen jota van begrijpen.

En juist op dat moment schoot de herinnering aan Almudena door me heen, die zo vaak geklaagd had dat wij psychiaters nooit wat vertellen, en toen wisselde ik zomaar ineens van gesprekspartner. Voor ik het wist was ik al die dingen over de hond en de supermarkt en de veeleisende Newyorkse vriendin aan Almudena aan het vertellen, ten prooi aan een aanval van buitensporige jaloezie, zo hevig dat ik niet meer kon ophouden met huilen en een Kleenex moest pakken. 'Dan zie je ook eens, lieve Almudena, dat wij psychiaters niet van steen zijn,' zei ik tot slot, zelf verbaasd over het feit dat ik de laatste dagen zo geobsedeerd door Manolo Reina ben, veel meer dan toen ik hem ter beschikking had en hij vol overtuiging over een toekomst sprak waarin we dromen, lectuur en reizen zouden delen, wat me toen zelfs enigszins in verlegenheid bracht, ja, toen ik dat van 'men bezingt wat men verliest' voor hem citeerde. Maar in wezen spoten zijn toekomstplannen me toekomst in, en daarom kon ik me de luxe permitteren ze te verwerpen, omdat ze me veranderden in iemand met een stevige basis en een leven voor zich. Het leven was die zomer, toen ik voor het eerst op de Lijdensweg kwam, een lange weg vol splitsingen waar ik nog een heleboel gelegenheden om te overnachten zou tegenkomen, en ook was het mogelijk om de nacht in de buitenlucht door te brengen, want zo slaapt de haas in het open veld, ik kon ontsnappen, als ik dat wilde, en mezelf in een eenzame, schuwe haas veranderen, mijn eigen lot sturen. Waar ik niet tegen kan is het gevoel weggestuurd te worden, dat is de crux, de liefde is voor mij een voorwendsel, de liefde zet me ertoe aan alles op het spel te zetten, het risico te nemen te verliezen terwijl ik de touwtjes in handen houd, van tafel op te staan wanneer ik dat wil, niet wanneer anderen me van tafel sturen. Mannen, Almudena, zijn altijd een voorwendsel voor me geweest. Zie je dat ik nu huil? Nou, twee weken geleden zat ik net zo te huilen om een andere man, en het leek me dat dat het einde van de wereld was, maar de wereld stortte vooral in elkaar omdat ik het gevoel had dat ik werd weggestuurd, wat had hij gelijk toen hij zei dat ik rijp voor de psychiater was.

En toen rolde die hele affaire met Raimundo eruit, waarbij ook Silvia ter sprake kwam, en zelfs Guillermo, hoewel ik, als ik eerlijk wil zijn, moet toegeven dat ik al eeuwen niet meer aan Guillermo had gedacht, toen ik in Barcelona ging studeren bracht de herinnering aan hem me al totaal niet meer uit mijn evenwicht, en ik bekende Almudena dat als ik onlangs de behoefte heb gevoeld deze oude liefde te romantiseren, jouw verschijning, Sofia, daarvan de oorzaak is geweest, want die heeft een heleboel duistere gevoelens in me losgewoeld en me tot het uiterste van de eenzame striptease gedreven. En zo praatte ik uiteindelijk niet alleen tegen haar over jou en over de brieven die ik je schrijf en je niet opstuur, maar ik richtte me als het zo uitkwam ook tot jou, en tot Raimundo en tot Silvia, en tot Manolo, zodat het balkon steeds voller raakte met spookachtige verschijningen en mijn monoloog een krankzinnige wending nam; misschien kan ik met dat idee een beurs aanvragen bij het Centrum voor Nieuwe Toneeltendenzen, hoewel de meervoudige gesprekspartner misschien al bedacht is.

Maar mijn creatieve impuls ebde weer weg en op het laatst liep mijn tirade weer in een theoretisch spoor, als een feilloos voorbereide lezing, waarin de eigennamen zuiver als noten onder aan de pagina verschenen. Ik gebruikte die namen om mijn betoog naar een ongelukkig einde te sturen. Als een akelig kind dat het leuk vindt al zijn speelgoed uit elkaar te halen, zo begon ik autopsie op de vervoering van de liefde te bedrijven, steeds dokter-leónachtiger tegenover de afwezige Almudena, pronkend met mijn heldere inzicht maar me ervan bewust dat dat voortsproot uit een verdedigingsmechanisme, dat al mijn theorieën over de liefde als een vaccin moesten dienen tegen het gif dat is uitgebroed in het zwarte gat dat de eenzaamheid meedogenloos graaft.

En wat had ik haar eigenlijk te zeggen? Wat had ik uit mijn erotische ervaringen afgeleid? Wel, kort samengevat het volgende: dat we niet in andermans huid kunnen kruipen, ook al hebben we nog zo het idee dat dit door een tijdelijke illusie van versmelting gelukt is, dat is wat ik heel duidelijk meende te zien toen ik daar in mijn zijden pyjama ineengedoken op het balkon zat en zachtjes in de cassetterecorder praatte, al was het op matte toon, heel anders was dan de toon die de illusie van versmelting met Manolo bij me had opgewekt. Dat de liefde een avontuur zonder doel is, zoals het credo van de agnosten luidt, een kille, heldere, blauwachtige overtuiging, als het licht van de maan op de stervende golven, dat er geen echte versmelting bestaat, geloof me nou maar, Almudena, dat ieder mens radicaal anders is, ook al exploderen we soms op hetzelfde moment, net als de golven, die elkaar achternazitten en waarvan de schuimkoppen elkaar dan één ogenblik raken, ja, precies zoals de golven, herhaalde ik triest, gewiegd door hun gedempte, monotone geluid daar beneden op het strand, genieten, verdwijnen en plaatsmaken voor de golven die na je komen, en dat steeds opnieuw. We zijn wezens zonder continuïteit, daar is niets aan te doen. Maar het is moeilijk je daarbij neer te leggen. Daarom klampen we ons vast aan de strohalm van de liefdesdaad, uit heimwee naar de verloren continuïteit, Bataille zei het al, want we weigeren opgesloten in onze vergankelijke individualiteit te sterven. Overvloedig seksueel contact is een surrogaat waarmee de mens zijn isolement probeert op te heffen, maar hij projecteert dat slechts buiten zichzelf. En ook al kan die projectie in het gunstigste geval samenvallen met die van een ander, het zal altijd gaan om twee individuen, en als ze al iets delen is dat een crisissituatie. De grootste crisis die je je kunt voorstellen, maar tegelijkertijd de meest onbetekenende. Net als bij de golven, elkaar achternazitten, genieten en dan ieder afzonderlijk verdwijnen.

En op een gegeven moment vond ik het zo gênant dat ik allerlei dingen die ik onlangs gelezen had aan het samenvatten was en aanzetten voor een artikel dat niet lukte gebruikte, dat ik abrupt mijn mond hield, ik geloof dat ik toen ook de stoptoets heb ingedrukt, want ik herinnerde me dat Almudena Sánchez zich niet makkelijk knollen voor citroenen liet verkopen en stelde me haar spottende gezicht voor, terwijl ze haar enigszins bijziende ogen omgeven door rimpeltjes dichtkneep: 'Maar, dokter, u dwaalt van uw onderwerp af en het belangrijkste vertelt u niet, namelijk hoe het met u en die man met die mooie stem afliep. Zou u het niet leuk vinden als hij u plotseling vanaf de receptie belde en vroeg of hij boven mocht komen? Met die maan die naar binnen schijnt, kom, zeg eens eerlijk, hoe kort de illusie van versmelting ook duurt, en die hoeft trouwens helemaal niet zo kort te duren, dat hangt van de man af.' Ik weet niet of ik dit of iets dergelijks ten slotte zelf hardop heb gezegd, misschien de stem van Almudena imiterend, ik zal het weten wanneer ik het bandje weer draai, als ik daar ooit zin in heb, ik moet het op de extra tafel hebben laten liggen, nu word ik al misselijk bij de gedachte het weer te horen. Wat een hoop onvolledige getuigenissen in kleine glazen doodskistjes!

Ik was klaarwakker en voelde me steeds rustelozer worden, zodat ik even later, al in bed, de detective en het dagboek van Mansfield pakte. Want meer dan ooit voel ik de behoefte om te schrijven, Sofia, maar ik heb genoeg van mijn essay, geen enkele aanzet is bruikbaar, en ik loop te zoeken naar andere literaire modellen om een uitlaatklep te vinden voor alles wat er in me omgaat, ik zou deze problemen graag met jou bespreken, samen graven in de berg van onze eigen en andermans levens die ik zonder ze te begrijpen in mijn geheugen heb opgeslagen, al begin ik wel te begrijpen dat door de botsing van sommige dingen met andere het soort fosforescentie ontstaat dat me onrustig maakt maar me ook de weg wijst, het soort dat ook in mijn dromen voorkomt.

Ik zweeg even, met mijn hoofd tegen de balkonmuur geleund, en hield mijn adem een beetje in – 'stop, nergens aan denken, rustig' – alsof ik me wilde reinigen van al dat gezwam en alleen maar de geur van de zee en de koele nachtwind in me wilde laten stromen, want zelfs daar kunnen we niet meer van genieten – 'wat zit je toch te piekeren, Mariana, mens, je raakt helemaal over je toeren, kom, je mag best huilen' – en bij het blauwachtige schijnsel van de maan, dat mijn tranen verzachtte, voegden zich de onderbroken flitsen van de vuurtoren die rechts van het strand staat, boven op een heuvel.

Links van die vuurtoren is het strandtentje waar Manolo me die zomer verschillende keren mee naar toe heeft genomen. Hij kwam er graag. 'Zullen we naar de bar van Rafa gaan?' Hij was ook degene die op een middag zei dat er daar in de buurt een heel goed hotel was, voor als ik ooit de gekken wilde ontvluchten en over hen na wilde denken, en hij wees het me toen we naar zijn auto, een Fiat Uno met drie deuken, liepen om naar Cadiz terug te keren. Dat was de eerste keer dat ik deze plek zag, glanzend in het licht van een trage, vlammende zonsondergang. We bleven staan om er met de wind in ons gezicht van te genieten, totdat de laatste schitteringen waren uitgedoofd. 'Morgen zal de Levant waaien', zei hij. We waren de hele dag buiten geweest, met stops op verschillende stranden in de omgeving om te zwemmen, een geneeskrachtig serum, een van die zeldzame keren dat alles nieuw lijkt en iedere minuut je meer levenskracht geeft. En terwijl die rode zon wegzonk in zee, leek hij mijn angst voor altijd te verdrijven door alle momenten die zouden volgen te doordrenken met vrijheid. 'Het is echt een paradijs, dat hotel, ik meen het, 's avonds spelen er heel goede bandjes, houd je trouwens van dansen?' Ik antwoordde van wel en we spraken af dat we er een avond zouden gaan dansen, maar daar is het uiteindelijk nooit van gekomen. Het was in de begindagen van onze korte romance. We bleven daar samen halverwege de heuvel staan, hand in hand, totdat het laatste roodkleurige randje van de vuurbal de dag met zich meenam, die dag met zijn beloften van continuïteit die ik zo vaak tevergeefs weer heb trachten op te roepen. Dat was, nu ik eraan denk, precies wat ik gisteravond probeerde te doen toen ik in de cassetterecorder praatte: die begindagen weer beleven, de essentie van het vluchtige eeuwig laten duren. Daar was het Katherine Mansfield, het arme kind, ook om te doen. Eén ding is duidelijk: er is niets zo goed als douchen om de dingen te begrijpen.

En nu ik onder de douche weer helemaal ben bijgekomen, wijzen de provisionele woorden uit het dagboek van Mansfield, net als het gejammer van een zieke van alle retoriek ontbloot, me weer op haar verlangen naar het oneindige en op haar onbeschrijflijke, zinloze opstandigheid. Alles wat vastligt verkommert, en zij weet dat, ze is radeloos omdat ze dat weet, omdat ze geen tijd heeft iets als een spoor in de wereld achter te laten; en in mijn droom van vannacht heeft ze de fakkel van die brandende onrust aan mij overgedragen. 'Geef haar geen voedsel', natuurlijk, nu weet ik het weer, ze splitst zich in tweeën, er verschijnt een tweede Mansfield die haar beveelt te schrijven en de lusteloosheid die ze als uitvlucht gebruikt te negeren. 'Een van de K.M.'s is bedroefd,' schrijft ze. 'Laat haar maar. Geef haar geen voedsel.' Dat was de sleutel: Geef moedeloosheid geen brandstof.

Sleutel tot de duisternis, Sofia, daar heb je hem, verstopt onder deze chaotische horde van beelden die ik van dokter León in bedwang moet houden. Beelden die door gewelfde gangen trekken zodra we onze ogen sluiten en de dam weghalen die de wil en de klok vormen tegen hun drang om uit te breken. Want zij zijn voorbestemd om grenzen te overschrijden en daarna te sneuvelen. En al even kortstondig zijn de preken die we richten – en de volgorde waarin we dat doen – tot de geestverschijningen van ons privé-theatertje. Wisselende, tweeslachtige personages die in de kaleidoscoop van die overschrijding veranderen van gezicht, naam en situatie en zich vermommen met gewaden die hun voorgangers hebben laten vallen.

Voor mij werkt de metafoor van het theater altijd, tot in mijn dromen toe. Je overgeven aan een droom of fantasie is als een theater binnengaan en je na afloop slechts de helft van de voorstelling herinneren, in de wetenschap dat die zal vervagen als je hem met niemand kunt bespreken. Totdat hij inderdaad vervaagd is. Al deze rijkdom stroomt spiraalsgewijs weg en verdwijnt kolkend in onzichtbare afvoerbuizen, bezworen door het licht dat de vleermuizen op de vlucht jaagt, weggespoeld met het douchewater dat langs mijn huid glijdt.

De dag is een blanco cheque, denk ik opnieuw, en gedoucht en aangekleed open ik de deur voor het kamermeisje dat met het ontbijt en de plaatselijke krant komt.

'Op het balkon, zoals altijd?'

En ik zeg 'ja, zoals altijd' en het woord 'altijd' prikkelt me want ik vraag me af hoe lang ik hier al ben. Ik zie dat het kamermeisje zodra ze binnen is een ongelovige blik op de extra tafel werpt, die steeds meer onder de papieren bedolven raakt.

'U had gelijk dat u hem nodig had, terwijl ik nog vroeg waarom u niet genoeg had aan de rieten tafel, maar er kan geen speld meer bij.'

En ik moet weer denken aan Katherine Mansfield en merk aan de tegenzin waarmee ik hier ronddrentel, zoals iemand die bij het arbeidsbureau in de rij gaat staan en niet eens weet welke kleur het formulier heeft dat hij moet invullen, dat het me zelden minder duidelijk is geweest wat voor werk ik hier wil gaan doen, terwijl anderzijds de drang om flink aan de slag te gaan me een vergeten gevoel van vertrouwen geeft dat ik dat steeds wisselende plan vol hindernissen zal kunnen uitvoeren. En ik bedenk me dat alles nog open staat, en dat wat ik zou moeten doen...

En ik ga opzij om het kamermeisje door te laten, want ik weet niet wat ik zou moeten doen, eerst maar eens een beetje bijkomen. En ik volg haar naar het balkon, en in het voorbijgaan zie ik vaag een paar vellen papier die ik gisteravond bij wijze van geheugensteun heb geschreven, met aanwijzingen en waarschuwingen om vandaag de tijd beter te benutten, alsof ik aanvoelde dat ik de opium van deze gedachtenstroom, opgeroepen door de fragmentarische beelden van de nacht, zou moeten neutraliseren.

Bastaardbeelden, die echter – en dat is het enige wat me helder voor ogen is komen te staan – juist het leven zijn dat ik tevergeefs in mijn geordende, verstandige teksten van overdag probeer te grijpen. In die beelden klopt de pols van de tijd die me ontvliegt, in die beelden bespeur je zijn ware gezicht. Misschien zou ik me eens aan een poëtische tekst moeten wagen, waarin ik al deze tegenstrijdigheden de vrije loop laat, of aan een roman, en ophouden met al dat psychoanalytische gedoe. En ik voel de verleiding als een felle steek. Wellicht door te beginnen met het beschrijven van de zonsondergang op die middag dat Manolo Reina me dit hotel voor het eerst heeft gewezen. Dat is wat jij ongetwijfeld zou doen, Sofia.

Het kamermeisje had het ontbijt inmiddels op het balkon gezet en keek me verbijsterd aan, omdat ik haar de doorgang versperde. 'Is er nog iets van uw dienst?'

'Nee, dank je.'

'Nou, tot straks dan en eet smakelijk. Ze vroegen in de sauna of u van plan bent voor elven te komen.'

'Dat weet ik niet. Ik bel zo wel even.'

Vanaf het balkon kun je het luxueuze zwembad zien en vagelijk het interieur ontwaren van de kamers die daar, net als de mijne, op uitkijken. Op bijna alle balkons hangen handdoeken en badkleren. Een andere keer zal ik het over mijn buren van kamer 204 hebben. Zij alleen al zijn voldoende voor een volgende brief. Het is een schitterende dag en een man in een oranje overall is de bodem van het nog verlaten zwembad aan het schoonmaken.

Wat ga ik na het ontbijt doen? Ondanks de raadgevingen van Katherine Mansfield zal mijn wil, als was hij van zijn romp gehakt, ongetwijfeld speelbal zijn van de drang om te zwerven die me de kamer uit zal drijven om me ten slotte in de buurt wat rond te laten dwalen, terwijl het wandelen me geen speciaal genoegen zal verschaffen, geobsedeerd als ik ben door de onderlinge relatie tussen al die papieren op de extra tafel, door de vragen die ze oproepen. En als in een flits schiet de overtuiging door me heen dat zodra ik weer in Madrid zou zijn en mijn kantoor met de erker binnen zou gaan, mijn gevoel van onzekerheid zou verdwijnen. Maar ik dring die gedachte terug. Vanaf het slappe koord waarop ik balanceer komt mijn kantoor me als een bunker voor. Ik moet het duizelingwekkende gevoel van besluiteloosheid trotseren, want daar kan iets waardevols uit voortkomen, een bijstelling van mijn koers.

Vanaf het zwembad kun je via een behoorlijk steile trap naar het strand afdalen. Het strand is van hard zand en wanneer het tij laag is, zoals vandaag, kun je langs de zee naar het dorp wandelen. Ongeveer vijf kilometer. Maar ik ga altijd over de weg binnendoor.

Ik sla mijn benen over elkaar en smeer heel zorgvuldig boter op mijn toost. 'Als we groot zijn ontbijten in een luxueus hotel...' Wat zou ik graag willen dat je hier was, Sofia!

11 *Van de ene kamer naar de andere*

Denken is van de ene kamer in de andere springen, terwijl er tussen die kamers ogenschijnlijk geen verband bestaat. Het zijn vertrekken van het heden en van het verleden, sommige nog toegankelijk, andere voor altijd gesloten of in elkaar gestort, wel of niet van ons, nu eens vaste verblijfplaats dan weer tijdelijk toevluchtsoord waarvan slechts een geur of een beweeglijke schaduw geprojecteerd op het plafond is overgebleven, in welke stad zou het zijn, ik kon niet slapen en hoorde geluiden op de gang, een hotel, bij kennissen thuis, aan welke hand ben ik hier binnengegaan. Kamers die van plaats veranderen, zich splitsen en onderling van grootte en inrichting wisselen wanneer ze in dromen opduiken ten dienste van een plot dat gelijkenis vertoont met stukjes uit films of boeken, en vermomd loop je erdoorheen, zonder ze helemaal te durven herkennen, terwijl je wanhopig probeert te begrijpen welke duistere kracht ons naar die drempels heeft teruggebracht en je probeert je te herinneren waar de lange gang die je aan het eind ziet heen leidde.

Je herinneringen zijn verspreid over kamers die de geest naar willekeur bezoekt, in een onvoorspelbaar tempo en buiten onze controle om. Denken is van de ene in de andere springen, en als jullie eenmaal aan dit avontuur deelnemen mogen jullie geen eisen wat betreft de chronologie stellen. In iedere kamer zitten vier of vijf andere, als Chinese doosjes, met het verschil dat iemand achter je ze ineens door elkaar gooit en van uiterlijk doet veranderen. Pas als je hoofd op hol slaat en begint te zwerven, weet je dat de muren die je ziet en betast die van de buitenste zijn.

'Dat van die kamers is goed, heel poëtisch. Hoe nu verder? Ga zo door, houd het vast!' mompel ik. Soms op ernstige, gedempte toon, als de boodschap die mijn lippen opvangen afkomstig is uit de aula, inmiddels misschien verbouwd of verdwenen, van de Beatriz Galindo School; dan weer met warmere stem en van dichterbij ('Ga zo door, Sofia, het maakt niet uit hoe of waarover'), als de boodschap uit een bepaalde werkkamer met divan komt, waar ik nog nooit geweest ben, al huisvest hij een klok en een lamp die me vertrouwd zijn.

Wat fijn dat Mariana in haar brief heeft begrepen dat het het belangrijkste was me de kamer waarin ze werkt te beschrijven, en wat grappig dat ze daarna het gordijn dicht moest doen om op een andere manier met me verder te kunnen praten, omdat de aanblik van de divan haar afleidde. Natuurlijk, dat begrijp ik heel goed. In een apart schriftje heb ik een heleboel aantekeningen gemaakt over wat het betekent om meubels te verplaatsen of naar een andere kamer te verhuizen. Ook heb ik in dat hulpschriftje een gedicht geschreven, *Het huis met de erker*, geïnspireerd op de interpretatie die we in onze jeugd gaven aan de steeds wisselende tekening van de wolken. Het huis dat het kind Mariana daarin zag krijgt in het gedicht langzaamaan een andere vorm totdat het veranderd is in dat wat ze me als volwassene beschrijft, een huis dat voor altijd deel uitmaakt van het mijne, ondanks het feit dat ik er nooit binnen ben geweest, net zoals mijn gedachtengang aanhaakt bij de hare, ook al volgen ze beide een andere weg en weten we geen van tweeën of die wegen elkaar ooit zullen kruisen, en zo ja wanneer dat zal zijn.

'Onze dromen liepen uiteen/zoals nu ook onze levens...' Ga zo door, Sofia, al is het in elflettergrepige verzen. Ga zo door, het maakt niet uit hoe of waarover. Mariana draagt het me op en haar brief, die ik zo vaak heb herlezen, zet me voortdurend aan tot uitweidingen.

Sinds ik die brief heb ontvangen slaap ik op het divanbed in Amelia's kamer, omdat ik tot heel laat zit te schrijven en oude papieren aan het doorkijken ben. In een poging vergeten verhalen die me uit mijn slaap houden aaneen te rijgen en te begrijpen, nachtvlinders die je slechts zonder getuigen en op je tenen achterna kunt zitten. 'Laat nooit het vlindernet los, juffrouw Montalvo.' Nee, ik heb het nu goed vast. Maar ik was het kwijt, het was zonder dat ik het wist terechtgekomen in een verborgen hoek van deze kamer, die in de loop der jaren eveneens vele veranderingen heeft ondergaan, de laatste keer toen ik hem vol verwachting voor mijn laatste kind heb ingericht.

Het is niet eens echt een beslissing van me geweest om hier te gaan slapen, terwijl zij door de wolken reist. Het gebeurde gewoon zomaar, zoals alles wat de moeite waard is, zoals iedere revolutionaire verandering juist door zijn eenvoud van tevoren ondenkbaar is. Nou, ik heb dus de echtelijke slaapkamer gewoon verlaten. En voor Eduardo is dat geloof ik een opluchting. Hoe het ook zij, de eerste avond toonde hij zich verbaasd en voelde hij zich verplicht te vragen wat ik aan het doen was.

Het was laat en ik hoorde zijn voetstappen stoppen voor de verlichte deur van Amelia's kamer, alsof hij aarzelde of hij naar binnen zou gaan. Toen hij dat ten slotte toch deed, bleef hij enigszins ongemakkelijk staan kijken naar de brandende lamp en de papieren die op de tafel verspreid lagen. Hij zag er slecht uit en op zijn gezicht lag een trek van voortdurende innerlijke spanning, die zich uitte in een schichtige blik.

'Zo laat nog op?'

'Dat zie je.'

'En wat ben je aan het doen?'

'Aan het schrijven. Wat dingen voor mezelf.'

Hij toonde niet de minste nieuwsgierigheid. Zijn hele persoon ademt tegenwoordig een soort mengeling van ingehouden haast en onverschilligheid.

'O. Nou, dat kan geen kwaad.'

'Ik geloof het niet, nee, ik doe het op doktersvoorschrift.'

Hij leek een heel klein beetje bij te draaien en vroeg me of ik weer naar de psychiater ging. Ik liet mijn ogen op de tafel rusten en vanaf het schrift en de losse vellen papier gaf mijn handschrift me kameraadschappelijke knipoogjes, als het licht van een vuurtoren. Ik glimlachte. Ik voelde me volkomen meester van de situatie.

'Nee hoor, maak je geen zorgen. Maar ik heb een *alter ego* van wie ik moet schrijven. Noem het schizofreen, als je wilt, maar ik heb het in de hand. Je laat het aan een ander over om jou te vertellen wat er met je aan de hand is, en die ander, die je óók zelf bent, bekijkt alles van buitenaf. Wanneer je je dat vervolgens weer wilt bedenken, heeft hij zich van je afgescheiden en bestaat inmiddels echt. Dat is wat er met Alvaro de

Campos en Alberto Caeiro is gebeurd.'

Hij keek me steeds bezorgder aan.

'Met wie?'

'Twee van de heteroniemen van Pessoa. En er was er nog een... Hoe heette die ook alweer?'

'Geen idee. Wat ben je in een rare bui!'

Ik leunde met mijn kin op mijn handen en staarde voor me uit. Pessoa heb ik pas sinds kort ontdekt en ik had zin om met zijn teksten de stilstaande wateren van Eduardo's ziel te onderzoeken, alsof ik een hengel met aas uitwierp.

'Ik heb van nature een ontzettende hekel aan het begin en aan het eind van dingen,' declameerde ik, 'omdat zowel het een als het ander vaststaande momenten zijn. Mijn hele denkwereld wordt gevormd door verbijstering en twijfel. Zoals een pantheïst zich boom of zelfs bloem voelt, zo voel ik me dus verschillende wezens...'

'Alsjeblieft, Sofia,' viel hij me ongeduldig in de rede, 'doe niet zo verheven, ik kan je niet volgen.'

'Ik zie het, ja. Ach, laat maar.'

Hij probeerde zijn antwoord vriendelijk te laten klinken.

'Ik val om van de slaap, begrijp dat dan.'

'Ik begrijp het. Slapen staat vrij. Tussen de wereld en mij hangt een nevel die me belet de dingen te zien zoals ze werkelijk zijn: zoals ze voor anderen zijn. Ik denk niet, ik droom. Ik voel geen inspiratie, ik hallucineer... Ricardo Reis heette de derde heteroniem, nu weet ik het weer!'

'O ja? Nou, ik ben blij dat dat je niet uit je slaap zal houden. Ben je niet moe?'

'Moe? Alsjeblieft, zeg! Weet je wat ik doe? Ik blijf

hier slapen, om jou straks niet te hinderen.'

Er was een korte pauze.

'Prima, zoals je wilt,' zei hij.

Hij zei nogmaals dat hij bekaf was en dat hij een bad ging nemen. We wensten elkaar goedenacht en ik hoorde zijn voetstappen in de richting van het Escorial gaan. Dat was alles.

Daarna is hij twee dagen op reis gegaan, en toen hij terugkwam heeft hij geen verder commentaar op mijn verhuizing naar Amelia's kamer gegeven, alsof hij deze voorlopige wapenstilstand aanvaardde. Zijn zus Desi belt hem heel vaak. Dat vind ik bijzonder vreemd en ik voel dat er storm op til is. Maar vooralsnog laat hij me volledig met rust.

Zolang ik de kracht en de zin niet kan opbrengen – als ik die al ooit zal kunnen opbrengen – met hem een consistent gesprek te voeren dat een bres kan slaan in de muur die tussen ons in staat, of op zijn minst een poging daartoe zou zijn, vind ik het ronduit onprettig naast een meneer te slapen die wanneer hij in het holst van de nacht thuiskomt niet zegt waar hij geweest is en die mijn pogingen om niet te gaan liggen woelen en een regelmatige ademhaling te veinzen even pijnlijk zal vinden als ik de zijne om het gezoem van zijn verborgen obsessies te dempen en de weinige woorden die hij voor- of nadat hij in bed is gaan liggen tot me richt een schijn van normaalheid te geven.

Het zijn twee tegen elkaar geschoven bedden met dikke poten, stevige zijplanken en een gemeenschappelijk hoofdeinde, overdag bedekt door één en dezelfde sprei, die een cadeau van mijn schoonzuster Desi is; de stof heeft een exclusief dessin, volgens haar, bij wie het woord 'exclusief' als een zuurtje in de mond smelt.

Met roze en grijze ruiten. Hij is een beetje stijf. En moeilijk dubbel te vouwen. Deze zo dicht tegen elkaar staande bedden die doen alsof ze er samen één vormen zijn lastig op te maken, want ze zijn behoorlijk zwaar en daardoor moeilijk te verschuiven. Dat kun je maar beter met zijn tweeën doen.

'Ik weet niet of het door die dikke Flexmatras komt,' zegt Daría, 'maar ze zijn zwaarder dan het slechtste huwelijk.'

Dat zegt ze natuurlijk niet zomaar. Maar wat ze het allerbelachelijkst vindt is dat ze die geruite sprei zo moet leggen dat het één enkel bed lijkt, dat vindt ze pure bedriegerij.

'Als het twee bedden zijn, laat het dan twee bedden zijn, hè? En elk aan een kant, zodat ieder erin kan kruipen wanneer hij wil, want zo hinder je je wederhelft het minst. En een kamerscherm ertussenin, want dat kunt u makkelijk betalen, zo'n Chinese, van zijde met vogeltjes erop geborduurd, want die waren toch prachtig, dat was pas mooi. Net als het grote bed dat u me hebt gegeven toen u verhuisde, goh, het lijkt wel alsof het gisteren was.'

Vroeger, op de etage in Donoso Cortés, waar we woonden toen de kinderen werden geboren, hadden we een tweepersoonsbed. Het was een antiek houten bed met ijzeren beslag, afkomstig uit een dorp in Teruel, waar de familie van Eduardo vandaan komt.

Het stond daar al voordat we trouwden, toen hij in zijn eentje op die etage woonde, samen met een monsterlijke, grote lessenaar waarvan ik niet weet waar hij vandaan kwam of waar hij is gebleven, kasten gemaakt van planken en stenen en een heleboel boeken op de grond.

Ik herinner me nog de eerste keer dat Eduardo me daar mee naar toe nam. Het was in het begin van de herfst, ik had het net uitgemaakt met Guillermo en was heel bedroefd. Er scheen een aangenaam licht door de groene rolgordijnen, en er kwam een fris briesje van buiten.

'Het lijkt hier wel een Italiaanse neorealistische film,' zei ik, op de drempel van de kamer.

'Jij lijkt op dit moment ook op een meisje uit een Italiaanse film, met dat uiterlijk van een bedelares,' zei hij. 'Dus het decor past goed bij je.'

Dat was de eerste keer dat hij me bedelares noemde.

'Dat komt waarschijnlijk doordat ik bedroefd ben. Bovendien heb ik niets tegen haveloze dingen.'

Ik zei hem niet waarom ik bedroefd was en hij vroeg er niet naar.

We hadden in een bar in de buurt gegeten, en dat hij met me naar bed wilde was wel het laatste wat ik verwacht had. Maar sommige dingen gebeuren gewoon, zomaar, zonder dat je het beseft of erop verdacht bent. In dat huis ben ik namelijk zwanger van Encarna geraakt, daarom zijn we getrouwd. Het was een etage met een ouderwets lage huur. Hij was heel vreemd ingedeeld, met verscheidene kleine kamertjes waarvan het onduidelijk was waarvoor ze konden dienen, en een keuken met een ouderwets fornuis. De enige twee behoorlijk ingerichte kamers waren die aan de achterkant, waarin Eduardo samen met twee vrienden, die tevens met mijn broer Santi bevriend waren, een kantoor voor sociale advocatuur was begonnen.

Later, toen we trouwden, mochten we het van de eigenaar opknappen, want die was familie van Eduardo en bovendien speelden we met de gedachte de etage te kopen. Ik was er te lui voor, maar hij niet. Het wegbreken van muren heeft hem altijd op een onbegrijpelijke manier opgewonden. Uit die drie kleine kamertjes, die net uitstulpingen in de dikke darm van de gang waren, ontstond één grotere, die wel een beetje vreemd van vorm maar vriendelijk was. Dat werd de slaapkamer met het grote bed. Hij keek uit op een binnenplaats met redelijk wat licht, want de etage lag hoog. Ik trouwde toen ik drie maanden zwanger was en de verbouwing duurde nog enige tijd voort. Ik voelde me dikwijls misselijk en was helemaal gestopt met schrijven.

Soms, wanneer ik uit het opzichtige Escorial kom en onze slaapkamer van nu met de geruite sprei bekijk, moet ik echt mijn best doen om te reconstrueren hoe ons leven er in het begin in Donoso Cortés uitzag of waarover onze nachtelijke gesprekken gingen. Eerlijk gezegd diende Eduardo's koorts om meer geld te verdienen zich al spoedig aan en breidde deze zich verdacht snel uit naar het terrein van zijn politieke idealen, in zo'n tempo dat toen ik het begon te beseffen, die al volledig door zijn nieuwe obsessie verdrongen waren. Zijn zus Desi was getrouwd met een steenrijke zakenman, een stuk ouder dan zij, die begonnen was als pompbediende. Voor Eduardo was hij, en dat is hij een hele tijd gebleven, een lichtend voorbeeld. Hij was degene die hem begon te betrekken in de import en export van goederen, waar volgens Eduardo veel toekomst in zat. Het woord toekomst klonk me in deze context van zaken en geld nog slechter in de oren dan wanneer het werd gebruikt om een politieke rede op te sieren. In ieder geval was een dergelijke, ijverig doorploeterende toekomstgodin niet mijn favoriete heilige. En al spoedig begon Eduardo te klagen dat ik niet achter zijn plannen stond en hem niet in zijn ambities steunde.

Dus afgezien van de meer of minder overtuigende versmelting van onze lichamen in het grote bed uit Teruel, praatten we 's nachts vooral over geld. Of liever gezegd, híj praatte. Ik herinner me een gevoel van vochtigheid en droefheid. Van teleurstelling.

'Het lijkt wel alsof je niet luistert wanneer ik tegen je praat,' zei hij wel eens.

Dat was waar. Mijn geheugen was bij voorbaat verdoofd voor zijn woorden. Mijn hersenen werkten in die tijd heel traag, alsof mijn gedachten zich zwoegend een weg moesten banen door modderige sporen. Wanneer ik naar hem luisterde staarde ik naar het plafond en wist niet wat ik moest zeggen, niet eens òf ik iets moest zeggen. Men beweert dat dit bij sommige vrouwen voorkomt tijdens hun zwangerschap of na de bevalling. Ik weet het niet. Ik had er in ieder geval last van.

Hoe het ook zij, voordat ik Eduardo leerde kennen hadden sommige mensen al geklaagd dat ik zo afwezig was wanneer ze me iets wilden vertellen of over praktische zaken praatten. Maar het vreemde is dat de gesprekken over politiek, die zo geliefd waren bij veel mensen in mijn eerste jaar aan de universiteit, me ook niet konden boeien en zelfs een merkwaardig wantrouwen in me opriepen. God was dood en er moesten afgoden in zijn plaats gevonden worden. Ik gruw van ieder apostolaat en vond de verbale agressie van die in het geheim opererende dissidenten helemaal niet leuk. En ik was uiteraard niet bereid om Christus omver te werpen om Che Guevara te kronen. Dat was precies een van de dingen, zoals ik geloof ik al gezegd heb, die me vanaf de laatste klas van de middelbare school van Mariana hadden verwijderd. Die ongeduldige drang om ieder spoor van onrechtvaardigheid uit te bannen en zich en bloque solidair te verklaren met alle verschoppelingen van de wereld vond ik vooral buitengewoon onoprecht bij sommige mensen van lage komaf, die er wèl in geslaagd waren met doorzettingsvermogen en een hoge dunk van zichzelf in hun studie uit te blinken.

Dat was exact het geval met die jongen met die dunne lippen en dat gefronste voorhoofd uit Aragón, die soms naar de vergaderingen kwam die Santi, mijn oudere broer, bij ons thuis organiseerde, al duurde het een hele tijd voordat hij me opviel. Ik noemde hen de samenzweerders. Het geheugen is grillig en we weten niet op grond van welk criterium het sommige decors als blijvend selecteert, terwijl andere, die eens veel belangrijker scènes hebben gehuisvest, naar het rijk der schaduwen worden verbannen. Ik zeg dit omdat de kamer in het huis van mijn ouders waar Santi met de samenzweerders bijeenkwam (en die tegenwoordig bij het linkerhuis hoort, waar andere mensen wonen) te pas en te onpas in mijn gedachten opduikt en zo hardnekkig mijn dromen doorkruist, dat ik hem als een deel van mijn anatomie ben gaan beschouwen, als een soort goedaardige tumor die in een plooi van mijn hersenen is geworteld en waarover in geval van autopsie geen enkele chirurg een uitspraak zou kunnen doen. En hoewel in die kamer mijn lot bepaald werd, herinner ik me niet dat mij daarin ooit iets is overkomen dat het vermelden waard is. Het was de grootste kamer van het huis, hij had een hoekerker en er hing altijd rook. Ik sliep in de kamer ernaast, en 's avonds hield het geroezemoes van de samenzweerders me gezelschap en diende als achtergrondmuziek voor mijn eenzame fantasieën, die op de tast weerklank in het schrijven zochten. Maar afgezien van de stem van mijn broer herkende ik er geen in het bijzonder.

'Kennen jullie mijn zusje?' vroeg hij hun soms, wanneer we elkaar toevallig op de gang tegenkwamen. En het schijnt dat ik altijd een gezicht trok alsof ik met mijn gedachten elders zat, een uitdrukking die mogelijk leek op de uitdrukking die de wiskundeleraar me jaren eerder had verweten, toen hij het over logaritmen had. Sommigen antwoordden van wel, dat ze me al kenden, en bij het groeten noemden ze zelfs wel eens mijn naam. Op den duur was ik vrij goed op de hoogte van die van hun, maar ik koppelde ze niet altijd aan de juiste persoon. Met name die plattelandsjongen uit Aragón, Eduardo Luque, die op zijn eenentwintigste klaar was met rechten en het bij de groep in de mode bracht je nadrukkelijk onverzorgd te kleden, verdween telkens weer uit mijn geheugen. Later hoorde ik van hemzelf dat Santi hem vijf maal op vijf verschillende plaatsen aan me had voorgesteld, zonder dat ik hem ooit herkende, en dat schijnt hem het meest geprikkeld te hebben. Maar om op de kamer met de erker terug te komen, het allervreemdste is dat mijn onderbewustzijn deze in mijn dromen of fantasieën overdag associeert met Guillermo, die er nooit een voet in gezet heeft, net zo min als in een van de andere kamers van dat huis. Want Guillermo – het wordt tijd het te vertellen – heeft nooit meer dan raaklijnen met mijn dagelijks leven gehad en afgezien van het feit dat onze verhouding kort heeft geduurd, speelde hij zich af in een soort niemandsland waar noch voor het verleden noch voor de toekomst plaats was. Daarom vind ik het moeilijk om die verhouding te schetsen en zijn invloedssfeer af te bakenen, al doe ik nog zo mijn best. Wellicht heeft mijn geheugen – dat misschien niet zo onberekenbaar is als het lijkt – de kamer van de samenzweerders gekozen om Guillermo tussen de kringelende rook te verbergen, omdat dat hol, door een dun wandje gescheiden van het mijne, in de maanden die voorafgingen aan onze eerste ontmoeting dikwijls mijn enige brug naar de buitenwereld was; het vormde de grens tussen het waar gebeurde en de fantasie, een soort houvast wanneer de vloed van de onwerkelijkheid over me heen spoelde. En dit periodiek opkomend tij beukte ook tegen een fragiel bootje met op de zijkant de woorden Mariana-Guillermo. Het koppelteken tussen die namen verbond voor mij het verdriet over haar afwezigheid met de angst voor het onbekende.

De strenge winter, die zich dat jaar begin oktober al had aangekondigd, leek me eindeloos te duren. Ik heb hier twee brieven van mijn peettante voor me liggen, die ik niet zal weergeven om dit verhaal niet even lang als die winter te maken. Maar het lezen ervan helpt me het gevoel van onrust en ontworteling te reconstrueren waarmee mijn onbewuste wachten op de liefde gepaard ging, terwijl in het aangrenzende vertrek een gedempt koor van mannenstemmen de politieke toekomst van Spanje voorspelde.

Sofia Montalvo, mijn peettante en naamgenote, woonde in Parijs, ze was een nicht van papa en mijn fantasieën over een mogelijke jeugdromance tussen hen beiden dateren uit mijn prilste jeugd. In de verhalen die ik toen we klein waren voor Mariana verzon, komt herhaaldelijk de stralende figuur van de reddende petemoei voor, maar het heeft een hele tijd geduurd voordat ik tegen haar over de mijne begon. Toen ik haar op een middag vertelde dat ze net zo heette als ik en in Parijs woonde, dacht ze een tijdje na, alsof ze een verklaring voor die onverwachte mededeling zocht. De houding die ze bij zo'n innerlijke speurtocht aannam was altijd hetzelfde: een starende blik en haar wijsvinger een beetje gebogen tegen haar mond, als het ware vragend om stilte, ik had dat 'een detectivegezicht trekken' gedoopt.

Ik weet nog dat we in een tearoom in de calle de Hermosilla zaten, waar we na school heen waren gegaan om thee te drinken. De geur van slagroomtaartjes associeer ik altijd met het interieur van die tearoom en met de mengeling van opwinding en genot die je op je veertiende voelt wanneer je met een vriendin naar een openbare gelegenheid gaat om elkaar geheimen in te fluisteren, een gevoel van gewichtigheid en een gevoel van vertrouwen in het leven, dat nooit meer terug zal komen. Ik keek Mariana aan, verbaasd door haar plotselinge zwijgen, en zag die uitdrukking op haar gezicht. De naam van mijn peettante zweefde boven de slagroomtaartjes en onze hoofden, vermengd met de rookkringels van Mariana's sigaret. Ik rookte toen nog niet.

'Dat moet iets te betekenen hebben,' zei ze na een tijdje heel ernstig.

'Wat? Dat van mijn peettante? Trek niet zo'n detectivegezicht, het betekent wat het betekent, dat ik een peettante in Parijs heb.'

'Maar je hebt het nog nooit over haar gehad.'

'En wat dan nog? Jij ook niet over de jouwe. En jij zult ook wel een peettante hebben, of niet soms?'

'Ja, maar dat is wat anders. De mijne is een oudtante en bovendien ontzettend vervelend.'

Ik vond de familie van Mariana veel leuker dan de mijne en het vleide me dat ze mij om mijn peettante benijdde, die vanaf dat moment enkele punten in mijn achting steeg. Hoe het ook zij, ik voelde me verplicht te bekennen dat ik haar heel weinig gezien had en dat het best wel eens zou kunnen dat ook zij vervelend was.

'Nee, vast niet,' zei Mariana. 'En bovendien idealiseer je haar. Waarom komen er anders zoveel peettantes in je verhalen voor? Dat moet iets te betekenen hebben.'

Ik geloof dat Mariana al van jongs af aan de voor psychiaters zo typerende neiging vertoonde om overal iets achter te zoeken. En haar vermogen om anderen haar persoonlijke interpretatie van de feiten op te leggen was even opmerkelijk als moeilijk te ontwijken. Het onderwerp van mijn peettante bleef haar enige tijd bezighouden, omdat ze er vast van overtuigd was dat dat van pas kon komen om bepaalde aspecten van mijn karakter en van de weinig hartelijke verhouding tussen mijn moeder en mij te verklaren. Het was een feit dat mijn moeder een hekel had aan 'S.M. bis', zoals zij de nicht van papa noemde, en dat ze probeerde mij tegen haar op te zetten.

Enfin, ik had inderdaad een peettante in Parijs. Ik zeg 'had' omdat ze nu dood is. Ik heb haar weinig gezien, ze schreef me sporadisch en de twee brieven naar aanleiding waarvan ik haar nu ter sprake heb gebracht zijn een antwoord op een brief van mij waarin ik haar blijkbaar vertelde dat ik mijn beste vriendin zonder duidelijke reden verloren had en haar niet alleen om troost vroeg, maar ook om raad over hoe ik haar liefde terug kon winnen. Zij was van mening dat bepaalde gevoelens van genegenheid gewoon bij de puberteit horen, als opmaat voor belangrijker liefdes. Het handschrift van mijn peettante lijkt een beetje op dat van mij, maar het is spitser. Ik weet niet of dat voor Mariana ook iets betekent. Dat was tot vandaag, nu die dubbelgevouwen brieven voor me liggen, nooit bij me opgekomen. Ze schreef op heel fijn papier met een blauwachtige glans.

'Stil, prinsesje, stil, zegt de goede fee...'

Ik houd niet van Rubén Darío. Hij heeft het te veel over zwanen en waterlelies en paarden met vleugels die op weg hiernaartoe zijn. En toch, nu ik een paar verzen van zijn beroemde *Sonatina* in het handschrift van die andere Sofia Montalvo zie staan, moet ik toegeven dat er iets profetisch in zat. Want achteraf beschouwd is het duidelijk dat wat ik die winter nodig had verliefd worden was. Waar kwamen die permanente slapte van mijn ledematen en die apathie tegenover iedere prikkel die de wereld me bood anders vandaan? Natuurlijk, 'de zuchten ontsnappen aan jouw frisse lippen, nu zonder lach, nu zonder kleur', er was geen nar in staat me met zijn fratsen te vermaken. Mariana's plotselinge afstandelijkheid had slechts de basis gelegd voor mijn transformatie tot vrouw en me rijp gemaakt om de steekvlam van de liefde zodra die ontbrandde te ontvangen. Maar haar vuurstralen kwamen niet uit de kamer van de samenzweerders, ook al had een van hen – dat zegt hij althans – zijn blik al verlekkerd op me laten vallen. Wat ik uiteraard niet in de gaten had.

Niet dat ik niet wist dat mannen me leuk konden vinden, want dat wist ik natuurlijk wel. Maar het was een wetenschap die ik bij verschillende gelegenheden had vergaard en die ik in reserve hield, maar waarover ik nog geen standpunt had ingenomen, omdat hij op geen enkele manier mijn plannen of het ritme van mijn ademhaling verstoorde.

Dat had tot gevolg dat ik het meestal niet doorhad wanneer een jongen me leuk vond; het was bijna altijd Mariana die me daarover inlichtte, en zelfs dan hechtte ik er niet zoveel waarde aan als aan dingen die je echt diep in je hart gelooft. Ook kwelde ik mezelf niet door van tevoren te bedenken wat voor stormen de liefde met zich mee zou kunnen brengen.

'En het rare is,' verbaasde Mariana zich, 'dat je wel in staat bent van die mooie liefdesverhalen te bedenken en dat je huilt bij het lezen van sonnetten van Garcilaso en Petrarca.'

'Ja, inderdaad, ik begrijp het ook niet.'

Zij vond het leuk om leuk gevonden te worden, ze zei dat alleen al dat te merken haar een gevoel van macht gaf. Ze had een natuurlijke gave om anderen te beïnvloeden en die zal ze nog wel hebben, ook al blijft ze zelf van mening dat ze altijd iedereen heeft vrijgelaten om te doen en laten wat hij wilde. Ik weet het niet, volgens mij houdt ze zichzelf voor de gek. Enfin, het heeft geen zin daar nu op in te gaan. Dat komt wel ter sprake wanneer ik dat van Guillermo zal vertellen, als ik het al ooit vertel, want dat verhaal of wat het ook is begint ongelooflijk gecompliceerd te worden.

Maar om terug te komen op de voorspellingen van mijn peettante, de symptomen van lusteloosheid, door Rubén Darío gediagnostiseerd als herauten van het ontwaken van de zinnen, waren zo ongeveer waar ik die winter last van had, ook al woonde de prins in spe niet in Golconda of in China maar in de calle de Sagasta. In een huis waar ik overigens nooit binnen ben geweest, al heb ik er vaak van buiten naar gekeken en doe ik dat ook nu nog als ik erlangs kom. Het heeft buikige balkons met enigszins antiek smeedwerk. Ik geloof dat de grootmoeder van Guillermo er nog steeds woont. (Dat vertelde hij me althans in Londen; dus dat 'woont' lijkt me, na tien jaar, eigenlijk bijzonder problematisch.) Het is een van de huizen die het meest in mijn dromen voorkomen, het heeft een heleboel ronde, enigszins hellende gangen, alle kamers hebben twee niveaus, van elkaar gescheiden door enkele treden, en ik zit altijd in het bovenste gedeelte. Ik herken het huis zuiver intuïtief, zoals wanneer je van een bepaalde kamer zegt dat die je doet denken aan die van Madame Bovary, waar natuurlijk geen van de lezers van deze roman ooit is geweest.

Ik geloof dat ik al gezegd heb dat het een heel strenge winter was. Afgezien van de onverklaarbare afstand tussen Mariana en mij, werd ik me in de loop van die winter van iets anders bewust: dat mijn ouders steeds slechter met elkaar konden opschieten.

(Hier aangekomen voel ik de behoefte om wat ik laatst over mijn gesprek met Soledad heb geschreven nog eens over te lezen. Eerst heb ik in dit schrift gekeken, maar het stuk waar het me om gaat staat in het vorige. En ik kan het niet laten hier te vermelden hoe blij ik ben al één schrift helemaal en een ander half vol te hebben. Ik heb het inmiddels gevonden. Soledad vertelde me dat Amelia en zij op hun zestiende alsof het de gewoonste zaak van de wereld was de echtelijke verhouding van hun ouders bespraken. Dat kwam in mijn tijd niet voor. Nooit heb ik het er met iemand over gehad dat mijn ouders niet goed met elkaar konden opschieten, zelfs niet met mijn broer, terwijl ik ervan overtuigd was dat hij dat net zo goed in de gaten had als ik. En tegenwoordig denk ik dat de doffe, eenzame pijn die deze ontdekking in mij teweegbracht, van invloed kan zijn geweest op mijn poging om de verslechtering van mijn relatie met Eduardo voor mijn kinderen te verbergen. Het is evident dat dat nergens goed voor is geweest.)

Van die periode van winterse opsluiting, in mijn geheugen verbonden met het geroezemoes van de samenzweerders, springen twee bijzonder kille dagen er heel duidelijk uit: die van mijn bezoek aan Mariana (die in het vorige schrift wordt beschreven) en de laatste dag van het jaar. 's Ochtends vroeg mijn moeder me wat voor plannen ik voor die avond had, of ik als ik geen plannen had misschien mee wilde gaan naar oude vrienden van hen, van die vrienden die ieder gezin al eindeloos lang heeft. Aangezien ik daar absoluut geen zin in had, zei ik dat ik met een groepje van de faculteit had afgesproken.

'Wie zijn dat dan?' vroeg mijn moeder. 'Je zei altijd dat je geen vrienden op de faculteit had.'

'Nou ja, het zijn geen hele goede vrienden. Maar om champagne te drinken en druiven te eten hoef je niet zo dik met elkaar te zijn.'

'Gelukkig heb je zin om een beetje uit te gaan,' zeurde mijn moeder door. 'Maar je had ze ook hier mogen uitnodigen. Je weet dat ik het leuk vind je vrienden te leren kennen.'

Ik haalde mijn schouders op en gaf geen antwoord.

Ik kon niet tegen die drang van mijn moeder om al mijn gangen na te gaan, want daarin school ook de bedoeling me aan de man te brengen.

'Tussen twee haakjes,' zei ze, 'er is een kaart van Mariana uit Barcelona voor je gekomen. Zijn jullie soms boos op elkaar?'

Ik sprong haast uit mijn vel. Uit die vraag bleek heel duidelijk dat mijn moeder de tekst op de kaart had gelezen.

'En waarom moet jij zonodig je neus in mijn zaken steken? Geef me die kaart!'

'Dat wilde ik net doen,' zei ze, terwijl ze hem uit de zak van haar schort haalde. 'Natuurlijk, kindje, maar je doet met de dag raarder.'

Ik griste hem uit haar handen, liep woedend de keuken uit en gaf nog gauw een trap tegen de deur, die naar twee kanten opengaat. Dat doet hij nog steeds. De keuken is een van de weinige dingen in de schuil die niet zijn veranderd. Maar de veranderingen van uiterlijk die dat huis vanaf het moment dat mijn ouders trouwden tot nu heeft ondergaan, zouden alleen al stof voor een heel nieuw schrift geven. (Ik mag trouwens niet vergeten dat ik naar de schuil moet.)

Ik ging met de kaart van Mariana op mijn kamer zitten. Er stond een sneeuwlandschap op, met sparren en een kerstman. De sneeuw op de bergen en de baard van het personage, gekleed in het rood en beladen met pakjes, waren bezaaid met zilveren glittertjes, die ruw aanvoelden. Ik keek er even naar voordat ik hem omdraaide. De tekst was net zo koud als het landschap en verwees naar onze laatste ontmoeting bij haar thuis. Kouder dan koud. 'Gelukkig nieuwjaar, Sofia. En misschien word je eindelijk eens volwassen.' Ik dacht, nog stelliger dan op die avond van ons afscheid: Ze is niet verliefd. Dat kan niet. Een verliefd iemand straalt iets anders uit, die zou in staat zijn met zijn eigen vuur anderen te verwarmen. Ik verscheurde de kaart en gooide hem in de prullenmand, terwijl ik me voor de zoveelste keer afvroeg of die spookachtige Guillermo met zijn wolvekop werkelijk bestond, of hij bij haar in Barcelona zou zijn en of hij ook een afkeer had van burgerlijk egocentrisme en zelfgenoegzaamheid, die Mariana me had verweten. Starend naar de stukjes kerstman en besneeuwde bergen die in de prullenmand glinsterden, vulden mijn ogen zich met tranen terwijl ik aan hen dacht en hun het beste toewenste.

Ik beschouwde geen enkele levensfase als afgesloten, maar ik besloot wel op mijn eigen manier volwassen te worden. Ik ging naar geen enkel feest, ik wilde het nieuwe jaar in mijn eentje inluiden. En die avond ging ik zitten schrijven. Het was de eerste keer dat ik dat niet deed om Mariana of de leraar letterkunde te behagen, maar uit pure noodzaak, omdat ik niet anders kon. Daarmee doorgaan was een kwestie van leven of dood. En ik wist dat het een steil pad was, maar ik wilde graag in staat zijn het te beklimmen en verlangde ernaar het in mijn eentje te beklimmen. Toen ik de geluiden hoorde van de eerste feestganger die thuiskwam, deed ik het licht uit en ging met mijn kleren aan in bed liggen. Ik had niet gegeten, ik was me niet bewust geweest van de overgang van het ene jaar naar het andere, en het leek me onmogelijk dat er zoveel uren waren verstreken.

In de maanden daarop hield ik op met het verzinnen van sentimentele verhalen met een min of meer gelukkig einde en beschreef in plaats daarvan mijn gevoelens rechtstreeks en zonder opsmuk. Er rolden aforismen en aan mezelf gewijde gedichten uit. In rode inkt als ze geschreven waren in uren van een zekere euforie; in zwarte inkt de teksten die schreeuwden van onmacht om datgene wat me dwars zat uit te drukken. Tot die in rode inkt richtte ik me in mijn moeilijke uren en ze verschaften me een zekere troost. Ik leerde op de tast mijn weg te vinden, te wachten zonder verwachtingen, van niemand een antwoord te eisen, me uitsluitend te voeden met mijn honger naar het leven, al was die dan sluimerend. Dat is altijd mijn leidraad in het leven geweest, geen verbitterde vrouw te worden, me aan wat dan ook vast te klampen om dat te voorkomen. En er is natuurlijk geen beter redmiddel dan de pen. Dank je, Mariana, dat je mij daar weer aan herinnerd hebt. Want ik heb alweer bijna de helft van het tweede schrift gevuld. Maar dat is wel dunner dan het vorige.

Wanneer ik me met mijn boeken thuis of in een hoekje van de bibliotheek van het Ateneo opsloot, werden mijn studieplannen verdrongen door de behoefte om de leegte waarin ik door de afwezigheid van Mariana was beland te onderzoeken en dat mondde uit in prille poëtische pogingen, waarmee ik het idee had de kern van de wereld te raken. Klemmende vragen die het luchtledige in werden geslingerd en hun elektrische lading over de pagina's van al mijn schriften verspreidden, tussen jaartallen van veldslagen, uitvindingen, culturele revoluties, van de geboorte of de dood van koningen en heiligen en dichters, van herdenkingen, epidemieën en rampen. In die woelige zee wierp ik mijn gedichten, als een misplaatste bloemenhulde. En soms voorzag ik ze ook van een datum.

Er is er een van 27 februari, getiteld *Dooi*. Ik had het 's ochtends geschreven. Die avond leerde ik Guillermo kennen.

12 *Een dag tussen twee deuren*

Van begin af aan lette ik op haar met speciale aandacht, vol tegenstrijdige gevoelens.

Ik denk dat het kwam door de manier waarop ze het pakje sigaretten dat de receptionist haar aanreikte aannam, met een gebaar dat, na een aantal proefopnames, het definitieve resultaat leek te zijn van een serie shots, geselecteerd voor een glamour-advertentie, waarvan de tekst zou kunnen luiden: 'Marlboro, de natuurlijke elegantie van het kunstmatige', of iets dergelijks. Mijn handen zijn behoorlijk aan het aftakelen, Sofia, en juist doordat ik dat probeer te ontkennen of het verschijnsel als onbelangrijk probeer af te doen, eist dit overduidelijke verval wanneer ik ze onverwacht met de ogen van een buitenstaander naast jongere handen zie, waarvan de aderen niet blauw opzetten en de knokkels niet ruw zijn, woedend zijn rechten op en vindt de gevreesde afrekening met mijn geschipper om die aftakeling te negeren plaats. Maar het merkwaardige is dat die vrouw, die voor mij onmiddellijk een studieobject werd, niet eens zo veel jonger leek te zijn dan ik, een indruk die werd bevestigd toen ik haar van dichterbij bekeek.

Ik zag haar voor het eerst bij de balie van het hotel, juist toen ik daar na een slapeloze nacht vol getob over waar ik heen moest gaan doodongelukkig en zonder gedoucht te hebben met mijn bagage arriveerde. Een van die keren dat je je pijnlijk bewust bent van de kringen onder je ogen. Het was rond het middaguur. Zij kwam van het zwembad om sigaretten te kopen. Ze droeg een kort, openhangend badjasje over een bikini met nopjes die het grootste deel van haar bruine, strakke buik onbedekt liet en liep ze op blote voeten.

We keken elkaar aan. Haar hele gezicht straalde die uitdrukkingsloosheid uit die geleidelijk ontstaat in de schaduw van een ledig bestaan, waarin iemand probeert om elke emotie die voor extra rimpels kan zorgen de kop in te drukken. Maar ze had de handen en voeten van een geisha.

Toen de bediende die mijn bagage naar kamer 203 had gebracht me even later, na me te hebben uitgelegd hoe de tv werkte en me een prettig verblijf te hebben toegewenst, alleen liet en ik omringd werd door de klanken van muziek die van buiten kwamen, bleef ik als verlamd om me heen staan kijken en realiseerde ik me heel goed dat ik niet in staat was te beslissen hoelang ik daar zou blijven. De duur van mijn verblijf, dat ik mezelf als een soort noodzakelijke slaapkuur had voorgeschreven en dat ik me aanvankelijk had voorgesteld als een korte stop onderweg voordat ik naar Madrid zou terugkeren, begon de vorm aan te nemen van een open vraag, waarop het antwoord pas in de loop van de dagen gegeven zou worden.

'U hoeft echt niet nu te beslissen. Vooralsnog hebben we een kamer voor u vrij voor een week,' had de receptionist op geruststellende toon gezegd, als iemand die de scherpe kantjes van een pijnlijk moment probeert te halen.

En dat was het. Want sinds ik die fluweelzachte handen had gezien die het pakje sigaretten aannamen en er vervolgens een uitnamen en opstaken, was ik als het ware de werkelijkheid ontvlucht, iets wat dokter León 'flashes van afwezigheid' noemt. En uit de beleefde maar verbaasde glimlach van de receptionist maakte ik op dat mijn gesloten gezicht en vreemde stilzwijgen als reactie op zijn vraag hoelang ik dacht te blijven, hem van zijn stuk hadden gebracht.

'Ja, dank u. Maar ik weet het echt niet. Het hangt af van een paar berichten die ik verwacht,' antwoordde ik afwezig, terwijl ik zag dat die vrouw met haar blote voeten als bloemen weer wegliep.

Ik bleef nog lange tijd aan haar denken en haar gestalte stond me in de weg bij het veroveren van de zo felbegeerde slaap. Onder haar levenloze blik was in mij een oud conflict, dat ik met moeite had leren onderdrukken weer opgelaaid, een conflict waarbij jaloezie en minachting voor de vrouw als lustobject beurtelings hun wapens heffen, hoewel geen van beide partijen ooit meer dan een kortstondige overwinning behaalt. Nu begon die van de jaloezie zich strategisch op te stellen.

'Dit is vast de terugslag van mijn doorwaakte nacht en van de spanningen waaraan Silvia me heeft blootgesteld,' zei ik tegen mezelf terwijl ik met wazige ogen naar de prent van de ijsberg keek die ik net ontdekt had, alle plannen voor de nabije toekomst uit mijn hoofd bande en mezelf een diepe, ongestoorde rust beloofde. 'Als ik straks wakker word, zal mijn hoofd beter werken.'

Ik viel inderdaad om van de slaap en van de moeheid, en ik had zelfs geen fut meer om een douche te nemen. Ik hing het bordje 'niet storen' op de deur, pakte een pyjama uit mijn koffer en ging, voordat ik het bed opensloeg, het balkon met de rieten meubels op om het zonnescherm neer te laten.

Op het luxueuze terrein van het zwembad, dat uitliep op een stenen muurtje vanwaar je over zee uitkeek, stonden her en der felgekleurde ligstoelen, lage tafeltjes en gestreepte parasols. Het geheel maakte een storm van gevoelens in mij los en wekte het verlangen in me op om voorgoed in die wereld van heerlijk nietsdoen te blijven, om me erin onder te dompelen, vrij van elke verantwoordelijkheid, verlost van problemen en gewetenswroeging, verscholen in die tropische tuin die helemaal aan de eisen voldeed. Ik boog me over de balustrade.

Onder mijn balkon zag ik de ovaalvormige toog van een bar in kubistische stijl, met zwart met roze barkrukken, en daar kwam de muziek vandaan die, gevoegd bij de geur van de zee, mijn wilskracht nog verder verzwakte en mijn zintuigen verscherpte. Op dat moment werd er juist een liedje van de Beatles gedraaid:

I'd like to be
under the sea
in an octopus' garden
in the shade...

Ik had het voor het eerst in Barcelona gehoord, in het huis van een Catalaanse jongen met wie ik toen uitging, Sergi Casal, ik herinner het me nog omdat het aanleiding had gegeven tot een van onze min of meer politieke ruzies, de laatste geloof ik. Hij was geen vast vriendje van me. Ik heb nooit een vast vriendje gehad. Hij woonde bij zijn ouders, rijke maar behoorlijk ontwikkelde mensen, in een ruim huis waar hij ongewoon veel vrijheid en de voorrechten van een hoogbegaafd enig kind met leiderscapaciteiten genoot. Tegenwoordig is hij een zeer bekend kinderarts. Ik ben hem eens op een congres tegengekomen. Hij was gek op de Beatles.

'Wat een kolder!' zei ik. 'Zie je dan niet hoe absurd die tekst is? "Ik zou graag/op de bodem van de zee zijn/in een octopussentuin/in de schaduw..." net als alle teksten van die jongens trouwens. In een octopussentuin! Hoe verzin je het!'

'Alleen dichters kunnen natuurlijk zoiets verzinnen,' zei Sergi. 'Als je logica van de poëzie eist begint je verstand te roesten. Pas maar op, Mariana, schoonheid.'

Ik wond me verschrikkelijk op. De boodschap die de Beatles de wereld in zonden, de pil met een laagje poëzie verguldend, was erger dan onzinnig of absurd, het was een oproep tot escapisme, zoals *let it be*, zoals *here comes the sun* of 'gele onderzeeër', een naïef verlangen om in het onwerkelijke onder te duiken, wat de mensen op den duur meer kwaad dan goed zou doen, hen zou depolitiseren en indolent en overgevoelig zou maken, hun verdedigingsmechanismen en hun kritische vermogen zou aantasten, wat doet het er toe, knijp er gewoon tussen uit, *here comes the sun*, alles is goed zoals het is, *let it be*, en laten we verder feesten. De discussie ging vrij ver, dat moet ik toegeven.

'Wat voor verschil zie je,' zei ik aan het eind van mijn betoog, 'tussen dat alles en de gedenkwaardige reactionaire Manuel Machado met zijn nardusziel van Spaanse Arabier? "Mijn wil is gestorven in een nacht met volle maan/ waarin het prachtig was niet te denken of te willen...” alsjeblieft; we hoeven dat dus niet ook nog eens van die vier aanstellers uit Liverpool te horen te krijgen.’

Sergi, die bij het barmeubel stond om zichzelf iets in te schenken, zette de plaat die hij even had afgezet weer op, alsof hij duidelijk wilde maken dat ik met mijn betoog de Beatles had afgekapt en niet andersom. Op dat moment had ik dat amper in de gaten. Ik was in alle staten en mijn ademhaling ging gejaagd. Sergi kwam naast me op de bank zitten en pakte mijn hand. Hij lachte half ironisch, half verleidelijk naar me. Het lied met de raadgeving weg te kruipen in de schaduw van een onderzeese octopussentuin klom weer omhoog langs de muren van de in groene tinten behangen kamer, waar een aangename schemering begon te vallen, *I want to be under the sea*, het wentelde rond, stuiterde tegen de hoeken en dreigde de werkelijkheid te vervormen. Ik wilde iets zeggen, maar Sergi legde zijn wijsvinger op mijn lippen.

‘Wat ben je soms toch bekrompen, Ninotchka!’ zei hij vlak bij mijn oor. ‘Als je niet zo verschrikkelijk mooi was... Kom, wees eens even stil, alsjeblieft, *let it be*... Wil je niet iets drinken?’

Ik stond zonder een woord te zeggen op en liep het huis uit, de deur achter me dichtslaand. Meteen daarna begreep ik dat mijn reactie overtrokken was geweest en ik hield stil bij de lift. Ik was er zeker van dat hij me achterna zou komen, zoals in de film. Maar dat gebeurde niet.

Het begon donker te worden. Ik herinner me dat ik huilend van woede door de calle Aribau liep, omhoogkijkend naar de balkons en denkend aan Andrea, de hoofdpersoon van Carmen Laforet. Andrea moest daar ergens wonen en ik vond het leuk me voor te stellen dat ik haar tegenkwam en haar dan een arm gaf alsof ze een oude vriendin van me was. Misschien stond ze wel op het punt terug te keren naar dat donkere huis waar haar familieleden woonden, naar die beklemmende sfeer die jou, Sofia, deed denken aan die in *De woeste hoogte*; na in haar versleten jurk doelloos door de stad te hebben gezworven kwam ze weer bij dat huis aan, bleef aarzelend voor de deur staan, want ze had geen zin om naar binnen te gaan en weer opgesloten te zitten, en dan zou ik haar roepen: 'Andrea!' en we zouden elkaar onmiddellijk herkennen. Ik vertraagde mijn pas, alsof ik verbaasd was over mezelf. Het was lang geleden dat ik dit soort fantasieën had gehad, Sofia, want die ontstonden bijna altijd in de warmte van de jouwe. En bovendien 's nachts, want het was dat vergeten kaboutertje Nak, de vader van alle verhalen, dat de wereld op zijn kop zette. En mijn hart maakte een sprongetje toen ik hem plotseling capriolen zag uithalen aan de spijlen van een oud balkon in de calle Aribau, in het licht van de lantaarns. Andrea-Nak, zo'n gedachtenassociatie die zo intens en eigenmachtig is dat hij de plaats inneemt van de redenering die eraan voorafgegaan is, wat toch ook wel pure poëzie is. Pas maar op, Mariana, schoonheid, als je logica van de poëzie eist begint je verstand te roesten. Sergi had gelijk. Waarom moest ik altijd zo nodig in de verdediging gaan?

En ik besefte, ook al was het diep vanbinnen, dat mijn tranen niet langer tranen van woede vanwege mijn gekrenkte trots waren. Deze tranen waren puur poëtisch en in strijd met de logica, aangezien ze voortkwamen uit het nostalgische verlangen naar een romanpersonage waarmee ik me tot dan toe, eenvoudigweg omdat dat niet bij me was opgekomen, nooit had geïdentificeerd. En dat ik dit personage in mijn herinnering opriep kwam niet zozeer doordat ik eenzaam en onbegrepen door de straten van Barcelona zwierf, zoals Andrea in de jaren veertig, maar doordat *Nada* een van de eerste romans was die jij mij zo vurig had aanbevolen, Sofia, ook al mochten we hem van je moeder niet lezen. En terwijl ik nog maar net vanwege mijn eigen hoogmoed uit de octopussentuin die Sergi me had aangeboden was verbannen, zocht ik op dat moment mijn toevlucht in de herinnering aan de tijd dat we onze eerste verboden boeken lazen, toen jij degene was die me bij de hand nam en me al die verhalentuinen binnenleidde en toen verrassing een witte haas was die alleen gevonden wordt door degene die niet op jacht is. Kortom, ik miste jou terwijl ik door de calle Aribau liep, omdat ik je over mijn verdriet wilde vertellen, dat van veel eerder dateerde; van het moment dat ik was opgehouden je erover te vertellen. Over bijna alles wilde ik jouw mening horen. De herinnering aan onze hoofden vlak bij elkaar onder de lamp in mijn kamer, met de roman van Carmen Laforet op tafel, had het verlangen naar nachtelijke voetstappen naast de mijne aangewakkerd. Daarom was Nak natuurlijk ook weer tot leven gekomen. Maar hij had zich snel weer uit de voeten gemaakt, want zonder jou verveelt hij zich. Zowel Nak als ik wilde jou en niet Andrea tegenkomen. Die gedachtenassociatie vond ik verpletterend. Ik begon mijn roeping om psychiater te worden steeds duidelijker te zien. O, de kronkelige paden van de innerlijke wereld onderzoeken! Toen, in mijn laatste jaar medicijnen, stond mijn besluit al bijna vast.

Maar nu ik erover nadenk, misschien heeft zich tijdens die verwarrende nachtelijke wandeling door de straten van Barcelona ook voor het eerst dat geheime innerlijke conflict over de kwestie de vrouw als lustobject aangediend, waarover ik niet altijd een duidelijk gedefinieerd standpunt heb ingenomen, terwijl ik alles toch altijd zo graag wil definiëren. Ik vond het vernederend dat Sergi me mooi had genoemd om een discussie af te kappen die voor mij heel serieus was, terwijl het anderzijds voor mij altijd van levensbelang is geweest dat mannen me lieten merken dat ze me mooi vonden, op welke manier dan ook. Maar het liefst van een afstand, zonder al te dichtbij te komen. Ik heb dat al sinds mijn elfde, dat weet jij heel goed, Sofia.

'Maar hoe kun je daar genoeg aan hebben?' vroeg je me soms hoogst verbaasd.

'Nou ja, ik weet niet of ik er genoeg aan heb, maar weten dat ik aantrekkelijk word gevonden stimuleert me en geeft me zelfvertrouwen. Verder wil ik geen ingewikkeld gedoe.'

'Wat noem jij ingewikkeld gedoe?'

'Ingewikkeld gedoe noem ik me binden, het woord zegt het al, van iemand afhankelijk zijn.'

'Ben je daar bang voor?'

En ik zei van niet, dat het niet echt angst was. Maar dat was het wel.

En op een avond, vlak vóór het incident van de octopussentuin, werd ik op een verjaardagsfeestje bij Sergi thuis voor het eerst van mijn leven dronken, ik, die er zo prat op ging goed tegen drank te kunnen en het drinken onder controle te hebben. Er waren een heleboel vrienden van de groep, bijna alleen maar mannen, en waarschijnlijk heb ik met bijna allemaal wel een beetje lopen flirten. Ik herinner me niets van die avond, maar naar het schijnt (dat heb ik later uit de vriendin van een van hen losgekregen) ben ik op een gegeven moment gaan huilen en heb ik gezegd dat ik een huichelaarster was, en dat ik mijn hele studie en al mijn getob over de toekomst van de arbeidersklasse zou opgeven als ik daarmee mijn angst voor genot, het goede leven en mannen kwijt zou zijn. Dat heeft me de bijnaam Ninotchka bezorgd.

Enfin, wat is er veel tijd verstreken sinds die avond dat ik voor het eerst *octopus' garden* hoordé, en hoeveel minder verzet ik me nu tegen die tekst die ongemerkt in mijn bloed dringt. Wat is het jammer om nooit meer twintig te kunnen zijn, toen huilen op straat je mooier maakte en je dat niet eens hoefde te checken door jezelf vanuit je ooghoeken in de etalages te bespieden, daar ging je gewoon van uit, want alles maakte je mooier, niets liet littekens achter. Dat bedacht ik me laatst nog, toen ik hier net was en op het balkon van kamer 203 stond te luisteren naar het lied van de Beatles, dat zich in zachte golven over het hele zwembad verspreidde, door het stenen muurtje heen glipte, over het strand rolde en vervolgens in zee verdween. 'Ik zou op de bodem van de zee willen zijn, in een octopussentuin, in de schaduw', nou en of, dat lijkt me enig! Me verbergen tussen de golven, ja, en nooit meer je hoofd boven water hoeven steken, nooit meer. Verscholen in een verboden tuin, met je rug naar alles toe.

En op dat moment liep de ober met zijn dienblad naar een van de tafeltjes onder de beschutting van een parasol, en toen hij de martini en de zoutjes had neergezet, zag ik uit de diepte van de ligstoel een hand met keurig verzorgde nagels te voorschijn komen om de bon die de ober aanreikte te tekenen. En het was háár hand, van die vrouw die tegelijk met mij bij de receptie had gestaan.

Ze richtte zich op om de rode vloeistof door het rietje op te zuigen en prikte met lusteloze elegantie in een olijf. Haar hele houding straalde verveling uit. Ik ben al zo lang in de oorzaken van die verveling aan het spitten, bedacht ik me, door louter als figurant feesten waar deze zich ontwikkelt bij te wonen en de scherven van de vernielingen die ze aanricht bijeen te rapen. Maar ik kon niet anders dan gefascineerd naar haar blijven kijken. Ze was opgestaan en liep nu in de richting van de duikplank, waar ze na een snelle douche opklom. Zonder badmuts natuurlijk. Ze had kort haar, ik denk geverfd, dat weet ik niet. Maar dan in ieder geval met heel goede produkten.

Eenmaal boven op de duikplank, waar haar gestalte zich aftekende tegen de zee, keek ze in de richting van mijn kamer, die pal tegenover haar was. Ze glimlachte en zwaaide even voordat ze zich met een onberispelijke duik in het turkooise water wierp. Ik deinsde terug alsof ik me betrapt voelde. En op dat moment besefte ik dat iemand op het aangrenzende balkon mijn aanwezigheid had opgemerkt. Misschien dezelfde persoon als voor wie de groet vanaf de duikplank bestemd was geweest. Het was een slanke man, maar door de matglazen wand die de balkons van elkaar scheidde heen zag ik niet meer dan een vaag silhouet. Hij boog snel zijn hoofd. Ik vermoedde dat hij de krant zat te lezen.

Ik schoot naar binnen, liet pijlsnel het rolluik neer en ging op het bed liggen. Ik bedacht dat ik mezelf slecht verzorgde, dat ik misschien mijn haar eens moest laten knippen en uiteraard minstens vier kilo moest afvallen, en ik stelde me voor hoe opwindend het zou zijn om te waterskiën, goed te kunnen crawlen, een tocht op een jacht te maken of voor je plezier op reis te gaan met iemand die alles al voor je geregeld heeft. Maar dat laatste idee verwierp ik als vals. Naast de spiegel in de lift had ik een overzicht zien hangen van faciliteiten als sauna, kapsalon, massage, fitness en zwemles. Ik besloot dat ik als nieuw naar Madrid wilde terugkeren, zodat Raimundo me niet zou herkennen. Maar het beeld van Raimundo verwierp ik eveneens als vals.

De lakens waren glad gestreken en het halfduister, waarin de geluiden van buiten doordrongen, werkte heel ontspannend. Maar ik lag te woelen in mijn bed en kon de slaap niet vatten. Want tegelijk met mijn voornemen mooi en slank te worden kwam er een gevoel van verachting in me op voor de persoon die daar verantwoordelijk voor was. Tegenover mijn hinderlijke verlangen om op haar te lijken kwam nu mijn arrogante overtuiging dat ik superieur was te staan en dat ging gepaard met de behoefte een gelegenheid te zoeken om haar de les te lezen over haar oppervlakkige, slechts op consumptie gerichte bestaan. Ik zag flitsen voor me van de omstandigheden waarin ons gesprek zich zou kunnen afspelen. En uiteindelijk wist ik mezelf ervan te overtuigen dat dat gesprek hoe dan ook dodelijk vervelend en zonder enig belang zou zijn, dat zij een vrouw was waarvan er dertien in het dozijn gaan.

Ik had afwisselend het gevoel dat ik haar al kende, dat ik haar eerder had gezien, en het idee dat ze leek op iemand op wie ik invloed had, mogelijk een patiënte. Met de divan in de buurt zou ik nooit jaloers op haar zijn geweest. Daar was ik zeker van. Maar ik wist ook dat ik geen zin had om terug te gaan naar de kamer met de divan, die ik steeds meer met het hol van de leeuw vereenzelvigde. Nee, niet dáárheen, bij de gedachte alleen al brak het koude zweet me uit, waardoor het, bij wijze van contrast, nog heerlijker werd me voor te stellen dat ik op de duikplank stond. En beneden mij gleed zij als een sirene door het turkooise water, terwijl ik de vetrolletjes op mijn buik betastte en me in een kleinzielige monoloog verloor. Met de divan in de buurt zou ik niet jaloers op haar geweest zijn, natuurlijk niet. Maar ze zat niet in mijn spreekkamer. We hadden elkaar op haar terrein ontmoet, daar moest ik het spel spelen, op het terrein van de tegenstander. En er waren twee mogelijkheden: of ik wierp de handdoek in de ring of ik moest rekening houden met deze voor mij nadelige omstandigheid. En inzien dat zij op dat terrein, bij uitstek het rijk van de vrouw als lustobject, in principe in het voordeel was.

Dat dacht ik althans voordat ik opstond om een Orfidal te pakken, die met een flesje Vichy-water uit de ijskast in te nemen, weer in bed te gaan liggen en me definitief aan de slaap over te geven.

Rond zes uur werd ik wakker. Ik pakte mijn koffer half uit, nam een douche en maakte mijn eerste wandeling naar het dorp. Ik nam de weg die het binnenland ingaat, zonder eerst te informeren of het ver lopen was of me af te vragen wat ik daar ging doen, maar tevreden dat ik daar liep.

Meteen die eerste avond ontdekte ik de winkel waar ik later nog zo vaak geweest ben en die mijn aandacht had getrokken omdat hij een kruising leek tussen een uitdragerij, een fourniturenzaak en een antiquariaat. Ik kocht een tandenstokerhouder uit China in de vorm van een hondje, een schrift met lijntjes van het merk Centaur en het *Dagboek* van Katherine Mansfield. In dezelfde straat is de halte van een lijnbus die regelmatig op Cadiz en andere kustplaatsen rijdt. Ik informeerde naar de dienstregeling.

Zonder een bepaald doel liep ik verder, met een prettig gevoel van onwerkelijkheid dat de werkelijkheid van mijn eigen lichaam nog benadrukte, waardoor mijn manier van kijken zowel spanning als rust in zich droeg, een combinatie die ik zelden heb weten te bereiken, Sofia: die waarneming die voortvloeit uit het feit dat je je eenvoudigweg concentreert op het concrete en je bewust bent van de grenzen, kleuren en weerspiegelingen daarvan. Op de heenweg had ik aan de rechterkant tussen de villa's verschillende paden gezien die naar zee afdaalden. Ik nam ze niet, maar klom wel een heuveltje op om me te oriënteren. Het was eb, en ik zou vanaf de rand van het dorp over het strand terug naar het hotel kunnen lopen, als ik dat zou willen. Er waren geen rotsen of gebouwen die de doorgang belemmerden. Hoewel ik nog niets had besloten, zat die mogelijkheid van een nachtelijke terugtocht langs de zee nog steeds in mijn hoofd toen ik even later door het dorp dwaalde en merkte dat de avond viel en het koeler werd.

Ik had mijn horloge in het hotel laten liggen, waarschijnlijk op het plankje in de badkamer, en ik beschouwde dat als een goed voorteken. Ik zal het pas weer om doen als ik in Madrid aankom, beloofde ik mezelf. En voor het eerst was het idee weer in een werkschema te zitten bedreigend dichtbij en de gedachte daaraan vond ik onverdraaglijk. Want het is ook nog zo dat ik het met de dag meer aan het verbruien ben bij Josefina Carreras, de dokter die sinds die toestand met Raimundo voor me waarneemt en zich waarschijnlijk verschrikkelijk veel zorgen maakt. Ik heb slechts één keer contact met haar opgenomen vanuit Puerto Real. 'Ik moet haar morgen echt bellen,' zei ik tegen mezelf. Maar ik wist dat ik dat niet zou doen.

Ineens had ik een ontzettende honger, en ik ging eten in een nogal shabby restaurant in het dorp, met een hoog plafond met balken, waar slechts één ober leek te bedienen, een ietwat spookachtige verschijning van onbestemde leeftijd met een subtiele glimlach, alsof alles wat hij zei dubbelzinnig was.

'Zal ik het andere bestek weghalen of verwacht u iemand?' vroeg hij me, toen hij mijn keuze had genoteerd uit alle gerechten die hij, zonder zijn blik van me af te wenden, uit zijn hoofd had opgesomd.

'Ik verwacht niemand. Haal het maar weg. En breng me vast een koud glas sherry, alstublieft.'

Hij maakte een gebaar alsof hij me een kus toewierp en merkte op dat wij Spanjaarden niet graag in ons eentje eten. Ik glimlachte met tegenzin.

'Achterin is ook nog plaats, als u wilt nadenken,' voegde hij eraan toe.

'Nadenken? Nee, nee, ik zit hier goed.'

'Ik bedoel daar, voorbij de bar. Bij de deur naar de steeg.'

'Nee, dank u, echt niet.'

Hij maakte weer dat gebaar met zijn lippen en toen begreep ik dat het een tic was. Vervolgens liep hij naar de zinken tapkast met stang en verdween door een deurtje dat zich daarachter bevond.

Het restaurant was een soort enorme bodega, zwak verlicht en zonder ramen, en er hing een buñueleske sfeer. Het was alsof er overal te veel muur was en alsof de grote doeken met stillevens die her en der hingen een of ander mankement of blind raam moesten camoufleren. Ik veronderstelde dat het nog vroeg was om te eten. Er was slechts één ander tafeltje bezet, waaraan een jonge jongen en een minder jonge vrouw zaten. Aangezien het restaurant verder leeg was had ik elke andere plek kunnen kiezen, maar onwillekeurig was ik vlak bij hen gaan zitten. Zodra ik hen zag, werd ik naar hen toegezogen. Het was een vurig stel, met heel wat achter de rug.

Hoewel ik hun gesprek maar half kon horen, wist ik nog voordat de ober het voorgerecht kwam weghalen dat het om een weerzien ging en dat de tijd dat ze elkaar niet hadden gezien voor haar langer had geduurd dan voor hem. Ik zou me veel sneller een beeld van hun affaire hebben kunnen vormen als ik op hun respectievelijke gezichten had kunnen letten, vooral tijdens de veelvuldig voorkomende stiltes. Maar ik kon beter op safe spelen en mijn groeiende nieuwsgierigheid verbergen. Een nieuwsgierigheid die ik zelf overdreven vond, maar ik was niet in staat om te zeggen: 'Dit gaat mij niet aan.' Ik haalde het boek van Katherine Mansfield te voorschijn en begon er met geveinsde aandacht in te bladeren. Als ze naar me keken zouden ze me voor een buitenlandse docente op vakantie kunnen houden. Er stond een antiek buffet tussen hen en mij in, en op de bovenste plank daarvan prijkte, onder een stilleven met watermeloenen, een opgezette meeuw die een van zijn glazen ogen had verloren.

Terwijl ik van mijn maaltijd genoot en deed alsof ik, nu eens met Mansfield dan weer met de opgezette meeuw, een stomme dialoog voerde, viel het me op dat zij juist weinig eetlust hadden en dat de vrouw agressiever dronk dan haar metgezel. Haar stem drukte een en al ingehouden hartstocht uit, en naarmate ze meer gedronken had begonnen haar vragen, die ze hem op gemaakt vrolijke toon stelde over zijn werk, over plekken waar ze samen geweest waren en over gemeenschappelijke vrienden, het karakter van een verhoor aan te nemen, ze volgden elkaar steeds sneller op, werden naar het eind toe ongecontroleerd hoog en schel en overschreden de grenzen van het betamelijke. Ik stel het verschil in liefde van de een voor de ander altijd vast aan de hand van de ongelijke verdeling van vragen en antwoorden tussen de geliefden. In het geval van die twee, die ongetwijfeld geliefden waren geweest, was de vrouw degene die de vragen stelde en de jongen degene die ze over zich heen kreeg. Hij antwoordde kortaf, met doffe stem, of probeerde van onderwerp te veranderen. Dan werd zijn stem kleurrijk en nam een soort vlucht naar verre, onmogelijke onderwerpen, die door haar meestal ongeduldig werden afgekapt: 'Maar daar hadden we het niet over,' waarop hij reageerde met 'O, sorry hoor,' een geforceerd lachje of een van die steeds vaker voorkomende stiltes, die ik van mezelf slechts heimelijk mocht gadeslaan. Hij stelde echter geen enkele vraag. En in zijn stem was geen trilling of emotie te horen. Alleen af en toe een lichte wrevel.

Hij is ongetwijfeld boos omdat hij zich in een situatie bevindt waarvoor hij niet heeft gekozen, bedacht ik me, maar hij voelt zich verplicht zichzelf in de hand te houden omdat hij nu eenmaal met haar zit opgescheept. Dan is het zaak je reflexen onder controle te houden, geen woord los te laten, je tegenstander niet uit het oog te verliezen en hem uit te putten. Al met al een defensieve taak. Zijn gevoel van onbehagen kwam voort uit het weerzien op zich, en strekte zich niet verder uit. Voor hem ging het er eenvoudigweg om die scène die ik als toeschouwer bijwoonde in de hand te houden en tot een goed, bevredigend einde te brengen. Ik haalde het schrift dat ik net gekocht had uit mijn tas en noteerde: 'Als een acteur. Als een stierenvechter. Problemen m.b.t. vaardigheid en inventiviteit, die zich beperken tot het de baas worden van telkens een stukje van het gevecht of van de tekst. Overgave aan het heden.'

Háár gevoel van onbehagen daarentegen was, zoals bij de meeste van mijn vrouwelijke patiënten en ook bij mijzelf wanneer ik uit mijn evenwicht ben, van een andere aard. Bij het onbehagen van dat moment voegen zich echo's uit het verleden, die je gevoel vervormen en je in de weg staan bij het zoeken naar middelen om het onderhavige conflict het hoofd te bieden en het tot in detail te analyseren. 'Verstoring door aanverwante zaken' noem ik dat in mijn eigen vakjargon. Het probleem hierbij is dat iemand niet in staat is de aanval van het verleden te pareren of zich daar immuun voor te maken. Reeds verwelkte en door de herinnering vervormde situaties dringen de huidige situatie binnen om die te vertroebelen. Dit soort overpeinzingen hielden me de hele maaltijd bezig.

Toen ik mijn koffie op had en de rekening had gevraagd, bleven zij een poosje stil. Er waren nog steeds geen andere gasten binnengekomen en plotseling kreeg ik het heel benauwd en werd ik bekropen door een merkwaardig gevoel: dat die twee door hun gespannen stilzwijgen hun probleem op mij overbrachten, me erin betrokken. Ik moest die beheksing verbreken, hem door middel van het woord onschadelijk maken, zoals in een sprookje, zoals je in een nachtmerrie schreeuwt voordat je wakker wordt. Ik begreep dat ik naar hen toe moest gaan en iets moest zeggen, het meest banale wat er in me opkwam, alleen maar om zeker te weten dat ik niets met dat alles te maken had, dat ik hen niet kende, om me los te maken uit hun web.

Ik verzamelde dus al mijn moed en wendde toen mijn ogen van de eenogige meeuw af om ze ongegeneerd op de tafel vol etensresten naast mij te richten, en op de gezichten van degenen die eraan zaten. Zij had een bril met getinte glazen opgezet en leunde met haar hoofd op haar ene hand terwijl ze met de andere van suikerkorrels en broodkruimels paadjes op het tafelkleed maakte. Dus richtte ik me tot de jongen, die net een sigaret had aangestoken en mijn blik onmiddellijk met een bijna samenzweerderig lachje beantwoordde.

'Kunt u me misschien vertellen hoe laat het is?' vroeg ik.

Hij schoof de mouw van zijn jasje omhoog, en een stukje boven zijn pols kwam een groot, ouderwets horloge te voorschijn, dat hij snel weer bedekte.

'Kwart over. Kwart over tien.'

'Bedankt.'

Op dat moment greep zij ruw zijn mouw vast en liet haar hand er met een slinks gebaar in glijden om de onderarm van de jongen te betasten. Ze leek buiten zichzelf.

'Rustig, Eloisa, alsjeblieft. Wat doe je?' probeerde hij zich, zeer opgelaten, te verweren.

'Hoezo "wat doe je?" En dit dan? Je zei altijd dat je nooit een horloge zou dragen, weet je nog. Weet je dat dan niet meer? Dat de tijd op een andere manier wordt gemeten, zei je altijd...'

'Ja, dat klopt, en wat dan nog. Ik heb schoon genoeg van je "weet je nog's". Ik ben van mening veranderd. En daarmee uit.'

'O nee, niks daarmee uit. Je had het me moeten vertellen. Verdien ik het soms niet om zo'n belangrijke verandering te horen te krijgen? Het is alsof ik je niet ken. Zeg iets. Waarom draag je dat afschuwelijke horloge? Het is echt afschuwelijk.'

Zijn stem klonk kortaf en scherp toen hij, terwijl hij zich uit haar greep losmaakte en het horloge angstvallig beschermde, zei: 'Het is niet afschuwelijk, Eloisa. Het is een cadeau van iemand om wie ik heel veel geef, het is maar dat je het weet.'

'Zie je wel? Zie je wel? Sinds wanneer draag je het? Wie is die iemand?'

Ik liep naar de bar om daar af te rekenen, achtervolgd door het gehuil van Eloisa. Ik hoorde niet eens wat de ober tegen me zei. Ik wachtte niet eens op het wisselgeld. Ik voelde me zo claustrofobisch dat ik aangekomen bij de drempel van de achteruitgang, die op een steeg uitkwam, haast aan het rennen was. Ik zag dat het al helemaal donker was en haalde een trui uit mijn tas, want ik vond het koud. Eenmaal verdwaald, maar veilig in de straten en stegen die me steeds verder van het restaurant wegvoerden, bleef ik, hoewel ik niet meer in paniek was, met snelle pas en zonder om te kijken lopen. Totdat ik weer wist waar ik was.

Eenmaal buiten het dorp ging ik het strand op, en vlak bij de zee trok ik mijn schoenen uit en begon in de richting van het hotel te lopen, waarvan ik in de verte de lichtjes zag, met daarachter de vuurtoren, die zijn brede zilveren bundel over het kalme zeeoppervlak liet glijden. Geruime tijd bleef de laatste vraag van die vrouw met de donkere bril – 'Wie is die iemand, zeg het me, wie is het?' – hikkend en snikkend en zonder antwoord te krijgen, in mijn hoofd nadreunen, en hij verscherpte het besef dat ik op de vlucht was en het vage gevoel dat ik iets wat me niet helemaal vreemd was onopgelost had achtergelaten, een verloren zaak. Als van heel ver kwam de scène bij Raimundo thuis me voor de geest, toen het maar een haar gescheeld had of ik was in net zo'n rampzalig riool beland. Nooit weer, nooit weer in zo'n gat vallen.

Het tij was heel laag en het was heerlijk zo te lopen, met het water dat mijn voeten natmaakte. Ik rolde de pijpen van mijn spijkerbroek op tot aan mijn kuiten. Al lopende fantaseerde ik over mijn terugkomst in het hotel, over mijn behoefte mijn kamer helemaal voor mij alleen in te richten, een huisje voor mezelf te maken, een schuilplaats waar de telefoon nooit rinkelde en waar ik na mijn siësta aan niemand hoefde te vragen: 'Heb je zin in een wandeling?' of 'Wat ben je stil, is er iets?' Ineens realiseerde ik me dat ik juist dank zij die ruzie met Raimundo – die me zo absurd en ver weg leek – nu aan het genieten was van de Andalusische avondlucht, doortrokken van een zilte geur, van het gevoel van vrijheid dat je krijgt als je weet dat niemand je rekenschap zal vragen van je late thuiskomst en dat niemand je verblijfplaats kent.

Het was lang geleden dat ik 's nachts in mijn eentje had gewandeld, en al helemaal in zo'n afgelegen, verlaten omgeving. Je hoorde alleen het gedempte geluid van de golven die wegstierven aan mijn voeten. Af en toe bleef ik even met mijn rug naar het strand toe staan, liep een stukje verder de zee in en wierp mijn hoofd achterover om me te laten treffen door de magische pijl van de sterren, die volgens jou slechts op rustige, ontspannen mensen mikken. Dezelfde mensen in wier harten de verhalen van Nak welkom zijn en onderdak vinden. Toevlucht zoeken in de herinnering aan jou, Sofia, is mijn ware anker, dat zie je wel. Of liever gezegd, dat zul je ooit zien, want ik hoop mijn impressies van deze reis op een dag met je te kunnen delen. Jij bent degene die me stimuleert om ze over te lezen, die er een vaste structuur in brengt, een geraamte dat je niet ziet, maar dat als alles verdwenen is zal voortbestaan.

Ik kwam aan de achterkant van het hotel uit, waarboven de rode neonletters nu achterstevoren te lezen waren, want de gasten arriveren natuurlijk via de weg aan de voorkant en parkeren daar hun auto. Vanaf het strand moet je een nogal steile, in de rots uitgehakte trap beklimmen om bij het zwembad te komen, dat had ik vanochtend vanaf mijn balkon gezien. Op het eerste tussenstuk bleef ik staan om naar de balkons van de kamers te kijken en te proberen het mijne te lokaliseren, wat me niet helemaal lukte. Op sommige brandde licht, op andere zag ik mensen zitten of bewegen. Het moest al behoorlijk laat zijn. Uit het hotel kwamen de klanken van een bluesnummer, en terwijl ik met mijn ogen strak op de gevel gericht verder naar boven liep kwam, als een koortsaanval, een gevoel van vervreemding in me opzetten. Jij kent dat gevoel heel goed, Sofia, die plotselinge ontworteling die maakt dat we de trossen van ons gebruikelijke referentiekader losgooien, zodat de contouren van de wereld vervagen en wij naar de kusten van de literatuur afdrijven. Hoeveel tijd was er verstreken? Was een van die donkere balkons echt dat van mijn kamer? Ik wist niet eens meer wat het nummer van mijn sleutel was of hoe de meubels stonden opgesteld. En waarom noemde ik het dan mijn kamer? Ik moet hem eerst met mijn ogen in bezit nemen – zei ik tegen mezelf – en hem vervolgens gaan bewonen. Ik zal Josefina Carreras bellen om haar te zeggen dat ik langer wegblijf. Een kort verblijf is als een kring in het water.

Boven aan de trap ging ik zitten om het zand van mijn voeten te vegen, mijn broekspijpen af te rollen en mijn schoenen aan te trekken. De muziek uit het hotel, die ik nu van dichterbij hoorde, was afkomstig van een piano. Na een korte pauze klonken de eerste maten van *Strangers in the Night*. En op dat moment, net toen ik overeind was gekomen en aangetrokken door die melodie naar de hal van het hotel begon te lopen, overviel me het intense verlangen om een roman te schrijven, en ik liet me door die pijl verwonden. Waarom niet? Dagen terug waren mij honderden ideeën en mogelijke aanzetten te binnen geschoten, maar de aan mijzelf gedane belofte om het essay af te maken had het uitwerken daarvan in de weg gestaan. Het is een oud, sluimerend plan, dat eindelijk weer opleefde, een vlucht nam en zich vrolijk meester maakte van mijn wil. Het was alsof ik jou tevreden zag lachen: 'Natuurlijk, joh, niks geen theorieën. Een boek met het omslag van een keukenmeidenroman getekend door Penagos. Dat essay over erotiek begint je de keel uit te hangen, het ruikt muf, geef het maar toe.' Je hebt gelijk. Bovendien kon ik een paar van de meest geïnspireerde notities voor het essay gebruiken zonder met citaten of conclusies te hoeven komen, gewoon ter versiering van het centrale thema: de vluchtpoging van een rijpe vrouw. Ik moest denken aan al die brieven die ik je geschreven maar niet gestuurd heb sinds ik op de trein naar het zuiden ben gestapt, en ik werd steeds enthousiaster. 'Voor Sofia en voor Nak, van ver weg.' Ik keek naar de hemel om de Grote Beer te zoeken, voelde jouw hand in de mijne, en de tranen die in mijn ogen sprongen waren de tranen van een kind. De sterren minachten onze miezerige verhalen, onze ordening van de tijd. Het zou een soort ongeordend dagboek kunnen worden, zonder een al te nauwkeurig 'eerder' en 'later' en geschreven vanuit gevoelens van vervreemding, waarin gespeeld wordt met het contrast tussen onverwachte emoties, met de wisselstroom van allerlei stemmingen die een en dezelfde persoon onmerkbaar veranderen.

Om een voorbeeld te geven: terwijl ik dit allemaal dacht en met lichte, energieke pas het terrein van het zwembad overstak, dat op dat tijdstip totaal verlaten was en waar de ligstoelen ingeklapt bij elkaar stonden, keek ik naar de weerspiegeling van de duikplank in het roerloze water en toen moest ik me wel afvragen of ik echt degene was die enkele uren eerder vleugels had gegeven aan die warrige overpeinzingen over de vrouw als lustobject, die zomaar weer als een zwerm zwarte vogels waren verdwenen. De pianomuziek kwam uit de lounge, van het zwembad gescheiden door boogvormige zuilen. Ik liep erheen, terwijl ik zachtjes de woorden zong waarmee Frank Sinatra alle onbekenden die elkaar 's nachts tegenkomen onsterfelijk heeft gemaakt.

Wat leuk, Sofia, om het hotel nu door de achterdeur binnen te gaan! Beter, toch? Veel beter. De dame die vanochtend door de andere deur binnenkwam vind ik helemaal niet aardig, en ik weet zeker dat jij haar ook niet aardig gevonden zou hebben als je haar had gezien. Hopelijk komt ze niet meer terug. Zeg, dat van die twee deuren zou wel eens enorm goed van pas kunnen komen voor mijn roman, denk je niet? Een dag tussen twee deuren. Ik kwam als een schipbreukeling aan en kom als een detective terug. Wat een hoop toevalligheden trouwens, want ook bij het eethuis met de meeuw ging ik door de ene deur naar binnen en door de andere weer naar buiten. Zou dat iets betekenen? Wat zouden we een plezier hebben als jij hier was! Je zou tegen me zeggen: 'Vooruit, trek nu niet dat detectivegezicht, laten we op onze tenen die luxueuze hal binnensluipen. Besef je wel hoe mooi de muziek is en hoe glimmend de tegels zijn? En je loopt erbij als een schooier, met die natte broekspijpen. Laten we spelen dat we Heathcliff en Catherine zijn wanneer die 's nachts heimelijk de tuin van De Lijster ingaan en op een kozijn klauteren om in de salon van de Lintons naar binnen te gluren. Maak geen geluid, Mariana, anders sturen ze de honden op ons af.'

De piano werd bespeeld door een zwarte pianist en er zaten maar weinig mensen te luisteren, verspreid over drie of vier tafeltjes rond een kleine dansvloer.

Geleund tegen een van de zuilen bij de ingang van de lounge, die me gedeeltelijk aan het zicht onttrok, wachtte ik tot *Strangers in the night* was afgelopen. Toen kwam ik uit mijn schuilplaats te voorschijn en liep gedecideerd naar een van de lege tafeltjes vlak bij de piano. Er klonk een zwak applaus en ik begon luid en langdurig mee te klappen. De pianist beloonde me met een glimlach en ik glimlachte terug.

'Kent u misschien *Perfidia*?' vroeg ik toen ik weer was gaan zitten.

'Zeker wel, madame. Ik zal het met plezier voor u spelen.'

'En voor een vriendin van mij, alstublieft,' mompelde ik. 'Zij vindt dat een prachtig nummer.'

De ober kwam naar me toe en vroeg of ik in het hotel logeerde. Ik zei van wel, maar dat ik mijn kamernummer niet meer wist, en ik gaf hem met een loom gebaar mijn visitekaartje zodat hij mijn naam bij de receptie kon navragen. Ik vond dat alles zeer vermakelijk, en het droeg het, net als *Perfidia*, aan jou op. Ik bestelde een ijskoffie. Daarna sloot ik mijn ogen om te kunnen genieten van de melodie, die begon te klinken voor een nog jonge Sofia, want tijd bestaat niet.

> Wie weet waarheen jij wordt gedreven,
> wie weet welk avontuur je zult beleven,
> wat ben je ver van mij vandaan!

En ik wenste dat je op het punt stond een mooi avontuur te beleven, iets wat je uit de sleur van je huwelijk en je lekkage-problemen zou halen.

Toen de ijskoffie voor me werd neergezet, deed ik traag mijn ogen open en op dat moment zag ik hem.

Hij was alleen en zat pal tegenover me, zijn lange benen over elkaar geslagen, een halfvol glas whisky in zijn hand. Hij droeg een suède jack en keek me onafgebroken aan. Hoe is het mogelijk, een goed uitziende zakenman, die iets wegheeft van Gregorio Termes, geïnteresseerd in de onopgemaakte dame met ongekamde haren die een detectivegezicht trekt. Ik hield even zijn blik vast. Dit soort mannen interesseren me weinig, maar het had slechter gekund, nietwaar? En voor mijn roman kan hij van pas komen. Hij zat zich overduidelijk te vervelen.

Toen *Perfidia* afgelopen was bedankte ik de pianist, haalde het schrift dat ik in het eethuis van de eenogige meeuw had ingewijd uit mijn tas en begon koortsachtig aantekeningen te maken voor wat ik nu, enkele dagen later, aan het schrijven ben. Ik voelde me opgewonden, mooi en gelukkig. Telkens als ik zogenaamd achteloos opkeek, ontmoette ik de ogen van de man in het suède jack, die de mijne zochten. Sinds die nacht is zijn blik voortdurend op mij gericht.

Wat ik niet wist – en jij moet daar vast enorm om lachen – is dat hij bij het lustobject hoort. Het zijn mijn buren, de gasten van kamer 204.

13 *De rode jurk*

Ik was in het rood en droeg een heel bijzondere jurk. Het was allemaal de schuld van de rode jurk. Of liever gezegd, van de gevoelens die die jurk toen ik hem voor het eerst aanhad in mij losmaakte. Ik heb de gebeurtenissen die aan die avond voorafgingen dikwijls de revue laten passeren, en zelfs als ik rekening houd met het feit dat het geheugen je favoriete schilderingen van het verleden voortdurend retoucheert, meen ik met verstand van zaken te kunnen zeggen dat het centrale thema van deze schildering de rode jurk was. Want zodra ik mijn ogen dichtdoe om vergeten details, hoeken en vormen op te roepen, knalt de kleur rood er temidden van al het andere uit, en mijn lichaam herrijst in die koker van vuur terwijl mijn ogen een silhouet volgen, eveneens omgeven door een rode gloed, dat op zijn hurken voor de vlammen van een of andere haard zit en probeert met een blaasbalg het vuur nieuw leven in te blazen. Ik zit op een sofa achter dat silhouet. Het is een man, maar ik heb zijn gezicht nog niet gezien.

Ze heette Maria Teresa – haar achternaam herinner ik me niet – dat klasgenootje dat me daarheen had gebracht, een meisje met een bril dat het over vrouwenemancipatie had, nagels beet en vloekte, een in die tijd nog opmerkelijke gewoonte voor een vrouw. Ze hoorde bij de groep van mijn broer Santi, lui van de FUDE, al heeft ze voor zover ik weet nooit een voet in de kamer van de samenzweerders gezet. Er kwamen daar weinig meisjes, misschien af en toe één om haar vriendje op te halen, wat mijn moeder overigens helemaal niet leuk vond. Omdat Maria Teresa liever in de kantine over politiek zat te smoezen dan dat ze naar college ging, beperkte ons contact zich voornamelijk tot de overdracht van aantekeningen, een uitwisseling waarbij mij de rol van uitleenster ten deel viel en die voor haar, te oordelen naar haar aanhoudende gezeur en de nerveuze gebaren die ze daarbij maakte, van levensbelang leek. Ze trok al bij voorbaat een zielig of verontwaardigd gezicht, voor het geval ik zou weigeren, en formuleerde haar verzoek altijd hakkelend, met een gejaagde ademhaling en een gespannen gezicht.

Dat verschijnsel was niet nieuw voor mij. Op de middelbare school hadden Mariana en ik – die altijd van alles een spel maakten – een tijdperk van primitieve beschaving bedacht, die we 'minderwaardige kopiomanuscultuur' noemden. De leden van die beschaving waren voortdurend verwoed bezig andermans aantekeningen te pakken te krijgen, die voor hen een essentiële bron van bestaan vormden. We maakten er zelfs stripverhaaltjes over, waarin de kopiomanusjes kleine mannetjes met een insektekop en lippen in de vorm van een zuignap waren. Ze droegen een leren lendendoek en op hun rug hing een bundeltje pijlen. Wanneer de aantekeningen sliepen slopen ze op hun tenen naderbij en knielden neer om de inhoud eruit te zuigen, maar meestal probeerden ze de aantekeningen met gevaar voor eigen leven te vangen, waarna ze die naar hun hol brachten om ze als trofeeën aan hun vrouwen aan te bieden. De tekst van die avonturen schreven Mariana en ik samen, bij tekeningen die van tevoren door mij waren gemaakt. Pas geleden heb ik nog een van die beeldverhaaltjes tussen de pagina's van een boek teruggevonden en toen aan Encarna gegeven, omdat zij het zo grappig vond. Ze zegt dat ze me in contact wil brengen met een vriend van haar die zich met strips bezighoudt. Maar het plezier dat we hadden bij het bedenken van allerlei namen zoals 'aantekenocus' en 'dictasaurus', en de lol wanneer we een nieuwe aflevering hadden gemaakt en die in de klas aan elkaar doorgaven, dat kan ik niet met Encarna delen, hoeveel we ook van elkaar houden, dat kan ik met niemand anders dan met Mariana delen. En ik zou het ook helemaal niet leuk vinden het er zo uitgebreid over te hebben als ik haar niet onlangs op de expositie van Gregorio Termes was tegengekomen en we niet samen hadden gelachen om dat van de haas in het open veld, dat was het wachtwoord waarmee we elkaar onmiddellijk tussen al die onbekende mensen herkenden en de aanleiding voor haar om mij huiswerk op te geven, ga zo door, juffrouw Montalvo, het maakt niet uit waarover.

Zoals je ziet zijn vandaag de kopiomanusjes aan de beurt, terwijl die helemaal niet op het programma stonden, want vanavond ben ik gaan schrijven met het vaste voornemen die geschiedenis met Guillermo op te helderen. Je moet ook geen vaste voornemens hebben. Misschien hebben de uitweidingen die ik me veroorloof te maken met de duistere zekerheid dat die jongensnaam voor haar niet hetzelfde betekent als voor mij en dat de verhalen die hij bij elk van ons oproept ons niet dichter bij elkaar zullen brengen maar misschien juist het tegenovergestelde zullen bewerkstelligen, zoals al enigszins blijkt uit de enige brief die ik van Mariana heb gekregen. Maar die kinderlijke stripverhaaltjes over prehistorische jagers zitten ongetwijfeld nog ergens in een plooi van haar geheugen verborgen, even gedetailleerd als ze zich nu in het mijne aftekenen; en dat zal ons verenigen zolang er leven in ons is, want het behoort tot de wereld van het onbetwistbare. Het landschap was rotsachtig en de boomsoort die er groeide was de kurkeik. In de gedaante van enorme platte vogels vlogen de aantekeningen boven de rotsen en de struiken. Soms namen ze de vorm aan van kangoeroes of reusachtige hagedissen met vreemde geometrische contouren, die zich met scheve sprongen in het struikgewas verborgen om vandaaruit met hun uitpuilende polyedrische ogen de bewegingen van de vijand in de gaten te houden. Maar of ze nu vlogen of liepen, hun huid was rimpelig door een kriebelig handschrift dat hen een gemarmerde tekening gaf, die hen, zelfs vanuit de verte, tot een makkelijk herkenbaar, en uiteraard ook zeer gewild, doelwit maakten voor de pijlen van die jagersstam.

Welnu, Maria Teresa behoorde tot het ras van kopiomanusjes, waarvan ik dacht dat het inmiddels was uitgestorven. En dat exemplaar het hoofd bieden zonder op de steun en het commentaar van Mariana te kunnen rekenen leek me een te zware opgave. Aangezien de stof van een universitaire studie niet meer zo elementair was, dacht ik in mijn verbazing over het voortbestaan van dit specie aanvankelijk dat ik met gezichtsbedrog te maken had. Het ging er bij mij niet in dat iemand er iets mee opschoot op aantekeningen van anderen te jagen en die te vangen. Aantekeningen zijn al moeilijk te begrijpen voor degene die ze gemaakt heeft, en zelfs voor de docent die ze dicteert, want die moet tenslotte al pratende de kennis samenvatten die hij uit verschillende boeken heeft gehaald en daar dan iets van zijn eigen ideeën aan toevoegen. En het resultaat hangt ook nog eens af van zijn stemming op de dag dat hij college geeft en van zijn concentratievermogen en van hoe hij geslapen heeft. In het begin probeerde ik hier met Maria Teresa over te praten en haar te doordringen van de zinloosheid van haar overschrijverij vergeleken bij de voordelen die dictaten uit de eerste hand opleveren. Maar ze bleek absoluut niet ontvankelijk voor mijn raadgevingen, die ze als hebzucht afdeed, noch voor de kwestie op zich, ondanks het feit dat je door je in deze materie te verdiepen tot de essentie van tekstverklaring kunt doordringen, en daar is het bij een studie letteren uiteindelijk toch om te doen. Het was alsof ik tegen een muur praatte. En aangezien Maria Teresa bovendien ook niet uitblonk door gevoel voor humor, begreep ik al snel dat er in onze gesprekken weinig toekomst zat, en ik accepteerde die beperkingen en verwachtte in het vervolg niets meer van haar.

Langer dan een half uur achter elkaar hebben we nooit met elkaar gepraat, behalve dan die avond dat ik voor het eerst de rode jurk aanhad. Zij droeg geloof ik een ribfluwelen jak, misschien zwart of grijs, dat weet ik niet meer. Als haar persoon definitief aan het verzengende vuur van de vergetelheid is ontkomen, komt dat niet doordat onze conversatie van die avond plotseling allerlei verborgen affiniteiten tussen ons aan het licht bracht, maar doordat zich in de loop van die avond het wonder voltrok waarbij dat overgebleven exemplaar van het inferieure ras van kopiomanusjes veranderde in 'het meisje dat me daarheen had gebracht', een gedaanteverwisseling die haar in mijn herinnering op een hoger plan heeft gebracht.

Al een tijdje zit ik alleen nog maar aan Mariana te denken, dat heb ik al eerder gezegd, en schrijf ik voor haar, in de hoop dat ze dit ooit zal lezen. En de enige reden die ik kan bedenken voor het feit dat ik zo'n uitgebreide en enigszins komische beschrijving aan zo'n onbenullig wezen als Maria Teresa heb gewijd is dan ook dat ik nog weet dat Mariana zo dol is op anekdotes en bijrollen. Het vervelende is wel dat ik nu verplicht ben het hele verhaal te vertellen, want je kunt niet het ene heel gedetailleerd beschrijven en het andere niet, dus nu ik eenmaal op deze weg zit heb ik geen idee hoeveel pagina's ik zal moeten vullen voordat we het huis met het haardvuur kunnen binnengaan. Ik heb er vast dit hele schrift voor nodig. Maar ik vermaak me uitstekend, nietwaar? En niemand roept me ter verantwoording, dus wat maakt het uit. Ik zou niet weten wat er verkeerd aan is.

Allereerst moet ik het over de rode jurk hebben.

Ik had hem net van mijn peettante gekregen. Ze had hem aan een paar vrienden van haar uit Parijs meegegeven, die de avond tevoren bij ons op bezoek waren geweest, de heer en mevrouw Richard. Naar aanleiding van dat bezoek hadden mijn ouders over de telefoon ruzie gemaakt; mijn vader had vlak voordat ze zouden komen van kantoor opgebeld om te zeggen dat hij misschien een kwartier later zou zijn en mijn moeder had bits en woedend gereageerd: ze vertikte het hen te ontvangen als hij er niet was. Ik weet niet hoe die ruzie is afgelopen. Ik ben naar buiten gegaan en toen ik terugkwam waren ze er al.

Ik zie mezelf weer in die ongezellige zitkamer, die we 'de salon met het kamerscherm' noemden, met het pakje van mijn peettante tegen mijn borst gedrukt, terwijl ik door het papier heen het slappe materiaal van een vermoedelijk duur kledingstuk voelde en ongeïnteresseerd naar de conversatie tussen mijn ouders en dat echtpaar, dat iets ouder was dan zij, luisterde. Ik geloof dat de man een belangrijk iemand was, tegenover wie mijn vader, om wat voor reden dan ook, een goed figuur wilde slaan. Mijn moeder had zich opgemaakt en schoenen met hakken aangetrokken. Ze hadden het erover dat ze de volgende dag met z'n vieren naar Toledo zouden gaan, een stad die de Richards niet kenden. Ik was er alleen bij geroepen om het cadeau in ontvangst te nemen, en ik had haarscherp in de gaten dat ik als ik zou toegeven aan de verleiding om te gaan zitten ten slotte ook met dat oersaaie uitstapje mee zou moeten. Sinds de kerst hing er een kille sfeer in huis en herhaalde malen had ik mijn eigen verdriet opzij gezet om te proberen daar iets aan te doen en de spanning te verminderen. Per slot van rekening was ik het meisje thuis. En bovendien een meisje dat aardig kon zijn als ze dat wilde en dat keurig Frans sprak, een pluspunt van mijn opvoeding dat in dat concrete geval in mijn nadeel werkte. Maar ineens wilde ik alleen nog maar het cadeau uitpakken, verder vond ik alles onverdraaglijk. En dat verlangen werd net zo hevig als het verlangen de kamer uit te glippen en niet meer naar de geborduurde kraanvogels en vlinders op de grijze zijde van het kamerscherm te hoeven kijken, waar ik mijn ogen trouwens haast niet van kon losmaken omdat ze daar naar mijn gevoel het veiligst waren.

Madame Richard was een elegante vrouw met een fijn, expressief gezicht, en mijn moeder deed haar best een geanimeerd gesprek met haar te voeren om haar desinteresse te verbergen, maar de woedende trek om haar mond verried haar. Mijn vader zat te praten over de verwoesting van het Alcázar van Toledo en over de *Begrafenis van de Hertog van Orgaz.* Monsieur Richard was helemaal weg van El Greco, en mijn vader sprak hem niet tegen, hoewel hij in huiselijke kring altijd zei dat het een schilder van tbc-lijders was. Ik wendde mijn blik van de kraanvogels op het kamerscherm af en keek hem aan. Wanneer hij zich niet op zijn gemak voelde uitte zich dat in een voor vreemden nauwelijks waarneembare tic, waarbij hij telkens even zijn kaken opeenklemde. Dat was zijn stille manier om om steun te vragen. Hij keek me aan en zag dat ik het gezien had.

'Wat is er, Sofia?' vroeg hij nogal streng. 'Waarom ga je niet zitten?'

'Het spijt me, papa, maar ik stond op het punt om weg te gaan. En bovendien wil ik heel graag het cadeau van mijn peettante uitpakken, dat begrijp je toch wel?'

Van jongs af aan heb ik mijn stem wanneer ik me tot mijn vader richtte een toon weten te geven die hem beviel, lief en tegelijk vastberaden. Het ging vanzelf en miste nooit zijn uitwerking.

'Je kunt het pakje heel goed hier openmaken,' mengde mijn moeder zich in ons gesprek.

'Ja, natuurlijk zou dat kunnen. Maar...'

'Maar wat?'

Er viel een stilte.

'Maar dat wil ze niet, dat is logisch.'

Het was de Franse dame die dat had gezegd. Ze

glimlachte begrijpend. Mijn moeder zei niets terug, maar haar gezicht stond nu echt op onweer.

'Het is heel goed mogelijk dat Sofia er een briefje bij heeft gedaan, ze is tenslotte dol op briefjes,' ging mevrouw Richard verder. 'En de boodschappen van peettantes zijn geheim, nietwaar, *chérie*?'

Ik boog me voorover om haar een kus te geven.

'Ja, mevrouw. Fijn dat u het begrijpt.'

'Jij weet ook altijd je zin te krijgen,' zei papa, nu duidelijk milder.

'Dat wijst op een sterke persoonlijkheid,' merkte monsieur Richard op.

Mama zei niets. Ik nam beleefd afscheid en liep de kamer uit alsof mijn voeten vleugels hadden gekregen.

Er zat inderdaad een briefje in het pak. Ik las het voordat ik de rode jurk paste.

'Ik weet niet of het je maat is,' stond er in. 'Maar vuur kent geen maten. Ik hoop dat in deze vlammenzee al je spoken zullen verbranden en je lichaam zal herrijzen.'

Hij was precies mijn maat en sloot als een handschoen om mijn lichaam. Wat die herrijzenis en het verbranden van spoken betreft – voorspellingen die wel heel veel leken op die van feeën uit sprookjes – moet ik toegeven dat ik mezelf lange tijd in de spiegel heb bekeken, naarstig op zoek naar een wonder. En het meisje in het rood maakte zich van mij los als iemand die ik niet kende, terwijl de glimlach waarmee ze me leek uit te nodigen voor een gevaarlijk, intiem spel sensueler werd. Ze liep een stukje achteruit en kwam dan weer met trage pas naar me toe, waarbij ze met haar armen een boog boven haar hoofd vormde en ze dan weer langzaam liet zakken. De jurk had een vierkante, behoorlijk lage hals met twee coupenaden. Natuurlijk was dit helemaal niet mijn stijl van kleden of me bewegen, maar ik vond mezelf beeldschoon. Als ik er goed over nadenk bestond de grootste verandering juist uit de vreugdevolle ontdekking dat ik anders was en mezelf mooi vond. Ik geloof niet dat ik ooit zo lang achter elkaar in de spiegel had gekeken, het was alsof ik in een hypnotische toestand verkeerde.

Met een schok ontwaakte ik daaruit toen de deur openging en mijn moeder verscheen om te zeggen dat er telefoon voor me was. Haar verbazing, in eerste instantie vanwege het feit dat ik de telefoon niet had horen overgaan terwijl hij naast mijn kamerdeur in de gang hing, werd nog groter toen ze me daar als een soort Marilyn die haar rol instudeert zag staan. En het merkwaardigste van alles was dat ik me niet eens beschaamd voelde. Integendeel; ik dikte mijn theatrale pose nog eens aan door een lichte buiging te maken.

'Wat is er met jou aan de hand? Wat ben je aan het doen?'

'Niets. Ik ben de jurk die Sofia me heeft gestuurd aan het passen.'

'En die rare gebaren?'

'Alstublieft, mama, mag ik me niet een beetje amuseren? Laten we het leven niet altijd als een derde klas begrafenis zien.'

Ze ging opzij om me erlangs te laten.

'Wat afschuwelijk!' zei ze. 'Je ziet er belachelijk in uit. Je lijkt wel een hoer.'

Ik slaakte een zucht terwijl ik haar door de gang zag weglopen. Daarna leunde ik tegen de muur en pakte de hoorn.

Het was Maria Teresa en ik moet toegeven dat ik

ontzettend teleurgesteld was. Niet omdat ik die middag een telefoontje van iemand verwachtte, maar juist daarom: aangezien ik helemaal niets verwachtte, was er plaats voor het onverwachte. En terwijl ik de overbekende smeekbede om aantekeningen aanhoorde, deze keer in wanhopige bewoordingen, boog ik mijn knie om mijn voet tegen de muur te zetten en streelde de fluweelzachte rok die strak om mijn heupen sloot.

'Sofia, ben je daar nog?'

'Ja.'

'Ik dacht dat de verbinding verbroken was. Ik loop echt enorm achter, ik meen het. Ik heb alle aantekeningen van historische grammatica vanaf de kerst gemist, kun je nagaan hoe rampzalig. Luister je?'

'Ja, ja.'

'Dus wat zullen we afspreken?'

De volgende dag was het zondag en ik had besloten die in het Ateneo door te brengen om familieverplichtingen te ontvluchten. Ik sprak om zeven uur met haar in de kantine af.

Zondag was dus de dag dat ik de rode jurk inwijdde. Met een jas eroverheen, dat wel, want ik ging vroeg de deur uit en het was nog koud. Maar ik liet hem enigszins uitdagend openhangen.

Ik heb me nooit gehouden aan de scheiding – in die jaren veel strikter dan nu – tussen dagelijkse en nette kleren, en bovendien geloof ik dat het ongeluk brengt als je een nieuwe jurk in de kast laat hangen. Maar terwijl ik over straat liep en mezelf zijdelings in de etalageruiten bekeek, besefte ik zelf ook dat mijn toilet niet bepaald geschikt was om in het Ateneo te gaan zitten studeren. En ik voelde me ietwat onbehaaglijk omdat ik moest bekennen dat mijn keuze eerder was ingegeven door het minachtende commentaar van mijn moeder en de drang tegen haar in te gaan, dan dat ik die jurk nu echt zo graag had willen aantrekken. Toen vermoedde ik al wat me in de loop van de tijd steeds duidelijker zou worden: dat het niet voldoende is naar buiten te rennen en de deur achter je dicht te slaan om jezelf te bevrijden van de invloed die de levens van anderen op het jouwe uitoefenen.

Het studeren wilde die zondag niet vlotten. En ik schreef ook niets van enige betekenis, afgezien van een kort gedicht getiteld *Dooi*, dat niet slecht is. Het gaat over het verlangen waarmee een verkleumde ziel uitkijkt naar de komst van de lente, die als een leger met geheven brandende fakkels naderbij komt. Het rolde er in één keer uit. Verder begon ik verschillende keren met een brief aan Mariana, maar zodra ik een paar regels op papier had streepte ik ze weer door en gooide het vel in de prullenbak. Ik kon de juiste toon niet vinden en dat kwam doordat ik in plaats van te bedenken wat ik wilde zeggen, trachtte in te schatten in hoeverre haar hart voor mij zou openstaan, en die doorhalingen waren een afspiegeling van mijn onzekerheid. Ten slotte probeerde ik een schertsende toon, maar ook dat leverde niets op. Op het laatste blaadje dat ik verscheurde had ik een haar onbekende aflevering van de kopiomanusjes en een tekeningetje van de rode jurk gemaakt, met lipjes op de schouders, zoals bij van die aankleedpoppetjes die je kunt uitknippen. Maar nee. Mariana zou die tekeningen toch niet leuk vinden, ze zou ze niet als een waardevol geschenk ontvangen, of in ieder geval was ik daar niet zeker van. Dus beschouwde ik die onderneming, die ik nu misschien weer aan het oppakken ben, definitief als mislukt. Je kunt een brief alleen ongehinderd verfraaien als je er – al dan niet terecht – van overtuigd bent dat de geadresseerde enorm van de inhoud zal genieten en zal snakken naar meer, 'ga zo door, juffrouw Montalvo'. Dan maakt het niet uit wat je opschrijft, het mag best onzin zijn. Maar dat is het dan al niet meer. Want zodra je iets met plezier schrijft is het geen onzin meer. Daar zit hem de kneep.

's Middags werd ik op een gegeven moment bekropen door een gevoel van onvrede en begon ik me af te vragen of ik er niet beter aan had gedaan om met mijn ouders en de Richards naar Toledo te gaan, want daar had ik me tenminste nuttig en op mijn plaats gevoeld. Ze waren van plan in Toledo te overnachten. Ik maakte me zorgen bij de gedachte dat ze door de smalle straatjes liepen, terwijl ze hun gespannenheid onderdrukten en hun uiterste best deden er een gedenkwaardige dag van te maken. Vanuit de verte drukte hun zinloos geslenter zwaar op me en ik verweet me mijn egoïsme, dat uiteindelijk slechts had gediend om mijn eigen volmaaktheidswaan op te blazen.

Aan de lessenaar tegenover mij zat een kalende jongen die waarschijnlijk met zijn eindscriptie bezig was. Met verschillende kleuren onderstreepte hij dwangmatig grote stukken tekst. Af en toe slaakte hij een diepe zucht, krabde op zijn hoofd en bleef een poosje naar mijn decolleté kijken, eerst steels maar daarna steeds onbeschaamder. Daardoor ging ik me nog ellendiger voelen en kon ik me nog minder concentreren. Op een vreemde manier was het ineens een vervelende middag geworden. Mijn aanvankelijke tevredenheid over mijn spiegelbeeld en het gevoel dat er spannende veranderingen in het verschiet lagen gleden langs een helling van onzekerheid en besef van falen af naar een blind verlangen om alle spiegels aan diggelen te slaan.

Ten slotte pakte ik al een half uur eerder dan ik met Maria Teresa had afgesproken mijn boeken in en liep de trap af naar de kantine. Er leek maar geen einde aan die middag te komen.

Toen Maria Teresa arriveerde namen we een kop koffie en ik gaf haar de aantekeningen van historische grammatica, die ze onmiddellijk woog en vervolgens, meer om een vluchtig idee van de inhoud te krijgen dan om de aan elkaar geniete velletjes te tellen, verbijsterd doorbladerde, waarbij ze telkens haar vinger natlikte en de moed haar in de schoenen leek te zinken.

'Veertig bladzijden! Maar wat heeft hij een hoop aantekeningen gegeven! Het zijn er ontzettend veel, hè?'

In haar stem klonk een zweem van verwijt.

'Ja, die van januari en een deel van februari, daar staan de data. Je komt ook bijna nooit op college, Maria Teresa, dus ja...'

'Er zijn belangrijker dingen dan naar college gaan,' zei ze een beetje snibbig.

'Tja, dat moet je zelf maar uitmaken. Maar ga daarna niet zitten klagen, stop met je studie en klaar is Kees.'

Ze bleef naar de aantekeningen kijken.

'En ken jij ze allemaal al?' vroeg ze.

'Nee. Ik kijk ze vlak vóór het tentamen wel in. Als jij ze nu maar snel overschrijft, de vorige keer deed je er eindeloos over.'

'Ik zal mijn best doen,' antwoordde ze. 'Maar het zijn er wel veel.'

Ze stopte ze zuchtend in een vaalblauwe map. Daarna betaalde ze de koffie en gingen we samen naar buiten.

'Ga je niet meer studeren?'

'Nee. Het lukte helemaal niet vandaag. Je hebt soms van die stomme dagen.'

We begonnen zwijgend in de richting van de plaza de Santa Ana te lopen. Het was een onbewolkte, winderige avond aan het eind van februari, en in de verte was boven de calle del Prado al een lentegloed te zien. Ik hield stil om in de etalage van een antiquariaat te kijken. Dat is er trouwens nog steeds en als ik er nu langs loop moet ik altijd aan die middag denken. Er hing een grote gravure in sepia en rood, waarop een negentiende-eeuwse jongedame was afgebeeld die wellustig op een bank achterover leunde. In haar rechterhand, die hulpeloos op haar rok lag, hield ze een brief die ze waarschijnlijk net had gelezen. En in haar ogen, gericht op een onzichtbaar raam, lag nog de schittering die was opgewekt door de woorden van de afwezige geliefde waarvan het hele tafereel doortrokken was. Die ontdekking lag ten grondslag aan alle romans die ik voor Mariana verzon toen we jonger waren en van de romantische liefde droomden. Bij hoeveel gedichten en liedjes hebben wij niet die gloeiende luchtstroom van de afwezigheid van de liefde ingedronken, afwezigheid is een luchtstroom die kleine vuren uitdooft en grote aanwakkert. En toen ik mezelf in de etalageruit zag weerspiegeld, met mijn rode jurk onder de openhangende jas, starend naar die verliefde papieren vrouw, begreep ik ineens dat ik ernaar verlangde om net als Mariana het verschil te ontdekken tussen wat leeft en wat geschilderd is. Ik begreep dat ik meer wilde dan romans verzinnen of die van anderen lezen, dat ik nu zin had om zelf verliefd te worden. Nou ja, eerlijk gezegd weet ik niet of ik dat destijds precies zo geformuleerd heb, maar ik vertel het mezelf altijd op deze manier wanneer ik langs die boekhandel kom. Wat ik nog wel weet is dat ik in gedachten verzonken was, dat mijn hart bonsde en dat de jurk van de vrouw op de tekening rood was, net als de mijne.

'Waar kijk je naar?' vroeg Maria Teresa me.

'Naar die prent; ik vind hem prachtig.'

'Die met die dame die die brief leest? Nou, ik niet hoor. Ik vind het kitsch.'

We liepen verder. In de lucht hingen onstuimige, staalgrijze wolken. Het was typisch zo'n avond om bij Mariana te gaan slapen, aangezien mijn ouders pas de volgende dag terug zouden komen. Heftige gevoelens van heimwee en opstandigheid overspoelden me. Ik miste mijn vriendin verschrikkelijk, maar ik moest hoognodig spoken verbranden, de tirannie van de vicieuze cirkel doorbreken. Er moest een weg zijn waarlangs ik naar het onbekende kon ontsnappen.

'Waar ga je naar toe?' vroeg Maria Teresa me toen we bij de plaza de Santa Ana waren aangekomen.

'Ik weet het niet. Misschien nog een stukje wandelen. Is die Isetta van jou?'

'Ja. Als je wilt kan ik je wel ergens afzetten.'

Maria Teresa was blijven staan bij een bolvormige, transparante tweezitter, zo een die 'eitje' werd genoemd. Het autootje had de vorm van een helikopter en ging van voren open. Het was een vrij goedkoop Italiaans model, dat in het Spanje van vóór het consumptietijdperk heel populair was, al heeft dat niet lang geduurd. Ik keek jaloers naar Maria Teresa toen ze de ovaalvormige kap van haar Isetta omhoogtrok en er twee zitplaatsen te voorschijn kwamen. Ik had nog nooit in zo'n auto gezeten, en het leek me enig. Hij had iets weg van een wagentje in een draaimolen.

'Welke kant ga je op?' vroeg ik.

'Ik ga naar het huis van een paar vrienden die in de buurt van Pozuelo in een commune wonen en een verjaardag vieren. Ik mag trouwens iedereen meenemen die ik wil. Je broer is er vast ook. Heb je zin om mee te gaan?'

Plotseling enthousiast zei ik ja. En zo was ik even later in dat enigszins surrealistische glazen apparaat op weg naar het huis met het haardvuur. Maar mijn broer was daar niet. En ik zag ook niemand anders die enige herinnering in me wakker maakte of aan wie ik rekenschap zou moeten afleggen voor mijn aanwezigheid daar. Mijn petemoei had de dingen goed voorbereid.

De mensen die in die jaren in communes waren gaan wonen gingen er prat op de burgerlijke conventies aan hun laars te lappen en een zekere mate van wanordelijkheid tentoon te spreiden die voor spontaniteit en ongeremdheid moest doorgaan. De namen Marx en Simone de Beauvoir werden weer actueel en bruikbaar wanneer ze genoemd werden in combinatie met handig gemanipuleerde cijfers over ballingschap, geboorte en werkloosheid, platen van Raimon of Brassens en verheerlijking van de vrije liefde. Als er in zo'n woning, over het algemeen een vrijstaand huis in een buitenwijk dat door meerdere mensen samen gehuurd was, een politieke of feestelijke bijeenkomst plaatsvond, kon degene die daar door een vriend of vriendin mee naar toe was genomen niet verwachten dat hij aan iemand werd voorgesteld of dat hij te horen zou krijgen wie van de aanwezigen daar vast woonden of wie de ouders van de kinderen die er rondrenden waren.

Terwijl ik dit opschrijf komen er rare dingen in mijn hoofd op, in de zin van vreemde gedachtenassociaties. Maar plotseling meen ik – rekening houdend met de schijnbare verschillen die de gelijkenis kunnen camoufleren – het verborgen patroon te hebben ontdekt dat ten grondslag ligt aan de 'elite'-feesten, zoals laatst bij Gregorio Termes. Want ook daar is het regel je om niemand te bekommeren, omdat iedereen zich als een uitverkorene en een insider beschouwt. Ik weet zeker dat Gregorio in de jaren zestig een progressieveling was, zich nauwelijks waste, in een commune leefde en de gevestigde orde aanviel. Wie weet was hij zelfs wel in dat huis in Pozuelo toen Maria Teresa en ik daar in de Isetta arriveerden.

Er waren twee grote, enigszins uitgewoonde kamers die haaks op elkaar stonden, gescheiden door een schuifdeur die openstond. Ook de deur naar de tuin stond open en Maria Teresa ging gewoon naar binnen, zonder ergens te hebben aangebeld. De muren waren bekleed met kurk en er liep een trap naar de bovenverdiepingen, waar zich het gros van de feestgangers bevond, te oordelen naar het geluid van stemmen, gelach en muziek dat daarvandaan kwam. Beneden was nauwelijks een volwassene te bekennen, maar je zag wel verschillende groepjes kinderen die op de grond strips lagen te lezen of houten bouwsels maakten. Anderen liepen de ietwat verwaarloosde tuin in en uit, waar ik een zwembad zag met gebarsten tegels en een laagje groenachtig water op de bodem. Ook liep er een hond rond.

Ik geloof dat Maria Teresa meteen de trap opliep. Misschien heeft ze eerst iemand goeiendag gezegd. Of misschien heeft ze me gevraagd of ik met haar mee naar boven ging. Geen idee. Ik herinner me niets. Vanaf het moment dat ik die L-vormige ruimte binnenkwam, vol boekenplanken op bakstenen, op het kurk geprikte posters, halflege flessen, speelgoed, grote kussens, asbakken en boeken die her en der op de grond lagen, had ik alleen nog maar oog voor een blonde jongen in een ribfluwelen broek en een geruit overhemd, die in een hoek van de rechterkamer op zijn hurken voor een open haard zat, met daarin een kwijnend vuurtje waar hij voorzichtig met een stuk ijzer in porde. Met zijn rug naar iedere inmenging van buitenaf, maakte hij door zijn geconcentreerde houding de indruk volledig op te gaan in een taak van essentieel belang: het vuur weer tot leven brengen. Ik weet niet hoe lang ik naar hem heb staan kijken voordat ik langzaam maar onherroepelijk in zijn richting begon te lopen.

Onderweg zag ik op een achthoekig tafeltje een blad met drankjes en ik bleef staan om mezelf een glas wijn in te schenken. Het was een rode tafelwijn en de glazen waren kartonnen bekertjes. Er was geen sprake van een kristallen glas noch van een vloeistof met amberkleurige schitteringen, zoals je je de liefdesdrank voorstelt die prinses Flérida een andere gedaante gaf of Isolde van haar wil beroofde, ik had geen enkele reden om op mijn hoede te zijn. Ik nam de eerste slok dus onbekommerd, alsof ik mijn tocht even onderbrak. De wijn viel goed en ontlokte me een diepe zucht, omdat ik me gewichtloos en zonder verleden voelde. Willoos keek ik naar het smeulende vuur en naar de gebogen figuur van de jongen die probeerde het weer tot leven te brengen. Misschien zou ik hem gaan helpen, maar ik had geen haast, ik vond het voldoende te weten dat ik naar hem toe wilde gaan en verkende vanbuiten de toegangen tot de ruimte (begrensd door een bank en twee stoelen) waarin de blonde jongen zich verschanst had, net als wanneer het verdwaalde kind uit sprookjes in het donkere bos in de verte het lichtje van een huis meent te zien schitteren en blijft staan om van zijn plotselinge hoop en verbazing te genieten. Wie zou niet terug willen naar zo'n moment waarop de tijd stilstaat! Ik keer er vaak naar terug, maar dan via kronkelige paden die niet beginnen bij het achthoekige tafeltje, maar bij plekken die zich voor het beeld van het tafeltje hebben geschoven, bij mijn bossen van nu. En altijd zie ik hetzelfde tafereel verschijnen.

Het is een gefixeerd beeld, zoals het bevroren portret van acteurs aan het begin van sommige films, terwijl rechts hun werkelijke naam naast die van de rol die ze spelen staat. Het meisje in het rood: Sofia Montalvo. We weten nog niet wat er met haar gaat gebeuren. Een steeds terugkerend filmbeeld dat midden in mijn dromen opdoemt, dat me soms ook tijdens een of andere bezigheid, klusje of vervelend gesprek overvalt en me door de lucht van het duister naar het licht tilt. U zit te dromen, juffrouw Montalvo. Waar denk je aan, Sofia? Maar ik bevind me al in een andere tijd, in een andere omgeving, midden in de zeepbel, zonder te begrijpen hoe ik daar weer in terechtgekomen ben en bang dat hij door de warmte uiteen zal spatten. Maar nee, dat is niet echt, niet bang zijn. Het meisje in het rood was niet bang, en jij bent het meisje in het rood. Je staat midden in die onbekende kamer, vijftien passen van de haard vandaan, en je hebt het kartonnen bekertje naar je lippen gebracht. Rustig maar! Concentreer je. Je mag je blik niet afwenden van de schouders van de blonde jongen, die nog niet van je bestaan weet, zoals jij niet weet dat de kracht waardoor je wordt aangetrokken uit de welving van die schouders voortkomt, of dat je een minnedrank hebt gedronken, want wie zou de inhoud van een kartonnen bekertje wantrouwen? Je glimlacht, je hebt een toost uitgebracht op het vuur en je jas is veel te zwaar. Concentreer je op je lichaam, je kunt je al een beetje bewegen, net als toen je in de spiegel keek. Actie!

Ik schonk het bekertje nogmaals vol en dronk het in één teug leeg. Daarna liep ik in de richting van het omheinde gebied van de haard, een paar spullen die op de grond lagen ontwijkend, in een schuine lijn, met aandacht voor iedere stap die ik zette. De stoelen waren groot en stonden vlak bij de sofa. Het zou niet slim zijn er een opzij te schuiven om een doorgangetje te maken noch om via een van de twee openingen aan de voorkant, dichter bij het vuur, de ruimte binnen te dringen, want beide manoeuvres zouden mijn bedoeling verraden. Dus trok ik mijn jas uit om meer bewegingsvrijheid te hebben, legde hem over de rugleuning van de sofa, ging vervolgens op de linker armleuning zitten, liet me langzaam op het zitgedeelte glijden en zwaaide mijn benen door de lucht. Op dat moment had hij net het enige dikke houtblok dat nog smeulde omgedraaid. Het zag er niet naar uit dat het vlam zou vatten. Ik bleef een poosje doodstil zitten en streek niet eens mijn rok glad, die – nauw als hij was – tot ver boven mijn knieën was opgekropen. En mijn hart bonsde, zoals wanneer je bij een onbekende deur hebt aangebeld en binnen al de voetstappen te horen zijn van degene die komt opendoen, zodat je niet meer terug kunt.

Toen gebeurde er iets heel raars: ik wist ineens dat de blonde jongen mijn aanwezigheid had opgemerkt. Ik had me niet bewogen en hij had niet omgekeken. Maar hij strekte zich naar rechts uit om een blaasbalg te pakken, en toen hij die op het hart van het houtvuur richtte wist hij inmiddels dat iemand zijn ruimte was binnengedrongen. Ik dook ineen in een hoekje van de sofa, in de verwachting dat hij zich geërgerd of op zijn minst nieuwsgierig zou omdraaien. Maar dat deed hij niet. Hij had prachtige handen en zijn gebaren werden steeds subtieler. Hij bewoog zich voor mij, hij vond het leuk dat er naar hem werd gekeken. Ik weet niet hoe je dat soort dingen ineens in een flits weet, maar als zoiets gebeurt heb je geen bewijzen nodig en is er geen weg terug. Puur een kwestie van vertrouwen. Het was echt zo. Hij droeg zijn gebaren aan mij op, misschien had hij me vanuit zijn ooghoeken gezien, zoals stieren het gewapper van de lap waarnemen, wie weet. In ieder geval kon hij zijn aandacht niet meer bij het vuur houden. Hij bleef er weliswaar in blazen, maar steeds langzamer en weinig efficiënt. Het was een houtvuur uit een toneelstuk geworden, een voorwendsel om met zijn handen en nek te pronken. Bovendien vatte dat grote blok geen vlam, er moesten wat aanmaakhoutjes bij. Het was te dik.

Ik deed mijn ogen dicht en leunde met mijn hoofd achterover, klaar om mijn rol te improviseren zodra ik daartoe de gelegenheid kreeg. Hij zou me die gelegenheid moeten bieden, want verder was er nog steeds niemand in de buurt. Het zou vast een zin in vragende vorm zijn, dat is voor mensen die elkaar niet kennen de meest gebruikelijke manier om een gesprek te beginnen. En ik hoefde niet als eerste iets te zeggen, die mogelijkheid sloot ik liever uit. Maar waarom tijd verspillen met gissingen? Het ging er nu om mijn kalmte te bewaren en te genieten van de enorme opwinding bij de gedachte dat ik 'ja graag' zou antwoorden op iedere uitnodiging of uitdaging van zijn kant. Er was een mij onbekend, maar al eeuwenoud spel op komst, het grote gepassioneerde spel waarvan iedereen op de hoogte is en waarvan ik tot dan toe slechts door passages uit boeken en films had geproefd. Mariana was van mening dat ik mezelf vergiftigde met al die literaire liefdesgeschiedenissen en dat ik als ik zou proberen die misleidende sporen uit romans en films op mijn eigen verhaal toe te passen het spoor bijster zou raken.

'Ik heb geen spoor van wie dan ook nodig, maak je geen zorgen,' wierp ik dan tegen. 'Als het zover is zal ik zelf heel goed weten wat ik moet doen.'

'En hoe weet je wanneer het zover is?' hield Mariana aan.

'Omdat ik dan zin zal hebben om te behagen. Dat zal mijn lichaam me vertellen. En mijn verbeelding en mijn verstand zullen toenemen, ze zullen de signalen van mijn lichaam gehoorzamen en daarmee op één lijn willen komen.'

Alles begon uit te komen, en daar kwam dan nog een profetisch geschenk bij. De verbeelding moest zich enorm inspannen om op één lijn te komen met een lichaam dat al vierentwintig uur zin had om te behagen, dat zich, na onverwacht door de magische bezwering van een petemoei tot leven te zijn gewekt, in feestkleding had gehuld en voor de spiegel een voorstelling zonder weerga ten beste had gegeven; een lichaam dat op zijn beurt dolgraag in een spiegel wilde veranderen. Hetzelfde lichaam dat zich zojuist stilletjes van zijn schoenen had ontdaan en met theatrale loomheid zijn voeten op de sofa had gelegd; een gebaar dat overigens weerklank leek te vinden bij de andere acteur, die een draaibeweging met zijn hoofd maakte. Maar die beweging was zo licht en kort dat het meisje in het rood tussen haar wimpers door slechts een glimp van de lijn van een indrukwekkende hals kon opvangen. Gelukkig dat daar niet ook nog eens geluid uit kwam, al had dat gevaar even gedreigd.

Mijn handen trilden een beetje. Ik begreep dat ik, zonder dat het opviel, alert moest zijn op de zin die deze jongeling, die het waard was om als Kallisto of Romeo bemind te worden, onverwacht en zelfs met zijn rug naar mij toe zou kunnen uitspreken, een verraderlijke zet die een antwoord nog riskanter zou maken.

Maar goed, het ging er nu om mijn angst kwijt te raken en mijn verbeelding te stimuleren. Ik mocht mijn peettante niet teleurstellen. Ik had me in het rood gehuld om te kijken of iemand met mij een spel wilde spelen waarvan ik de regels al doende zou leren. Tot nu toe ging het niet slecht. Het was duidelijk dat de andere speler was komen opdagen, ook al vormde hij op dit moment nog een raadsel. Maar een aantrekkelijker belichaming van een raadsel had ik me niet kunnen voorstellen. Bovendien hing het niet allemaal alleen van dat raadsel af, maar ook van mijn vermogen dat te ontcijferen.

Dus nam ik brutaalweg een horizontale houding aan, en omdat ik zag dat de avond begon te vallen besloot ik een oude vriend aan te roepen die altijd de peetvader van mijn verhalen en dagdromen is geweest: kaboutertje Nak. Ik vouwde mijn handen in mijn schoot, en met gesloten ogen vroeg ik hem wijsheid om het raadsel te verkennen en durf om de aantrekkingskracht ervan te weerstaan. Ik vroeg hem verbazing in de jongen op te wekken en in hem het verlangen te doen ontbranden om te luisteren naar mijn eenzame fantasieën, naar al mijn onvoltooide verhalen die zonder gehoor zouden verkommeren, ik vroeg hem handigheid om deze brokstukken van verhalen te lijmen, inzicht om te begrijpen dat hij ze wilde horen en geduld om het teken af te wachten, o Nak. Ik vroeg hem mij de vonk van zijn dichterlijke inspiratie over te brengen zodat ik mijn woorden met goud kon bedekken en ze weerkaatst in de hunkerende ogen die me nog niet hadden aangekeken zou kunnen zien; maak mijn tong los, o Nak, smeekte ik hem, maar houd hem ook voor me in toom, zoals je bij Sheherazade hebt gedaan, geef me op tijd de pauzes aan zodat er steeds iets overblijft om te vertellen en iets om naar te luisteren, morgen ga ik verder, morgen kom ik terug, amen, o Nak, amen.

Ik ben in het wilde weg aan het inzetten, dacht ik ineens in een vlaag van helderheid, die mijn dronkenschap deed verdwijnen, want hij heeft me nog steeds niet aangekeken en nog niets tegen me gezegd. En misschien heeft hij wel zo'n gezicht dat niet aanspreekt en zo'n stem die niet om een antwoord vraagt en nergens toe uitnodigt. Als dat zo is, kan hij me nog maar beter niet aankijken, vind je niet, Nak? Dan kan hij me maar beter nooit aankijken en geen beweging maken. Waarschuw me als hij een beweging maakt, ik ben niet van plan mijn ogen open te doen.

En Nak, de kleine god die mij altijd heeft begeleid wanneer ik mijn nachtelijke verhalen voor Mariana verzon, lachte spottend en fladderde met zijn puntoren boven mij rond. Maar ik dacht niet aan Mariana, de gedachte aan haar kwam geen moment in me op.

Op de bovenverdieping klonken de eerste maten van '*Rien de rien*', gezongen door Edith Piaf. Franse muziek, allicht. Mijn peettante zou zo'n detail niet over het hoofd zien. Prachtig als geluidsband bij een film. En het was ook net als in een film dat het blonde meisje met gesloten oogleden een beetje dromerig glimlachte terwijl ze als bij een gebed de woorden van het liedje volgde. *Je m'en fous du passé*, het verleden uitgewist, achter je gelaten, nee, ik heb nergens spijt van, noch van het kwaad dat mij is aangedaan, noch van het goede, wat maakt het uit, met mijn herinneringen heb ik het vuur aangestoken, met mijn verdriet en mijn vreugde.

En toen moest ik natuurlijk toch aan Mariana denken, maar als aan iets wat je voorgoed vaarwel zegt. Misschien had zij het net zo gevoeld toen ze verliefd was geworden, en ineens vond ik het logisch dat ze haar verliefdheid niet met mij had willen of kunnen delen. Ik begreep het op grote afstand en zonder pijn, in een vreemd soort waas vermengd met de zekerheid waarmee je soms dingen in dromen begrijpt of een stad onder je ziet liggen tijdens het opstijgen van het vliegtuig dat ons, zonder dat we het weten, misschien voorgoed van haar vandaan brengt, terwijl je zegt 'daar ongeveer is dat of dat plein, gebouw of park' en je je neus tegen het raampje duwt en al die dingen herkent, keurig afgetekend als tussen de paden op een begraafplaats, vaarwel, *je ne regrette rien*, ik ben nu op weg naar andere oorden. Maar ik was afscheid aan het nemen van mijn kindertijd, zo zat het. En ook, uit haar naam, van die van Mariana, die nooit erg van plechtige ceremoniën heeft gehouden.

Het beste middel om in een bepaalde situatie de touwtjes in handen te houden is je in gedachten afzonderen. Door mijn ogen dicht te doen wendde ik me af van het houtvuur van de blonde jongen om het mijne te kunnen aansteken, mijn eigen Piaf-vuur, waarin de stemmen uit mijn kindertijd en alle verhalen die ik had gelezen en verzonnen om het wachten op de liefde te veraangenamen, knisperden als dorre bladeren. Ik verloor alle besef van tijd.

'Niet huilen,' hoorde ik op een gegeven moment de zachtste stem van de wereld vlak bij me zeggen. 'Voel je je niet goed?'

Ik deed mijn ogen open. De blonde jongen was naast de sofa op de grond gaan zitten en keek me aan. Als reactie op mijn stilzwijgen en misschien ook op de verbijsterde uitdrukking op mijn gezicht toen ik hem plotseling zo dicht bij me zag, legde hij zijn hand op mijn knieën en begon die als het ware achteloos te strelen. Het was een korte, maar zeer besliste streling, die zich van mijn hele toekomst meester maakte.

'Niet huilen, toe,' ging hij verder. 'Je trilt helemaal.'

Ik viel haast flauw van emotie. Ik geloof dat ik al ergens in een van mijn schriften heb gezegd op wie de blonde jongen leek, dus wat zou ik daar nog aan moeten toevoegen. Dat hij zo'n overweldigende indruk op me maakte kwam voor een deel doordat ik nooit een film met James Dean had gezien. Maar bovendien had ik niet gehoord dat hij naast me was komen zitten en wist ik niet meer waarom ik was gaan huilen. Het waren te veel verrassingen tegelijk, en dan ook nog die verraderlijke streling over mijn knieën, die alleen al was voldoende om mijn plannen in de war te sturen, het was de genadeslag waardoor de plot, waarover ik zo lang had nagedacht, zich aan mijn controle onttrok en volledig zijn eigen gang ging. Ik liet mijn benen van de bank glijden en streek mijn rok een beetje glad. Dat had allemaal niet op mijn programma gestaan.

'Ik wilde helemaal niet huilen. Ik was niet van plan te gaan huilen,' zei ik dwaas, terwijl ik mijn vingers naar mijn wang bracht om het spoor van mijn eigen tranen te voelen.

'O nee?' vroeg hij plotseling geamuseerd. 'Wat was je dan van plan?'

Ik wendde mijn hoofd af, want ik kon zijn blik niet weerstaan. Het vuur was inmiddels uitgegaan.

'Jou te zeggen dat je geen vuur kan maken, onder andere. Dat dat onmogelijk is zonder aanmaakhoutjes of op zijn minst frommels papier. En natuurlijk een paar druppels vertrouwen. Waar lach je om? Ik zou jou ook kunnen vragen waarom je lacht.'

'Om het woord frommels. Ik dacht dat alleen mijn oma dat gebruikte. En ik heb je niet gevraagd waarom je huilde, laat dat duidelijk zijn, liefje. Ik heb je alleen maar gevraagd niet te huilen. Dat is wat anders, nietwaar?'

Hij had me liefje genoemd, maar niet op de manier waarop ik het graag had gehoord, waarop ik het tegen hem zou zeggen als ik dat zou durven, en op dat moment ging er een alarmbel af, pas op, hij moet er inmiddels schoon genoeg van hebben zo genoemd te worden, voor hetzelfde geld is hij een onuitstaanbare arrogante kwast, bescherm me, o Nak, ik voel de grond onder mijn voeten wegzinken.

'Ja, dat is wat anders,' zei ik, 'sorry. Jij weet zeker altijd je zin te krijgen, hè?'

Ik voelde me een beetje agressief. Dat was precies wat mijn vader tegen me had gezegd voordat ik de rode jurk ging passen. Ik had het er zomaar uitgeflapt, op een toon die niet bij de situatie paste. Ik besloot mijn fout te herstellen.

De blonde jongen was ernstig geworden en keek naar het smeulende vuur. Ineens vond ik hem er niet zo jong meer uitzien. Hij is zo iemand die met het licht mee verandert, constateerde ik tot mijn genoegen.

'Behalve dan als ik een vuur wil maken,' zei hij. 'Daarbij heb ik blijkbaar niet mijn zin gekregen.'

'Je vertrouwen had je vast in de steek gelaten.'

'Waarschijnlijk wel. Ga je nog meer huilen?'

'Nee.'

'Hier dan, droog je tranen.'

Hij reikte me een brandschone zakdoek aan die hij uit zijn zak had gehaald. Maar zonder het air van een veroveraar. Hij deed het allemaal heel goed. Ik veegde langzaam mijn wangen droog en glimlachend keken we elkaar aan. En met wederzijdse nieuwsgierigheid. Een peilende blik.

'Zal ìk het proberen? Het vuur smeult nog een beetje,' zei ik, op de haard wijzend. 'Ik durfde het eerst niet aan te bieden. Weet je waar aanmaakhoutjes of oude kranten liggen?'

'Ik heb geen idee. Ik ben hier maar één keer eerder geweest. En het is aardig aangeboden, maar aan jouw vertrouwen heb ik niets. Ik had een weddenschap met mezelf afgesloten, snap je, en die heb ik verloren. Dat is alles.'

'Het spijt me,' zei ik.

'Mij niet. *Je ne regrette rien.* Het was een vuur dat gedoemd was uit te doven.'

Hij ging op zijn knieën op de sofa zitten en keek door het raam naar de inmiddels donker geworden tuin. Van opzij was hij nog knapper.

'Houd je van Rabindranath Tagore?' vroeg hij me na een vrij lange stilte.

'Ja. Maar die is niet in de mode. Het verbaast me dat jij hem goed vindt.'

'Ik beweer niet dat ik de mode volg en ik heb ook niet gezegd dat ik hem goed vind.'

'En dus?'

Ik ging ook op mijn knieën zitten en leunde op de rugleuning van de sofa. Het zag ernaar uit dat er een verhaal ging komen.

'Het zit zó,' begon hij, 'als kind vond ik hem prachtig... Of liever gezegd, mijn oma was dol op hem.'

'Die van de frommels?'

'Ja, die. En door hem steeds opnieuw te lezen, begon ik van zijn poëtische taal te houden, ik raakte er even vertrouwd mee als met die van de straat. Wat absurd, hè? En ik kende zelfs hele stukken uit mijn hoofd. Ik ben dus een groot deel van mijn kindertijd helemaal verslingerd geweest aan Tagore. Maar omdat al mijn vrienden hem heel gekunsteld vonden, iets voor tuttige meisjes, begon ik me er op een gegeven moment zelfs voor te schamen dat ik zijn gedichten zo mooi vond. Of misschien was ik er inderdaad mee overvoerd. In ieder geval heb ik die passie toen verloochend.'

Hij praatte heel langzaam, alsof hij het tegen zichzelf had, en nu zweeg hij.

'Dat komt veel voor,' zei ik. 'Ik heb hetzelfde gehad met Hermann Hesse.'

'Maar iets wat je zo diep heeft geraakt laat altijd sporen na. Ik heb me bijvoorbeeld vaak afgevraagd...'

Hij stopte midden in de zin en haalde zijn schouders op, zonder zijn blik van het raam af te wenden.

'Wat?'

'Ach, eigenlijk iets dwaas. Hoe het zou zijn om te glimlachen met een masker van absolute afwezigheid, dat is een zin van Tagore, ik weet niet of je je die herinnert. Lange tijd heb ik ervan gedroomd die uitdrukking op het gezicht van een meisje tegen te komen; ik wist dat ik hem zou herkennen, al is die beschrijving nog zo vaag. Dat meisje is natuurlijk nooit verschenen. En de zin was ik inmiddels vergeten. Ik heb er jaren niet meer aan gedacht, dat is het rare.'

Er viel een stilte die definitief leek te zijn. Op de verdieping boven ons nam het feestgedruis toe. Er werd nu jazzmuziek gedraaid.

'Waarom vertel je me dat?' vroeg ik ten slotte met een iel stemmetje, terwijl ik me bedacht dat kaboutertje Nak duidelijk naar de andere kant was overgelopen.

'Omdat daarnet, toen het vuur was uitgegaan en ik me omdraaide en jij daar met je ogen dicht in die rode jurk lag, huilend en glimlachend tegelijk, me die zin van Tagore ineens weer te binnen schoot, maar dan als iets nieuws, alsof ik hem voor het eerst las of hem zelf ter plekke bedacht, "zoals jij glimlacht met je masker van absolute afwezigheid!" je leek zo ver weg en tegelijk zo dichtbij... Maar bovendien verander je telkens.'

'Jij ook.'
Hij keek me niet aan. Maar het was fantastisch hem te horen praten.
'En dan ook nog een ontmoeting op een totaal ongeschikte plek, vind je niet? Het is duidelijk dat de absolute afwezigheid zich in het decor heeft vergist.'
'Denk je?'
'En of ik dat denk. Ik weet zeker dat als je in dit huis de naam Tagore laat vallen, je voor kleinburgerlijk wordt uitgemaakt... Trouwens, wat doe jij hier eigenlijk? En in die jurk... dat past helemaal niet bij je.'
Zijn blik was nu vol op mij gericht, en niet alleen op mijn gezicht.
'Die jurk of dat ik hier ben?'
'Dat je hier bent. Je jurk... Nou ja, je jurk is adembenemend... Die meisjes boven dragen alleen maar broeken of flodderjurken.'
Ineens was ik verzoend met de rode jurk, met mijn lichaam, met mijn zucht naar avontuur. Nu was het mijn beurt. Ik moest uit de hoek komen met een gevat antwoord uit een zwart-wit film. Ik deed een beroep op mijn imitatietalent.
'Je steekt wel heel snel het ene vuur met het andere aan, vreemdeling,' zei ik met een stem als van een nasynchronisatie.
Ik had in de roos geschoten; hij begon te lachen. Wat een opluchting! Plotseling waren we vrienden voor het leven. Het is onduidelijk hoe we in zo'n korte tijd in hetzelfde ritme hadden kunnen komen.
'En jij schudt een hoop aanmaakhoutjes uit je mouw, meisje. Ik zou wel eens willen weten waar je vandaan komt.'
'Raad maar. Je wilt vast niet dat ik je mijn leven in

een notedop vertel, na dat mooie van de absolute afwezigheid.'

'Nee, in vredesnaam, dat zou te banaal zijn,' zei hij. 'Ik houd er niet van dat iemand mij zijn leven in een notedop vertelt of wil dat ik dat met het mijne doe, of haast heeft, of dingen zegt als "verklaar je nader", "je hebt je verantwoordelijkheden" of "eendracht maakt macht". O, en ik houd ook niet van groepen. Het ideale aantal is twee. Kun je je daarbij neerleggen?'

'Ik zal mijn best doen, baas.'

Hij stond op en bukte zich om me mijn schoenen aan te doen. Daarna nam hij me bij de hand.

'Dan weet ik niet wat we hier nog doen. Laten we gaan. Je hoeft niemand gedag te zeggen, neem ik aan.'

Ik liet me aan zijn hand meetrekken naar de deur.

'Niet echt. En jij?'

'Ik ook niet.'

Eenmaal in de tuin keek ik naar de hemel. De eerste sterren waren te voorschijn gekomen en er stond een enorme maan. Ik herinnerde me dat ik kon thuiskomen zo laat als ik wilde, zuchtte diep en was zo gelukkig als ik nooit meer in mijn leven geweest ben.

'Weet je waar we heen gaan?' vroeg ik hem.

'Geen idee. En jij vast ook niet.'

'Nee; ik ken deze buurt niet en heb ook geen auto.'

'Dat is een pak van mijn hart.'

We begonnen tussen villa's door te lopen, door onbekende straten. En terwijl ik zijn hand vasthield bedacht ik me dat het een wonder was dat zijn bloed tegelijk met het mijne stroomde en dat hij op mijn gezicht het masker van absolute afwezigheid had ontdekt en dat de maan die naar ons keek haar licht ook liet schijnen op onstuimige zeeën, eenzame bergen, afgelegen wegen, lawaaiige steden, daken, valleien, nachtvogels, en dat ze die in de toekomst zou blijven beschijnen; en de woorden in mijn keel waren ingehouden golven die zich gereedmaakten, o Nak, om alles te overspoelen.

En hij hield stil onder een lantaarnpaal en zei alvorens me te kussen: 'Heb je niet het gevoel dat nu altijd is?' En op dat moment wist ik dat die liefde me langzaam zou vermoorden, want het was geen liefde om voort te duren.

Bovenstaand verhaal vertelt het enige wat je van een liefdesgeschiedenis kunt overbrengen: de gebeurtenissen die eraan vooraf zijn gegaan. Want daarin schittert de ware gloed ervan.

Maar als je op een dag dit schrift leest, Mariana, want met dat doel schrijf ik het eigenlijk, wil ik dat je weet dat jouw naam die avond niet tussen ons is gevallen. En ook niet in de eerste tijd daarna. Hij vertelde me alleen maar terloops dat hij had gebroken met een vriendinnetje dat te rationeel en te dominant was voor een lezer van Tagore. En dat hij min of meer had verwacht haar in dat huis tegen te komen, maar dat zij niet was verschenen.

'Die van het uitgedoofde houtvuur?'

'Precies, die van het houtvuur.'

Maar ik vroeg niet verder want het was een nacht voor raadsels en symbolen en briljante antwoorden. Verboden te graven.

En uren later, in een kroeg in het oude centrum van Madrid waar we bolero's dansten, maakte mijn hart weliswaar een raar sprongetje toen ik hoorde dat hij Guillermo heette, maar ik stelde mezelf gerust met de gedachte dat dat per slot van rekening niet zo'n ongebruikelijke naam is.

'Is er iets?' vroeg hij me. 'Je bent ineens zo stil. Waarom kijk je zo naar me?'

'Ik weet het niet, hoe kijk ik dan?'

'Raar.'

'Je ziet er van opzij ook zo anders uit!'

En aangezien een vergelijking met James Dean nog niet mogelijk was, was het misschien inderdaad zo dat Guillermo, als je goed naar hem keek, een beetje een wolvekop had. Dat was het enige opvallende kenmerk dat jij me de eerste middag dat je me over je vriendje vertelde van hem had genoemd. Maar ik had me een wolf nooit blond voorgesteld.

14 *Literaire resonanties*

Lieve Sofia,

Toen ik gisterochtend de sleutel van kamer 203 in het kastje wilde hangen, vroeg de receptionist me of ik al besloten had hoe lang ik nog zou blijven. Hij moest lachen toen hij 'al' zei. Hij heeft parelwitte, regelmatige tanden, en die laat hij te pas en te onpas zien, ook als er geen enkele reden is om te lachen, net als van die tv-presentatoren die hun pauzes niet afstemmen op de tekst, maar ze inlassen als een soort zenuwtic die eerder gehoorzaamt aan de bevelen van de schijnwerpers dan aan de wetten van de prosodie. Ze moeten hem op zijn tanden hebben aangenomen. Die komen rechtstreeks uit een reclame. Inwendig noem ik hem dan ook Prodent.

In ieder geval knalde dat 'al', opzettelijk of niet, uit de zin alsof het de aandacht op zijn bijwoordelijke karakter wilde vestigen en mij wilde wijzen op de noodzaak een overeenkomst met de tijd aan te gaan. Iets waar ik overigens vanaf het moment dat ik mijn ogen open meestal uit mezelf al mee bezig ben. Of liever gezegd, ik word wakker van een gezoem als van een horzel, en mijn eerste pogingen zo 's ochtends vroeg om mijn wil te recruteren zijn er steevast op gericht listen te bedenken om die horzel te verjagen. Daarom irriteerde die vraag me enorm. Het was als hoofdpijn die net wanneer hij over lijkt te gaan weer erger wordt.

Daar komt bij dat ik het idee had dat het in strikt letterlijke zin niet voor het eerst was dat de jongeman met de volmaakte glimlach een toespeling op de tijd maakte.

Ik was even in de sauna geweest om te proberen de kater van een nacht vol akelige dromen te verzachten. Silvia en Josefina Carreras waren me in een bos aan het zoeken, op een boerenkar. De koetsier, die in dikke winterkleren onbeweeglijk als een standbeeld op de bok zat, bleek Raimundo te zijn. Het was aardedonker. Ze reden vlak langs me en ik verstopte me achter een boom omdat ik bang was. In de sauna was ik het lustobject tegengekomen. Weer terug op mijn kamer, die net schoongemaakt was en naar luchtverfrisser met bloemengeur rook, had ik me opgemaakt en verschillende klerencombinaties geprobeerd, maar ik had het ene kledingstuk na het andere op het bed gegooid, op zoek naar dat ene dat mijn kritische blik kon doorstaan. Kledingneurose. Onder dit kopje heb ik een heleboel notities in mijn kaartsysteem in Madrid. Er zijn dagen waarop de neurotische relatie die de vrouw met haar kleding heeft zich toespitst, vooral met pas aangeschafte kledingstukken, die na een paar dagen niet altijd genoeg impact blijken te hebben. In een soort vlaag van helderheid vermengd met onmacht vinden we ze ineens afschuwelijk en zien we hoe bedrieglijk en verbloemend ze zijn. Iets wat me nooit teleurstelt en wat ik daarom in dit soort situaties uiteindelijk altijd aantrek, is een gabardine mantelpakje dat al jaren oud is en dat niet probeert te ontkennen, zonder iets eronder en met een gebloemde sjaal in de hals. Behalve dat het een oude vriend is waarop ik kan bouwen, kleedt het me ook enorm af. Ik droeg het – ik weet niet of het je is opgevallen – toen ik je op de expositie van Gregorio Termes tegenkwam. Wat betreft mijn haar vind ik de laatste tijd dat ik het het best in een staart kan dragen. Dat zegt Raimundo althans. Ik heb nog het elastiekje waarmee ik het die laatste avond in zijn huis had samengebonden. Wat komen er voor de spiegel toch een hoop associaties en beelden in je op, Sofia, terwijl je bij wijze van houvast zoekt naar het meest geschikte uiterlijk om zonder de moed te verliezen het balkon van de nieuwe dag te betreden, waarvan we nooit weten wat die ons zal brengen.

Dit soort spelletjes, in eerste instantie bedoeld om je met je eigen lichaam te verzoenen zodat je geest zich daar prettig in voelt, overschrijden al spoedig de grenzen van de voorbereiding, nemen het heft in handen en geven je geen kans meer zelf nog beslissingen te nemen. Ze verdringen als het ware onze wil, die zich ten slotte neerlegt bij het feit dat de aan een zo zorgvuldige keuring verspilde tijd later goedgemaakt moet worden. Dus berusten we daarin en gaan slaafs bedelen om de keurende blik van een ander die het bereikte resultaat moet beoordelen, omdat er in onze eigen spiegel geen kwik meer zit. Na bijna een uur aarzelen tussen de extra tafel ontruimen om te gaan zitten schrijven, een dag lui bij het zwembad liggen of vanuit het dorp een bus nemen op zoek naar onwaarschijnlijke avonturen, was ik tot dat laatste geneigd.

De gast van kamer 204, die in de lounge in een krant zat te bladeren, stond op zodra hij me uit de lift zag komen en liep naar de balie om te vragen of er post was. Zijn vraag kwam pal na die van de receptionist aan mij, en dat hielp me tijd te winnen. We stonden haast tegen elkaar aan, hij rook naar goede aftershave en dat vragen naar post was een van de vele smoesjes die hij verzint om in mijn buurt te komen of mij vanaf een afstand met zijn ogen te volgen. De gedachte dat hij nog eens 's avonds vanaf zijn balkon de gesprekken die ik met de cassetterecorder voer zal afluisteren, geeft aanleiding tot gevoelens van zowel afkeer als nieuwsgierigheid, die iedere volgende ontmoeting een enorme geladenheid geven. Maar misschien zit dit alles ook alleen maar in mijn hoofd, want sinds ik hier ben is dat behoorlijk op hol geslagen, met een uitgesproken neiging naar erotische fantasieën. Ik heb hem maar één keer in het zwembad gezien. Zijn benen zijn een beetje dun naar mijn smaak, maar recht en stevig. Ik ben tot de conclusie gekomen dat zijn verhouding met het lustobject – zoals misschien wel zijn hele levensloop – gespeend is van iedere prikkel. Zij is vast zo'n vrouw die zegt: 'Niet nu, toe, je maakt m'n haar in de war.' In haar gezelschap vermijdt hij het naar mij te kijken, en het is wel eens zover gekomen dat ik mezelf wijs maakte dat we iets te verbergen hadden.

Ik bleef even afwezig voor me uit staren, bijtend op de nagel van mijn duim. Een gebaar dat jij kent, Sofia, en dat jij indertijd 'de dame zet koers naar Cairo' doopte, naar dat romantische liedje dat mijn moeder zong en waarvan ik de melodie ben vergeten. Jij herinnert je die ongetwijfeld nog wel. Gelukkig maar dat jij er bent.

'Tja,' zei ik peinzend. 'Het hangt namelijk niet af van wat ik wil.'

'Pardon, mevrouw, wat zegt u?' vroeg de receptionist, ook al richtte ik me duidelijk niet tot hem.

'Ik heb het over mijn beslissing om te vertrekken. Die hangt niet van mij af, snapt u? Of althans niet van mij alleen. Ik hoop dat u dat begrijpt.'

Er viel een stilte. Mijn buurman van kamer 204 stak zijn hand uit om de brief die de receptionist hem aanreikte aan te pakken, hij streek daarbij langs mijn arm en we keken elkaar even aan.

'Pardon,' zei hij zo zachtjes dat ik me niet geroepen voelde om met meer dan een soort zucht te reageren.

'U begrijpt het toch, hè?' hield ik aan.

'Natuurlijk, mevrouw. Misschien kunt u me morgen wel iets zeggen?'

Ik richtte mijn ogen op mijn postvakje. Mijn ademhaling gaat altijd sneller als ik dat doe. Het was natuurlijk leeg. Maar die constatering maakte me niet rustiger. De receptionist, die zag hoe gespannen mijn blik was, wekte niet de indruk dat hij van plan was iets ter verontschuldiging te zeggen.

'Voor u is er niets gekomen,' zei hij, zijn glimlach verbredend. 'Niets aan te doen!'

'Is er ook geen boodschap doorgegeven?'

Hij stopte zijn vingers in mijn vakje, als om zijn goede wil te tonen. We speelden allebei met een acceptabele mate van betrokkenheid, zelfs voor kritische toeschouwers.

'Ook niet, mevrouw, het spijt me zeer.'

'Wat vreemd!'

De envelop van mijn buurman was getypt en er stond een saai logo op, van een bank of een kantoor, dat kon ik niet goed zien. Maar de naam wel. Daniel Rueda. Dat hij geen buitenlander was wist ik al, want ik had hem wel eens horen ruziemaken met het lustobject. Ze maken vooral ruzie over geld. Want zij geeft heel veel uit. Andere gesprekken tussen hen tweeën die ik heb opgevangen, hoewel ik hen eigenlijk zelden samen zie, gaan over kruiswoordraadsels, een tijdverdrijf waar zij zich met grote ijver op stort, maar ogenschijnlijk met onvoldoende culturele basis om te kunnen zeggen volgens welke filosofische doctrine alles onontkoombaar door het lot bepaald wordt, negen letters, of hoe het Australische familielid van de hond, vijf letters, heet. Maar goed, het zijn dus Spanjaarden.

Hij ging weer in de stoel waaruit hij was opgestaan zitten en verdween daardoor uit mijn gezichtsveld, maar ik waarschijnlijk niet uit het zijne. Ik stond te overdenken hoe vervelend het moest zijn om halverwege de ochtend een dergelijke envelop open te maken en vroeg me af hoe lang het geleden zou zijn dat hij voor het laatst een brief had ontvangen die zijn hart sneller had doen kloppen, als hij er al ooit een had ontvangen. Hij lijkt een jaar of vijfenveertig. In zijn jeugd werden er nog liefdesbrieven geschreven. Lieve Daniel, Daniel, liefste. In godsnaam, Daniel, zeg me of je nog aan me denkt, zeg iets. Waarom schrijf je niet? Daniel. De naam leent zich ervoor. In een flits schoot de verleiding om deze streek uit te halen door me heen, maar toen leek het me ineens een idee voor een literaire tekst. Het zou een mooi begin zijn voor de roman waarop ik zit te broeden en die al zoveel embryonale aanzetten heeft. Met een bijpersoon openen biedt veel mogelijkheden, nietwaar, Sofia? Wat ik juist zo leuk aan jouw huiswerk vind is dat jij mevrouw Acosta vrijwel onmiddellijk ten tonele voert. Bijpersonen zijn fascinerend, als ze goed worden neergezet. Wel, Daniel Rueda zou in mijn verhaal de detonator kunnen zijn. In het vakje van kamer 204 ligt op een goede dag een brief voor Daniel Rueda, geschreven op lichtbruin papier. De brief wordt opgehaald door het lustobject.

Er vindt een hevige scène tussen hen plaats. Bijvoorbeeld in de eetzaal of op hun balkon, dat zien we later wel. Maar op een plek vanwaar ik flarden van hun woordenwisseling kan opvangen. Daniel zweert bij hoog en bij laag dat hij echt niet weet wie die geliefde is, maar in de dagen daarna kijkt hij me steeds onderzoekender aan, omdat hij het sterke vermoeden begint te krijgen dat ìk die lichtbruine brief wel eens gestuurd kan hebben, ik voel die verdenking en ben van mijn stuk gebracht, ook al laat ik dat nauwelijks merken. En toch, ik weet niet precies hoe ik het moet zeggen, kan het me eigenlijk ook weer niet schelen als men er wel iets van merkt, want je weet hoe ik ben, ik vind het best leuk om aanleiding tot extreme situaties te geven. Die sfeer van begeerte tussen ons beiden, gebaseerd op blikken over en weer, wordt intenser, en helemaal als hij doorkrijgt dat ik terrein begin te verliezen en me onzeker voel. Het intrigeert hem tekenen van onzekerheid te bespeuren bij iemand met een arrogante houding en een resolute tred, en hij legt zich erop toe me op die tekenen te betrappen. In zekere zin wordt hij dus een detective die mij bespioneert. Wat vind je ervan? Het zou een goed uitgangspunt kunnen zijn om het centrale thema langzaam maar zeker in te sluiten: de toenemende geestelijke desintegratie van Mariana León, die last heeft van achtervolgingswaan. Voor wie is ze op de vlucht? Waarvoor is ze op de vlucht? En in de lens van Daniel, die aanvankelijk werd aangetrokken door de schittering van het onbereikbare, worden de vervormingen van deze ziel in nood, haar veranderingen in houding en humeur gereflecteerd. Een effect dat natuurlijk moeilijk te bereiken is, maar heel suggestief, hè? Of het lukt of niet hangt helemaal af van de tekst van de brief, over de brief moet heel goed nagedacht worden. En ook over het doseren van de argwaan. Ter versiering van de plot zou de receptionist goed kunnen dienen, die door het vergelijken van mijn handtekening met het handschrift van de onbekende minnares een detectiveachtig karakter aan het speurwerk kan geven. Maar dat zou misschien een beetje geforceerd zijn.

Ik stond een poosje zonder iets te zeggen tegen de balie geleund. De ogen van Prodent, volledig losgekoppeld van zijn glimlach, vertoonden een vage onrust.

'Mag ik misschien even mijn formulier zien?' flapte ik er voordat ik het wist uit, en onmiddellijk had ik spijt van die misplaatste vraag.

'Welk formulier?'

'Dat ik toen ik hier aankwam heb ingevuld. Ik neem aan dat ik een formulier heb ingevuld.'

'Ja zeker, natuurlijk,' zei de receptionist verbouwereerd. 'Wilt u weten op welke dag u bent aangekomen?'

(Je kunt deze scène beter inkorten, want hij maakt de tekst heel warrig en leidt nergens toe. Het is een verkeerd spoor. Je moet deze vicieuze cirkel zo snel mogelijk doorbreken. Het hotel verlaten.)

'Ik ben nu eenmaal erg vergeetachtig,' antwoordde ik luchtig. 'Ik weet niet eens waarom ik u om dat formulier vraag, dus hoe kan ik dan weten hoeveel tijd er sinds mijn aankomst is verstreken. Maar het doet er niet toe. Laat maar zitten. Zolang je geen bericht ontvangen hebt, is het eigenlijk beter te vergeten welke dag het is en lekker van je vakantie te genieten, vindt u niet?'

De receptionist was in een ordner gaan graven en sloeg een paar verbaasde ogen op. 'Met zijn blik op de schijnbare leegte gericht', citeerde ik inwendig, die zin aan jou opdragend. Ditmaal duurde het even voordat de glimlach doorbrak. Zijn gebaren stokten. Ik geloof dat zijn verbazing overging in schrik.

'Zoals u wilt, mevrouw,' zei hij. 'In ieder geval...'

Hij bleef me aankijken, alsof hij mijn begripsvermogen wilde onderzoeken alvorens verder te praten. Ja, die receptionist moet erin, maar hij moet iets sinisters hebben, misschien in het zwart gekleed zijn, in een tijdloos pak. Dat zou een kafkaiaanse noot aan het verhaal geven. Bijpersonen hebben volgens jou altijd iets kafkaiaans. Hoewel je ook zou kunnen zeggen dat kafkaiaanse personages altijd iets van bijpersonen hebben. Hun naam wordt niet eens vermeld of is slechts een initiaal. Ze relativeren ons bestaan, maken het twijfelachtiger en hollen het uit. Aankomen betekent voor hen niet noodzakelijkerwijs ergens aankomen.

> Het was laat in de avond toen K. aankwam. Het dorp lag bedolven onder de sneeuw. Van de berg waarop het slot stond was niets te zien, hij was omgeven door mist en duisternis; zelfs niet het zwakste schijnsel duidde aan waar het grote slot lag. Lange tijd stond K. stil op de houten brug die van de grote weg naar het dorp leidde, met zijn blik op de schijnbare leegte gericht.

We kenden dit begin van *Het slot* uit ons hoofd en hadden het in onze geheimtaal opgenomen. Soms, wanneer ik zag dat je afwezig was en vroeg waaraan je zat te denken, en jij als enig antwoord je schouders ophaalde, met je blik op het plafond of op de lucht gericht, zei ik: 'Wat zit je weer met je blik op de schijnbare leegte gericht.' En dan was het alsof ik je een stuk touw toewierp om je weer aan boord te krijgen, de reddingsboei van de literatuur. En onmiddellijk verscheen er een glimlach, die glimlach van verstandhouding die onze band altijd weer herstelde, totdat ik het leven te serieus begon te nemen. 'Oké,' antwoordde jij dan, 'ik steek de houten brug over en dan ben ik zo bij je.' Emecé Editores, Buenos Aires, weet je nog? Het embleem van de uitgeverij was een opengeslagen boek met een hoofdletter E op elk van beide pagina's. Wat kunnen initialen toch suggestief zijn! Het komt ineens bij me op, dit even terzijde, dat de naam van de onbekende minnares mijn eigen initialen kan hebben. Magdalena Lastra, bijvoorbeeld, of beter nog Marta Lucena. Dat zou leuk zijn.

De receptionist hervatte, duidelijk met moeite, zijn onderbroken zin.

'In ieder geval,' zei hij nogmaals, 'als u langer wilt blijven, moeten we u misschien naar een andere kamer verhuizen. Naar een andere dan deze. Dat is wat ik u daarnet wilde zeggen, mevrouw. Begrijpt u? Naar een andere kamer. Maar dat zou dan wel een eenpersoonskamer zijn. Als u toch geen bezoek van iemand verwacht, vindt u het dan goed dat we u naar een eenpersoonskamer verhuizen?'

Hij sprak de woorden heel langzaam en zorgvuldig uit, alsof hij het tegen een buitenlander of geestelijk gestoorde had.

Ik wilde graag tot een volgende scène overgaan. Ik zei hem van niet, dat me dat absoluut niet kon schelen en dat ik ook geen bezoek van iemand verwachtte, maar wel bericht. Of hij zo vriendelijk wilde zijn me onmiddellijk te waarschuwen wanneer hij een brief, pakje of telegram voor me binnenkreeg. Dat was van fundamenteel belang, het enige echt dringende.

'Hoe laat het ook aankomt, begrepen?'

En in mijn stem zat zo'n oprecht smekende en geagiteerde klank, dat het mezelf alarmeerde. Pas op! M.L. nadert de grenzen van de waanzin.

'Maakt u zich geen zorgen, mevrouw, ik zal u op de hoogte houden. Maar u weet dat de post altijd op dezelfde tijd komt.'

Ik liep de hal door naar de hoofdingang. Een zijdelingse blik was voldoende om vast te stellen dat Daniel Rueda, ofte wel D.R., nog steeds mijn bewegingen volgde, maar ik dacht niet meer aan de brief die ik hem moest schrijven, maar aan de brief die maar niet kwam. De vaste overtuiging dat er opeens totaal onverwacht een brief in mijn vakje zal liggen overvalt me op de meest onvoorziene momenten, als de glimlach van het monster in griezelfilms. Ik moet erop bedacht zijn. Niemand mag iets aan mijn gezicht merken als ik hem ophaal. Maar die brief zal niets meer of minder betekenen dan dat ze me hebben ontdekt. Het zou het beste zijn hem niet eens te openen. Hem wel aannemen, als een alarmsignaal om een beter voorbereide vlucht te beginnen, waarbij niets aan het toeval wordt overgelaten. Met de taxichauffeur die me vanuit Puerto Real bracht (want uiteindelijk heb ik een taxi genomen) had ik bijvoorbeeld niet zoveel moeten praten.

Het was een koele ochtend met een stralende zon, waar zo nu en dan een grillige wolk voor waaide, een wolk zonder vaste bestemming, die zich vrij uiteen liet rafelen door de wind die ook onze verlangens en onze buien aanwakkert en verzacht. Ik zuchtte diep en stelde mezelf gerust met de gedachte dat er voorlopig nog niets gebeurd was dat me noopte een beslissing te nemen. Ik droeg heel comfortabel schoeisel, en terwijl ik over de flauw stijgende weg liep werd mijn ademhaling even licht als mijn voetstappen en voedde zich met frisse lucht, als een vlinder die met zijn vleugels slaat nadat hij bijna in de draaikolk van een rivier is verdronken.

Kijk eens om je heen, Mariana, strijk op aarde neer en geniet van wat je ziet; maar vooral van het feit dat je mag leven om het te zien. Je fantasieën reiken te ver, tot aan een plek waar bijna geen lucht is, waar je ieder besef van afstand verliest. Sta niet toe dat ze het heden verstoren, want daarvan genieten bestaat, zoals je drommels goed weet, uit het bijstellen van je denken, uit het inspecteren van dat mechanisme voordat je het in de zee van je dromen werpt. De fantasie en de logica moeten hand in hand gaan, als twee zusters, zodat hun bootje niet door het universum zal worden verzwolgen. Altijd samen, altijd hand in hand, je hebt dat zelf zo vaak gezegd. Juist omdat je deze raadgeving zo vaak herhaald hebt, ben je er misschien doof voor geworden. Maar probeer te doen alsof je hem voor het eerst hoort, alsof hij je wordt voorgehouden door iemand die veel van je houdt, laat hem diep tot je doordringen. Vertel eens, wie kan jou nu een brief schrijven als niemand weet waar je je verstopt hebt?

En toch zit ik op die brief te wachten. Hij kan elk moment komen. Omdat ik weet dat ze naar me op zoek zijn, Sofia. Dat weet ik zeker. En altijd, zelfs in het geval van de perfecte misdaad, laat de dader een spoor achter dat in zijn richting wijst. 's Avonds overvoer ik mezelf met detectives, en vroeg of laat neemt het gezicht van de detective altijd weer de hoekige trekken van Josefina Carreras aan.

De laatste keer dat ik met haar gepraat heb was vanuit de calle de la Amargura. Er schijnen zich momenteel geen ernstige problemen in mijn praktijk voor te doen waarvoor ik naar Madrid zou moeten terugkeren, maar in Josefina's stem klonken verontruste trillingen door. Wat was er met me aan de hand? Het leek wel alsof ik een ander mens was geworden, ze kon die wilde vlucht niet begrijpen, die plotselinge, merkwaardige verdwijning, zo zonder enige waarschuwing, slechts met achterlating van een kort briefje op haar bureau. 'Ik hoop dat je het niet erg vindt om me nog een paar dagen langer te vervangen. Mijn vriend is inmiddels buiten levensgevaar. Ik moet op reis. Ik bel je.'

'Gelukkig dat je belt,' zei ze. 'Ik was verschrikkelijk ongerust, Mariana, dat moet je begrijpen. Het is helemaal niets voor jou om zelfs geen telefoonnummer achter te laten, geen adres, niets.'

Ik kan er niet tegen gecontroleerd te worden. Daarom reageerde ik kortaf.

'Maak je geen zorgen, ik geef je nu mijn telefoonnummer. Maar geef het aan niemand anders, begrepen? Ik kom snel weer terug. Is er iets dringends geweest?'

Ze antwoordde van niet, dat dat niet het punt was, maar dat ze wilde weten wat er met me aan de hand was. Het enige wat zij dringend vond was te weten wat er met me aan de hand was, of wat er met me aan de hand was geweest.

'Want vertel me nu niet dat er niets gebeurd is,' drong ze aan toen ik bleef zwijgen. 'Ben je samen met je vriend?'

Met tegenzin gaf ik haar een onvolledige samenvatting van de situatie. Raimundo kent ze slechts uit indirecte informatie, maar ze mag hem niet. Ze zegt dat hij mijn leven ruïneert. Ik probeerde Raimundo uit te sluiten als aanstichter van mijn reis, waartoe ik deels besloten had – zei ik tegen haar – omdat ik na al die dagen in het ziekenhuis behoefte had aan een andere omgeving, maar vooral om professionele redenen. Ik voelde me verantwoordelijk voor een vroegere patiënte van me, die me heel erg nodig had en in wier huis ik logeerde. Gegeven het feit dat Silvia me net haar komst vanuit Carmona had aangekondigd, vond ik dat ik niet eens zo erg loog. Tegen Josefina lieg ik trouwens toch altijd een beetje omdat ze zo op mijn huid zit en de neiging heeft zich mijn wel en wee te veel aan te trekken, dat als haar zaak te beschouwen.

'Je bent onverbeterlijk, Mariana,' zei ze. 'Je bent overdreven toegewijd. Ik begrijp niet hoe je het volhoudt. En moet je zien wat je ervoor terugkrijgt.'

Ik voelde me ongemakkelijk onder die warme complimenten. Het contrast met het genadeloze beeld dat Silvia me over de telefoon van mezelf had gegeven was te schril. Maar ik heb haast liever die beledigingen dan de hondetrouw van Josefina. Al word ik natuurlijk het liefst helemaal met rust gelaten.

'Zeg alsjeblieft niet van die onzinnige dingen,' antwoordde ik ongeduldig. 'Soms praat je net als een dame van een theekrans. Ik voel me het slachtoffer van niets of niemand. Dat heb ik je al duizend keer gezegd. En als ik in de problemen zit, dan is dat mijn eigen schuld en niet die van iemand anders.'

Even later had ik er spijt van die toon tegen haar te hebben aangeslagen en bood haar mijn verontschuldigingen aan. Maar soms haalt ze het bloed onder mijn nagels vandaan met haar totalitaire meningen en haar absolute gebrek aan humor. Je zult je wel afvragen hoe ik dan met haar kan omgaan, en ik zou niet weten wat ik daarop moest antwoorden. Ze is een leerling van me geweest, ze heeft een heel ongelukkige jeugd gehad en we werken al acht jaar samen; kortom, het is zo'n samenwerking die onvermijdelijk is. Ik zie wel in dat ze trouw, eerlijk en competent is. Om het je helemaal duidelijk te maken, Sofia, ze grenst aan het soort van de kopiomanusjes. Ik neem aan dat je die niet vergeten bent. Zoals bijna alle kopiomanusjes is ze gespannen, drinkt niet en draagt een bril. Gemiddelde lengte.

Ik gaf haar het telefoonnummer van Silvia als *top secret*, en we spraken af dat ik haar, als ik aan het begin van de volgende week nog niet in Madrid zou kunnen zijn, zou waarschuwen. Ik heb geen zin om na te gaan waar die week gebleven is. Ze zei nogmaals dat ze me raar vond doen en dat ze nog steeds bezorgd was. Dat zal ze dan nu nog veel meer zijn, nu ik geen teken van leven meer heb gegeven en Silvia, met wie ze zich zonder de minste twijfel in verbinding zal hebben gesteld, over niet meer aanwijzingen aangaande mijn verblijfplaats beschikt dan die ze uit het gedicht van Pessoa kan halen. Tot nu toe wisten Josefina en Silvia niet van elkaars bestaan, maar ik kan me goed voorstellen dat de vonken van hun recente bondgenootschap afspringen en dat ze allerlei paniekerige verhalen hebben rondgestrooid, misschien samen met Raimundo. Want Raimundo hebben ze bij de zaak betrokken, dat is zeker. Met zijn drieën zijn ze op onderzoek uit. Met zijn drieën zijn ze aan het zoeken geslagen en snuffelen ze de omgeving af. 'Ze kan niet ver zijn,' fluisteren ze. Uiteindelijk zullen ze me wel vinden.

Ik ging zo op in mijn overpeinzingen dat ik schrok toen er een auto naast me stopte. Achter het stuur zat D.R. Ik was met een sprong opzij gegaan. Hij draaide het raampje open en het gezicht dat te voorschijn kwam vond ik ineens enorm alledaags en uitdrukkingsloos. 'Sorry,' zei hij. 'Heb ik u aan het schrikken gemaakt?'

'Een beetje wel, eerlijk gezegd,' gaf ik toe, terwijl ik hem strak aankeek, om me ervan te overtuigen dat ik hem niet net als mijn achtervolgers in mijn verbeelding zag.

Het beklemmende gevoel door hen ontdekt te zijn mondde heel even uit in een nieuwe angst. Nu zou ik D.R. een verklaring moeten geven over de lichtbruine brief. Waarom zou hij zich anders tot mij wenden? Maar opeens schoot het me te binnen dat ik die nog helemaal niet geschreven had.

'Dat spijt me,' zei hij. 'Ik wilde u alleen maar vragen of ik u ergens heen kan brengen. Dat doe ik met het grootste genoegen. Ik ga in de richting van Cadiz.'

Hij sprak gehaast, met een nasale stem zonder enige kleur. Ik had helemaal geen zin om hem aan het lijntje te houden.

'Dank u. Maar ik ga geen bepaalde richting op. En bovendien loop ik graag.'

'Ik heb u toch niet lastiggevallen?'

'Nee, absoluut niet.'

'Nou, prettige dag. En veel plezier op uw wandeling.'

'Hetzelfde. Tot ziens.'

Hij startte de auto en ik bleef even staan kijken hoe

hij wegreed. Ik glimlachte. Die goedkeurende blik van iemand anders op mijn uiterlijk had ik binnen. Nu moest ik alleen nog zorgen dat me iets opwindenders overkwam dan een avontuurtje langs de weg met zo'n oninteressante meneer. Die kan ik beter verbannen naar het atelier waar ik resten literair materiaal opsla. Het was voldoende hem te horen praten om hem uit te sluiten als hoofdpersoon van een romantisch avontuur in het echt. Maar dit was wel een scène die ik kan gebruiken voor mijn roman, al moet de dialoog anders. En natuurlijk ook de klank van zijn stem en de uitdrukking in zijn ogen. Want in het boek heeft D.R. de brief van Marta Lucena reeds ontvangen.

Voordat ik mijn weg vervolgde, keek ik of mijn schrift met notities in mijn tas zat. Maar nee, dus kon ik het beste naar een kantoorboekhandel gaan voor een doos goed briefpapier met bijpassende enveloppen. Ik had plotseling een ingeving gekregen. Ik had ineens ontzettend veel zin om in een café in het oude gedeelte van Cadiz te gaan zitten, daar een brief aan D.R. te schrijven en die werkelijk naar hem op te sturen. Ik wist nog een café in de callejón del Tinte, een grote met veel spiegels, waar ik wel eens met Manolo afsprak. Het zou er om deze tijd leeg zijn. Dat zou een heel aangename ochtend kunnen worden. Op literair gebied was ik verzekerd van avontuur. Het had slechter gekund. Neuriënd versnelde ik mijn pas.

Toen ik in het dorp aankwam, stond er een bus naar Cadiz op het punt om te vertrekken. Ik nam hem. Maar eerst kocht ik nog iets te lezen voor onderweg. Ter hoogte van San Fernando viel mijn oog op een bericht op een van de pagina's van de plaatselijke krant dat mijn adem deed stokken. Manuel Reina exposeert schilderijen in een galerie voor kunstenaars uit Cadiz. Verrassing is een haas, Sofia, en wie op jacht gaat zal hem nooit in het open veld zien slapen. Het is nu wel toepasselijk deze zin te herhalen, vanwege de overeenkomst tussen deze situatie en de eerste keer na al die jaren dat ik hem tegen je zei. Het is zonder meer duidelijk dat de haas zich graag op exposities van schilderkunst aan mij vertoont, na een aanval van kledingneurose die heeft geleid tot de keuze van het gabardine mantelpak met de bedrukte sjaal in de hals en zonder iets eronder. Er was een foto van de kunstenaar afgedrukt, waarop hij naast een van zijn olieverfschilderijen tegen een muur leunde. Je moest eens weten hoe de kunstenaar eruitziet, met een open wit overhemd en een leren jack, zijn haar een beetje in de war en onverschillig glimlachend. Het schilderij rook daarentegen naar bedrog. In zwart-wit is het natuurlijk niet goed te beoordelen, en al helemaal niet op slecht papier. Maar toch kun je zien dat hij van techniek is veranderd en zich heeft aangesloten bij de klodderaars. Vroeger maakte hij heel poëtische aquarellen, vol licht, van zeegezichten. Ook lijken de dingen die hij in het interview in de krant zegt niet overeen te komen met zijn manier van praten zoals ik me die herinner. Hij heeft het over het tellurische, over essentiële invloedssferen, over decontextualisatie. Terwijl hij altijd zo om dat jargon moest lachen!

Maar goed, hij is in Cadiz. En te oordelen naar de data van de expositie is hij er al een paar dagen, dus was hij er ook toen ik een ongetekend telegram naar New York verstuurde en de herinnering aan hem najoeg in straten en op plekken waar ik hem heel gemakkelijk had kunnen tegenkomen. Maar nee, ik ga liever goed voorbereid naar hem toe, want onze ontmoeting zou wel eens netelig kunnen zijn. Ik mag de mogelijkheid dat hij samen met de Amerikaanse galeriehoudster is gekomen niet uitsluiten, en niet vergeten dat zij vast degene is geweest die hem dat moderne jack dat hij op de foto draagt cadeau heeft gedaan. En hij heeft waarschijnlijk vergenoegd geglimlacht toen hij het paste. Ik zie hen gereflecteerd in een spiegel in hun Newyorkse appartement, zij staat achter hem en omklemt met verliefde ogen zijn middel. En hij draait zich om om haar te kussen: *'Thank you, honey.'* Want ze spreken uiteraard Engels, en zij... Maar goed, je moet niet aan haar denken. Zij maakt geen deel uit van je vrolijke stemming van deze ochtend en heeft ook niet het recht die te bederven. Weg met die galeriehoudster, doe alsof ze niet bestaat. Elimineer haar. Manuel kan je onmogelijk vergeten zijn. Je moet de dingen goed plannen. Je moet zorgen dat je hem in zijn eentje ziet.

Toen ik de bus uitstapte, voelde ik me herboren, opgeladen. Een fel licht verscheurde plotseling de nevelen van mijn fantasie en ontnam mijn sudderende hersenen hun substantie. De beelden van Josefina, Silvia en de gast van kamer 204 bliezen als gewonde draken de aftocht. Eindelijk ging er echt iets gebeuren, mijn hart klopte echt, ik zag echt die boten die in de baai voor anker lagen, mijn ogen maten afstanden, mijn lichaam kwam weer tot bloei, wat was het heerlijk om te leven! Ik kon niet voorspellen hoe de dingen zouden lopen, maar ik vond mezelf mooi in mijn gabardine mantelpak, en ik wilde niets liever dan me in het avontuur storten, de man die me 's nachts vanuit de cassetterecorder zegt: 'Kom hier, ik heb je nodig' in levende lijve tegenover me hebben.

Maar toen ik het interview in de krant rustiger en aandachtiger had gelezen, in de eerste de beste bar die ik was binnengegaan om na te denken en een glas wijn (wat er meerdere werden) te drinken, daalde de temperatuur van mijn enthousiasme enkele graden. Het was overduidelijk dat zij hem vergezelde. Hij sprak over haar als 'mijn manager', maar een paar regels verder liet het zelfstandig naamwoord 'specialiste' er geen twijfel over bestaan dat het over een vrouw ging: ZIJ. Ze had erop aangedrongen dat hij van stijl veranderde, hem discipline en doorzettingsvermogen ingeblazen, vertrouwen in zijn talent gehad en hem op de Newyorkse markt geïntroduceerd, waar hij nu naam begon te maken. Het succes van zijn laatste expositie in een galerie op Lexington Avenue bevestigde dat. En terwijl hij de interviewer wat knipsels van kritieken liet zien, was zijn commentaar: 'Zo zie je, Jesús, niemand is profeet in eigen land. Je moet naar het buitenland om erkend te worden.'

'Ja, om niet meer herkend te worden als je terugkomt,' barstte ik uit zonder te beseffen dat ik hardop praatte, totdat ik ineens een man in zijn eentje aan het tafeltje naast het mijne zag zitten, die me olijk en begrijpend aankeek.

'Pardon, dat slaat niet op u,' legde ik hem uit.

'Dat vermoedde ik al,' zei hij lachend, 'rustig maar, hoor. Er zijn met de dag meer mensen die in zichzelf praten. Hier in Cadiz hele hordes. U bent niet van hier, hè?'

'Nee, meneer.'

'Maar dat maakt niet uit, het is iets van deze tijd. Waar moesten de psychiaters van leven als er geen mensen waren die in zichzelf praten, zeg ik altijd maar.'

'U hebt volkomen gelijk,' mompelde ik onverstaanbaar, voordat ik me van hem af draaide om weer helemaal op te gaan in mijn bezigheid om alles wat Manolo zei af te kammen.

Voelde hij zich na die ervaring dus meer wereldburger dan *gaditano*? Nee dus, het bewijs daarvan is dat hij zijn terugkeer naar Spanje in Cadiz begon, als verplicht eerbetoon aan zijn geboorteplaats. Daarna, over een maand, zou diezelfde expositie naar Madrid en Barcelona reizen. 'Als ik natuurlijk niet hier al mijn schilderijen al verkoop,' zei hij tot besluit. 'Je bent wel hard geworden, Manolo,' was het commentaar van de interviewer. 'Zowel wat betreft je instelling als wat betreft je prijzen. Ze hadden je vroeger eens moeten zien!' 'De kunst heb ik altijd in me gehad,' was zijn antwoord. 'Maar ik geef toe dat je verandert als je de wereld in gaat. Dan leer je een heleboel, weet je.' 'Bijvoorbeeld?' 'Nou, bijvoorbeeld dat je als je je tanden niet laat zien wordt opgegeten.'

Even over tweeën, na steeds korter durende oplevingen, was er van mijn opgewekte stemming bijna niets meer over en was mijn wandeling door de stad veranderd in een soort pijnlijke vlucht zonder doel. Telkens wanneer ik een nieuwe straat insloeg of een boekhandel of café binnenging, keek ik voorzichtig en argwanend in de verte of de kust vrij was. Overbodig te zeggen dat mijn kledingneurose weer was opgelaaid, zodat ik een stuk of drie kledingstukken kocht die ik totaal niet nodig had. In de buurt van Puerta de Tierra, waar de expositie was, zou ik in geen geval durven komen, en op Manolo's oude nummer, dat ik achtereenvolgens vanuit een winkel en toen vanuit een telefooncel draaide, werd niet opgenomen. Mijn verlangen om hem in zijn eentje te zien nam omgekeerd evenredig toe met mijn zelfvertrouwen en met mijn vermogen een prikkelend en leuk voorwendsel te bedenken om dat voor elkaar te krijgen. Dat verlangen werd steeds hartstochtelijker, het benevelde mijn geest en verzwakte mijn wil om het te beteugelen. 'Ik kan het niet, ik kan het niet,' zei ik tegen mezelf. 'Ik weet niet wat ik moet doen. En ik moet iets doen.'

In het café in de callejón del Tinte, dat ik me als veilige haven om een brief aan Daniel Rueda te schrijven had voorgesteld, nam mijn gespannenheid wat af. In de eerste plaats omdat het er op die tijd – etenstijd – helemaal leeg was, en daarnaast omdat het aangename schemerdonker niet alleen tot nadenken noodde maar me ook, als edelstenen, momenten van die lang vervlogen zomer teruggaf die ik me anders altijd tevergeefs voor de geest probeer te halen.

Zonder aarzelen was ik naar een tafeltje achterin gelopen, hetzelfde waar Manolo – die me vanaf de andere kant onafgebroken zwijgend had zitten aankijken terwijl ik zat te oreren – voor het eerst zijn hand op de mijne had gelegd, die op het ronde tafelblad rustte.

'Vind je niet?' vroeg ik.

'Vind ik wàt? Wil je nog een sherry? Ik namelijk wel.'

Ik knikte. Hij stond op en ging nog twee glazen bestellen aan de bar, waar hij een tijdje met een paar vrienden bleef staan praten. Het begon donker te worden. Ik had hem net in de galerie waar zijn aquarellen werden geëxposeerd leren kennen. Ik dacht dat ik hem met mijn briljante woordkeus had geïmponeerd; maar toen hij terugkwam was het enige wat ik me afvroeg of hij zijn hand weer op de mijne zou leggen, en dat deed hij. Ik was niet in staat hem aan te kijken.

'Je praat veel, jij, schatje. En met die woorden bederf je alles, daardoor kun je niet genieten,' zei hij.

'Hoe weet je dat?'

'Ik heb het altijd in de gaten als er van iets te veel is, daar ben ik een expert in, ik weet wel dat het geen geld oplevert, maar ik beheers dat vak... Je vond mijn zeilbootjes mooi, hè? Oké. Dat heb ik allang gezien. Woorden dienen dikwijls om hetgeen er gezegd wordt juist te ontkrachten, om je van de wijs te brengen.'

'Geloof je dat?'

'Wat ik geloof is dat je me een beetje moet aankijken en niet zoveel moet denken. Ik vind het leuk als je me aankijkt.'

Ik deed het, en de druk van zijn vingers werd sterker.

'Dank je,' zei hij. 'Zullen we proberen eens even niets te zeggen, kijken wat er gebeurt?'

En plotseling was het leven tot rust gekomen in de ruimte tussen zijn ogen en de mijne, het was transparant en zacht gaan stromen, als het water van een rivier waaraan je je zonder angst kunt overgeven.

Ik probeerde eraan terug te denken. Manolo had die avond gezegd dat hij alleen maar schilderde als hij zin had, dat het leven en de kunst voor hem een avontuur waren en gelukkig-zijn het enige was waar hij naar streefde. Mijn hoogdravende betoog, dat hij met die onvergetelijke portie kijken volledig onderuit haalde, ging over hoe geweldig het is om hard te werken en over de mogelijkheid om ook de plicht tot een avontuur te maken, om je overtuiging in combinatie met je gevoel te laten bestaan en deze mengeling te zuiveren in de distilleerketel van de techniek. 'Mijn hemel, wat vreemd!' had hij lachend gezegd.

Waarom irriteerde het me nu dan zo dat hij als schilder succes had en daar blij mee was? Zijn verandering van stijl kon niet de enige reden zijn, want ik kon niet oordelen over schilderijen die ik niet had gezien en die me bovendien – dat moest ik eerlijk toegeven – totaal niet interesseerden. Mijn irritatie was geworteld in het feit dat ik weigerde te accepteren dat de Newyorkse galeriehoudster, die ik tot dan toe als een bijpersoon had willen zien, kennelijk zoveel invloed op hem had uitgeoefend.

In ieder geval kon ik pas geloof hechten aan die veranderingen als ik zijn gezicht had gezien. Hem zien was het belangrijkste ter wereld, in zijn ogen lezen of hij me vergeten was. Nee, dat kon niet zo zijn. Hij zei altijd dat hij me leuk vond omdat ik zo vrij was, omdat ik zo verrassend uit de hoek kon komen. Ik moest de gok wagen, ik moest per se weten of hij me nog steeds als tegengif tegen eentonigheid zag. Ik voorvoelde dat hij op datzelfde moment mijn aanwezigheid miste, zoals ik de zijne. Nu was het wel zo dat ik nauwelijks iets had gegeten en daarentegen flink had gedronken, maar dat plotselinge voorgevoel bracht me weer tot leven. Niets geen verwijten, gewoon de draad weer oppakken, 'gisteren zeiden we nog...', een oppervlakkige, sportieve houding. Waar hij zo van hield.

Ik pakte de doos met het lichtbruine briefpapier, die ik in een kantoorboekhandel had gekocht, met de bijpassende enveloppen. Op het deksel stond niet het vrijheidsbeeld zoals op dat van het papier dat ik voor het eerst gebruikte om jou, Sofia, de enige brief te schrijven die ik je, aan het begin van deze turbulente meimaand, heb gestuurd. Er stond een zeilboot op, ook niet slecht. Ik legde een vel papier op het marmer van het ronde tafeltje en begon te schrijven:

Lieve Manolo, ik zit in het café in de callejón del Tinte, waar je me voor het eerst hebt gezegd dat ik bij jou niet hoefde aan te komen met eindeloze verhandelingen. Ik wil niet naar je expositie, omdat ik het idee heb dat je gevaarlijk de kant van het geklodder opgaat, en omdat ze je in Yankeeland hebben aangestoken met een heel pedante manier van praten. Ik wil weten of je die alleen maar gebruikt om interviewers te antwoorden of dat je op je nummer gezet moet worden, zoals je mij eens op mijn nummer hebt gezet. Kortom, ik wil je zien, daar heb ik behoefte aan. Zonder veel gepraat. Gewoon om elkaar even in de ogen te kijken, om te zien wat er gebeurt. In principe is één uur voldoende. Heb je daar tijd voor?

Kijk in je agenda. Ik zal je wat speling geven. Overmorgenmiddag wacht ik vanaf zes uur op je in het tentje op dat lange strand waar we op een eeuwigdurende dag de schemering zagen invallen. Ik moest je van Rafa, de ober, de groeten doen, en hij is van mening dat je niet lang in Amerika zult blijven. Hij denkt dat we een stel vormen. Ik logeer nu in het viersterren hotel dat je vandaar kunt zien en dat jij me ooit hebt aanbevolen, zo een waar 's avonds een pianist speelt. *By the way*, we hebben nog een langzame dans te goed. Ik zou met een zekere Daniel Rueda kunnen gaan dansen, maar daar heb ik geen zin in. Die gedraagt zich als een zakenman. Ik hoop dat jij je dat niet ook hebt aangewend. Op de foto in de krant zie je er heel knap uit. Ik moet je horen en zien.

Ik wacht overmorgen op je in het strandtentje. Zoals jij zou zeggen, dit is een bevel. Een kus,

Mariana

Ik deed de brief zonder hem over te lezen in de envelop en plakte die dicht. Misschien had ik die opmerkingen over New York niet moeten maken, die klonken misschien wat verwijtend. Maar ondanks het feit dat ik iets van mijn euforie had teruggekregen, was ik bang weer te gaan tobben. Ik moest aan een van jouw gulden regels denken: 'Nooit iets doorhalen.' Ik mocht niet blijven twijfelen.

Ik stond op om naar de telefoon te lopen en merkte dat ik duizelig was en me aan de stoelen moest vastgrijpen. Mijn bewegingen waren ook niet bepaald zeker en gecoördineerd toen ik in mijn agenda het nummer van de ouders van Manolo zocht, dat ik noch onder de M noch onder de R kon vinden en dat uiteindelijk onder de O bleek te staan, waar ik ook de nummers van andere 'ouders' van vrienden en cliënten heb genoteerd. Ik draaide het nummer en kreeg een vrouw met een heel vriendelijke stem aan de lijn. Ik vroeg haar het exacte adres en of ik daar een brief voor Manolo in de bus kon doen.

'Jawel, maar ze verblijven in Hotel Atlántico,' zei ze.

'Maar ziet u hem dan niet?'

'Hem niet zien! Natuurlijk wel. Hij heeft gezegd dat hij vanmiddag langs zou komen.'

'Dan doe ik de brief in de bus, als u het niet erg vindt, want dat is voor mij dichterbij. U geeft hem wel aan hem, hè?'

'Maak je geen zorgen, meisje. Ben jij niet Rosalia?'
'Nee, ik ben een vriendin uit Madrid.'

Toen ik naar het portaal van dat huis toe liep, had ik trillende benen. Ik keek om me heen, maar zag niemand op straat. Even aarzelde ik, zou ik de envelop, die in mijn zak brandde, verscheuren of hem in de brievenbus gooien. Ik neigde over tot het laatste, dus deed ik dat pijlsnel, even zenuwachtig als iemand die ergens een bom plaatst. Toen rende ik het portaal uit, alsof ik voor mezelf op de vlucht was. Zo kwam ik bij de dichtstbijzijnde taxistandplaats, waar ik een taxi hiernaar toe nam. Bijna de gehele rit zat ik met mijn hoofd achterover en met gesloten ogen, zoals op die dag – ineens zo lang geleden – waarop ik met Raimundo van het ziekenhuis naar zijn etage in Covarrubias ging. Maar nu zat er niemand naast me om over mijn haar te strijken.

Dit alles is gisteren gebeurd, Sofia. Vandaag ben ik in het hotel gebleven om je te schrijven, en ik ben heel erg opgewonden. Ik zou er ik weet niet wat voor overhebben om te weten met wat voor gezicht hij de brief heeft gelezen en of zij bij hem was toen hij hem kreeg. Ik begin weer bang te worden, het geijkte spoor van onrust dat beslissingen genomen onder invloed van alcohol achterlaten. Aan de ene kant wil ik dat de tijd zo snel mogelijk verstrijkt, maar aan de andere kant heb ik het naar mijn zin zo, toegedekt door de spanning van het onbesliste, van wat op duizend verschillende manieren kan aflopen omdat het nog niet afgelopen is, veilig voor en tegelijkertijd gevangen in het web van de dingen die komen zullen.

Door jou te schrijven kom ik in ieder geval weer enigszins tot rust. Want de onzinnigste dingen lijken betekenis te krijgen als je ze opnieuw bekijkt. En dat is uiteindelijk het belangrijkste van je belevenissen, ongeacht hoe ze aflopen: het registreren van de aanloop ervan, nietwaar? Dat is wat jij hebt gedaan, alle bijzonderheden die aan onze ontmoeting vooraf zijn gegaan recapituleren, in je eerste portie 'huiswerk'. (Ik hoop trouwens dat je ermee door bent gegaan.) Het enige wat ik doe is jouw methode schaamteloos overnemen.

Wordt vervolgd, Sofia, al weet ik niet hoe.

Een kus,

Mariana

P.S. De gasten van kamer 204 zijn vandaag vertrokken. Maar zoals ik ze nu in mijn hoofd heb, als bijpersonen, zijn ze heel waardevol.

15 *Het rommelhok van Encarna*

Er is een kamer in huis die nooit enige bewuste verbouwing heeft ondergaan, maar die wel verschillende keren een ander uiterlijk en een andere naam heeft gekregen door de omstandigheden die ook ons ongemerkt hebben veranderd. Tegenwoordig heet hij 'het rommelhok van Encarna'.

Toen ze naar de schuil verhuisden, heeft Encarna een deel van haar spullen in die kamer laten staan omdat zij er altijd geslapen had, en eens in de zoveel tijd hernieuwt ze haar belofte één of meerdere middagen langs te komen om wat ze niet meer kan gebruiken weg te gooien en wat hier in de weg staat mee te nemen. Gezien haar geringe aanleg voor saneren en het definitief afdanken van dingen, is ze deze belofte natuurlijk nooit nagekomen. Maar aangezien ze er zelf rotsvast in gelooft en ons bovendien, op aandringen van Daría, toestemming heeft gegeven de laden en planken die vrij zijn gekomen voorlopig (typisch een uitdrukking voor haar) te gebruiken, komt daar alles terecht wat we niet meer nodig hebben of waarvan we niet weten waar we het moeten laten. Voorlopig maar naar het rommelhok van Encarna, later zien we wel weer. En zo is er langzamerhand een chaotisch geheel ontstaan van wat er al was en wat daar steeds bijkwam en heeft deze kamer, die uitkijkt op de binnenplaats en achtereenvolgens 'het blauwe kamertje' en 'de bok' werd genoemd, als rommelhok, meer nog dan toen Encarna er sliep, die zonderlinge mengeling van beschikbaarheid, schemerigheid en wanorde verkregen die eigen is aan het karakter van zijn bewoonster. Het hele vertrek is één voorlopige bergplaats, met nadruk op het woord 'voorlopig', en het heeft de voor genereuze geesten zo kenmerkende eigenschap om noodgevallen, smarten, geheimen en pelgrims van welk ras of welke herkomst dan ook onvoorwaardelijk onderdak te verlenen. Iets wat net zo moeilijk valt te definiëren als een geur, maar ook even onmiskenbaar is.

En wanneer er iets voorgoed kwijt lijkt te zijn, komt dat vroeg of laat vrijwel zeker weer te voorschijn in het rommelhok van Encarna, ook al herinnert niemand zich het daarnaar toe gebracht te hebben. Maar over het algemeen gebeurt dat niet als je het zoekt, dan juist niet. Meestal vinden we dan echter wel iets anders, waar we ons bij een andere, vergelijkbare gelegenheid wild naar hebben gezocht, alsof de tijd met deze kleine pesterijen, valstrikken en troostprijzen wil laten zien dat hij zich slechts houdt aan de wetten van zijn heer en meester de gril en dat hij voor verrassingen zorgt als hij daar zin in heeft, kortom, dat hij het voor het zeggen heeft. En het merkwaardige is dat we ons hierover telkens weer verbazen, als over een fenomeen dat zich voor de eerste keer voordoet en waarvoor een logische verklaring gezocht moet worden. 'Wel heb ik ooit, moet je zien waar hij ligt, terwijl ik al zo vaak in deze la heb gezocht! Wie zou hem daar hebben opgeborgen? De grote schaar! Maar ja, wel een beetje laat...'

Laat of niet, de tijd is de baas, zowel in wat hij beslist als in wat hij geeft, als we wat hij geeft tenminste dankbaar en met een vriendelijk gezicht in ontvangst weten te nemen. Als je de uren openbreekt zijn ze haast nooit leeg, vrijwel ieder uur draagt iets in zich, wat we echter niet kunnen ontcijferen of waarvoor we onze neus ophalen omdat we er slechts met domme hardnekkigheid in geïnteresseerd zijn of het overeenkomt met wat we hadden gevraagd. Maar nee. Het komt haast nooit overeen, daar kun je maar beter aan wennen. De uren van het leven zijn als Sinterklaas. Maar dan wel volgens het motto 'graag of niet', ze houden niet van gebedel en geklaag. Het pact dat ze je voorstellen en de vrucht die ze je aanbieden ronduit weigeren is vroegtijdig de basis voor arteriosclerose leggen. En als je akkoord gaat, doe dat dan vol overtuiging en met een alerte blik, want zo kunnen je onverhoopt fooien ten deel vallen. Verrassing is een haas, dat is bekend, en wie op jacht gaat zal hem nooit in het open veld zien slapen. Maar we vergeten dat op het moment dat we ons er het meest bewust van moeten zijn. Zelfs ik, die dat zinnetje zo vaak zegt.

Ik heb trouwens zitten kijken naar de collage van de witte haas die midden op een cocktailparty opduikt zonder dat iemand, afgezien van twee kleine meisjes, hem in de gaten heeft, een surrealistische heraut die, temidden van spiegelscherven, voorin mijn eerste schrift staat. Om dat van de rode jurk goed te vertellen ben ik met een derde begonnen, klaarblijkelijk na negentien dagen. Wat gedraagt de tijd wanneer je schrijft zich toch vreemd! Die is inderdaad de baas en doet zich gelden als een absoluut heerser. Vooral wanneer we meenden dat zijn invloed niet meer gold en hij na een lange afwezigheid weer binnenstormt, klaar om ons in zijn roes mee te slepen en iedere schijn van gelijktijdigheid onderuit te halen, als een tirannieke orkaan die ons optilt en door de lucht laat buitelen om ons neer te zetten waar het hem goeddunkt. Geef je aan hem over, Sofia, wees niet bang, want dat maakt het alleen maar erger. Trotseer die draaikolk. De tijd staat niet toe dat je tegen de bochten in de weg protesteert of dat je je ogen dichtdoet of je een andere route voorstelt. Besluit hij dat je het rommelhok van Encarna binnen moet gaan? Laten we dan maar gaan. Straks zul je ongetwijfeld begrijpen waarom je er binnen bent gegaan.

Gisteravond was ik heel onrustig en ben ik bezweken voor de verleiding foto's van toen de kinderen klein waren te gaan zoeken. Ik houd er niet van foto's in een album te plakken, dat vind ik net zoiets als vlinders opprikken in plaats van ze te vangen om ze slechts even van dichtbij te bewonderen en dan weer weg te laten vliegen, dus slingeren ze hier altijd los rond, tussen brieven en papieren of in boeken. Kortom, het stapeltje dat ik juist zo graag wilde bekijken kwam niet te voorschijn: twee zwart-wit rolletjes die mijn schoonzusje Desi op het strand van ons heeft gemaakt in die zomer die we bij hen in Suances hebben doorgebracht, na mijn laatste bevalling.

Higinio, haar man, had daar een oud zomerhuis van twee verdiepingen gekocht, dat had toebehoord aan een illustere familie die aan lager wal was geraakt en door veelvuldige twisten in kampen was verdeeld. Het huis had al een paar jaar leeggestaan en verkeerde in een vergevorderde staat van verval, naar ze vertelden. Higinio had het vanbinnen gemoderniseerd en kosten noch moeite gespaard om het zo comfortabel mogelijk te maken. Maar de voorgevel en de tuin had hij intact gelaten en slechts hier en daar wat onvolkomenheden weggewerkt.

'Aan deze tuin heb ik veel te danken,' placht hij te zeggen. 'Hier, op deze bank, ben ik een man geworden.'

Zijn vader had daar jarenlang als tuinman gewerkt, en soms, wanneer Higinio zich de hele week goed gedragen had, mocht hij met hem mee. Wel werd hem op het hart gedrukt dat hij niemand last mocht bezorgen, dat hij zich heel rustig moest houden en alleen zijn mond mocht opendoen om iemand te groeten of als hem iets gevraagd werd.

'En daar hield ik me strikt aan,' verklaarde hij. 'Niemand bracht me in de verleiding ongehoorzaam te zijn. Het waren natuurlijk andere tijden. En nu ik daar van een afstand op terugkijk, lijkt het me goed. De hoge heren op hun plaats. Als we niet gelijk zijn, nou, dan zijn we dat maar niet, waarom zouden we onszelf voor de gek houden. En laat degene die hogerop wil komen maar zweten, zo zit de wereld nu eenmaal in elkaar.'

Terwijl hij op die bank in de tuin, onder de oude magnolia, zat te kijken naar de witte, vluchtige schimmen die zich voor zijn ogen grillig over de bovengalerij bewogen, over de met palmen geflankeerde paden liepen of met onbegrijpelijke vanzelfsprekendheid de trappen naar dat onbekende paradijs beklommen, waren voor het eerst gedachten aan maatschappelijke revanche en ambitieuze toekomstdromen bij Higinio opgekomen, en hij had zichzelf gezworen die te blijven voeden tot hij net zoveel geld had als die hoge heren.

Tegenwoordig heeft hij volgens Eduardo meer dan

zij ooit hebben gehad. Een *light* versie van Heathcliff, want ik geloof niet dat een van die ijle vrouwenschimmen die hij vanuit de tuin bespiedde ooit zover is gekomen uit liefde voor hem te willen sterven of zelfs maar een zucht te slaken. Hij bezit niets van duivelse charme, hij is een grappenmaker, ondernemend en maniakaal wat betreft orde en netheid. Verder is hij nogal lelijk. Hij moet nu de zestig gepasseerd zijn maar ziet er prima uit voor zijn leeftijd, want hij verzorgt zichzelf goed. Hij is met Desi getrouwd toen hij al in de vijftig was en ze hebben geen kinderen. Hoewel ze vaak over adoptie praten, hebben ze daar uiteindelijk nooit toe kunnen besluiten. Dus wanneer die mogelijkheid weer eens ter sprake komt, merk je dat zij is gaan behoren tot het meubilair van die zolder waar we de dingen waar we spijt van hebben of die mislukt zijn opslaan, om op latere leeftijd te proberen ze anderen bedekt met een laagje poedersuiker voor te schotelen.

De rechtervleugel van de benedenverdieping hadden ze bestemd voor gasten – drie slaapkamers, een zitkamer en twee badkamers – alles uiterst verzorgd en gloednieuw, maar met hier en daar nog één van de solide meubels en schilderijen van enige waarde die de vorige familie in het huis had achtergelaten om de prijs wat te verhogen. Hoewel ik moet toegeven dat het geheel harmonieus was, maakte dat contrast me toch onrustig, alsof het in het drijfzand van mijn persoonlijk leven de echo's opriep van een ingehouden strijd tussen het oorspronkelijke en het onechte, en het onbehaaglijke gevoel vanwege die wrijving tussen twee mij vreemde tijdlagen voegde zich ten slotte bij mijn eigen onvermogen me aan het heden aan te passen en me met het verleden te verzoenen. Bovendien bleken de kamers, die wij als eersten bewoonden, ook al waren ze dan ingericht met zelfs overdreven veel smaak, kil en somber, want de gevel lag op het noorden en was zo dicht begroeid met klimop dat ook de ramen gedeeltelijk waren bedekt, met als resultaat natuurlijk veel minder licht. Maar Higinio weigerde de plant te snoeien, want zijn vader had die altijd zo gelaten en de vroegere eigenaars hadden dat gerespecteerd.

Dit alles, in combinatie met het gevoel van onbehagen dat door verandering van omgeving in mij wordt opgewekt en dat gewoonlijk sterker wordt wanneer de plannen voor de zomer ter sprake komen, de vermoeiende reis en mijn bezorgdheid omdat Amelia, die tanden aan het wisselen was, diarree had, blokkeerde vanaf de avond van onze aankomst mijn toch al behoorlijk afgenomen vermogen om in andermans vreugde te delen of de draad te volgen van een verhaal waarbij ik me niet betrokken voelde. Ik werd gek van de rondleiding door alle delen van het huis waar Desi en haar man ons direct na aankomst aan onderwierpen en was niet in staat te luisteren naar hun gedetailleerde verhalen over de verbouwing, over de verbetering van het geheel ten opzichte van de oude, veel onlogischere indeling en naar de geschiedenis van ieder voorwerp. Het was als onophoudelijk bestookt worden door een gids, maar dan erger, want in dit geval waren het er twee, die elkaar ook nog voortdurend in de rede vielen. Een gewoonte die ze er trouwens ook op na houden wanneer ze geen huis laten zien en waar ze zelf plezier in hebben, omdat ze die als de vrucht van hun affectieve symbiose beschouwen. Bij Desi heb ik me altijd een beetje ongemakkelijk gevoeld, omdat ze zo nadrukkelijk optimistisch en actief doet. Ze is niet bepaald een van de mensen die ik graag bij me zou hebben als ik zin had om te huilen. En die avond had ik daar ontzettend veel zin in. Ik kon haast geen adem krijgen. Het was de hele dag verschrikkelijk warm geweest en er hing onweer in de lucht.

Ik herinner me dat ik zodra we uitgegeten waren van tafel ben opgestaan, Lorenzo en Encarna in hun respectievelijke kamers in bed heb gelegd, en, eenmaal in onze eigen slaapkamer, terwijl Amelia haar pap kreeg en Eduardo veilig zat na te tafelen, mijn tranen de vrije loop heb gelaten in een korte, gesmoorde huilbui, zo een die ik een noodklep noem, onontbeerlijk om je verdriet kwijt te kunnen, maar waarvan je niet kunt genieten of waarbij je niet kunt wegdromen. Toen Eduardo in de kamer verscheen, had ik de baby net een schone luier omgedaan en in de wieg gelegd en zat ik met afschuw naar de halfuitgepakte bagage te kijken. Maar mijn ogen waren al weer droog. Toen er een donderslag klonk stond ik op om het raam, dat klapperde in de wind, dicht te doen. Het regende. Godzijdank. Even snoof ik genietend de geur van natte aarde op, alvorens weer terug te keren naar mijn wankele innerlijke wereld, waarvan de futiliteit contrasteerde met de woeste kracht van de natuur. Je hoorde grote druppels kletsend neerkomen op het grind in de tuin en het indrukwekkende gefluit van de plotseling opgestoken wind in de takken van de bomen. Eduardo was blijven staan, met zijn handen op zijn rug, en toen ik me omdraaide kruisten onze blikken elkaar. De zijne was streng. Onmiddellijk begon hij me mijn negatieve houding te verwijten, de ontevredenheid die continu op mijn gezicht stond te lezen en het zichtbare gebrek aan aandacht dat ik tentoonspreidde wanneer anderen het woord tot me richtten. Ik besefte niet hoe arrogant dat gezicht kon overkomen.

'Welk gezicht?' vroeg ik, het na een moment van ontspanning opnieuw fronsend.

Hij duwde me ruw voor de grote spiegel boven de kaptafel en deed de drie-armige lamp die daarboven hing aan. Hij hield me bij mijn schouders vast, alsof hij bang was dat ik ervandoor zou gaan.

'Dàt. Dat gezicht. Zie je?'

Ja, ik had het gezien. Ik maakte me van hem los en deed het licht uit, dat op de wieg van de baby scheen. Ik kan me die scène haarscherp herinneren, want toen ik een paar jaar later naar de psychiater ging en hij me vroeg van wanneer dat gevoel met een vreemde samen te leven dateerde, was dit beeld van ons tweeën in de spiegel, terwijl buiten de regen kletterde, het eerste wat in me opkwam. Op mijn gezicht had ik iets ontdekt wat sterk leek op haat.

'Het komt doordat ik niet graag mishandeld word. Ik weet niet of je dat weet,' zei ik. 'Of liever gezegd, ik denk dat je dat niet weet. Want je weet haast niets van mij.'

Hij was zo perplex dat het even duurde voordat hij reageerde. Ik was gewend altijd mijn mond dicht te houden, en die slechte gewoonte heb ik nog steeds. Je slikt de dingen steeds in en vervolgens explodeer je op een volkomen onverwacht moment, tot onbegrip van degene die deze onbestemde uitbarsting van ongenoegen, waarvan de oorzaak niet duidelijk wordt, over zich heen krijgt. Bovendien geef ik toe dat de term mishandeling volgens het huwelijksrecht niet juist was, want Eduardo had wel eens met een deur gegooid maar nog nooit zijn hand tegen me opgeheven. Dus dat greep hij onmiddellijk aan.

'Wat noem je mishandeld?' vroeg hij.

Ik haalde mijn schouders op en voelde me plotseling heel slap worden. Ik merkte dat mijn tranen, het meest geslepen wapen van de vrouw om de dingen niet helder te hoeven zien, weer mijn vermogen begonnen te vertroebelen om in logische bewoordingen de zaken die mede door mijn schuld zo verward waren geworden uit te leggen. Bij het minste of geringste teken dat iemand een aanmerking op mijn gedrag ging maken kroop ik altijd in mijn schulp, als een slak in haar huis. Ik moest aan Mariana denken, zoals zo vaak bij een dergelijke inzinking. Zij had me evenmin lichamelijk mishandeld, ze had gewoon geweigerd mijn behoefte om me uit te spreken te begrijpen. Maar had ik echt mijn uiterste best gedaan haar die behoefte duidelijk te maken door te appelleren aan een logica waarbij gestotter en tranen waren uitgesloten? Het antwoord is nee. En ik verlangde ineens hevig naar dat gouden tijdperk van onze vriendschap, waarin geen ingewikkelde verklaringen nodig waren om elkaar te begrijpen, waarbij een van de twee maar een zweem van droefenis op het gezicht van de ander hoefde te ontwaren om die dan onmiddellijk met een liefkozend gebaar of een grap te verdrijven. 'Wat zit je weer met je blik op de schijnbare leegte gericht, Sofia.' En de leegte werd schijnbaar en vulde zich met hoop. En de gouden zomers waarin nooit iets gebeurde volgden elkaar op, maar het onverwachte kon altijd elk moment plaatsvinden. 'Nooit weer,' zei de raaf. 'Nooit weer.'

Eduardo voelde zich sterker door mijn zwijgen.
'Ik begrijp je niet, Sofia, ik begrijp je werkelijk niet,' zei hij. 'Heb je het over iets wat vandaag is gebeurd?'
Ik keek hem in gedachten verzonken aan. Ik zag hem wazig door mijn tranen heen. Vandaag? Waar kwam dat 'vandaag' vandaan?
'Of ik het waarover heb?'
'Maar wat is er met je? Hoezo waarover? Over mishandeling. Laat me alsjeblieft niet mijn geduld verliezen. Zeg op. Waar heb je het over?'
'Ik weet het niet. Niet over iets concreets. Het zijn dingen die je voelt, maar niet kunt uitleggen.'
'Vooral als je het niet probeert!' schreeuwde hij.
Ik zag in dat hij gelijk had en wist niet hoe ik hem tot bedaren moest brengen. Het enige wat ik op dat moment wilde was zand over dat onderwerp met zulke onprettige vertakkingen gooien. En dat hij ophield met schreeuwen, want zo maakte hij de baby misschien wakker.
'Laat maar, sorry. Je hebt gelijk. Laat heus maar, het komt waarschijnlijk doordat ik moe ben.'
Buiten zichzelf keek hij me aan. En ik realiseerde me, net als andere keren, dat je de woede van iemand niet kunt verzachten als je niet diep in je hart enige vorm van liefde voor de persoon die boos is voelt. Anderzijds was ik degene die huilde, en zolang dat gehuil betekende dat ik mijn behoefte om onvoorwaardelijk geaccepteerd te worden boven andermans vraag om begrip stelde, bleef het twistpunt bestaan. Niets ter wereld is absurder en vervelender dan een echtelijke ruzie.
'Ja, "laat maar", maar je zit te huilen,' barstte hij uit. 'En iemand huilt niet van moeheid. Wat wil je, zeg het

dan? Wat kom je te kort? Dat je mishandeld wordt! Dat is het toppunt! Jij gaat door het leven alsof iedereen bij je in het krijt staat. Houd in ieder geval op met huilen! Ik ben het zat. Een mens weet niet meer wat hij moet doen om jou ergens enthousiast voor te maken, ik meen het serieus.'

Het woord 'serieus' staat in mijn geheugen gegrift als de kwalificatie van dat moment, want plotseling, gewaarschuwd door een vrijwel onhoorbaar geluid, droogde ik mijn ogen en richtte ze op de deur. Die was langzaam opengegaan en op de drempel stond Encarna, op blote voeten en in haar nachtjapon. Met wijd opengesperde ogen stond ze roerloos naar ons te kijken. Ze droeg die zomer vlechten.

'Waarom huil je mama?' vroeg ze zonder een spoor van verlegenheid, eerder op onderzoekende toon.

Haar vader, die met zijn rug naar de deur stond, draaide zich als door een adder gebeten om, terwijl ik trachtte weer dat verbitterde gezicht te trekken dat aanleiding tot de ruzie had gegeven.

'Ik huil niet, schatje. Ik ben alleen een beetje nerveus.'

'Je huilt wel, hij maakt je aan het huilen,' hield ze aan.

'Dat mag je niet zeggen. Papa is heel aardig.'

Eduardo sprong uit zijn vel.

'Wat een mooi begin van de zomer!' explodeerde hij. 'Wil je wel eens gauw naar je bed gaan en ons met rust laten?'

We waren allebei naar de deur gelopen. Ik ging op mijn hurken zitten en nam haar in mijn armen.

'Kom, liefje, het is heel laat. Waarom slaap je nog niet? Ik dacht dat je al sliep.'

‘Ik kan niet slapen, ik ben bang. Er lopen mensen in de tuin.’

‘Natuurlijk niet, dommerdje, dat is de regen.’

‘Nee. Het is iets anders. Weet jij wat het is?’

Ze omklemde mijn nek en wilde iets in mijn oor zeggen, maar haar vader trok ons zonder enige consideratie uit elkaar. Sinds de geboorte van Amelia was Encarna overduidelijk jaloers en eiste voor zichzelf een aandacht op die haar nooit door iemand was onthouden. Haar broer had haar nooit overschaduwd en nooit enige afgunst in haar opgewekt. Integendeel, juist moederlijke gevoelens, de behoefte om hem te beschermen. Waarschijnlijk omdat toen ze leerde praten ‘Zenzo’ al deel uitmaakte van de elementen waarmee haar taal zich begon te verrijken, of omdat hij zich, ondanks dat hij een jongen was, altijd schikte naar haar bazigheid; een onderworpenheid die volgens Amelia nog steeds niet helemaal verdwenen is. Het is waar dat ze vanaf dat ze heel klein was opviel omdat ze zo bijdehand, ondernemend en verstandig was. Daarom is het des te merkwaardiger dat ze, toen ze al een beetje Engels sprak, zonder haperen kon lezen en een van de leiders van haar klas was, plotseling zo kinderachtig ging doen, in het bijzonder in haar affectieve relatie tot mij. Eduardo beweerde, en mogelijk had hij gelijk, dat ik meewerkte aan die terugval, omdat ik te toegeeflijk was.

‘Kom, dan gaan we,’ zei ik tegen haar, ‘ik breng je naar bed en dan vertel je me alles wat je wilt.’

‘Ze heeft geen reden jou iets te vertellen wat ik niet mag horen,’ zei Eduardo zeer geprikkeld. ‘Nu is het afgelopen met die nukken en grillen die nergens op slaan, Encarna. Je bent acht.’

'Nou en?' zei zij. 'Grote mensen hebben ook geheimen.'

En ik zag dat het haar net zoveel moeite kostte als mij om niet te gaan huilen. Haar vader pakte haar bij de hand.

'Nu is het uit!' zei hij autoritair. 'Of ìk breng je naar bed, of je gaat alleen. Je mag kiezen.'

Ze liet de hand van haar vader los en sloeg haar ogen neer.

'Ik ga liever alleen,' zei ze. 'Welterusten.'

En met een verongelijkt gezicht liep ze weg.

Toen we weer alleen waren, werd het geluid van de regen op de bomen in de tuin sterker. Ik had een brok in mijn keel en spitste mijn oren om te horen of Encarna in de aangrenzende kamer lag te huilen en ik zodoende een excuus zou hebben om naar haar toe te gaan. Maar er was niets te horen, slechts de wind die de takken van de bomen geselde en het geluid van de regen. Misschien had ze haar hoofd onder de lakens verstopt om te huilen, net zoals ik deed toen ik klein was. En opnieuw voelde ik de messteek van het verleden waardoor het onmogelijk voor me was me aan het heden over te geven en dat te begrijpen. Nee, niet net zoals ik, het was anders. Ik had me haast nooit door mijn moeder gesteund gevoeld. Maar ineens begon ik te twijfelen. Was ik er wel zo zeker van dat het anders was? Wist ik dan wel wat Encarna op dat moment van mij nodig had? Ja, natuurlijk wist ik dat: onvoorwaardelijke liefde. Maar de anderen waren er ook nog, ik had ook te maken met de verantwoordelijkheden die mijn meervoudige moederschap me oplegde, en met Eduardo, en met de maatstaven van Eduardo, en in de eerste plaats met mijn geheime behoefte om alleen te zijn. Het ging erom een harmonieus evenwicht te bewaren tussen allerlei tegengestelde krachten: dat was de clou van de zaak. En in een vlaag van helderheid begreep ik dat praten met Eduardo over deze zaak – of zaken – waarvan het belang voor mij buiten kijf stond, een stap in de richting van volwassenheid zou betekenen, en dat ik niet langer moest wachten met het zoeken naar de juiste toon om al die hangende kwesties in één keer te analyseren. Dit moment leende zich ervoor, waarom wachten tot een volgend?

En ik vond het ongehoord dat hij de stilte verbrak om weer verder te gaan met het gesprek dat we voerden voordat Encarna in de deuropening was verschenen, alsof haar woorden door de nachtelijke stormwind waren weggeblazen, zonder een spoor achter te laten.

'Wie heeft je mishandeld, zeg dan? Hebben ze je hier slecht ontvangen?'

Ik zei van niet, dat hij het moest vergeten, dat het er op dat moment niet toedeed. Maar hij vond dat het er wel toedeed, het was het enige wat hem nog bezighield. Weer totaal apathisch ging ik met neergeslagen ogen op bed zitten. Hij ging maar door en eindelijk kwam eruit wat hem het meest gekwetst had: mijn onaardige houding tegenover zijn zusje. Volgens hem had ik veel te weinig laten zien hoe fijn ik het allemaal vond en hoe dankbaar ik was, niet genoeg over het huis gejuicht en het weergaloze talent van Desi voor woninginrichting niet genoeg geprezen.

In de loop van die zomer werd de band tussen Eduardo en zijn zus steeds sterker. Hij had haar altijd mateloos bewonderd en kreeg er nooit genoeg van haar gaven als huisvrouw en partner op te hemelen: Desi's energie, de *touch* die ze aan haar gerechten weet te geven, zo goed als ze haar man begrijpt, haar tact, haar altruïsme. Als ze samen waren en ik kwam eraan, hielden ze plotseling hun mond. Maar dat kon me niet schelen, ik werd er zelfs niet nieuwsgierig van. Bovendien voelde ik me evenzeer buitengesloten van de gesprekken die ze in mijn aanwezigheid voerden en deed ik ook niet altijd mijn best daaraan deel te nemen. Ze hadden het meestal over uitstapjes die ze van plan waren in de omgeving te gaan maken, over lekker eten, over automerken en vooral over wat een goede aanschaf het zomerhuis was geweest, door te profiteren van de financiële problemen van een thans uiteengevallen familie.

'Zo gaat dat,' was Desi's commentaar, 'vader werkt op het land, zoonlief is van stand, kleinzoon lanterfant.'

Higinio stak een sigaar op en inhaleerde met zichtbare voldoening de dampen.

'Wie had dat kunnen voorspellen! Als mijn vader zaliger dit eens had kunnen zien!' zei hij, terwijl hij vanaf het terras, waar een dienstmeisje ons koffie serveerde, naar het donkere gebladerte in de tuin zat te kijken.

Het was een heel sombere, naargeestige tuin – stelde ik vast – niet zozeer door die dikke, dichtbegroeide bomen als wel door de ongrijpbare aanwezigheid van de mensen die hem vóór ons hadden bewoond en blijkbaar niet al te veel geluksvibraties in de lucht hadden achtergelaten.

Ook Encarna vond de tuin niet vrolijk en speelde er niet graag. Maar ze bekende me dat alle verhalen die ze voor het slapen gaan bedacht in een grote stoet vanuit de tuin door het raam naar binnen kwamen en met zijn allen in haar hoofd gingen zitten. En dat vond ze leuk maar ook eng, omdat zij ze niet zelf bedacht, en soms begreep ze ze ook niet.

'Dat heb ik ook met boeken,' zei ze, 'dat het verhaal veel verder gaat dan wat er staat.'

'Ja. Maar die verhalen uit de tuin, wie bedenkt die?'

Ze gaf haar stem een vertrouwelijke klank, niet zonder eerst voorzichtig om zich heen te hebben gekeken, ofschoon we met zijn tweeën waren. In die tuin. Onder de magnolia. Lorenzo was met een paar vriendjes gaan voetballen. Amelia deed een middagslaapje in haar wieg en de anderen hadden een van die lange autotochten ondernomen die ze de avond tevoren nauwkeurig hadden uitgestippeld en waarop ik niet altijd meeging. Het was een frisse middag en de vogels floten. Ze trok aan mijn mouw zodat ik een beetje naar haar toe zou buigen.

'Er zijn kleine mannetjes die in de toppen van de bomen gaan zitten,' zei ze, terwijl ze schichtig omhoog keek. 'Ik vertel het alleen aan jou. Het is een geheim. Je vertelt het echt aan niemand, hè?'

'Nee, echt niet, wees maar niet bang.'

'Het is heel leuk om geheimen te hebben, hè?'

'Ja, heel leuk, Maar vertel eens, heb jij ze gezien?'

'Niemand ziet ze, want ze komen alleen wanneer de zon onder is en het donker begint te worden. En ze komen ook niet altijd, sommige nachten niet, waarschijnlijk alleen wanneer zij willen. En ze zijn ook niet iedere dag hetzelfde, dat hangt van het weer af.'

Ze keek me aan. Ik bleef zwijgen. Ik maakte een gebaar om haar aan te moedigen door te gaan. Kinderen weten heel goed wanneer iemand hen gelooft. Mijn jeugd was nog niet zo lang geleden dat ik dat vergeten was.

'Zij vertellen die verhalen,' ging ze verder, 'en ze blazen ze mijn kamer in en die verhalen klimmen dan via mijn oor omhoog in mijn hoofd. Maar omdat dat een smal weggetje is, verdringen ze elkaar en komen ze in brokjes binnen, want die mannen praten heel veel en vallen elkaar voortdurend in de rede, net als tante Desi en oom Higinio, vooral op dagen dat er wolken zijn. En dan moet ìk natuurlijk alles wat er binnen is gekomen netjes in mijn hoofd opbergen; als ik een boek lees waarin een heleboel personen voorkomen heb ik hetzelfde, dan moet ik plek maken voor wat ze zeggen, weet je, om het te kunnen snappen, want in mijn hoofd passen niet al die verhalen tegelijk, het zijn er een heleboel, als je er één uithaalt breken ze allemaal. Heb jij dat niet?'

Ik zei van wel, dat ik hetzelfde had, precies hetzelfde, al kon ik de mannen in de tuin niet horen. En dat wanneer ik de dingen niet in de juiste volgorde kon verwerken, er een soort wolk voor mijn ogen kwam die de zon wegnam, dat ik dat altijd gehad had, vanaf dat ik klein was. En om het licht weer te kunnen zien moest ik een verhaal verzinnen dat al die andere verklaarde.

'Maar als je dat verhaal niet aan iemand vertelt of het niet opschrijft,' zei ik, 'vergeet je dat ook weer en komt het er verbrokkeld uit als je je het weer wilt herinneren. Dus alles verbrokkelt altijd een beetje en dan moet je weer gaan lijmen; er is niets aan te doen, een brokje hier en een brokje daar, het zijn allemaal brokjes.'

Encarna begon te lachen. Ze bukte zich om een

krant die op de grond was gevallen op te pakken, trok er een pagina uit en begon die te verscheuren en de snippers in de lucht te gooien, terwijl ze zong: 'Allemaal brokjes! Het zijn allemaal brokjes!'

Ik moest ook lachen toen ik haar zo zag. Daarna, toen ze weer naast me op de bank was gaan zitten, gaf ze me een zoen en zei: 'Jij begrijpt alles zo goed. Ik vind het zo leuk dat bij jou ook niet alle dingen tegelijk in je hoofd gaan. Want ze passen er niet allemaal in, hè?'

'O nee, ze passen er helemaal niet in! Met geen mogelijkheid.'

Even later legde ze me omstandig uit dat ze dat het scherpst in de gaten had wanneer ze keek naar de landen die op een kaart waren getekend, met al die rivieren en bergen en grenzen. Als ze er bij stil bleef staan dat die landen allemaal echt tegelijk bestonden, met mensen die er rondliepen en met dieren en met korenvelden, werd ze draaierig. Net als wanneer je 's avonds heel lang naar de sterren hebt gekeken. Maar in het geval van de sterren was het nog erger, omdat die zo klein leken en zo groot moesten zijn, zelfs de sterren die slechts heel fijne stofdeeltjes leken. En honderden miljoenen, en op al die sterren gebeurde misschien iets wat wij niet wisten. Dan voelde ze zich net zo klein als een zandkorrel of een mier en werd ze bang, en wanneer ze ging slapen droomde ze over het heelal.

Mijn hart maakte een sprongetje en we keken elkaar zwijgend aan, om te zien of we echt een zeldzame en kostbare emotie deelden. Ze keek me met glanzende ogen vragend aan, haast in tranen. 'Ik kan het je niet duidelijker uitleggen,' zei ze. 'Het is heel moeilijk uit te leggen, maar het is heel eng.'

'Stil, kijken of het mij lukt. Je droomt dat je van heel hoog naar beneden stort, en je blijft maar vallen en botst tegen planeten op en er is nergens grond te zien en je weet niet waar je zult neerkomen. Klopt dat?'

'Ja, dat klopt. Maar het allerengste is dat je jezelf ziet vallen, net zoals wanneer je een ster ziet vallen, ik zie vanaf beneden hoe ik val, dat is afschuwelijk.'

'Ja, maar alle nachtmerries zijn een beetje afschuwelijk en gaan daarover, over dat je valt.'

'Ik zou heel graag willen vliegen, zoals Peter Pan, al was het alleen maar in mijn dromen. Hoe stelde jij je Peter Pan voor toen je klein was?'

Het thee-uur was verstreken zonder dat we er erg in hadden gehad, pratend over Peter Pan, Sheherazade en een heleboel andere gemeenschappelijke vrienden. En het was alsof de vertellers uit de bomen die dag vroeg waren opgestaan en zich uit de takken hadden laten zakken om zich om ons heen te scharen, terwijl we de een na de ander opnoemden: Andersen, Lewis Carrol, Stevenson, Collodi, Elena Fortún, Daniël Defoe, Perrault, Jules Verne, Salgari. En uiteindelijk kwamen we tot de conclusie dat je het ook in die tuin soms enorm naar je zin kon hebben en lekker kon kletsen.

'Ja, dat is zo,' gaf Encarna toe, 'maar alleen als er nooit grote mensen komen.'

Die middag ontstond ons intense gevoel van saamhorigheid van die zomer, dat slechts vergelijkbaar is met het, eveneens door de literatuur gesmede, gevoel van saamhorigheid dat tussen Mariana en mij jaren eerder was ontstaan, toen don Pedro Larroque ons in de klas copla's van Jorge Manrique had voorgelezen. En nu ik opnieuw die vroegtijdige schok van de kloof in de tijd beleefde waar Manrique me voor het eerst een glimp van had laten opvangen, kwam uit diezelfde afgrond ditmaal een onverwachte beloning te voorschijn. De godheid van de tijd, raadselachtig en veranderlijk, bracht zijn met duizelingwekkende snelheid draaiende roulette plotseling tot stilstand. En wat hij me in die pauze bood waren niet, zoals anders, de gebalsemde resten van een voorbije jeugd, maar een nieuwe jeugd: die waarin mijn dochter me liet delen.

En in de dagen daarop vertelde ik haar over Mariana. En over Nak. Die zomer kwam Nak weer tot leven. We besloten dat hij vast de leider was van die zwerm mannetjes die 's nachts in de tuin bivakkeerden en verhaalserpentines van boom tot boom slingerden, die afhankelijk van het weer een andere kleur aannamen. Maar we begrepen ook – ieder op haar eigen manier – dat het verbond dat Nak tussen ons deed groeien door een aantal omstandigheden werd bedreigd, waardoor het gedoemd was niet alleen vluchtig, maar ook clandestien te zijn.

Lorenzo trok zich die zomer vrijwel niets van zijn zusje aan, en aangemoedigd door Higinio en Eduardo, die een duidelijke voorkeur voor hem aan de dag legden en het erover eens waren dat hij zich los moest maken van de betutteling door vrouwen, had hij zich aangesloten bij een groepje eenvoudige, sportieve jongens, wat ouder dan hij, op wier vriendschap hij heel trots was. Encarna kon het daarentegen met niemand goed vinden en zat het liefst te lezen, alles wat ze maar in handen kreeg, en ze wachtte dan op een geschikte gelegenheid, waarbij we alle tijd hadden en niemand ons kwam storen, om wat ze gelezen had met mij te bespreken. Het was niet altijd makkelijk zo'n gelegenheid te vinden, vooral voor mij niet, maar dat zoeken had wel het voordeel dat het mijn problemen en mijn somberheid verzachtte. Daardoor werd ik welwillender jegens de anderen, en soms, wanneer we allemaal bij elkaar zaten en er iets gezegd werd wat onze lijst van gedeelde geheimpjes raakte, maakte de samenzweerderige glimlach die mijn dochter en ik dan wisselden alle ellende goed. Ik beschouwde mezelf als bevoorrecht ten opzichte van degenen die niet over een dergelijke talisman beschikten, en daardoor was ik geneigd hen te beklagen en aardiger tegen hen te zijn. Maar zoals alle muntstukken was mijn talisman er een met twee kanten, en soms lag kruis boven.

Encarna en ik waren stilzwijgend tot de conclusie gekomen dat het beter was onze innige band niet te tonen maar te verhullen, en dat gaf er nu net die zweem van spanning aan die typerend is voor liefdes die worden tegengewerkt. In ons geval kwam daar echter nog een bezwaar bij, dat mijn verjonging zijn geloofwaardigheid en vreugde ontnam. De herbeleving van mijn jeugd veranderde in een luchtspiegeling, omdat ik die moest combineren met zorgen waarvan ik Encarna onmogelijk deelgenoot kon maken, de zorgen die ten volle hoorden bij mijn onherroepelijke betrokkenheid bij de wereld van de volwassenen. Dus wanneer zij het bijvoorbeeld in een van onze gesprekken onder vier ogen over 'grote mensen' had, daarbij mij van die groep uitsluitend, werd mijn glimlach vertroebeld door een rampzalig besef van dubbelhartigheid. En dat had ik ook wanneer ze me vroeg waaraan ik zat te denken en het iets was wat ik haar niet kon zeggen, vrijwel altijd dingen die met haar vader te maken hadden. Soms meende ik in haar ogen dezelfde aversie jegens hem te ontdekken die in mij steeds vastere vorm begon aan te nemen. Maar gesteld dat we dat gevoel deelden, iets wat ik nooit heb durven checken, toch bracht het vermoeden dat ik het bij het rechte eind had me niet nader tot haar maar wierp het over onze spelletjes en grapjes juist een donkere schaduw die ons scheidde.

Ik herinner me een ochtend op het strand, een paar dagen voordat we naar Madrid terug zouden gaan. Eduardo en ik zaten met de kater van een nachtelijke ruzie met een flinke dosis venijn maar zonder scheldpartijen, want in de loop van ons verblijf in Suances hadden we aanzienlijke vorderingen gemaakt in het beheersen van het volume van onze stem, ook al was die geladen met dynamiet. De aanleiding voor de discussie is me vrijwel volledig ontschoten, maar het had iets te maken met klachten over hoe ongemanierd en onhandelbaar Encarna aan het worden was, voor wier bestaan en vorming alleen ik verantwoordelijk scheen te zijn. (Hij heeft zich overigens noch toen noch later ooit verwaardigd Lorenzo's opvoeding met mij te bespreken. Het lijkt wel alsof hij vindt dat zowel diens succes als diens falen uitsluitend onder zijn competentie vallen. Ik geloof dat hij zich door Lorenzo uiteindelijk als enige van onze kinderen teleurgesteld voelt.) Er werd die avond niets opgelost en niet de minste overeenstemming bereikt, zoals meestal bij dit soort ruzies, die meer gevoed worden door een botsing van de humeuren van de strijdende partijen dan door het eigenlijke twistpunt. Want het humeur is, zoals bekend, onderhevig aan onvoorspelbare fluctuaties, omdat het een gashoudend element is met een grillig karakter, net als wolken. En zoals zelfs de meest ervaren schilder er niet in zal slagen de steeds wisselende tekening van de wolken vast te leggen, kunnen wij niet voorzien wanneer onze geest zozeer uitdijt dat hij de verboden ruimte van een andere binnendringt, laat staan dat we ons na verloop van tijd de toevallige oorzaak van dat conflict kunnen herinneren, of de vorm die hij aannam of de belletjes waarin hij uiteenspatte. Wat wel gebeurt als je veel van iemand houdt is dat je zijn boze bui voelt aankomen en er soms in slaagt die van jezelf in bedwang te houden zodat ze niet met elkaar in aanvaring komen. Maar ik heb altijd heel weinig van Eduardo's buien geweten, en ik heb me er ook nooit in verdiept. Al zal hij ze ongetwijfeld hebben. Wat ik me wel herinner is dat ze die avond overdreven zonder zich in onweer te ontladen. Hij werd eerder door moeheid overmand dan ik, en ik greep die gelegenheid aan om te doen alsof ik sliep, een truc die ook verkeerd kan uitpakken, zoals ik in de loop van ons samenleven ruimschoots heb geleerd. Want uit angst dat de ander ook doet alsof hij slaapt, durf je je niet te bewegen of het licht aan te doen om het vuur van de beledigingen niet weer aan te wakkeren.

Dus toen in de tuin de ochtend begon te gloren, samen met het eerste gekraai en het eerste gebonk tegen de wieg waarmee Amelia aankondigde dat ze ontwaakt was, had ik nog geen oog dichtgedaan en alleen maar liggen malen over onaangename obsessies, van die obsessies die het vage schuldgevoel versterken dat mijn vrolijke stemming zo vaak bederft, zodat ik niet kan dromen en de dingen waarnaar ik kijk iets troosteloos krijgen, als een doffe, aanhoudende, maar niet te lokaliseren pijn. Gebroken stond ik op, om, zoals ik beloofd had, met Encarna over *Twintigduizend mijl onder de zee* te praten. Het enige waar ik zin in had was uren achtereen slapen, ik zou als een verstekelinge in de onderzeeër van Jules Verne verstopt willen worden om temidden van onbekenden te ontwaken.

Desi, die ik in de keuken trof, was die ochtend juist in een uitstekend humeur. Ze was met waar enthousiasme kroketjes, sandwiches en allerlei andere lekkere dingen voor een picknick aan het klaarmaken. Ik herinnerde me dat we hadden afgesproken om de hele dag naar het strand te gaan, met een echtpaar dat ook kleine kinderen had, van wie er een tot het clubje van Lorenzo behoorde, een jongen met wie hij vrij goed bevriend was, meen ik me te herinneren. Zodra ik Amelia haar pap had gegeven en haar had verschoond, voelde ik me verplicht Desi een handje te helpen en wat aandacht aan haar te besteden, een extra inspanning die mijn reserves definitief uitputte, zodat ik me op een gegeven moment duizelig voelde worden en moest gaan zitten. Zij vond ook dat ik er slecht uitzag en vroeg me of ik niet weer zwanger was.

Tijdens het ontbijt jubelde ze erover dat we geluk hadden dat het zulk goed weer was om afscheid te nemen van de genoegens van het strand, genoegens die de regen dagenlang had verhinderd. Ook bepaalde ze hoe we ons over de verschillende auto's zouden verdelen, deelde orders aan het dienstmeisje uit en verkneukelde zich bij het idee ons allemaal in de lens van haar nieuwe Leica te vangen, want tot haar vele hobby's behoorde ook de fotografie.

'Eindelijk kunnen we vandaag foto's maken zodat we een herinnering aan deze zomer hebben, zoals het hoort,' kondigde ze aan. 'Want al met al is het tot nu toe onmogelijk geweest jullie er allemaal samen op te krijgen.'

Encarna, die tegenover me zat, zocht voortdurend mijn blik, terwijl ik de hare juist probeerde te ontwijken. Gedurende het hele ontbijt deed ze geen mond open. De avond tevoren, aan het eind van een gesprek over onderzeeërs dat door Desi was onderbroken, had ze een stuurs gezicht getrokken dat even overdreven was als de beloften die ze mij altijd trachtte te ontlokken voordat ik haar alleen liet om me aan andere bezigheden te wijden. En met een gevoel van spijt, dat me de hele nacht uit de slaap zou houden, had ik me toen gerealiseerd dat ik paal en perk moest stellen aan die veeleisende liefde. Eenvoudigweg omdat ik die, ook al was hij mijn grootste bron van vreugde en energie, niet met dezelfde mate van exclusiviteit kon beantwoorden; want een mens zou, zoals zij zelf had aangevoeld toen ze 'droomde van het heelal', duizend levens en duizend harten en duizend hoofden moeten hebben om al die ontheemde beelden en gevoelens die tegelijk bij ons om asiel vragen om de beurt voldoende aandacht te geven.

'Wat is er, mama?' vroeg ze me later onder vier ogen, toen we naar de auto's liepen.

Ik zei haar dat er niets was en dat ze trouwens ook aardiger tegen tante Desi moest zijn, dat ze soms een gezicht trok alsof ze vermoord werd. Ik sprak op een ongeduldige en enigszins scherpe toon tegen haar.

'Jij net zo goed,' zei ze, 'maar ik vertel jou wel altijd wat er met me is als je me dat vraagt en jij mij niet.'

'En wat is er dan met jou aan de hand?'

'Ik wil niet dat ze foto's van ons allemaal op een kluitje gaat maken en gaat zeggen dat we moeten lachen, ik heb geen zin om stom te gaan staan lachen omdat zij dat zegt.'

De fotosessie van dat dagje uit was werkelijk uitputtend, vooral omdat Desi niet alle foto's achter elkaar wilde nemen, maar pas wanneer ze het licht en de opstelling van de groep geschikt vond. Ze had net een schriftelijke cursus fotografie afgerond, en je had het idee dat ze overal tegelijk was om onze gangen te bespieden, met de plotselinge glimlach van iemand die doet alsof hij je een verrassing wil bezorgen, maar daarvoor wel tegelijkertijd je medewerking vraagt, zonder zich erom te bekommeren of de verrassing bij degene voor wie hij bedoeld is in de smaak valt.

'Niet bewegen, alsjeblieft! Blijf even zo zitten,' hoorde je haar voortdurend onverwacht zeggen. 'Wat een prachtige foto gaat dit worden! Lorenzo, laat je racket niet los, zó ja, en ga niet voor je zusje staan... Nee, Sofia, jij een beetje meer naar rechts, zoals je daarnet zat.'

'Maar ik weet niet hoe ik daarnet zat.'

Ik was dermate futloos dat ieder 'daarnet' leidde tot een gevaarlijk onderzoek dat me meetrok in een spiraal en me nog verder verwijderde van deelname aan het heden. Met dankbaarheid denk ik terug aan het gezelschap van dat echtpaar – inmiddels totaal vervaagd en zonder enig reliëf – dat ook bij onze picknick was, want ze praatten veel en onthieven me niet alleen van de verplichting iets te zeggen, maar hielpen ook eventuele spanningen tussen Eduardo en mij te voorkomen. Ze praatten veel over woningproblemen, want hij investeerde geloof ik in bouwprojecten, en Eduardo maakte kenbaar dat hij had besloten een groter huis te kopen, omdat als Amelia wat ouder was de verdieping in Donoso Cortés te klein voor ons zou zijn. Hoewel hij me nauwelijks aankeek toen hij dit zei, begreep ik uit de opmerkingen van Higinio en Desi dat hij het meer dan eens met hen over dit plan gehad had, en dat zij dachten dat ik ervan op de hoogte was. Ik beperkte me ertoe te zeggen dat ik een ontzettende hekel aan verhuizingen en verbouwingen had.

'Ik had verwacht dat je met iets originelers zou komen,' zei Eduardo. 'Dat weten we al, Sofia.'

Ik deed er het zwijgen toe.

Even voordat de kinderen voor het eten werden geroepen, glipte ik weg om een wandeling langs het strand te maken. Eenmaal bij de rotsen nestelde ik me in een kuilvormige uitholling en bleef roerloos, in gepeins verzonken, zitten kijken hoe het tij opkwam. Door het extra gewicht van die plannen van Eduardo, die hij tegen mij nooit zo definitief had geuit, werd de gedachte aan Madrid nog beklemmender. En toen ik me voorstelde hoe het was als de kinderen groter zouden zijn en we in dat huis zouden trekken (toen nog zo vaag en op een nog onbekende plek en nu even duidelijk en onontkoombaar als beladen met herinneringen) kwam er een waas van tranen voor mijn ogen. Encarna, die me was gevolgd, kwam stilletjes van achteren aangeslopen en legde haar handen op mijn ogen, op het moment dat er een golf aan onze voeten uit elkaar spatte en ons gezicht natmaakte.

'Ik ben Sinbad de zeeman!' zei ze.

'Je hebt me enorm laten schrikken, liefje! We moeten terug, het wordt vloed. Kom, we gaan.'

Ze bleef me staan aankijken.

'Ben je aan het huilen of zijn het druppels van de zee?' vroeg ze.

'Het zijn druppels van de zee.'

Ze sloeg haar armen om mijn nek.

'Weet je waarom ik graag groot zou willen zijn?' fluisterde ze in mijn oor.

'Nee, dat weet ik niet. Je zegt altijd dat je niet groot wil zijn.'

'Om een huis te hebben en daar samen met jou in te gaan wonen. Een klein huisje aan zee met balkons. En jij zou niets hoeven doen, alleen maar verhaaltjes vertellen. En 's nachts zouden we Nak laten komen.'

'En waar zouden we van leven?'

'Van verhalen vertellen, op een heleboel plaatsen betalen ze voor het vertellen van verhalen, dat heb je zelf gezegd.'

Ik begon te lachen en gaf haar een kus. Even had ze ervoor gezorgd dat het huis in Donoso Cortés en het huis waarin ik nu aan die vergeten droom terugdenk, veranderden in een heel klein huisje waarvan de balkons uitkeken over de zee.

'Houd je echt veel van me?' vroeg ze.

'Natuurlijk, heel veel, dat weet je best.'

'En we zullen altijd bij elkaar blijven, hè? Wat er ook gebeurt, altijd; de anderen interesseren ons niet.'

'Zeg, het water wordt heel erg hoog.'

'Wees maar niet bang, ik ga wel voorop en geef jou een hand. Pas op dat je niet uitglijdt. Ik ben jouw kapitein.'

Ineens was Desi verschenen en ze schoot de laatste foto van het rolletje toen we aan de afdaling begonnen, hand in hand en met onze rug naar de zee, die ons net weer met een van zijn golven had nat gespetterd, nu een hele woeste. We zagen haar pas toen ze zei: 'Ik kwam jullie halen voor het eten. Deze foto is vast enig geworden!'

En ze vergiste zich niet. Juist deze foto was ik gisteravond aan het zoeken.

Alle sluimerende gevoelens van die zomer, die inmiddels zo wazig is dat het lijkt alsof hij nooit heeft bestaan, werden weer uit hun verdoving gewekt terwijl ik steeds koortsachtiger aan het zoeken was naar de twee gele enveloppen waarin ik die foto's voor het laatst had gezien. Van die foto's springt er een uit, met het onmiskenbare licht dat kostbare dingen hebben, die van de kleine Encarna met haar beschermende glimlach, toen ze net als toevluchtsoord voor onze toekomst een sprookjeshuis had gefantaseerd, dat door de vloed is weggespoeld, zoals ook de namen met een pijl erdoor die verliefden in het zand schrijven onverbiddelijk worden weggespoeld.

Ik beloofde mezelf dat ik de foto, als ik hem zou vinden, zou laten vergroten en in een zilveren lijstje zou zetten. Maar van die belofte kwam niets terecht, omdat hij voortijdig stuksloeg op de veel sarcastischer glimlach van de Encarna van nu, wanneer ze bepaalde huizen van de hoge bourgeoisie belachelijk maakt, waarin het onmogelijk is een 'boek, glas, asbak of zelfs maar een trieste elleboog' op een tafeltje te zetten vanwege de enorme hoeveelheid familiefoto's in zilveren en hoornen lijstjes, waardoor die tafeltjes een zuiver decoratieve functie krijgen.

En door de herinnering aan die opmerking van Encarna moest ik denken aan het feest bij Gregorio Termes en de zwijgende rit naar huis in de auto met Eduardo. Sinds die avond is hij niet alleen nergens meer met me naar toe gegaan, ook het aantal zinnen dat we hebben gewisseld zou nog geen drie pagina's van dit schrift kunnen vullen. En deze constatering diende zich zo rauw aan dat ik met een schok in de werkelijkheid landde. Het rijk der verbeelding en dat van het dagelijks leven zijn als twee vijandige vliegtuigen, waarvan de een de ander voortdurend neerhaalt. De gevolgen van dat neerstorten concretiseren zich vooral in die afrekening met de tijd waarover ik het sinds ik aan het schrijven ben geslagen voortdurend heb. Mijn eerste schrift, dat met de collage van de haas tussen spiegelscherven begint, heb ik in het Ateneo ingewijd, op één mei, oftewel op de dag na het feest van Gregorio. Negentien dagen, zat ik eerder al te overpeinzen, wat gedraagt de tijd zich raar als je schrijft! Maar waar ik meestal niet aan denk is dat er over rails parallel aan die van deze bezigheid die me in een fictieve tijd heeft geplaatst nog een andere, werkelijke tijd loopt. Wat daarin is voorgevallen heb ik slechts vluchtig aangeroerd, als ik het al niet volledig heb doodgezwegen. De befaamde 'onwerkelijke ervaringen' waarover de psychiater het jaren geleden tegen me had. Het is duidelijk dat het me minder zwaar valt in gebeurtenissen uit het verleden te spitten dan me te verdiepen in de oorzaak van wat er om me heen gebeurt terwijl ik me onderdompel in dat karwei van pagina's vullen en herlezen.

Ergens in deze schriften heb ik bijvoorbeeld vermeld dat Eduardo en ik niet meer in dezelfde kamer slapen en dat ik met het plan rondloop – aangezien hij het initiatief niet neemt – een gesprek aan te knopen dat een bres kan slaan in de muur die tussens ons in staat. Maar wat ik niet heb verteld is dat zowel hij als ik de concrete oorzaak weet van die stilte die op de terugweg van het feest van Gregorio Termes is begonnen en vanaf die dag alleen maar beklemmender is geworden. Toen ik die avond naar het terras bij het zwembad was gelopen om in mijn eentje de maand mei te verwelkomen en naar de maan stond te kijken, hoorde ik het geluid van iemand die zich door het struikgewas uit de voeten maakte, maar niet zo rap dat ik niet de bewegingen van Eduardo herkende, en zijn brede schouders waarmee hij wanhopig de rosse gloed van het haar van zijn metgezellin probeerde te verbergen. Bewust heb ik deze scène uit mijn geheugen gezet, ik heb getracht hem te vernietigen, en ik moet bekennen dat als hij me weer voor ogen komt, de tranen die hem wazig en onduidelijk maken geen tranen van jaloezie maar van heimwee naar mijn verloren jeugd zijn. De volgende dag werd ik dan ook wakker met *Yellow Submarine* in mijn hoofd, en ik besloot serieus te proberen om door te schrijven een deel van mijn jeugd terug te krijgen. Om kort te gaan, ik ben nog steeds ten prooi aan die halsstarrigheid waarmee ik het verleden om asiel blijf vragen, iets wat Encarna me zo dikwijls verwijt. Van mijn drie kinderen is zij degene die me het beste kent, al droomt ze er niet meer van een huisje aan zee met balkons voor me te bouwen, waar we samen kunnen wonen.

Ik moet met Encarna praten, dacht ik, terwijl ik verder zocht naar de foto van het strand, met de Encarna van nu.

En bij deze gedachte keek ik om me heen, want inmiddels had die zoektocht naar de foto me onvermijdelijk naar haar oude kamer gevoerd, die nu rommelhok is, en zelfs in de geur van het vertrek voelde ik de uitstraling van haar vluchtige, raadselachtige aanwezigheid. Ik betastte muren, planken en bergplaatsen, als iemand die blindemannetje speelt, maar ik was er haast zeker van dat ik die jeugd waarnaar ik zo terugverlangde niet zou tegenkomen.

'Ik moet met haar praten, haar vragen me door elkaar te schudden, me mijn lafheid in het gezicht te werpen, weer mijn kapitein te zijn. Ik moet de zee van de veranderingen kiezen, me "zonder bagage naar onbekende havens inschepen".'

En al bijna helemaal los van de reden die me naar het rommelhok had gebracht, ging ik verder met bedenken wat er in de loop van die negentien dagen dat ik schriften vol schreef om mij heen was gebeurd. Ik heb Lorenzo en Encarna ook niet meer gezien, ze hebben alleen af en toe even gebeld, of Consuelo vertelde me dat ze hen had gezien en dat het goed met hen ging. Maar ik moet hen in levende lijve zien, in hun eigen omgeving, mijn hersenspinsels loslaten, naar de schuil gaan.

En Mariana, over wie ik het zo vaak heb in mijn schriften? Waar zou de Mariana van vlees en bloed zijn, wat zou er met haar gebeurd zijn? Die nacht op de grens tussen april en mei, toen ik naar de onsamenhangende ontboezemingen van een patiënte van haar luisterde, was zij me – ook al wist ik dat pas later – een lange brief aan het schrijven waarin ze me aanmoedigde verder te gaan met mijn huiswerk, vlak voordat ze met onbekende bestemming op reis is gegaan. Maar waar zit ze nu werkelijk, wat voor lucht, afgezien van die ik haar inblaas door me haar voor de geest te roepen, ademt ze in? Drie dagen geleden heb ik haar opnieuw gebeld en toen kreeg ik direct die dokter die haar vervangt aan de lijn, die Josefina Carreras. Ze zei dat ze zich erg veel zorgen maakte omdat Mariana niets meer van zich had laten horen en niemand wist waar ze uithing. Ze klonk zo anders dat ik me niet kon voorstellen dat ze dezelfde persoon was als met wie ik de eerste keer had gepraat; blijkbaar zijn psychiaters ook niet van steen. Ze vroeg me of ik als ik een vriendin van Mariana was en een teken van leven zou ontvangen, haar dat onmiddellijk wilde laten weten. Ze bleef maar vissen naar het soort vriendschap dat we hebben, en dat vond ik al minder prettig. Ik zei haar dat we inderdaad zeer goede vriendinnen waren, maar ik had geen zin haar te vertellen sinds wanneer en hoe ik heet, hoewel ze daar op een behoorlijk onaangename en drammerige manier naar vroeg. 'Dat doet niet ter zake,' zei ik, en hing op. Ineens voel ik, waarom weet ik niet, dat ik dichter bij Mariana sta dan wie ook en het is alsof ik een geheim van haar bewaar. Al een paar dagen kijk ik vol verwachting naar de brievenbus. Maar zonder onrust. Van twee dingen ben ik zeker: dat Mariana niets is overkomen, en dat ze, vanwaar dan ook, uiteindelijk mij als eerste zal schrijven of bellen. Dokter Carreras weet niet waarom ze uit Madrid is vertrokken, maar ik wel. Op de vlucht voor de problemen van die vriend die een zelfmoordpoging heeft gedaan. Dat zegt ze aan het eind van de enige brief die ik van haar heb gekregen: 'Op een dag zal ik je bellen om een afspraak te maken, maar voorlopig niet. Ik moet me eerst wat beter voelen. Ik weet niet hoe ik me staande moet houden. Het kan zijn dat ik een week de stad uit ga.' Natuurlijk is er inmiddels meer dan een week verstreken.

Maar wat doet het ertoe hoeveel tijd er is verstreken! Ik heb tweeëneenhalf schrift vol geschreven, nietwaar? Nou dan! Eens zien of dat papieren vliegtuig, dat me boven de werkelijkheid uit tilt en me die beter laat aanschouwen, weer van de grond komt. Zodra ik de rekening van de werkelijke data begin op te maken en die met de imaginaire probeer te combineren, klopt er helemaal niets van en raak ik de kluts kwijt. Ook zij leek de kluts kwijt te zijn toen ze wegging. Ze heeft niet bepaald een dankbaar beroep, de arme ziel. Wat een slavernij, te moeten luisteren naar al die idioten. Ik kan niet ophouden met schrijven, het is het enige wat me geneest, en bovendien moet ik de schriften mee naar haar toe nemen. Welke dag dat ook zal zijn. Ik schrijf ze voor haar en voor mijn plezier, en ook omdat ze me kunnen helpen dingen die ons alletwee aangaan te begrijpen. En als ik niet gek word, zal ik met meer scherpzinnigheid naar haar problemen kunnen luisteren, en naar die van de kinderen, en naar die van Eduardo. Ook naar die van Eduardo, waarom niet? Ik zal hem vragen naar de vrouw met het rode haar als hem dat oplucht; maar, hemel, we zijn allemaal wel eens op de ander uitgekeken, het wordt in boeken beschreven en komt bovendien in de beste families voor, het ergste is elkaar voor te liegen, ik zal hem doen inzien dat het niet uit jaloezie is dat ik er niet over begin, maar slechts uit luiheid, uit angst voor veranderingen, omdat scheiden met zich mee zou brengen weer te moeten denken aan verhuizen, aan verbouwen, aan rekeningen, aan een nieuwe lading papieren bewaren. Dat is de simpele waarheid. Ik ga me in deze fase niet meer grootmoedig of romantisch voordoen. Ook al krenkt het hem misschien me zo te horen praten. Wellicht zou hij liever geloven dat hij me pijn deed.

Ik ging zo op in mijn gemijmer, dat ik me doodschrok toen ik hem daar ineens, tegen het licht, in de deuropening van Encarna's rommelhok zag staan. 'Hoe laat is het?' vroeg ik.

'Geen idee, twaalf uur, geloof ik.'

'Zo laat al?'

'Ja. Ik ben kapot. Wat ben jij aan het doen?'

'Ik ben wat papieren voor Encarna aan het zoeken,' loog ik.

En door die zo zinloze leugen begreep ik in een flits dat het veel moeilijker is dan het lijkt om iemand openlijk de waarheid te zeggen, en hoe moeilijk het is bepaalde dingen weer in goede banen te leiden.

'Hoe staat het met ze?' vroeg hij afwezig, als uit beleefdheid. 'Het lijkt wel alsof ze van de aardbodem verdwenen zijn.'

'Het gaat goed met ze. Lorenzo werkt nog steeds op het bureau van die architect. En Encarna schrijft, zoals je weet.'

Weer had ik gelogen, want Lorenzo werkt al geruime tijd niet meer op het bureau van die architect en bovendien is hij nog niet klaar met zijn studie, wat hij zijn vader niet durft op te biechten.

'Enfin, denk niet dat ìk ze vaak zie,' voegde ik eraan toe. 'Als je iets wilt eten, er staat van alles in de ijskast.'

'Nee, ik kom net van een zakendiner. Ik val om van de slaap.'

'Nou, welterusten dan. O ja, Desi heeft voor je gebeld.'

'Wat wilde ze?'

'Geen idee, dat heeft ze niet gezegd.'

'Ik bel haar morgen wel. Welterusten.'

Hij wilde al weglopen, maar draaide zich weer om. Zijn stem klonk nu geërgerd.

'En zorg verdomme eens voor beter licht. Met dat

kale peertje aan het plafond en zo ineengedoken lijk je wel een spook. Ik heb een ontzettende hekel aan deze kamer, dat heb ik je al duizend keer gezegd.'

Hoewel de agressie in zijn stem – de verklikker van alle dingen die tussen ons in staan – zich op Encarna's kamer richtte, had ik het idee dat hij blindelings op haar zelf werd afgevuurd, op al haar tederheid, haar idealisme en haar altijd onbevredigde hang naar oprechtheid.

'Mij best,' zei ik bits. 'Als je dat graag wilt bellen we Gregorio Termes, zodat die hem in een sauna kan veranderen.'

Hij fronste zijn wenkbrauwen en verdween zonder iets te zeggen. Voor de zoveelste keer was het gesprek dat gevoerd moest worden opgeschort, maar het lag niet meer als een steen op mijn maag, en het wekte ook geen enkele wroeging bij me op.

Zoals te verwachten was kon ik de foto's van die zomer in Suances niet vinden, maar wel kwam ik een lijntjesschrift met een linnen kaft tegen dat mijn aandacht trok. 'Zwaarmoedige verhalen', las ik op de eerste bladzijde. Er waren maar een paar bladzijden beschreven, in het handschrift van Encarna; zij begint steeds weer met een schrift en maakt het vervolgens nooit vol. Op grond van de datum die ze onder de titel, in hoofdletters en onderstreept, had gezet, berekende ik dat ze met dat schrift was begonnen in haar eerste jaar letteren, dus toen ze ongeveer dezelfde leeftijd had als ik toen ik Guillermo leerde kennen. Terwijl zij me gelegenheid te over heeft gegeven onze respectievelijke kinderjaren te vergelijken en die zelfs met hetzelfde net weer op te vissen, beschik ik over weinig gegevens om haar puberteit met de mijne te kunnen vergelijken, omdat ik me moet baseren op informatie die afwijkt van die welke mijn eigen, weinig betrouwbare en nauwgezette interpretatie van de werkelijkheid me verschaft.

Ik houd er niet van om in andermans papieren te snuffelen, maar door me de zomer in Suances voor de geest te halen was ik zo benieuwd geworden naar de veranderingen die sindsdien in de ziel van Encarna hebben plaatsgegrepen, dat ik mijn nieuwsgierigheid vrijpleitte van schuld, met als argument dat het per slot van rekening om een literaire compositie ging en niet om een dagboek. Ik pakte dus het schrift met de linnen kaft, deed het licht in het rommelhok uit, sloop de gang over en ging met kleren aan op Amelia's divanbed liggen, niet zonder eerst de deur voorzichtig te hebben gesloten, met het plan om dat zwaarmoedige verhaal te verslinden. Want het bleek er maar één te zijn. En al bestond het uit niet meer dan vijftien pagina's, voor één verhaal was dat meer dan genoeg.

Ik zeg dit niet vanwege de literaire kwaliteit ervan, die werkelijk verbluffend was, maar vanwege de huivering die er door me heen ging toen ik de gedichten die ik op die leeftijd schreef, zo doortrokken van het verlangen naar de grote liefde, vergeleek met de sinistere, rauwe toon van *Ballingschap zonder terugkeer*, het enige, mogelijk onvoltooide, zwaarmoedige verhaal dat in een gehaast handschrift en met weinig doorhalingen in het schrift met de linnen kaft staat. Eloy, een jongen van veertien, reist met zijn ouders door een onherbergzaam, verlaten landschap, in een luxueuze auto die door zijn vader wordt bestuurd, maar die met kransen van chrysanten is getooid, als betrof het een lijkwagen. Vanaf de achterbank, waar hij doet alsof hij ligt te slapen, fantaseert de jongeling, die wordt beschreven als een Icarus met gebroken vleugels, over een dodelijk ongeluk waarbij hij zelf echter ongedeerd blijft. De gedetailleerde beschrijving van het fictieve ongeluk, aangevuld met de getuigenis die de rechter bij het vrijgeven van de lijken de enige overlevende afneemt, wordt afgewisseld met de dialoog die de vader en de moeder op de voorbank voeren. Bij de vijfde pagina aangekomen voelde ik zo'n druk op mijn borst, dat ik mijn bril afzette en even moest bijkomen. Aan de hand van deze echtelijke conversatie, die even zinloos, bot en hard is als alle gesprekken die ik met Eduardo voer, denkt Encarna – verdubbeld in een Icarus zonder vleugels – na over de tegengestelde krachten die in haar hoofd huizen: enerzijds het verlangen alles te onderzoeken en te begrijpen, anderzijds het vast blijven houden aan achterhaalde ideeën, omdat het opgeven daarvan het opgeven van het paradijs zou betekenen. Ze spreekt haar vroegtijdige verontwaardiging uit over de lafheid en dubbelhartigheid van haar ouders, bekent haar onvermogen hen te blijven idealiseren en protesteert omdat ze is geboren in een wereld waarvan de wetten zonder haar goedkeuring zijn uitgevaardigd. Als Eloy opnieuw voor de verleiding van een idylle met zijn moeder bezwijkt, zal hij weer geen eigen verhaal te vertellen hebben, maar slechts haar ziel verkennen aan de hand van de valse en verdraaide feiten die zij hem voorschotelt. Hoewel hij weet dat zich losmaken van de familiebanden een ballingschap zonder terugkeer zal betekenen, besluit hij de leugen te verwerpen. Plotseling dwingt een schel licht hem zijn ogen open te doen. Wanneer hij zich opricht is de lijkwagen omgeven door vlammen van een verwoestende brand. Hij heeft maar amper de tijd om zich kruipend in veiligheid te brengen.

Toen ik *Ballingschap zonder terugkeer* uit had, voelde ik me als iemand die uit een nachtmerrie ontwaakt, en hoewel ik na een blik om me heen geen brand zag, stond mijn ziel in lichterlaaie.

De behoefte Encarna onmiddellijk te zien viel samen met mijn plotselinge, vurige verlangen het huis te ontvluchten, tegen de leugen in opstand te komen, alle banden te verbreken. Ik moet met Encarna praten, haar alles wat me nu overkomt en wat ik nu voel vertellen, ik kan het geen minuut meer uitstellen; van alle mensen die dicht bij me staan is zij de enige die me begrijpt. En ineens zag ik in de schuil dat huisje aan zee met balkons, dat ze in haar kinderlijke fantasie zou bouwen om mij asiel te verlenen. 'Jij zou niets hoeven doen,' had ze gezegd, 'alleen maar verhaaltjes vertellen.' Nou, dat was precies wat ik nodig had. En bovendien had ze me zelf net laten zien dat verhalen zwaarmoedig kunnen zijn en niet altijd goed hoeven af te lopen, maar dat ook die verhalen – die zelfs bij uitstek – goed en gedetailleerd verteld moeten worden. Maar het is natuurlijk heel moeilijk te weten hoe en wanneer je ze moet laten eindigen, dat ongelukkige einde op het juiste moment te laten komen. Waar ben ik anders mee bezig sinds ik met deze schriften ben begonnen? Ik krijg er alleen maar onvolledige verhalen uit, het zijn allemaal losse brokken, en die plak ik zo goed mogelijk aan elkaar, maar het blijven zomaar wat losse stukken, levendig en kwispelstaartend, die elkaar verdringen om in de plot te worden opgenomen. Het is ook niet niks, een heel leven, waarin nog veel meer levens zijn uitgemond en nog steeds uitmonden, ieder met zijn eigen lied, wat een hoop stromen door elkaar, wat een drab; en ik hoef mijn huis niet eens uit, want elke la die ik opentrek, elke wolk die ik voorbij mijn raam zie drijven, elk woord dat ik hoor en elk boek dat ik begin te lezen spat uiteen in duizend scherven, waarin weer nieuwe stukjes leven worden weerspiegeld: versnipperde levensverhalen. Het enige enigszins gelukkige einde dat deze onvolledige verhalen zouden kunnen hebben is dat ik ze eens zal kunnen overhandigen aan iemand die door haar tranen heen zal lachen als ze ze krijgt.

Ik keek op mijn horloge. Het was halfeen. Ik legde het schrift met de linnen kaft in een la, deed mijn jasje aan, pakte geld en sleutels, maar toen ik op het punt stond het huis te verlaten, keerde ik op mijn schreden terug en liep de keuken in. Voor ik naar de schuil ging kon ik beter eerst even bellen, om te weten of Encarna thuis was of was uitgegaan. Mijn lichaam was niet in staat tot een vergeefse tocht.

Zodra ik de hoorn van de haak had genomen, besefte ik dat ik een gesprek had onderbroken dat Eduardo vanuit de slaapkamer met iemand voerde.

'Toe, Magdalena, maakt het me niet nog moeilijker; ik vraag je alleen maar een beetje geduld te hebben, ik vind het zelf ook ellendig,' hoorde ik hem met gespannen, verstikte stem zeggen.

Ik legde de hoorn voorzichtig op het bijzettafeltje in de pantry, als iemand die zich griezelend en uiterst behoedzaam van een mogelijk schadelijk insekt ontdoet. Ik deed een paar stappen terug, niet wetend wat ik moest doen. Als ik op dat moment zou opleggen, zou Eduardo het horen en daardoor kunnen denken dat ik zijn flirtations in de gaten houd. Maar pas later opleggen stelde me voor twee problemen, die uit een en dezelfde onbekende factor voortsproten: de niet te voorspellen duur van dat gesprek. Ik was te nerveus om te wachten totdat het afgelopen zou zijn, maar als ik ervoor wilde zorgen dat mijn 'klik' exact samenviel met die uit de slaapkamer, dan was ik ook nog eens gedwongen de loop van het gesprek van a tot z te volgen. De hoorn van de telefoon in de pantry naast de haak laten liggen en niet luisteren, de oplossing die ik uiteindelijk als minst slechte koos, had het bezwaar dat als Eduardo weer zou willen bellen, wat heel waarschijnlijk was, hij zou merken dat hij geen verbinding kon krijgen en er zodoende achter zou komen dat ik een deel van het gesprek had gehoord.

Maar dan zal hij me in ieder geval niet thuis aantreffen en niet een verklaring vragen of zich verplicht voelen er mij een te geven, dacht ik opgelucht. En het had nog een voordeel: mijn plotselinge vlucht op dat uur van de nacht kon onmogelijk nog gezien worden als een grillige of onbegrijpelijke actie; misschien leek hij zelfs wel heel logisch. Dus dat bijkomstige argument, opgedoken als een haas in het open veld, maakte mijn verlangen om het huis te onvluchten niet alleen klemmender en overweldigender, maar gaf dat en passant ook een zeer goede rechtvaardiging.

Ik scheurde een velletje van de blocnote en schreef: 'Ik ga bij een vriendin slapen. Je kent haar niet en ze heeft geen telefoon. Maar maak je geen zorgen, ik heb geen psychiater nodig en ben ook niet van plan me van een viaduct te storten. Morgen of overmorgen bel ik je op kantoor en dan kunnen we praten. Nu heb ik daar geen zin in. En ik ben niet van plan ooit nog iets te doen waar ik geen zin in heb. Goedenacht, S.'

Tijdens al mijn gepieker, maar vooral terwijl ik dit briefje schreef en het vervolgens behoedzaam onder de hoorn legde zodat Eduardo het wel moest vinden, drong er onvermijdelijk een reeks scherven van die warrige affaire mijn oor binnen om de toch al overlopende stroom van alle nog niet afgehandelde verhalen en rekeningen nog verder te doen aanzwellen. Die Magdalena, die ik – misschien wel ten onrechte – vereenzelvigde met het meisje met het rode haar, zat te zeuren en te klagen, en hij probeerde haar tot bedaren te brengen door haar te verzekeren dat alles in orde zou komen en door zijn beloften te doorspekken met liefkozende woordjes als 'darling' en 'schat'. Maar het meest stond ik versteld van een zin die ik, al tegen het eind, heel duidelijk hoorde, omdat die werd gezegd op het moment dat ik de hoorn optilde om er het briefje onder te leggen.

'Geduld?' zei zij met woedende stem, af en toe onderbroken door een snik. 'Vind je dan dat ik weinig geduld heb gehad? Nou, Desi zegt dat ze niet begrijpt hoe ik de situatie volhoud, 't is maar dat je het weet, vraag het Desi zelf maar.'

Ik verliet de keuken, liep de gang in en vluchtte naar buiten.

16 *Verzoek om hulp*

Ik heb net naar je huis gebeld, maar je was er niet. Bovendien weet niemand waar je wel bent. Ik kreeg een vrouw met een jonge stem aan de lijn en vroeg haar of ze een dochter van je was. Ze antwoordde van niet, dat ze Consuelo was. Haar antwoord verraste me en ik wist niet wat ik moest zeggen, want 'ik heb troost* nodig' was de eerste zin die in me opkwam toen ik je nummer draaide, zo, zonder enige inleiding, als een s.o.s-signaal. En hij schoot zo onstuitbaar en explosief omhoog dat ik niet zeker wist of ik hem zou kunnen afmaken zonder in tranen uit te barsten.

Consuelo praat heel snel en behoorlijk warrig, en heeft het voortdurend over mensen en situaties waarvan ze aanneemt dat ik die ken. Wat haar nog het meest interesseerde was of ik telefoon had of uit een cel belde. Blijkbaar heeft je man geprobeerd van haar de naam te weten te komen van een vriendin van je die geen telefoon heeft, om uit te vinden waar je de nacht hebt doorgebracht. Zij vindt het echter allemaal maar raar, ze zegt dat je nauwelijks vriendinnen hebt, en al helemaal geen vriendinnen zonder telefoon. 'Wie heeft er vandaag de dag nou geen telefoon?' Ze denkt eerder dat je dat gezegd hebt om iedereen op een dwaalspoor te brengen.

* *Consuelo* betekent 'troost' (noot van de vert.)

In het begin luisterde ik ongeduldig naar haar, maar mijn ongeduld veranderde in verbazing en ging vervolgens langzaam over in nieuwsgierigheid en in een soort ondergrondse energie, die de zorgen van mijn hart naar het jouwe overhevelde. Mijn behoefte je om hulp te vragen veranderde in het verlangen jou te helpen en in de zekerheid dat ik dat zou kunnen. Ik weet niet of het jou óok wel eens is overkomen dat je bij vrienden langsgaat terwijl je je heel ellendig voelt en alleen maar zin hebt om te zeggen: 'Ik kom hier dood neervallen, zodat jullie me kunnen opvegen', en dat dan blijkt dat zij op dat moment ook met een probleem worstelen, en of dat nu ernstiger of minder ernstig is dan je eigen verdriet, dat maakt niet uit, want waar het om gaat is dat je hun probleem beter begrijpt dan zijzelf omdat je er vanbuitenaf tegenaan kijkt, en dat schudt je wakker, dat leidt je af van je eigen sores en geeft je de kracht terug om je geatrofieerde zenuwstelsel weer in werking te stellen, oftewel om te leven, want je levenslust bloeit altijd weer een beetje op wanneer je je nuttig voelt en in staat bent om iemand de helpende hand te bieden.

Maar het kostte me moeite me te concentreren, want ik had de hele nacht, tot aan het eerste ochtendlicht, wakker gelegen, dwalend over paden die nergens heen leidden en niet wetend of ik hier zou blijven, weer op de vlucht zou slaan of naar Madrid zou terugkeren, drie opties die me allemaal even verkeerd toeschenen, want als eenmaal het idee in je hoofd heeft postgevat dat je nergens iets te zoeken hebt en dat niemand, behalve misschien een of andere kwezel, je mist, dan raak je je levenslust kwijt. Ik wisselde het schrijven af met het opgraven van dode teksten op de begraafplaats van mijn eigen en andermans liefdesverdriet, vol verwelkte bloemen van al diegenen die hadden gezworen het unieke moment van het 'voor altijd' nooit te vergeten, aangevuld met de beknopte omschrijvingen op mijn systeemkaarten over erotiek, die zo steriel zijn en zo braaf aan hun opschrift gehoorzamen dat ze tot nog toe nooit gif of stank hadden afgescheiden en altijd netjes in hun bak waren gebleven. Bedekte termen, leugens vermomd als waarheid vermengen zich en hossen luidruchtig stampend door de straten van mijn geest, zoals op een carnavalsfeest, waar de pret juist is dat je niemand vraagt hoe hij heet, in welke buurt hij woont of aan welke ziekte hij lijdt, en waarvan aan het eind niets overblijft dan gescheurde kleren, geheugenverlies en gebroken glas. Het hielp niet om het licht uit te doen en zelfs niet om mijn hoofd onder het kussen te stoppen: het extra tafeltje – dat mij op een geniepige manier herinnert aan het tafeltje vol onbeantwoorde post en onafgehandelde zaken dat in mijn kantoor in Madrid staat te wachten – bleef vanaf zijn tijdelijke plek dat vreemde fosforescerende licht uitstralen dat eigen is aan lijken en spoken. En ik wist dat daar, in die stapel papieren, de bron van het conflict school. Maar misschien ook de mogelijke oplossing ervan.

Waarschijnlijk was het dat laatste vermoeden dat zich vannacht tegen mijn vernietigingsdrang heeft verzet en mijn hand heeft tegengehouden telkens wanneer ik de aanvechting kreeg om zonder enige selectie vellen papier te verscheuren. Uiteindelijk zijn ze allemaal de dans ontsprongen. Tot drie keer toe heb ik ze slordig onder in mijn koffer gelegd, en evenzovele keren heb ik ze weer opgegraven vanonder de lagen gekreukte kleren die ik erbovenop had gegooid, de derde keer toen het al licht begon te worden, een licht dat overigens, al klinkt het raar, ook verblindt. 'Ik had nooit gedacht/dat uit een schittering/duisternis kon ontstaan'; Alberto Pérez zegt dat al in een van zijn *slows*.

En ten slotte heb ik me, uitgeput van al mijn zinloze gepieker, zachtjes neuriënd in de stoel laten vallen en me overgegeven aan de slaap. Ik droomde dat ik over het strand liep, in de richting van het dorp, om een paar papieren op te halen die ik in het eethuis met de eenogige meeuw had laten liggen. Ze waren van fundamenteel belang om Manolo Reina's houding tegenover mij te begrijpen, en bovendien compromitterend voor hem. De ober met de zenuwtic had ze voor me bewaard, maar het bleek riskant ze helemaal daar te gaan halen, want dat van die papieren was slechts een episode van een heel ander, verward spionageverhaal, waar jij, Sofia, ook iets mee te maken had. Het begon dag te worden, ik was bang en keek behoedzaam om me heen terwijl ik met mijn armen slap langs mijn lichaam hangend, alsof ze van lood waren, over het strand liep. En ineens ontwaarde ik recht voor me een gestalte die mijn kant opkwam en geleidelijk aan groter en beter zichtbaar werd. Even later zag ik dat het een vrouw was: jij. Je wapperde met een paar vellen papier en ik herkende je glimlach voordat we naar elkaar toe begonnen te rennen en elkaar, daar midden op het verlaten strand, huilend van blijdschap en zonder een woord te zeggen omhelsden.

Ik werd wakker toen de zon al vrij hoog boven de zee stond. Ik ben uit de stoel opgestaan en onmiddellijk je telefoonnummer gaan zoeken, dat ik in Madrid in de gids had opgezocht en dat in mijn agenda onder de N van Noodgevallen staat, al heb ik er tot nu toe nooit gebruik van gemaakt. Met een schok drong het tot me door dat ik niet langer kon wachten om je stem te horen, geen minuut langer, dat het idioot is om een zo overduidelijk, spontaan opgekomen verlangen uit een belachelijk soort trots te blijven onderdrukken. Het kan me niet alleen niet schelen me aan jou als een hoopje ellende te vertonen, ik heb daar zelfs behoefte aan, ik wil huilen zodat jij me kunt troosten, ik wil je vertellen hoe slecht het allemaal is afgelopen, hoe dom ik ben.

Zomaar ineens wennen aan de scherpe klanken van die vreemde stem, die bovendien uit een ruimte kwam die ik me bij gebrek aan informatie niet kon voorstellen, vereiste daarom van mij extra inspanning; ik moest behoedzaam rondtasten, zoals wanneer je in het donker in een onbekende kamer je weg probeert te vinden. Het enige lichtpunt is dat Consuelo niet onmiddellijk antwoord verwacht op de dingen die zij er een beetje 'als een schot hagel', je weet wel, uitflapt; en zo kreeg ik, al kostte het me daardoor nog meer moeite haar te volgen, de gelegenheid mijn tranen weg te slikken. En nu heb ik weliswaar niet de troost gehad jouw stem te horen, ik heb tenminste wel recente berichten, van de afgelopen nacht zelfs, over je vernomen; we hebben elkaar niet alleen in mijn droom omhelsd. Ik weet nu dat jij, terwijl ik met mijn ogen opengesperd als die van een uil over mijn eigen problemen zat te tobben, ook wakker was en waarschijnlijk snakte naar de woorden van een vriendin, want het is nooit neerslachtigheid maar altijd de noodzaak ons hart te luchten die ons op ongebruikelijke uren het huis uit jaagt en maakt dat we een toevlucht zoeken in een ander bed, bij de zee of tussen de vier muren van een kroeg. En zeker in jouw geval, dat volgens dat meisje vreemd genoemd kan worden omdat je zelden de deur uitgaat.

Maar nog vreemder dan dat je de nacht elders hebt doorgebracht vindt ze het dat je man zich zo'n zorgen maakt. Wat kan het hem schelen of je bij iemand anders of in Amelia's kamer slaapt, gezien de hoeveelheid aandacht die hij aan je besteedt, 'want dat ze niet samen slapen weet u vast ook wel als u géén goede vriendin van haar bent,' zei ze nadrukkelijk. En ze voegde eraan toe dat je wel gek zou zijn om terug te komen en dat alle kerels hetzelfde zijn, zodra je niet meer tot hun beschikking staat willen ze je ineens hebben. Zij denkt dat je in de schuilplaats bent, maar dat heeft ze niet tegen je man gezegd en ze peinst er ook niet over dat te doen, want als je tegen hem gelogen hebt is dat omdat je niet gesnapt wilt worden, we liegen altijd om dezelfde reden. En zij zal je niet verklikken, want ze wil niet dat ze je vinden, dat moest er nog bij komen. Jou niet en niemand die op de vlucht is, voor wat dan ook en waarom dan ook; per slot van rekening hebben we allemaal genoeg redenen om dolgraag te willen ontsnappen, dus kies je de kant van de vluchteling, ja toch, dat is logisch. Dat blijkt ook uit het feit dat geen enkel kind het leuk vindt bij diefje-met-verlos de bewaker te zijn, behalve dan natuurlijk van die rotkinderen, die je ook altijd hebt. En bij films is het al net zo: je vindt het haast altijd zielig als de dief wordt gepakt. Maar die vergelijkingen slaan nergens op – ging haar monoloog verder – want zoals ik vast wel wist is het enige wat je verkeerd hebt gedaan het zat zijn dat niemand zich iets van je aantrekt. Dus al was ik een heel goede vriendin van je en wist ik waar je uithing, toch kon ik maar beter mijn mond houden. Het doet haar wel veel plezier te horen dat je vriendinnen hebt, maar ze zal doen alsof ze niets gehoord heeft, ik kan gerust zijn, ze zal zwijgen als het graf.

En op dat punt aangekomen vroeg ze naar mijn naam, als dat niet onbeleefd was. Ik zei dat ik Mariana heette en dat ik zeker wist dat je niets ergs was overkomen. Ik zei dat voor een deel om haar gerust te stellen, maar ook een beetje omdat het was alsof ik je inderdaad vannacht asiel in mijn kamer had verleend door je zo vaak te smeken naar me toe te komen, door me zo vaak hardop tot jou te richten met de vraag: 'Wat moet ik doen, Sofia? Zeg jij me wat iemand moet doen die geen zin meer in het leven heeft; aan de recepten die ik anderen altijd voorschrijf heb ik niets, zoals ik er ook niets aan heb dat ik het verschijnsel jaloezie duizend keer heb geanalyseerd om vervolgens tot de conclusie te komen dat het iets irrationeels is en dat het averechts werkt; luister naar me, ik heb troost nodig, ik ben op een dood spoor beland.'

Consuelo zei dat zij zich evenmin zorgen om je maakt en dat ze alleen maar graag wil dat je plezier hebt en dat je wat van het leven maakt, want zij is door jou altijd beter behandeld dan door haar eigen moeder en daarom is ze dol op je, en ook omdat je zo waanzinnig grappig bent. Ze zei dat je een ster bent in het maken van teksten voor liedjes als je met je goede been uit bed bent gestapt, dan rollen ze er zo uit, en alleen al door daar serieus mee bezig te zijn zou je meer poen kunnen verdienen dan je man, zonder dat je je met advocaten en zo hoefde in te laten, want er is een enorm gebrek aan goedlopende teksten, zodat zelfs zangers als Ramoncín ermee kappen omdat ze niemand kunnen vinden die teksten voor hen schrijft. Ze zei dat naar de schuilplaats gaan het beste was wat je had kunnen doen, hoewel ze er niet over peinst uit te vissen of je daar of bij mij bent, dat is werk voor de politie.

Ik heb haar niet gevraagd over wat voor schuilplaats ze het had, want na al die chaotische informatie klonk het hele verhaal me net zo onwerkelijk in de oren als dat over die brief voor de gast van kamer 204. En juist daarom, omdat het een beetje leek op de verhalen die ik zelf verzin wanneer ik mijn fantasie de vrije loop laat, begon ik het op mijn eigen manier te bewerken en in dat bizarre scenario in te passen. Daardoor vergat ik niet alleen even mijn eigen ellende, maar slaagde ik er ook in de spanning en de risico's van je nachtelijke ontsnapping met je te delen en te koppelen aan het verwarde spionageverhaal uit mijn droom. Ik zag ons met z'n tweeën door smalle steegjes rennen, hand in hand, op zoek naar die vage schuilplaats waar wij ons mogelijk vannacht samen hebben schuilgehouden. En het deed me goed jouw angst in de armen van de mijne te kunnen verzachten, te weten dat ik niet de enige ben die achtervolgd wordt en dat wij, door jouw inventiviteit te combineren met mijn gave om te camoufleren, in staat zullen zijn de detective met het meest vervaarlijke uiterlijk en de fijnste neus op een dwaalspoor te brengen.

Tegen Consuelo heb ik alleen maar gezegd, toen ik er eindelijk tussen kon komen, dat ik niet in Madrid was en je de laatste tijd niet had gezien, waardoor de schuilplaats als mogelijke verblijfplaats er een heleboel punten bij kreeg. Maar of ze je zodra je weer boven water komt alsjeblieft wil vragen mij te bellen, dat het dringend is. Ik heb haar het telefoonnummer van dit hotel gegeven, en me ervan verzekerd dat ze het goed heeft opgeschreven, evenals het netnummer van Cadiz en het nummer van mijn kamer. Ook heb ik haar opgedragen het aan jou persoonlijk door te geven en aan niemand anders. Ze zei nogmaals dat ze zou zwijgen als het graf en toen hebben we opgehangen.

Meteen na dit gesprek heb ik mijn koffer definitief uitgepakt, want nu heb ik een reden om hier te blijven: ik moet op jouw telefoontje wachten. En opnieuw blijkt dat je bezighouden met andermans zaken een doeltreffend middel tegen je eigen verlamming is. Ik zit nu al een paar uur te schrijven aan een 'opstel', wat ik jou destijds ook heb voorgeschreven. En het gevolg daarvan is dat ik ondertussen de papieren op de tafel orden, een heleboel die ik niet nodig heb verscheur en andere waarvan ik dacht dat ik ze kwijt was terugvind. Ze irriteren me al minder dan vannacht.

Maar het is omdat jij bestaat, Sofia, verstopt, je toevlucht zoekend in een schuilplaats waaruit ik je wil verlossen; daarom wordt wat ik schrijf een soort blindelings gegraven tunnel en ikzelf een mol die steeds verder die onderaardse gang van woorden in kruipt, met als enige gids het verlangen jou te vinden om je om hulp te kunnen vragen en je die tevens te bieden; en af en toe houd ik even op met het wegkrabben van aarde omdat ik zo nu en dan naar de oppervlakte moet, al is het daar gevaarlijker, en dan klim ik in bomen en laten mijn woorden me van tak tot tak springen, op muren klauteren en zwartgroene sloten overzwemmen, alles heimelijk, slechts geleid door een vertrouwen dat bij elke tegenslag groeit, net als in van die films waarin een gevangene op het punt staat gedood te worden en waarin de held, die altijd op het nippertje verschijnt, zelf ook bevrijd zal worden van donkere dreigingen zodra hij de gevangene heeft verlost, daarom nemen zijn vindingrijkheid en handigheid ook toe; en zo verandert mijn behoefte om signalen naar jou uit te zenden en zelf signalen van jou op te vangen van een last in een stimulans, die mijn woorden nieuw leven inblaast en kleur geeft. En niet alleen de woorden die ik nu opschrijf en die een opening maken naar jouw onbekende schuilplaats, maar ook die daarmee verbonden zijn, alle woorden die ik sinds ik in de trein naar Puerto Real ben gestapt aan jou heb gewijd, uit de hand gezaaid als wilde haver, en die nu, door te herrijzen van het papier waar ze te ruste lagen, de andere te hulp schieten, achter ze aankomen, als de achterhoede van een leger die bij het horen van de klaroenstoot op de paarden is gesprongen.

Ik schrijf onzin, dat weet ik best, en ik weet ook dat brandhout en dorre bladeren mij kunnen helpen om de kou van het wachten te verdragen, om het vuur aan te wakkeren van het verhaal dat ik je wil vertellen voordat ik terugkeer naar de kerker van het gezond verstand, voordat mijn tranen afkoelen en de bewaker me toefluistert: 'Zo erg was het niet, zo erg was het allemaal ook weer niet, je hebt nu wel genoeg capriolen uitgehaald, er is je niets overkomen, kom tot jezelf.' Nee, ik heb nog geen zin dat bittere drankje in te nemen, ik wil me nog niet overleveren aan mevrouw dokter Jekyll, die me terug zal brengen naar een wereld vol echte ellende waarvoor ik de verantwoordelijkheid draag, ik verzet me tegen het idee behandeld en verdoofd te worden door dokter Jekyll León, die me in háár zal veranderen, ik wil ontsnappen, Sofia, vervormd door lachspiegels, ik roep je, ik ben Mariana, ik wil bij jou mijn tranen de vrije loop laten en huilen om een liefdesverdriet dat misschien onbelangrijk is, maar dat al mijn eerdere liefdesverdriet naar boven haalt, al mijn opgekropte tranen en zuchten sinds mijn studietijd, toen ik vond dat ik moest kiezen tussen rekening houden met de gevoelens van anderen en aandacht besteden aan die van mezelf en wist dat als ik niet in staat was het in mijn eentje, zonder om hulp te vragen, te klaren, ik anderen maar weinig hulp zou kunnen bieden, het was een pijnloze beslissing die me toen zelfs mooier maakte, met een afstandelijke glimlach als van Ninotchka, als van Lauren Bacall, houd je instincten in bedwang. Maar Manolo zei dat het niet waar was, dat ik juist vuur in mijn aderen had, gelukkig zou ik niet sterven zonder het te weten, dat is nu drie jaar geleden, beter laat dan nooit, hij heet Manuel Reina, ik geloof dat ik je dat al in eerdere brieven heb gezegd, maar hij houdt niet meer van me. Hoewel dat mijn schuld is, ik ben hem kwijtgeraakt omdat ik dat wilde, omdat ik ben teruggekeerd naar de gevangenis van het gezond verstand waaruit ik al jaren probeer te ontsnappen, wat nu niet meer kan, net zoals ik al jaren, nog veel meer jaren, weet dat jij, mijn allerliefste vriendin, degene bent die ik wil bellen zodat je me kunt troosten, want jij bent de enige die dat kan, al weiger ik dat steeds toe te geven; ik heb er behoefte aan om bij jou uit te huilen en mijn hart te luchten, ik weiger me te laten behandelen door dokter León, 'die me niet weet te vertellen wat ik wil'. Hopelijk hoor je deze krankzinnige woorden, scherp geslepen om over de ruiten van die vreemde schuilplaats waarin je bent weggekropen te krassen, en herken je mijn tranen in de regendruppels die het raam geselen, want hier is het in ieder geval gaan regenen, had ik die passage uit *De woeste hoogte* die jij zo mooi vond maar voor me liggen zodat ik hem voor je kon overschrijven, die passage vrij aan het begin, wanneer op een stormachtige nacht het gezicht van Catherine als kind verschijnt voor het raam van de zolderkamer die ooit van haar is geweest en waar nu Lockwood overnacht, en hij door het plotseling gebroken raam heen haar spookachtige vingers vastgrijpt en dan tot zijn schrik beseft dat hij, al is het misschien in een droom, een geschiedenis heeft aangeroerd die hij nooit meer zal kunnen loslaten en die hij vervolgens aan de hand van de verhalen van mevrouw Dean gaat uitzoeken en aan ons vertelt, maar vooral aan jou, Sofia. Gedeelten uit deze roman, die nog steeds jouw dromen verlicht, overschrijven voor jou zou nog een verbinding betekenen tussen jou en mij, zoals we nu zijn, omdat ze deel uitmaken van de algemene hiëroglief van onze levens van nu en van vroeger; een luchtbrug tussen ons beider herinneringen, angsten en teleurstellingen, een magische formule om de reactie te krijgen waarnaar ik zo hevig verlang: Je hebt me gebeld, hè, Mariana? Wat wilde je?

Als ik niet het sterke, aan zekerheid grenzende vermoeden had dat jouw stem mij straks (of op zijn laatst morgen) over rivieren en bergen heen zal bereiken om me dat te vragen, om te weten te komen wat er is gebeurd, wat er met me aan de hand is, waarom ik in mijn eentje als verlamd in dit hotel aan de Costa de la Luz zit ondergedoken, jouw stem die zegt dat je geen haast hebt en dat ik niet moet huilen, dan zou ik terstond stoppen met mijn pogingen een eenzame striptease uit te voeren, waarbij een liefdesgeschiedenis die geen *happy end* kon hebben ronddraait in holle, onbesliste spiralen; en nu zal ik je iets zeggen waar ik niet omheen hoef te draaien, iets wat ons pas pijn doet als het is opgehouden, namelijk dat ik verliefd ben op iemand die niet meer van mij houdt, ik zal over hem vertellen, hoe hij is en wat voor stem hij heeft, want zijn stem verandert niet, Sofia, het is afschuwelijk, hij heeft nog steeds dezelfde stem en ook nog steeds dezelfde handen, die hij op dezelfde manier beweegt, je kunt je niet voorstellen hoe het is om nu die stem te horen zeggen: 'En hoe is het met jou? Je ziet er heel goed uit, Marianilla,' een koosnaam om afstand te scheppen, want die heeft hij nooit eerder gebruikt, waarop ik zei 'Goed hoor, je ziet het, deze streek trekt me, ik ben een artikel aan het schrijven en ben een beetje moe,' terwijl ik gebiologeerd, alsof ik ze in een lijstje zie, blijf kijken naar die handen die een aansteker te voorschijn halen, hem aanknippen en me achteloos en zonder te trillen het vlammetje voorhouden; als ik jou toch eens kon vertellen hoe die stem en die handen waren, die door onbegrijpelijke hekserij voor mijn ogen weer dezelfde als toen worden, terwijl ik niet weet of ik het moet geloven of niet, ze moet onderzoeken of niet, me moet overgeven aan deze hallucinatie of het gevaar moet ontvluchten, als ik jou dat toch eens kon vertellen, Sofia, met horten en stoten, gewoon zoals het eruit komt, zoals mijn patiënten mij over hun voorgoed verloren gegane illusies vertellen, hakkelend, vanuit het paniekgevoel dat ontstaat als je een gedoofde gloed opnieuw moet beleven en in de schaduw moet zoeken naar wat slechts kon worden vastgehouden in de zon, toen het verstand, verblind en verdwaasd door het licht van de kortstondige zomer die alle vragen verdreef, zich eenvoudigweg opende voor wat een geschenk zonder morgen, een vreugdevolle en natuurlijke gebeurtenis was; als ik je eens kon vragen, Sofia, waar ik nu die onvolledige, fragmentarische maar nog steeds bewegende beelden moet laten van die man die niet meer van streek raakt of naar adem hapt als hij me ziet, waar laat ik ze, zeg het me, wat moet ik ermee? Net als wanneer je een kostbaar voorwerp in duizend stukjes hebt laten vallen en je niet weet of je die moet bewaren of weggooien, en je beduusdheid vooral veroorzaakt wordt door de ontdekking dat je tot op dat moment niet hebt beseft hoe kostbaar dat voorwerp was; als ik niet zeker wist – zeg ik nogmaals – dat je naar me zult luisteren, hoe ik de dingen ook vertel, al geef ik een verdraaide versie van een liefdesgeschiedenis die alleen door jouw aandacht aan de banaliteit onttrokken kan worden, en als ik je niet hoorde zeggen: 'Huil niet, Mariana, huil alsjeblieft niet', dan zou ik voor deze geschiedenis even allergisch zijn als vannacht voor die berg papieren, die ik koortsachtig groter maak, zoals je ziet, en nu puur omdat ik het niet kan laten, terwijl ik op het wonder van jouw telefoontje wacht.

Hoewel deze hele uiteenzetting vanuit een ander gezichtspunt bekeken ook gezien zou kunnen worden als een van de vele gevallen van een gespleten persoonlijkheid die dokter León heeft geregistreerd, op kaarten, losse vellen en schriften die ze inmiddels zo vaak betast, hopeloos bevonden en herlezen heeft dat ze onverteerbaar zijn geworden. 'Waarvoor heeft ze in vredesnaam zoveel voorbeelden nodig?' vraag ik me af. Nou, je ziet het, ze komen blijkbaar allemaal van pas, al die gevallen hebben iets waar ze wat aan heeft, en ze perst ze uit, want er mag geen druppel verloren gaan van het heilzame sap om haar thesis mee te bemesten, een speciaal goedje van een nieuw merk waarmee al die op maat gesorteerde scherven gelijmd kunnen worden. En waarom eigenlijk, vraag ik me nogmaals af, want als de scherven eenmaal zorgvuldig geplakt zijn, soms zo netjes dat er geen barstje meer te zien is, zijn de verhalen die uit dat bedrieglijke geheel voortvloeien wel beschouwd allemaal hetzelfde en altijd zonder einde, wijd openstaand voor de orkaan van de eenzaamheid.

Opgelapt, betaald en gearchiveerd blijven ze liggen totdat de stoornis die een mogelijke nieuwe inzinking aankondigt zich opnieuw voordoet. En dan verschijnt weer die vrouw van middelbare leeftijd, over het algemeen elegant, slank en met knokige handen, en loopt naar de divan. Josefina Carreras heeft me meestal van tevoren de kaart gebracht, zodat ik een vrouwennaam kan noemen die ik anders vergeten zou zijn of met een andere verward zou hebben, al die vrouwen hebben een vaag artistiek gevoel dat ze niet in banen weten te leiden en dat hun geen troost biedt, maar ze lijken nog het meest op elkaar in hun verlangen bijzonder te zijn, hun eigen geval als anders dan alle andere te presenteren, en in een bepaalde trek rond hun mond die verraadt dat de hoop om nog eens hartstochtelijk gekust te worden voorgoed vaarwel is gezegd, en ik zeg haar naam, wat brengt u hier, ach, u weet wel, het oude liedje, maar een tikkeltje erger, ze zijn als de mevrouw Acosta die regelmatig bij jou op de stoep staat, als u met me mee naar beneden loopt kunt u het zelf zien, een kwestie van leidingen, het oude liedje.

Van mijn mappen op de extra tafel is die met het etiket 'Vrouwen en eenzaamheid' de dikste, en het is tevens de map waarin bijna alle notities die niet duidelijk in een rubriek thuishoren uiteindelijk terechtkomen.

Gistermiddag, voordat ik naar het strandtentje ging waar ik met Manolo had afgesproken, heb ik er een paar doorgenomen, zoals wanneer je een examen voorbereidt, en toen ik even later onder de douche probeerde de belangrijkste conclusies te onthouden, was dat zoiets als je zonder enig vertrouwen laten inenten tegen een ziekte waarmee je al besmet bent. Tussen de keurig getypte of, zoals nu, door een ongelijkmatig handschrift onderbroken zinnen door, vloeit onverwacht het water van duizend rivieren, die eerst stroompjes en beken uit verschillende bronnen zijn geweest, zich vervolgens langs steile hellingen een weg tussen boomstammen en stenen hebben gebaand en toen stuk voor stuk langzaam breder en kalmer zijn geworden, terwijl ze het lied zongen dat hen van elkaar onderscheidde en elk van hen de weg wees, totdat ze op een dag zonder te weten hoe onontkoombaar zijn uitgemond in de diepe zee van de eenzaamheid, dat gemeenschappelijke graf waaruit een eenstemmig rumoer opklinkt, waarin alle stroompjes die onderweg kabbelend weerklank vonden samenkomen, eenzamer dan ooit omdat ze met velen zijn, omdat hun gejammer identiek is, een eensluidend gejammer dat pretendeert uitzonderlijk te klinken en te blijven klinken. Andere mensen vervelen me, ze begrijpen me niet, ze luisteren niet naar me, ze klagen altijd over hetzelfde en stellen zich enorm aan, dokter, als ze zouden doormaken wat ik doormaak; en het erge is dat ik niemand heb om mee te praten, heus, het wordt met de dag moeilijker, de mensen denken alleen maar aan zichzelf, uitsluitend aan zichzelf.

'Wat heb je daar veel over nagedacht, Mariana,' zei ik gistermiddag tegen de vrouw die me vanuit de enigszins beslagen spiegel in de badkamer aankeek, 'wat heb je daar veel gedachten, raadgevingen en lezingen aan gewijd, ben je inmiddels nog geen expert op dat gebied? Dat kan toch allemaal niet voor niets geweest zijn, pas het verhaal op jezelf toe, zuster, concentreer je en kijk welke conclusies je eruit kunt trekken.' En ik vond het leuk de punten van mijn haar te zien opwaaien in een lauwwarme luchtstroom die niet uit de föhn kwam, zoals op het eerste gezicht misschien leek, maar die vanuit de Levant de zee deed rimpelen, velden met zonnebloemen deed golven, zeilen deed bollen en wasgoed deed wapperen op platte daken van witte dorpen die zich voor mijn verbaasde ogen verhieven, even verrassend als hun namen, Arcos de la Frontera, Vejer, Ubrique, Zahara de los Atunes, Ronda, Alcalá de Guadaira, Lebrija, Medinasidonia, Osuna, Jimena, Antequera, en de lijst van de spiegel veranderde in die van het open raampje van een Fiat Uno, met op de achtergrond de Sierra de Grazalema en paarlemoeren wolken die naar het zuiden dreven, op weg naar Tarifa om De Straat van Gibraltar over te steken. Jouw blinde ogen hebben die wolken, dorpen, bergen en stranden gezien, Mariana, ze hebben dat allemaal gezien, probeer het je te herinneren, haal het uit de diepte waar het sluimert, haal het van de stevige rots waarop je eenzaamheid is neergestreken, weef die beelden opnieuw zodat ze nu je hart kunnen verwarmen, je hebt het gezien, het was er allemaal echt en is er nog steeds, laat het niet als een leugen sterven zonder het hulp te hebben geboden, het gaat erom dat je de wil hebt om te veranderen, dat heb je zelf vaak gezegd, het gaat om de kunst het materiaal dat ieder van ons krijgt aangereikt te bewerken. Ook eenzaamheid kan object van kunstnijverheid en bewerking zijn, vraag het de dichters maar, het gaat erom dat je haar niet ervaart als een straf en dat je niet vanuit de peilloze diepte van dat zwarte gat om hulp smeekt, je moet dat gat gewoon verkennen. 'Het is beter zwart te zien dan niets te zien,' zei Machado al, oftewel, juist door hardnekkig te blijven kijken slagen we er uiteindelijk in de bodem van de kolenmijn diamantachtige schitteringen te ontlokken en een doek te schilderen dat niet per se somber of eenvormig hoeft te zijn, of heeft zwart soms niet zijn schakeringen?; het duurt even voordat je ze kunt onderscheiden, dat wel, voordat je ogen aan het donker gewend zijn, maar dat geldt voor elke kleur, wolken zijn ook niet makkelijk te schilderen, Manolo zei dat die juist het moeilijkste waren, dat je daar vaak uren naar moet kijken. Alles wat de moeite waard is kun je niet meteen zien, en het vergt heel wat zweetdruppels om het op eigen kracht naar boven te halen, maar niemand hoeft te weten of die operatie je veel of weinig inspanning heeft gekost; houd gewoon onverschrokken vol, want zoals ik al zei, wat moet zijn zal zijn, word niet zenuwachtig. Daar gaat het om, dat je je niet van de wijs laat brengen, om de alchemie waarmee je uit ons rijk der schaduwen een dromerige, afwezige blik kunt destilleren die het immateriële raakt, precies zo'n blik als die nu uit je herinneringen opstijgt en die je in de spiegel ziet, een ondoorgrondelijk gezicht dat alleen van jou is, dat bijna zonder te bloeien bloeit, dat excessen verdrijft en smeekt om ontraadseld te worden, eens kijken of je dat gezicht de hele avond kunt vasthouden, Mariana.

Maar terwijl ik die beheerste, afstandelijke glimlach oefende, was ik meer bezig me voor te stellen wat voor effect hij op Manolo zou hebben dan te proberen hem van een passend innerlijk betoog te voorzien. En ik besefte dat het feit dat ik me aan dat soort machinaties overgaf juist mijn onzekerheid weerspiegelde. Vooral omdat ik bij eerdere keren dat we met elkaar hadden afgesproken uiteraard ook wel in de spiegel had gekeken, maar dan niet om onnatuurlijke grimassen te oefenen of iets anders uit te proberen waarvan ik van tevoren niet zeker was, een vleugje *rouge* op mijn lippen en wegwezen, want het was een examen waarvoor ik bij voorbaat al met een dikke voldoende geslaagd was. Het belangrijkste was hem niet te lang te laten wachten, want dan werd hij ongeduldig. Hij vond het altijd weer een wonder me te zien, zei hij.

Mijn haar zat goed, het hing los en krulde een beetje bij de punten, zoals hij het mooi vond, vooral wanneer we in zijn auto zaten, die uiteindelijk ook een beetje mijn auto was geworden, en ik mijn hoofd uit het raampje stak en het landschap vol tegenstrijdige geuren, bedrijvigheid en licht indronk, terwijl ik me er tegelijkertijd van bewust was dat hij van opzij zat te kijken hoe de wind mijn haar in de war maakte.

'Haal het niet in je hoofd het samen te binden, jouw haar is ervoor gemaakt om de wind ermee te laten spelen en het in de war te laten maken, laat het altijd los hangen, geef het de vrijheid.' Het is nu iets korter dan die zomer, ik weet niet of hij het mooi zal vinden nu ik het heb laten knippen, dacht ik, en ik weet ook niet wat er van Centaur geworden zal zijn, die metalic blauwe Fiat Uno waarmee we langs zoveel dorpen zijn gereden, vanwaaruit we zo vaak de zon hebben zien ondergaan en de maan hebben zien opkomen en waarvan ik net zoveel ben gaan houden als van een huis, ik had hem die naam gegeven vanwege het merk schriften dat ik altijd gebruik, waarvan de kaft diezelfde kleur blauw heeft, jij zult ze ook wel kennen, Centaur, met een spiraal. Hij had twee deuken aan de rechterkant en een in de kofferbak, die volgens Manolo zijn voortbestaan garandeerden, want wie zou hem ons afnemen?; hij liet hem altijd open.

'Er is geen dief die hem hebben wil,' zei hij, 'maar als God beschikt dat hij gestolen wordt, is er geen man overboord, maak je geen zorgen, dan hebben we ons lesje geleerd.'

Hij zei 'ons', alsof de auto van ons tweeën was.

'Maar natuurlijk is hij van ons tweeën. Ik gooi de tank vol en rijd erin en verwissel lekke banden, maar jij bent zijn peettante, jij hebt hem tenslotte zijn naam gegeven. En bovendien zat hij op je te wachten, ik heb hem nog nooit zo lang achter elkaar met dezelfde persoon gebruikt.'

'Kom nou toch, leugenaar.'

'Nee, echt waar, dit soort uitstapjes naar dorpen in de buurt maak ik anders altijd alleen.'

En ik lachte.

'Ik hoop dat ik weg ben voordat je genoeg van me krijgt. Ik houd er niet van te veel te zijn, ik wil liever gemist worden.'

'Wat zeg je nu? Met jou krijg je niet genoeg van Centaur of van wat dan ook. En ga nu niet met weggaan dreigen, we beginnen pas, lieveling, het is maar dat je het weet. We moeten nog zoveel wandelingen maken, glazen wijn drinken, copla's zingen, tochten ondernemen!'

'En geheimen delen, hè?'

'Dat niet, de geheimen die wij samen hebben zullen met mij mee het graf ingaan, maar de geheimen die ieder van ons heeft, dat is iets heel anders, we behouden alletwee onze vrijheid, oké? Zo zullen we elkaar altijd zien alsof het voor het eerst is, zonder ballast.'

' "Altijd" is een groot woord, vind je niet?'

'Dat maakt niet uit, ik noem het zo, en ik ben degene die het in dit contract zonder handtekeningen, stempels en notaris voor het zeggen heeft. Ik geef je mijn woord en daarmee uit, het zal altijd zo zijn. Altijd wanneer ik je zie zal het zijn alsof het voor het eerst is, en ik zal die dag en de volgende dag en de daaropvolgende dag bij je willen zijn.'

Ik wist dat het niet waar was, dat dat onmogelijk was. En ik wilde bijna dat het in één klap voorbij zou zijn zodat ik weer kon terugkeren naar mijn gewone leventje, naar mijn schuilplaats van het gezonde verstand, allemachtig, wat een zomer!

Twee uur voor de afspraak, toen ik mijn uiterlijk reeds had goedgekeurd, begon ik een ideale dialoog met Manolo te verzinnen, om de tijd van het wachten te doden en niet zenuwachtig te worden. Die dialoog werd zo goed dat ik stukken ervan uit mijn hoofd leerde en zelfs een paar van mijn meest spitsvondige en geestige antwoorden in een Centaur-schriftje van zakformaat opschreef, uit angst ze te vergeten. Maar plotseling kwam ik tussen de blaadjes van het schriftje de foto van Manolo tegen die ik uit de krant had geknipt en daarin had gestopt, en ik zag een spottend lichtje in zijn ogen dansen, alsof hij wilde zeggen: Hou op, probeer niet telkens mijn ziel te analyseren, die begrijp ik zelf niet eens. En toen besefte ik dat ik in mijn tekst zijn inbreng meer dan ooit had weggelaten, dat ik straks geen geest tegenover me zou hebben en al helemaal geen zwakke, nietige patiënt van wie Josefina Carreras me de kaart had gegeven, maar een man van wie ik op dit moment bijna niets weet en die me bovendien niet eens had gebeld om te zeggen of hij wel van plan was naar het strandtentje te komen en die, als hij zou komen, zijn zaken goed op een rijtje zou hebben (hij zou wel gek zijn om zich door een ander te laten manipuleren!) en me uiteraard niet de brandende, hartstochtelijke vragen zou stellen die op mijn lijstje voorkwamen en waardoor hij aan mij zou zijn overgeleverd, maar heel andere vragen, die hem door de situatie werden ingegeven, God weet welke, misschien geen enkele. Dus toen mijn prachtige zinnen hun basis hadden verloren, gingen ze groots ten onder en losten als suikerklontjes in het water op. Ik bleef weerloos en zonder wapenrusting achter.

Ook stond ik stil bij een heel andere factor, die mijn kansen om het initiatief te nemen aanzienlijk verkleinde, zeker als ik iemand tegenover me zou hebben die gewend was dat zelf te nemen: ik doel op mijn gebrek aan training. Ik realiseerde me dat in de tijd waarin ik bezig was geweest mijn ego te cultiveren en mezelf vrijwillig de omgang met anderen had ontzegd, mijn verbale vaardigheid, die je slechts door oefening verkrijgt, achteruit was gegaan, wat een punt – of meerdere punten – in mijn nadeel was. Ik had al te veel dagen met niemand gepraat, ongeveer sinds ik uit Madrid was vertrokken (want mijn ontmoeting met

Silvia had geen gesprek opgeleverd dat die naam waard is, ik was me daarna juist nog meer gaan afschermen), en natuurlijk begon mijn organisme, hoe kan het ook anders, last te krijgen van dit ernstige vitaminegebrek. Ik had geen verdedigingswapens meer, dat kon ik maar beter inzien, er waren al vele dagen verstreken sinds ik met een bos seringen in mijn armen geklemd Raimundo's huis was uitgevlucht, waar was nu die geur van heimwee naar iemand in wiens gezelschap ik kort geleden had verkeerd? Dagenlang zonder met iemand te hebben gebeld, zonder met iemand te hebben gelachen, zonder iemand in de ogen te hebben gekeken, al dagenlang voor anderen op de vlucht, terwijl ik als door een getinte ruit naar hen keek zodat ze ver weg leken; dagenlang dat ik in mijn eentje wandelde, in mijn eentje at, in mijn eentje absurde beslissingen nam, in mijn eentje praatte en uiteraard in mijn eentje sliep, mijn eenzaamheid nu eens ophemelend dan weer vervloekend, zonder echter een poging te doen haar hardnekkige opmars te stuiten, terwijl ik ondertussen aanzetten bedacht voor een roman in briefvorm die bestemd was voor iemand over wie ook bijna niets bekend is, iemand die intussen haar eigen voren bewerkt zal hebben en louter als steun dient voor een egocentrische woordenstroom die geen ander doel heeft dan het onderzoeken van een geleidelijk aftakelingsproces dat slechts belangrijk is voor degene die het enerzijds ondergaat en anderzijds zelf veroorzaakt, dat slechts door díe persoon als literatuur wordt beschouwd en interessant wordt geacht voor de vermoedelijke lezer van deze brieven, een vage figuur van wie de naam, Sofia, overeenkomt met de jouwe, een naam die in de nevel van dromen en herinneringen zweefde totdat vanochtend het onsamenhangende verhaal van een zekere Consuelo, dat het mijne overstemde en tenietdeed, je heeft bevrijd uit de betovering waaraan ik je had onderworpen en je de functie van gipsen steun heeft ontnomen om je te veranderen in een vriendin van vlees en bloed die teksten voor liedjes verzint en net als ik in haar eentje slaapt en misschien, zonder dat ik het wist, in deze eindeloos durende dagen mijn stem en steun nodig had, terwijl mijn organisme in de greep kwam van een virus met onmiskenbare symptomen dat ik zo vaak onder de microscoop onderzocht heb.

En eindelijk begreep ik dat het er in dit geval niet om ging geduld, besluitvaardigheid, durf of kalmte te adviseren aan een van die treurige vrouwen met op kaart gezette namen die met een ondefinieerbare kwaal naar mijn spreekuur komen en voor wie ik mijn uiterste best heb gedaan hen zogenaamd het licht te verschaffen dat zij niet hadden, maar dat het erom ging me neer te leggen bij iets wat even pijnlijk als duidelijk was: dat ik op dat moment, gistermiddag om vier uur, toen ik met pas gewassen haren op het balkon van een tijdelijk onderkomen naar de grillige, uiteenrafelende wolken van een onrustige middag zat te kijken, wachtend op de hypothetische verschijning van een niet minder hypothetische geliefde, behoorlijk op een van hen leek.

Ik hield het niet uit in mijn kamer en vluchtte naar het strand. Ik daalde de trap achter het zwembad af, sloeg links af en begon in de richting tegengesteld aan die van het strandtentje te lopen, diep terneergeslagen en met een stekend gevoel van verlatenheid, van dat het allemaal niets meer uitmaakte. Zoals die oude, opvliegende leraar die ons in de vijfde Frans gaf, monsieur Dupoint, weet je nog, altijd zei: *'encore un peu de patience et tout finira mal'*. In ieder geval had ik geen greep meer op de gebeurtenissen.

Het was laag water en ik liep als een robot, in de verte turend alsof ik verwachtte dat zich daar een of ander teken of wonderbaarlijke verschijning zou openbaren, zo een die in sprookjes de dolende voetstappen van iemand die verdwaald is ter oriëntatie dient. Dat beeld – zo begrijp ik nu – moet aanleiding hebben gegeven tot het verwarde spionageverhaal dat vanochtend toen het licht werd mijn droom is binnengedrongen, die droom waarin jij aan het eind verscheen en die mij ertoe heeft aangezet naar Madrid te bellen om om hulp te vragen.

Ik voelde me gedesoriënteerd en radeloos, zoals wanneer je vlak voor een examen het gevoel hebt dat je niets meer weet en dat het onderwerp waarover het zal gaan bovendien waarschijnlijk niet eens voorkomt in de aantekeningen die je nog koortsachtig hebt doorgenomen, je zult zien dat de vragen over een heel rare les gaan, van het begin van het jaar, waar ging die ook al weer over? Misschien over een veldslag of een concilie, natuurlijk over iets van lang geleden, daar zal het examen vast over gaan; en dan is het alsof een kleverige stof bestaande uit een mengsel van zekerheid en onwetendheid je ademhaling doet stokken en je verhindert aan iets anders te denken.

Die angst, gevoegd bij de angst veroorzaakt door de twijfel of Manolo wel naar de afspraak zou komen, hechtte zich nu vast aan het wazige beeld van Raimundo die zachtjes in de hoorn van de telefoon praatte zodat ik hem niet kon verstaan, en aan de herinnering aan mijn vlucht met de bos seringen, half weggestopte sequenties die nu ze weer bovenkwamen de huidige situatie alleen maar verwarrender maakten. Over dat onderwerp achtte ik mezelf niet in staat ook maar één juist antwoord te geven, ik had geen idee. Raimundo? Welke Raimundo? Gezakt, ik had een black-out. Hebt u enkele dagen geleden om Raimundo gehuild? Hoeveel dagen geleden was dat? Zijn achternaam is Ercilla, u zult toch nog wel iets weten, bent u met hem naar bed geweest? En met welke intentie? Vertel ons eens over de beloften die u elkaar hebt gedaan, over uw droom een bruid te zijn die bereid is de rest van haar leven aan haar geliefde te wijden. Mariana León Jimeno, neemt u Raimundo Ercilla del Río tot uw man, erkent u hem als uw wettige meester en echtgenoot in voor- en tegenspoed, in gezondheid en ziekte, tot de dood u scheidt? Wacht even, eerwaarde, ik weet niet wie Raimundo is, ik kan me zijn stem niet eens herinneren, geef me de tijd om er even over na te denken, om er op z'n minst achter te komen of ik droom of niet. Mariana, liefje, wat is er met je? Je ziet zo bleek, dat komt zeker door de emoties; ik wil je er wel op wijzen dat zo de liefdesromans met een *happy end*, die in de plooien van je onderbewustzijn verborgen zitten, eindigen. En was dit niet juist het einde dat je ambieerde? Wilde je me niet voor altijd bij je hebben, mijn hoofd veilig op jouw kussen, voor altijd ver weg van gevaarlijke, tweeslachtige vriendschappen? Ik geef je deze muntstukken en deze bos seringen als teken van het huwelijk; laten beide partijen elkaar de hand geven. Je weet het, Mariana, de pastoor heeft het zojuist gezegd, samen in voorspoed en in rampspoed, en ook in tijden van verveling, dat heeft hij vergeten te noemen, samen in Covarrubias tot de dood ons scheidt, tot ik weer, als jij dat niet verhoedt, de aanvechting krijg om zelfmoord te plegen, maar jij zal dat verhoeden, hè, ik vertrouw op jouw opofferingsgezindheid en waakzaamheid. In naam van de Vader, de Zoon en de Heilige Geest verklaar ik u tot man en vrouw. Bid geknield naast de schoot van mevrouw Dean een rozenkrans, op de Lijdensweg, en geef na de litanie gehoor aan haar wijze waarschuwingen: 'Als een van beide partijen vanaf vandaag naar een geheime afspraak met een in Manhattan wonende Andalusische schilder gaat, zal hij of zij vervallen tot de zonde van overspel, *ora pro nobis.*'

Ik voelde me duizelig worden en mijn knieën werden slap. Ik moest mijn wandeling onderbreken om op een heuveltje te gaan zitten, waarin ik even later de resten van een groot zandkasteel met kantelen, een slotgracht en gangen herkende. De mogelijke scheppers van het bouwwerk, een paar schreeuwende kinderen die nu vlak bij de zee op blote voeten heen en weer renden, hadden naast de slotgracht een oranje plastic harkje laten liggen. Ik pakte het op en begon spiralen en elkaar kruisende lijnen in het zand te tekenen, terwijl ik een oud lied van Gracia de Triana neuriede, dat op een bandje stond dat Manolo altijd draaide wanneer we in de Fiat Centaur, vreugdevoller nagedachtenis, immuun voor diefstal, reden:

Ik heb een zandkasteel
gemaakt van mijn gedachten,
de torens zijn van zuchten,
van jaloezie de fundamenten,

O, kastelen van de liefde
die iedereen bouwt
en dan weer in laat zakken.

Ik zat een poosje op de maat van dat eentonige wijsje te deinen, dat de naam Raimundo uit mijn gekwelde geest verdreef, ik zag hem wegkronkelen met zijn enorme hoofd dat bestond uit een R, gevolgd door vier klinkers en drie medeklinkers; voor mijn ogen kroop hij over het zand, kwam in zijn geheel bij de zee aan en werd vervolgens letter voor letter door de golven opgeslokt, totdat er niets van over was, Aimundo, Imundo, Mundo, Undo, Ndo, Do, O. En vlak voordat de 'O' onder water verdween kwam er een 'H' uit die wapperde als een vlaggetje en jou riep. Oh, Sofia, de spelletjes uit onze jeugd! Wat zou ik nu graag met jou bij de zee verhalen verzinnen, één voor één de letters uit de woorden trekken alsof het blaadjes van madeliefjes zijn, de woorden vleugels geven om ze te kunnen vangen en dan weer los te laten, zoals op die tekening van de vlindervanger, weet je nog, 'blijf altijd met woorden spelen, juffrouw Montalvo', ja, don Pedro Larroque had gelijk, dat is het enige spel dat plezier en troost geeft. Ook mij, dat zie je wel, zat je maar hier naast me, vlak voor deze immense zee, zodat ik samen met jou met woorden kon spelen.

Bevangen door een vreemd soort slaperigheid was ik zowel de tijd als mezelf vergeten. Af en toe hief ik mijn ogen op van de hiërogliefen die ik loom in het zand aan het griffen was en keek naar de met schuim omringde silhouetten van de kleine architecten van het ineengestorte kasteel die zich tegen de hemel aftekenden. Ze liepen langs elkaar heen, doken in de golven, zwaaiden met hun armen en riepen elkaar met namen die op een dag door de onverbiddelijke, bevrijdende kolk van de vergetelheid zullen worden meegesleurd. Ik dacht nergens aan. Ik had daar op de ruïnes van het zandkasteel in slaap willen vallen, gewiegd door het geluid van die vrolijke stemmen in de verte.

Op een gegeven moment viel het me op dat de wolken die elkaar boven de zee achtervolgd en uiteengerafeld hadden hun vaart minderden, stil bleven hangen en de kleur begonnen aan te nemen die Manolo vroeger het liefst gebruikte om in zijn aquarellen de vluchtige impressie van de schemering weer te geven, een cocktail van ivoor, asgrijs en mauve, hij noemde het de kleur van afscheid, die soms naar je hoofd stijgt. Ik stond op, sloeg het zand van mijn rok en keerde op mijn schreden terug, in de richting van het strandtentje.

Het strandtentje staat voorbij het hotel, daar waar het strand ophoudt. Daarna is er alleen nog maar een steile, uitstekende rots waarop de vuurtoren staat.

Naarmate ik dichterbij kwam, leefde mijn angst voor het onbekende, die mijn fantasieën hadden verdoofd en tot platform gemaakt vanwaar ik kon opzweven, weer op, zodat ik bij elke pas naar boven twee passen naar beneden gleed langs het smalle glibberige pad van de helling van mijn aanvankelijke obsessies. 'Die kant mag je niet op, Mariana, grijp je vast waar je kunt en als je geen houvast kunt vinden, verzin je maar wat, maar die kant mag je niet op, ik smeek het je, val niet opnieuw in die kloof, klim omhoog. Verrassing is een haas, trotseer het licht van het onverwachte. Herinner je je nog dat je graag volwassen wilde zijn? Nou, dat ben je nu, beleef het moment van nu, zorg ervoor dat je geen hekel aan het leven krijgt, Mariana,' leek een verzwakte, gewichtloze stem vanuit de verte, vanuit de wolken met de kleur van afscheid te zeggen. Misschien was het dezelfde stem die ooit, tijdens een soortgelijke zonsondergang, mijn pijnlijke verlangen om te groeien wilde verzachten en me wilde leren te genieten van de jeu van het moment, van de streling van de wind 'vol engelen' die door het openstaande raampje van een trein naar binnen woei.

Maar je was niet bij me, Sofia, zoals toen we terugkeerden van dat schoolreisje naar Avila, en je raadgeving werkte niet meer. Daarmee was het niet gelukt, en dat is het nog steeds niet, de leidingen waardoorheen onze vriendschap stroomde te ontstoppen, dus toen jouw woorden de toegang naar mijn schuilplaatsbunker gesloten vonden, verspreidde hun lichtgevende energie zich in de lucht en trilde even later boven de zee, de schoonheid van de zonsondergang verrijkend, 'energie kun je niet creëren of vernietigen, energie zet zich slechts om in iets anders', een hulde van licht die langzaam vervaagde terwijl ik, hoewel ik deed alsof ik liep, verder bergafwaarts gleed, en koppig de hand die jij me toestak weigerde: 'Maar je gaat iets heel moois meemaken, Mariana, een weerzien, weet je nog hoe dol we waren op verhalen waarin een weerzien voorkwam, al was het maar om "wat had kunnen zijn en niet was" te kunnen zingen, maak er een romantisch avontuur van, het hangt van jou af, je gaat het onvoorspelbare tegemoet en het onvoorspelbare is het leukste wat er is.' Leukste, eukste, ukste, kste, ste, te, e... En de E werd even heel groot en loste op in de staart van een parelgrijze wolk.

Het strandtentje staat niet op het strand maar een stukje hoger, en om er te komen moet je een spiraalvormige trap beklimmen van dertig ruw uitgehakte treden, ik heb ze laatst geteld. Boven stond Manolo te praten met Rafa, de ober. Hoewel ik zonder bril niet goed zie in de verte, herkende ik onmiddellijk zijn onmiskenbare silhouet en mijn hart maakte een sprongetje toen ik besefte dat mijn silhouet zojuist ook binnen zijn gezichtsveld was gekomen. Als hij nog steeds die scherpe blik had en dat vermogen geen detail te missen terwijl het leek alsof hij naar niets in het bijzonder keek, zou hij meteen in de gaten hebben hoe onzeker en aarzelend ik verder liep en zelfs kunnen zien dat ik zin had de handdoek in de ring te werpen en hard weg te hollen. Hij was in het voordeel, zoals een leger dat zich in een kasteel heeft verschanst vanwaar het de oprukkende vijandelijke troepen bespiedt; ik schaam me voor het gebruik van deze krijgsmetafoor, maar ik moet toegeven dat die onmiddellijk in me opkwam. Wat zouden mijn patiënten wel niet zeggen als ze dit hoorden, terwijl ik hen het idee dat amoureuze twisten met oorlogsstrategieën te maken hebben altijd uit het hoofd probeer te praten! Want dat is de bron van alle kwaad; en het besef dat ik voor die verderfelijke terminologie was bezweken maakte me nog banger. Hoe het ook zij, uit niets in zijn houding bleek – zoals ik op weg naar boven kon constateren – dat hij, al dan niet verlangend, op een mogelijke invasie in zijn territorium wachtte. En aangezien er geen enkel gebaar naar me werd gemaakt en er evenmin een zakdoek werd opengevouwen, besloot ik mijn ogen strak op de grond voor me te richten, terwijl ik ondertussen slechts mijn ademhaling reguleerde en erop lette niet in een kuil te stappen. Gesteld dat zijn onverschilligheid niet geveinsd was, wat had ik er dan aan hem te overvallen als ik toch machteloos was en de strijd al bij voorbaat had opgegeven?

Toen ik de trap beklommen had, wat voor mij het moeilijkste deel van mijn tocht was geweest, moest ik wel opkijken. En wat nog erger was, ik moest ook verder lopen. Zij waren de enige twee in het strandtentje, en dat was niet verwonderlijk want het was koud geworden zo aan het eind van de middag. Die plotselinge constatering ging gepaard met een rilling, waardoor ik me ineens behoorlijk ongemakkelijk voelde, want ik bedacht dat ik nog iets stoms had gedaan. Bij mijn overhaaste vertrek uit het hotel had ik er niet aan gedacht een warm kledingstuk mee te nemen, en daarboven was het winderig en kon je nergens beschut zitten. Maar zij leken geen last van de kou te hebben. Ze zaten aan een tafeltje achterin, vlak bij de bar, Manolo met zijn rug naar me toe, in hemdsmouwen, zijn jasje over de rugleuning van de klapstoel. Ze zaten geanimeerd te praten achter een drankje, waarvan ze zonder haast dronken, alsof ze niemand verwachtten. Toen ik met neergeslagen ogen de trap aan het beklimmen was had ik hun gelach al opgevangen, en ook de overheersende stem van Manolo, die mij als de eerste giftige pijl trof. Ze hadden het over New York.

Rafa merkte me als eerste op en waarschuwde met een gebaar zijn metgezel. Manolo had hem dus verteld dat ik zou komen. Maar met wat voor woorden? In welke termen had hij gesproken over die vrouw die een afspraak met hem had gemaakt, terwijl ze elkaar zo'n tijd niet gezien hadden en zij degene was geweest die een serieuze, blijvende relatie had afgewezen? Wat zou ze nu willen? Vrouwen, Rafa, zijn onbegrijpelijke wezens. Ineens besefte ik dat dat gesprek alleen maar in mijn eigen hoofd plaatsvond en me bewust van het feit dat ik niet in staat was de gemoedstoestand waarin Manolo op me wachtte in te schatten, voelde ik hoe er in die paar seconden een schaduw van wrevel over mijn gezicht gleed, terwijl mijn kleffe gissingen wegsmolten en me met hun zinloze kleverige massa besmeurden.

Manolo draaide zich om en stond op toen ik al bijna bij hen was, vastbesloten me ongedwongen te gedragen, maar meer dood dan levend. En ineens was hij me aan het kussen: 'Nee maar, Marianilla, wat leuk om je te zien!'

Mijn ogen sprongen zenuwachtig alle kanten op, bang om te onderzoeken wat voor gezicht hij bij dat zo banale zinnetje trok. En hoewel ik hem zelf had uitgenodigd voor een kijksessie op die plek wist ik op dat moment dat het experiment niet zou plaatsvinden, omdat ik zelf had besloten het niet te laten doorgaan. Uit angst, en uit woede omdat ik die angst voelde, terwijl ik tijdens die eerste vluchtige omhelzing de onnatuurlijke geur die zijn lichaam en zijn gezicht afgaven inademde, Herrera *for men*, ik herkende die geur omdat het de aftershave is die Raimundo de laatste tijd gebruikt. Ik was zo in de war dat ik ook Rafa kuste, hoewel ik dat nooit eerder had gedaan, alsof ik hem wilde vragen bij ons te blijven, hem wilde betrekken bij het verloop van die ceremonie die gedoemd was te mislukken.

Hij bleef ons inderdaad een hele tijd gezelschap houden, omdat Manolo hem dat vroeg, en toen hij tegenwierp dat wij over onze eigen dingen zouden willen praten, wuifde ik zijn bezwaren weg, met mijn ogen strak op de zee gericht.

'Jullie waren vast ook over jullie dingen aan het praten,' zei ik.

'Zo zeg, dat is het antwoord van een toffe meid,' zei Rafa goedkeurend, overduidelijk in zijn nopjes.

Na die opmerking werd het gesprek dat ik met mijn komst had onderbroken hervat. Het ging over een paar vrienden van beiden uit Chiclana, die in het zuidelijke deel van Manhattan een Andalusische bar hadden geopend, ondernemende mensen, Manolo liep daar vaak even binnen en beweerde dat het hun voor de wind ging.

'Ja, vast omdat ze een smak duiten voor die tent hadden meegenomen,' riep Rafa vanachter de bar, waar hij naar toe was gegaan om een gin-tonic voor mij te maken, 'of omdat ze het geluk hadden invloedrijke mensen tegen te komen, zoals bij jou het geval is geweest. Als je een goede kruiwagen hebt kom je er wel, maar zo niet, wat moet je dan?'

'Daar ligt het niet aan, Rafa, je moet het geluk tarten. Bovendien komt Sheila helemaal niet uit een invloedrijke familie, begrijp je, maar ze durft risico's te nemen, wie geen risico's neemt komt er niet.'

'Maar door wat je daarnet over haar gezegd hebt dacht ik...' Rafa haalde zijn schouders op.

Voor mijn komst hadden ze het dus al gehad over die persoon van wie ik me de naam niet wilde herinneren, maar die op dat moment als het refrein van een hardrocknummer door mijn hoofd begon te dreunen. Sheila-Sheila-Sheila, en hoe ik ook mijn best deed die naam uit elkaar te trekken, 'eila, ila, la, lalala, lalala, lalala', de laatste lettergreep zonk maar niet weg in de zee en werd evenmin door de wolken opgeslokt, hij kwam steeds weer boven, greep zich vast aan de staart van de beginletter s, en dan ontvouwde de hele naam zich opnieuw, als een zwarte vlag met een doodshoofd in het midden, wapperend door de kracht van een oorverdovende dreun, je zou hebben moeten schreeuwen om het kabaal te overstemmen.

'... Het is zinloos haar tot zwijgen te brengen, het is onmogelijk haar tot zwijgen te brengen,' declameerde Manolo zachtjes in mijn oor, op een avond dat we in La Venta de Vargas naar een vriend van hem luisterden, een zigeuner die de verjaardag van ik weet niet wie vierde en prachtig gitaar speelde, 'ze huilt eentonig zoals het water huilt, zoals de wind huilt...', en als we dan in de vroege ochtend samen naar de Fiat Centaur terugliepen, dronken van de manzanilla en van de volle maan, ging hij verder met het declameren van García Lorca: 'De glazen van de dageraad breken', en hij parkeerde de auto op ik weet niet welk strand en met de armen om elkaar heen liepen we naar beneden naar de zee en hij zei tegen me: 'Ik had zo'n zin om je te zoenen! Als we samen uitgaan, hinderen al die mensen om ons heen me soms, jou niet?' en ik was verbaasd, want op dat feest had hij zich juist weinig van me aangetrokken, hij deed tegenover iedereen charmant, hij zong, verdween lange tijd uit mijn gezichtsveld en leek het niet erg te hebben gevonden dat ik zijn voorbeeld volgde, dat is een van de dingen die ik zo leuk aan hem vond, Sofia, dat je nooit wist waar hij weer zou opduiken. En aangewakkerd door die plotselinge herinnering kwam gisteren natuurlijk, haast zonder dat ik het wilde, de vraag in me op of nu niet hetzelfde gebeurde, of hij nu niet Rafa aan het lijntje hield om later, als we hem hadden afgeschud, nog meer van elkaar te kunnen genieten, en ik sloeg weer aan het fantaseren: wie weet wat voor plannen hij voor vanavond heeft, de nacht is nog lang, hij is nog niet eens begonnen, en Manolo weet dat ik van preludes houd, misschien gaan we wel bolero's dansen in het hotel. Maar toch durfde ik niet mijn ogen op te slaan om hem aan te kijken, omdat niets van wat hij zei me daartoe aanmoedigde, hij zei slechts dat ik gelijk had gehad toen ik hem had verteld dat New York een fascinerende stad was. En hoewel ik me niet herinnerde hem die abstracte informatie verstrekt te hebben, of wanneer, gaf ik hem snel gelijk, vroeg hem of hij het Chrysler Building vanbinnen had gezien en merkte op dat er niets boven de architectuur van de jaren twintig gaat, terwijl ik ondertussen alleen maar vaststelde dat ik mijn ademhaling al beter onder controle had en dat het gedreun van dat afschuwelijke hardrockliedje af begon te nemen, tot zwijgen gebracht door de huilende gitaar en de gebroken glazen van een onvergetelijke dageraad bij de zee; en Rafa, die steeds euforischer werd, richtte zich vanaf de bar tot mij om me te vragen of ik voorkeur voor een bepaalde gin had en zei dat we moesten drinken op het succes van Manolo in de stad van de wolkenkrabbers, dat hij trakteerde, en ik zei Gordon's graag. Ineens tutoyeerde hij me.

'Manolo heeft me net verteld dat je psychiater bent. Ik stond paf. Dat past helemaal niet bij je.'

'O, nee? Wat past dan wel bij me?'

'Filmster.'

Manolo begon te lachen, terwijl hij zijn glas hief en met ons klonk. Hij praatte alsof we elkaar nog de vorige dag hadden gezien, met een haast overdreven ongedwongenheid.

'Ga toch weg! Als je haar beter zou kennen, zou je dat niet zeggen. Actrices zijn allemaal even hysterisch. Mariana niet, zij weet altijd wat ze wil, en als je niet uitkijkt raadt ze wat jij wil en zelfs wat je denkt, ze is een heel verstandige meid, die elke situatie onder controle heeft. Kom nou, Rafa, kom toch hier zitten, man!'

Wat waren ze goedgehumeurd! En we begonnen over psychiatrie te praten, over hoe de patiënt de dokter beïnvloedt en over hoe sterk je moet zijn, zei Rafa, om de hele dag tussen gekken te zitten zonder zoals zij te worden. En toen zei Manolo, naar mij wijzend: 'Nou, hier heb je er een die altijd haar hoofd erbij houdt, zoals het hoort.' En ik maar geforceerd glimlachen, met mijn ogen strak op mijn glas gericht terwijl de wind mijn haar in de war maakte en ik zin had om te huilen, om hem eraan te herinneren dat hij juist degene was die het op de een of andere manier voor elkaar had gekregen mij van het tegendeel te overtuigen, die er prat op ging me te hebben geleerd me niets aan te trekken van hoe het hoort en te hebben ontdekt dat er onder mijn schijnbare verstandigheid een put verscholen ligt met een onverzadigbare behoefte om te drinken en om drinken te geven, maar die put was heel diep en je had er een lang touw voor nodig, mensen die niet goed konden zien dachten dat hij droog was; hij kon zulke mooie dingen bedenken, Sofia, van die dingen die je alleen maar aan een vriendin zoals jij kunt vertellen. 'Nee, liefje, verstandig ben je niet, sorry dat ik je tegenspreek, je bent volslagen onverstandig, een paard zonder toom, en het is maar goed dat iemand dat gezien heeft', en hij was de eerste man die mij had gekozen in plaats van zich te laten kiezen, eens kijken wat er zou gebeuren als er een brandende fakkel bij mijn koele omhulsel werd gehouden, hij had dat gedurfd zonder toestemming te vragen, 'want jou moet je niet steeds om toestemming vragen, schat, je hoeft jou alleen maar even aan te zwengelen zodat jij doet waar je zin in hebt, je zin aansteken, en je energie geven, niet veel, maar afhankelijk van wat voor dag het is houd je wel van een beetje energie, is het niet?' En terwijl we verder praatten over onze respectievelijke werkzaamheden en reizen, in het bijzijn van een Rafa wiens hartelijkheid en bewondering steeds groter werden, voelde ik me als een van de ijsblokjes die in mijn gin-tonic dansten, en het leek me onmogelijk dat Manolo niet in de gaten had dat ik op dat moment alle energie van de wereld nodig had, omdat ik totaal afgedraaid was, als een oud stuk speelgoed dat je in de vuilnisbak kunt gooien, hij had de sleutel om mij weer aan de gang te krijgen en hij hoefde die alleen maar een halve slag te draaien. Alles was goed geweest, als het maar mijn hart of mijn instincten had geraakt, een compliment, een belediging, een traan, een provocatie, een zucht, een verwijt of zelfs een klap, kortom, iets wat de nevel van de clichés uiteen zou rijten en wat ik zou kunnen aangrijpen om hem van repliek te dienen, hem recht in het gezicht te kijken en weer uit die vreemde verdwazing te komen, de rem los te laten die me verhinderde zijn ogen te zoeken en hem te vragen of hij zich dat van de put en de dorst en de brandende fakkel herinnerde, want dat ik anders gek zou worden, dat ik anders zou gaan denken dat ik het allemaal in mijn eentje had verzonnen, zoals die brief aan de gast van kamer 204, alsjeblieft, het was van levensbelang dat hij zou zeggen dat hij dat allemaal nog wist, want zonder de hulp van zijn herinneringen zou ik me verliezen in de mijne, als in een labyrintische droom waaruit je verkleumd ontwaakt. En ik zat bijna te rillen van de kou toen Rafa, zodra ik mijn gin-tonic op had, opstond om er nog een voor me te maken en een groepje meisjes en jongens dat net was gearriveerd te bedienen.

'Je doet een beetje vreemd, Mariana, wat is er met je?'

'Niets. Ik heb het koud. Vind jij het niet koud?'

'Ik niet. Als je wilt kun je mijn jasje aantrekken.'

Hij stond op, haalde het van de rugleuning van zijn stoel en liep naar me toe om het over mijn schouders te leggen. Opnieuw rook ik even de geur van Herrera *for men*. Maar toen ik dat tot me door liet dringen zat hij al weer tegenover me.

'Zo beter?' zei hij met een glimlach.

'Ja, veel beter, dank je,' antwoordde ik terwijl ik mijn armen in de mouwen stak. 'Ik heb namelijk eerst een wandeling gemaakt en ben vergeten iets warms mee te nemen.'

Het was een gemêleerd jasje in beige tinten. Het was van hem, het rook naar hem en het gaf me troost het aan te hebben. De wolken waren donker geworden.

'Blijf je hier lang?' vroeg hij na een korte stilte.

'Nee, niet lang. Misschien ga ik morgen al weg. Eigenlijk ben ik gekomen om een patiënte die in Puerto Real woont te bezoeken, en daarna kwam ik op het idee hier een tijdje te blijven, zo'n beslissing op het laatste moment, ik ben namelijk een paar lezingen aan het voorbereiden, en ook om uit te rusten. In Madrid heb ik nergens tijd voor, ik hol maar door.'

'Ja, dat weet ik nog wel,' zei hij.

Hij had het gezegd met een stem die neutraal moest klinken, maar voor het eerst roerde hij een van onze gedeelde geheimen aan, zoals wanneer iemand heel even een huid streelt. In gedachten verzonken keek hij naar de paarsige wolken die steeds donkerder werden boven de zee. Boven aan de trap stond een cirkelvormig ornament, dat zijn haar omlijste. De stilte was niet meer om uit te houden.

'Manuel.'

'Ja.'

'Waarom zei je "dat weet ik nog wel"? Wat weet je nog wel?'

'Dat je je zo weinig van me aantrok toen ik je dat najaar in Madrid kwam opzoeken, dat ik toen zo'n rottijd heb gehad. Gewoonlijk heb ik nooit ergens spijt van, maar van die reis heb ik wel spijt. Ik droom er nog wel eens van. Je had me al gewaarschuwd dat ik niet moest komen, dat dat van ons niet blijvend kon zijn, ik gedroeg me als een puber, echt als een idioot.'

Rafa kwam terug, maar ging niet zitten. Ik nam een flinke slok van mijn gin-tonic en stond op om naar het toilet te gaan. Mijn gevoelens waren zo verward dat ik even alleen moest zijn. In het spiegeltje in dat kleine hokje zag ik het gespannen gelaat van een dokter León die me niet eens de hand reikte om me uit mijn benarde situatie te halen, omdat ze daar niet toe in staat was, omdat ook zij betrokken was bij dat vonnis over mijn fouten. Ze klaagde me aan vanwege de bedrieglijke selectie die ik uit mijn herinneringen pleeg te maken, vanwege mijn eeuwige neiging alle herinneringen waarin mijn persoon geen glansrol vervult weg te laten, ze te verscheuren zoals wat oudere filmsterren doen met de foto's waarop ze niet goed uitkomen; en de straf die ze me oplegde was dat ik die strenge, koele blik moest verdragen, totdat de tranen haar in de ogen sprongen. Het waren geen tranen die me mooier maakten, omdat de herinnering waardoor ze werden opgeroepen ook helemaal niet mooi was: een gesprek met Josefina Carreras tijdens Manolo's korte verblijf in Madrid dat najaar, inmiddels zo lang geleden. We zaten samen in mijn kantoor en ik begon over hem te praten – ik had net een kwartier met hem aan de telefoon gezeten – als over een ongelegen bezoeker die veel van mijn tijd in beslag nam en te veel aandacht opeiste. Het commentaar, deels meelevend en deels beroepsmatig, van een Josefina die me altijd onvoorwaardelijk in bescherming nam zodra ik haar de kans gaf zich met mijn zaken te bemoeien, wekte toen al onmiddellijk weerzin bij me op, zoals de Heilige Petrus zich gevoeld moet hebben toen hij Jezus Christus voor het kraaien van de haan verloochende, en ik had die scène opgeborgen in de hutkoffer van dingen waarover je te veel wroeging hebt om ze te kunnen erkennen. De woorden die dokter Carreras en dokter León toen hebben uitgewisseld en die tweeëneenhalf jaar uit mijn geheugen waren geweest, kwamen nu, voor het goedkope kwik van een rond spiegeltje, meedogenloos boven om me af te brengen van mijn pogingen de werkelijkheid door de hoepel van een vertekenende fantasie te halen. Het kostte me moeite mijn illusies los te laten, de leugen te verlaten.

Het is algemeen bekend dat geliefden halve waarheden over en weer koesteren en stimuleren, ze zijn medeplichtig aan dat eeuwige misverstand dat uit de liefdesverklaring voortvloeit. Ze zoeken hun toevlucht in een kabbelende dialoog die nooit door de werkelijkheid wordt bezoedeld, maar als elk daarna zijn verhaal op eigen houtje voortzet en zijn eigen tekortkomingen ontdekt, wordt de leugen die tussen beiden is ontstaan groter en worden zijn klauwen gevaarlijker. Aan dat soort dingen willen we echter liever niet denken.

Ik waste mijn gezicht een beetje. Het had alle mogelijkheden om verleidelijk of vol beloften te zijn verloren en verdreef de hoop op een uitzonderlijk moment. Toen ik buitenkwam was de zon net onder. Manolo zat nog steeds naar de zee te kijken en Rafa was niet meer bij hem. Zonder te gaan zitten nam ik nog een flinke slok van mijn gin-tonic.

'Zullen we gaan?' vroeg ik.

Manolo dronk snel zijn glas leeg en stond op.

'Zoals je wilt. Het is inderdaad behoorlijk fris geworden. Het ziet ernaar uit dat het gaat regenen.'

We liepen naar de bar om afscheid van Rafa te nemen, en Manolo beloofde hem nog eens langs te komen. Rafa wilde niet dat we betaalden. Ik beloofde hem niets, maar gaf hem een kus.

'Veel plezier, tortelduifjes. Het doet me deugd jullie hier weer samen te hebben gezien.'

We verlieten het strandtentje door de vooringang, die uitkomt op de weg die ook langs het hotel gaat. We liepen naast elkaar, maar met enige afstand tussen ons in. En bovendien zwijgend. Hij keek op zijn horloge, een heel modern, plat horloge, dat hij vroeger niet had.

'Wat zullen we doen?' zei hij. 'Ik heb mijn auto daar staan. Ik had bedacht dat je misschien met ons in Cadiz wilde eten. Sheila wil je graag leren kennen.'

'Bedankt, maar daar heb ik geen zin in. Ik hoop dat je dat begrijpt.'

'Ik begrijp het niet echt, maar dat maakt niet uit.'

We waren bij een rode, behoorlijk luxueuze auto aangekomen. Het was niet Centaur. Ik trok zijn jasje uit en gaf het hem.

'Dag, Manolo, het ga je goed.'

'Maar stap toch in. Ik breng je naar je hotel.'

'Dat is maar vijfhonderd meter.'

'Ja, maar je hebt het toch koud?'

Ik stapte in, en dat even korte als zwijgzame ritje leek eeuwig te duren. Zodra hij stopte, gaf ik hem voordat hij iets kon zeggen een kus.

'Dag, Manolo.'

'Wat heb je ineens een haast om me kwijt te raken, zeg!'

'Ja. Ook ik heb maar van weinig dingen in mijn leven spijt, weet je. Maar dat ik je eergisteren geschreven heb betreur ik ten zeerste. We staan quitte.'

Hij streelde mijn haar.

'Maar we hebben elkaar nog niet eens in de ogen gekeken,' zei hij plotseling heel vriendelijk.

Ik had mijn hoofd gebogen en voelde tot mijn wanhoop dat ik mijn tranen niet langer kon inhouden. Hij probeerde mijn kin op te tillen om me te dwingen hem aan te kijken, maar ik verborg mijn gezicht tegen zijn schouder en barstte in snikken uit.

'Nee, alsjeblieft, nee! Hou op, alsjeblieft! Hou op!'

Hij sloeg een arm om mijn schouders en drukte me tegen zijn borst.

'Toe, Mariana, wat is er toch met je? Stil maar, meisje.'

'Hoe haal je het in je hoofd me te vragen haar te

ontmoeten? Hoe haal je dat in vredesnaam in je hoofd?' herhaalde ik snikkend. 'Vraag me wat je wilt. Wat je wilt, maar dat niet!'

'Goed, goed, ik zal je dat niet vragen. Wat wil je dat ik je vraag? Zeg het maar. Maar houd op met huilen. Zal ik de auto even aan de kant zetten?'

'Nee, laat maar, het maakt niet uit. Ik ga al.'

De druk van zijn arm was afgenomen. Hij reikte me een Kleenex aan die hij uit het dashboardkastje had gepakt. Hij voelde zich duidelijk een beetje opgelaten.

'Hier, droog je tranen. Wat wil je dat ik je vraag?'

Voor de laatste keer ademde ik de geur waarvan zijn overhemd doordrongen was in en maakte me toen van hem los.

'Niets! Je hoeft me helemaal niets te vragen, en ik jou ook niet. Je hebt al iemand aan wie je van alles en nog wat kan vragen!'

Aan de andere kant van het raampje zag ik de receptionist met de Prodent-glimlach voorbijlopen, die juist met een paar gasten naar buiten was gekomen. Ik zag dat hij ons nieuwsgierig opnam, maar toen snel zijn blik afwendde. In een helle flits die het tafereel tot in detail verlichtte, zag ik het ruzie-makende stel in het eethuis met de eenogige meeuw voor me. Woedend droogde ik mijn tranen en maakte aanstalten uit te stappen. Ik trilde.

'Dag, Manolo,' zei ik met zo vast mogelijke stem. 'En het spijt me, oké?'

'Wat een onzin! Blijf nog even zitten, hoe kun je zo weggaan? Je trilt helemaal! Ik bel Sheila om te zeggen dat ik later kom, en dan ga ik even mee naar je kamer, totdat je gekalmeerd bent.'

'Ik wil de naam Sheila niet meer horen!' schreeuwde

ik helemaal buiten mezelf. 'Ik wil die naam nooit meer horen! Begrepen? Nooit meer! Nooit meer in mijn leven!'

Ik stapte uit, sloeg met een knal het portier dicht en begon zonder om te kijken naar het hotel te rennen.

P.S. Het is nu twaalf uur 's nachts, Sofia. Je zit vast al een flinke poos in de trein die je naar het zuiden brengt, liggend op je couchette of aan het eten in de restauratiewagen, misschien ben je iets aan het schrijven, want gelukkig ben je die zo gezonde gewoonte blijkbaar niet kwijtgeraakt. Wat ik in ieder geval zeker weet is dat je, net als ik, naar de maan aan het kijken bent.

De draad wordt weer opgepakt. Als ik je binnenkort mijn nooit verzonden brieven laat zien – die ik zojuist netjes in een map heb gestopt – zul je zien dat de eerste het resultaat is van een slapeloze nacht in diezelfde trein, terwijl het fluïdum van Nak door het raampje naar binnen drong. Ze vormen een aanzienlijke stapel, van meer dan honderd velletjes. Ik besef nu dat ik sinds ik uit Madrid ben vertrokken niets anders heb gedaan dan jou schrijven, dat ik daardoor mezelf in leven heb weten te houden en deze zo absurde reis niet als mislukt hoef te beschouwen. Maar mijn grootste vreugde op dit moment is te weten dat ook jij niet bent opgehouden met 'huiswerk' maken en dat je als cadeau verschillende schriften voor me meebrengt. Het kan een prachtige uitwisseling worden, die tussen jouw schriften en mijn brieven, denk je niet? Want nu ik er over nadenk, ben ik er ook nog eens van overtuigd dat we het meerdere malen over dezelfde dingen hebben gehad, ieder op zijn eigen manier. Ik weet niet of je *Rashomon* hebt gezien, die Japanse film waarin hetzelfde verhaal vanuit het gezichtspunt van drie getuigen wordt verteld, hoogst interessant die kwestie van het meervoudige vertelperspectief. En ik begin te denken dat er uit wat jij meeneemt en wat ik hier heb wel eens een geweldige roman zou kunnen ontstaan als we alles ordenen, of zelfs zonder dat. Wat heb ik een zin om je te zien, om je schriften te lezen en te horen wat jij vindt van dit idee, dat net bij me is opgekomen! Voor wat jij hebt geschreven sta ik vanaf nu volledig in, ook al heb ik het niet gelezen, de ontluikende knop die ging over de lekkage-problemen biedt me voldoende garantie. Maar mijn brieven hebben ook wel iets, in ieder geval vind ik ze mooi als ik ze herlees, ik denk dat je me zou moeten helpen ze te snoeien, want ik verval misschien te veel in herhaling, maar goed, ik weet het niet, je moet maar zien, misschien wil je ook liever dat we de namen veranderen. Ik word wild enthousiast bij het idee mijn brieven bij de jouwe te voegen en dan samen het geheel te bewerken, waarbij jouw oordeel uiteraard doorslaggevend is. Dat is toch geen onzinnige gedachte? Wie weet stap ik dan uit de psychiatrie en jij uit je huwelijk. Je zult wel denken dat ik gek ben, maar ik herinnerde me zelfs dat ik toen ik in Barcelona woonde een paar uitgevers heb leren kennen die het nu goed doen, Jorge Herralde bijvoorbeeld, die de naam heeft dat hij altijd nieuwe schrijvers ontdekt en durft te lanceren, als ik het me goed herinner studeerde hij destijds aan de Technische Hogeschool, we zaten min of meer in dezelfde vriendenclub. En ik heb mezelf een heel andere raad moeten geven dan gistermiddag, dus niet om moed en zelfvertrouwen te vinden, maar juist om mijn enthousiasme, dat uit de hand dreigt te lopen, te temperen. Ik ben zo opgewonden sinds je hebt gezegd dat je komt dat de slaap die ik toen je belde voelde opkomen helemaal verdwenen is, geen wonder, hè, na een hele dag geen vast voedsel tot me genomen te hebben, en na die slopende doorwaakte nacht, die woedeuitbarsting uit liefde en daarna het gespannen wachten totdat de telefoon zou rinkelen en ik zou horen wat er met je aan de hand was, waarover je trouwens nauwelijks iets verteld hebt. En je ziet het, in plaats van naar bed te gaan heb ik opnieuw de pen ter hand genomen, en alsof dat niet genoeg is verbeeld ik me voor jou te zijn wat Ramalho Ortigão voor Eça de Queiroz was in *Het geheim van de weg van Sintra*. Kortom, het postscriptum dreigt langer te worden dan de brief, zoals mijn vader altijd zei over bezoek dat maar geen afscheid wist te nemen.

Wat houd ik van je, Sofia! Ik kan me haast niet voorstellen dat ik je over slechts enkele uren zal zien. Wat ik nog het meest in jou bewonder is hoe je in actie komt, want als er tegen je gezegd wordt: 'Ik ben niet in staat om enige beslissing te nemen. Ik zou zo graag willen dat je bij me was, dat zou mijn enige troost zijn,' dan kom jij meteen met: 'Hoe laat gaat de eerstvolgende trein. Ik neem aan dat een kaartje geen probleem zal zijn, kom me in Cadiz ophalen. Als ik niet terugbel, heb ik die trein genomen, de nachttrein... ja, maak je geen zorgen, dat haal ik makkelijk... Ja, ja, binnenkort kun je me alles vertellen, ik heb ook een heleboel te vertellen, ik hang nu op, je moet je nog even inhouden. Tot morgen.' En sinds middernacht is morgen vandaag, ik zal je vandaag nog zien! Hoe zou ik dan kunnen slapen?

Maar bovendien, Sofia, werd er even nadat ik had

opgehangen, nog geen halfuur later, door de receptie gebeld. Ik dacht dat jij het weer zou zijn om me te zeggen dat je geen kaartje had kunnen krijgen of dat je man bezwaar had gemaakt, weet ik veel, maar wie schetste mijn verbazing toen Prodent zei dat er een pakje voor me was gekomen, en of de piccolo het naar boven moest brengen, en ik zei van niet, dat ik liever naar beneden kwam, hoewel hij me had gewaarschuwd dat het groot was. Ik ging vliegensvlug naar beneden, dat kun je je wel voorstellen, het zal een uur of zes zijn geweest, ongeveer vierentwintig uur na mijn afspraak met Manolo, ik weet niet of hij dat met opzet zo heeft gedaan, want daar is hij toe in staat, en ik om me heen kijken of ik hem zag, en ik zeg tegen Prodent, die me een plat pak in lichtbruin pakpapier aanreikte: 'Maar wie heeft dat gebracht? Heeft hij geen kaartje of zo achtergelaten?' en hij: 'Nee mevrouw, hij zei dat het kaartje erin zit,' en ik: 'Maar wíe heeft dat dan gezegd?' (inmiddels met een ongegeneerd hoopvolle stem) 'Wie heeft dit pak gebracht? Was het een vrij lange, jonge, donkere man?' En toen boog hij zich een beetje over de balie heen en met een instemmende, samenzweerderige glimlach, die veel sympathieker was dan die hem zijn bijnaam heeft bezorgd, zei hij op vertrouwelijke toon: 'Ik geloof, mevrouw, als u het niet indiscreet vindt, dat het dezelfde heer was van wie u gisteravond in een rode Volkswagen afscheid aan het nemen was. Hij vroeg me of u nog steeds hier logeerde. Blijkbaar had hij haast.' Ik kreeg zin om tegen hem te zeggen dat hij in mijn roman van bijpersoon een belangrijk personage was geworden, maar ik beperkte me ertoe terug te glimlachen en hem mijn hand toe te steken, die hij vluchtig drukte. Ik was niet in staat het geluksgevoel dat mij plotseling overspoelde te verbergen, ik moest het met iemand delen: 'Nee, hoor, dat is helemaal niet indiscreet, bedankt, Arturo, je heet toch Arturo?' 'Ja,' zei hij, 'om u te dienen. En geen dank, mevrouw. Het werd wel eens tijd dat er iets voor u kwam, u hebt daar al zo lang op zitten wachten.' En eenmaal op mijn kamer maak ik zenuwachtig het pak open, dat gezien de afmeting en de vorm wel een schilderij moest zijn, en o.... wat een prachtstuk! Nu, terwijl ik je aan het schrijven ben, kijk ik af en toe op en zie het tegenover me hangen, op de plaats van de afschuwelijke prent met de ijsbergen, die nu eindelijk in de kast staat. Het heeft niets van doen, Sofia, met de gebakken eieren die op de doeken van Gregorio Termes uiteen zijn gespat. Het is een aquarel van 55 bij 40 met als titel *Afscheidswolken*. Manolo had het in zijn atelier hangen, hij had het nooit geëxposeerd omdat hij het niet wilde verkopen, en ik heb vaak tegen hem gezegd dat ik zin had het van hem te stelen, dat ik het het mooiste vond van alles wat ik van hem had gezien. 'Dat vind ik ook,' zei hij dan. 'Vraag me wat je wilt, maar niet die aquarel.' Het stelt een paar wolken in de schemering boven de zee voor, met in de verte een boot en een vage vrouwengestalte die vanaf een klif staat te wuiven, een juweel, je zult het binnenkort zien. Hij heeft het me gestuurd zoals het daar hing, met dezelfde lijst en zelfs een beetje stoffig. Het is duidelijk dat hij in een opwelling naar zijn vroegere atelier is gegaan – als hij dat nog heeft – het gewoon van de muur heeft gehaald, er een papier om heeft gedaan en het me hals over kop is komen brengen. Alles stiekem en in het geheim, daar twijfel ik niet aan, als bij een liefdesaangelegenheid, wat het ook is. Manolo had me nog nooit zien huilen, realiseer ik me nu, en het moet veel indruk op hem gemaakt hebben me als een hoopje ellende en zonder masker te zien, ook al wist hij op het moment zelf niet hoe hij moest reageren. Misschien begon hij op dat plan te broeden toen hij in zijn eentje terugreed naar Cadiz, terwijl de nacht al gevallen was, hij moet zich op die rit een heleboel dingen hebben herinnerd, ik weet zeker dat hij vanaf dat moment voortdurend over mij heeft nagedacht, al die tijd dat ik hier opgesloten zat en mezelf een verachtelijk wezen vond; en natuurlijk heeft hij ook moeten nadenken over de smoes die hij Sheila zou vertellen om er vanavond vandoor te kunnen gaan zonder dat ze zou merken dat het iets dringends was waarvoor hij van haar zijde week. Mogelijk kent zij de aquarel met de vrouw die haar geliefde uitzwaait niet en mocht ze hem wel gezien hebben, dan heeft ze hem vast niet weten te waarderen, aangezien ze de peetmoeder is van de prutswerken die Manuel Reina nu tot een avantgardist van Lexington Avenue maakt. En ze zal al helemaal niet kunnen begrijpen waarom hij hem mij cadeau geeft. *Private business*, liefje, die affaire tussen jouw *boy-friend* en mij gaat je niets aan; vandaag heeft hij tegen je gelogen, vandaag heeft hij je niet verteld waar hij heen ging, *sorry*, je staat volkomen buiten deze liefdesroman met bitterzoet einde. Ik hoef niet naar beneden om Arturo te vragen of de meneer in de rode Volkswagen alleen of met een meisje was. In het pak zat, met plakband op de lijst bevestigd, een kaartje met de volgende korte tekst: 'We hebben nu een halfbesproeide tuin die alleen van ons is: die van de nostalgie. Verwaarloos hem niet.'

Ik begin slaap te krijgen, Sofia, en er wacht ons een drukke dag. Ik heb de wekker op zeven uur gezet, want om kwart over zeven komt de taxi die me naar Cadiz zal brengen om je op te halen. Ik lijk van geen kanten op de vrouw van gisteren, het is ongelooflijk dat ik me zo gelukkig kan voelen. Maar ik ben gebroken. Ik ga proberen een paar uur te slapen zodat ik in vorm ben als je aankomt.

Tot straks, mijn lieve Per Abat. Je vriendin

Mariana

17 *De hardnekkigheid van het geheugen*

Ik ben tegen het ochtendgloren wakker geworden, rillend, met barstende hoofdpijn en een droge mond. Ik denk dat ik van de dorst, een razende dorst, ben wakker geworden. Er was niemand bij me en ik wist niet waar ik was, maar een laatste restje intuïtie, misschien de epiloog van een afgesloten droom, zei me, toen ik in het donker haastig uit bed stapte, dat ik me op niet-vijandig terrein bevond. Maar nee, het is geen bed waar ik uit ben gesprongen, maar een bootje waar ik tegen mijn zin in was gezet – ondanks het gevoel van gevaar is het prettig dat ik ineens zo goed en geluidloos heb leren zwemmen – het was nacht, ik ben doorweekt en bibber van de kou nu ik bij deze vage kust aankom. Ik zwom met mijn hoofd onder water, maar ik hoorde het 'tsjop tsjop' van de lange roeispaan die ritmisch het water in- en uitging en zo het bootje voortdreef, het van mij verwijderde, een stevig, vierkant bootje met de man die roeide op de boeg, priesterlijk, in het zwart, met kleren van een ruwe gekeperde stof. Hij heeft me niet horen ontsnappen of gedaan alsof hij het niet merkte.

Ik betast de muren, loop voorzichtig verder en stuit op een oppervlak dat me vagelijk bekend voorkomt, het voelt aan als hout, gedraaide stangen met kegelvormige uiteinden, het reikt niet tot aan de grond, er liggen boeken op, papieren die uitsteken en voorwerpen van allerlei aard dicht opeen aan de rand, bijna in het luchtledige. Een ervan is gevallen toen ik er met mijn hand langsstreek en op de tegels stuk geslagen, geluid van brekend glas, misschien een inktpot. Zou ik iemand wakker hebben gemaakt? Ik kan de lichtschakelaar niet vinden, die is er niet, wat gek, of in ieder geval niet daar waar ik hem zoek, een automatisch gebaar, gestuurd door de ervaring van een oneindig aantal voorgaande keren.

Ik ga in het donker de gang op. Ik tel mijn passen tot aan de volgende deur, dan vanaf die deur tot aan de volgende, en tot aan de volgende. De afstanden komen overeen met de globale plattegrond die zich in mijn hoofd aftekent, als een kaart waar correcties op zijn aangebracht. Maar dat wat als onmisbaar wordt beschouwd ontbreekt, het eerste wat God bedacht toen hij de wereld schiep, opdat de dingen die hij verder nog van plan was te bedenken gezien konden worden: *fiat lux*. Toen ik klein was vroeg ik me wel eens af of die goddelijke ordening gepaard zou zijn gegaan met het mechanische gebaar dat ik nu tevergeefs maak, dus of er in de tijd van de Genesis schakelaars of iets dergelijks zouden zijn geweest, hier zijn ze zeker niet, hoewel je niets met absolute zekerheid kunt zeggen als je het niet ziet. Zou ik in het verkeerde huis zitten?

Na de derde deur kun je niet verder, er staat een muur. Natuurlijk, die is daar neergezet om de verdieping in tweeën te delen, waardoor hij, afgezien van enkele uiterlijke veranderingen, zijn oude gedaante weer terugkreeg, van toen mijn schoonouders nog leefden, een wezen gesplitst in een linker- en een rechterkant. 'Net als alle wezens, mama, daar moet je niet over piekeren. Je kunt die elementaire scheiding beter accepteren dan schizofreen worden,' schertste mijn zoon Santi, die een tijd geleden godzijdank zijn communistische mazelen heeft afgelegd. Hij was het die bij de dood van zijn vader helemaal uit Houston is overgekomen en alles heeft geregeld (waar had ik nu nog zo'n grote etage voor nodig?), die zich met de verbouwing heeft bemoeid en de halfafgesloten kamers, die door een dik gordijn waren afgeschermd van de rest, nieuw leven heeft ingeblazen. Er was behoorlijk wat ruimte die niet benut werd – zo'n negentig vierkante meter, volgens Santi – een broedplaats voor kakkerlakken en oude rommel: de oude, gefineerde keuken met een soort pantry, het kolenhok, de provisiekamer en een badkamer met een bad op pootjes, als uit een griezelfilm, waar hij toen hij jong was wel eens foto's ontwikkelde. 'Het rijk van de murden' noemde zijn zusje dat als kind, en ze haalde haar schouders op wanneer haar vader of ik haar vroegen wie die murden waren; dan maakte ze een gebaar naar boven, naar het afgebladderde plafond, alsof haar vingers wegfladderden. 'Het rijk van de murden bestaat niet meer, mama, het wordt een prachtig appartement, dat zul je zien, het hele deel dat op de tekeningen van vroeger het linkerhuis was, en bovendien hoef jij je nergens druk om te maken, laat het maar aan mij over, alles wordt voor je geregeld,' en dan zei ik dat hij het met zijn zusje moest overleggen. Maar haar maakte het niet uit. 'Afbreken en weer opbouwen, daar komt het allemaal op neer. Wat een zinloos gedoe!' zei ze met die haast afstandelijke glimlach van haar, alsof die los van de aardse dingen stond, 'ons hele leven doen we niets anders dan afbreken en weer opbouwen, en waar dient het uiteindelijk allemaal toe.' En wat haar kinderen betreft, je moest er maar zin in hebben hen te vragen of ze wilden komen. Die waren op de leeftijd waarop ze tegen alles ingingen, vooral de oudste twee, waarop ze droomden van wilde avonturen, zich afzetten tegen de consumptiemaatschappij, en dat met een vader die geld als water begon te verdienen en zich nergens mee bemoeide, want zo is het. Een etage in Lagasca? Het zal ze een zorg zijn. 'Bovendien, mama,' zei Santi, 'aangezien ik geen kinderen heb en ook niet van plan ben die te krijgen, want de wereld is al fraai genoeg, moet jij in de toekomst met de rechterkant maar doen wat jou goeddunkt, die laat je in je testament aan Sofia's kinderen na en klaar is Kees. Maar de linkerkant neem ik voor mijn rekening.' En hij ontfermde zich over alles, hij moderniseerde het rijk van de murden, het kantoor, de grote slaapkamer en de salon met het kamerscherm, hij liet weer de muur plaatsen die voorheen beide huizen scheidde, verkocht het linkerhuis voor een goede prijs en belegde het geld onder gunstige voorwaarden, om mij wat financiële armslag te geven. 'Al zul jij, mama, zolang ik leef geen geldgebrek hebben, stel je voor,' schreef hij me later in zijn brieven uit Amerika, 'ik betaal je overtocht als je me wilt komen opzoeken.' Maar ik ben altijd laks geweest, ik stelde het van jaar tot jaar uit. 'Ik wil niet dat je sterft zonder Amerika te hebben gezien,' hoe hij ook aandrong, ik ging niet. Wat zou ik aan Amerika missen? 'Akkoord, als je trouwt beloof ik naar de bruiloft te komen,' zei ik hem in brieven of over de telefoon. Want op het laatst had ik me er zelfs bij neergelegd dat hij met iemand uit Amerika zou trouwen, ook al was ze Russisch of joods. En hij vroeg dan altijd wat mijn reis daarmee te maken had, dat dat chantage was. Ik ben benieuwd of hij nu eindelijk getrouwd is, met die schitterende carrière in de biologie, uitgenodigd door de beste universiteiten, altijd beurzen en met zo'n goed voorkomen, er zijn dingen die ik niet begrijp.

Die splitsing van het huis en de verkoop van het andere deel vond ik vooral jammer vanwege de salon met het kamerscherm. 'Maar waar had je die voor willen hebben nu je toch niemand ontvangt?' En dat was waar, en ook dat ik alles meer bij de hand had en dat het huis makkelijker schoon te maken was. Maar ik weet niet, ik was zeer verknocht aan de salon met het kamerscherm, het was de lichtste kamer, ik vond het heerlijk om de mensen die op straat liepen te bespieden, met hun zorgen, hun boodschappen, hun kou en hun haast, en ik zat daar veilig voor dingen waarin ik niet betrokken wilde worden en die me geen problemen zouden bezorgen, zoals wanneer je naar het theater gaat, terwijl ik zat te naaien aan de ronde tafel bij de erker. Ik ben nooit sociaal geweest, zoals mijn echtgenoot. Santi en hij, de mannen, waren degenen die vrienden mee naar huis namen; zij minder. Ik weet niet of dat komt doordat ze au fond meer op me leek dan ze denkt of omdat ze bang was dat ik me met haar vriendschappen zou bemoeien, iets wat, mij kennende, een logische gedachte was, alleen dat beeldschone meisje van dokter León kwam hier wel, hoewel ze later ruzie hebben gekregen, waarom weet ik niet meer. En geen van beiden hadden we tijd genoeg om te veranderen, om het ijs tussen ons te breken, ze trouwde zo snel, te snel. Logisch, gezien wat er gebeurd is. En later waren we het over de opvoeding van haar kinderen ook niet eens, daar had ik het regelmatig met haar echtgenoot over, ze liet hen te vrij.

Ik heb geen idee wat er achter die muur zit, het kan me ook niet schelen. Ik heb de mensen die het appartement gekocht hebben nooit willen leren kennen, buitenlanders met een kind, ik kwam ze af en toe in de lift tegen en groette dan nors, zonder ze de gelegenheid te geven vertrouwelijk te worden, ik word niet graag vertrouwelijk met onbekenden. 'Maar hoe moet je op die manier iemand leren kennen?' zei zij altijd tegen me, 'zo zul je je hele leven tussen onbekenden blijven.' Ze hebben ook wat meubels van ons overgenomen, misschien zijn het wel niet meer dezelfde mensen, misschien hebben ze de etage alweer verkocht, het zal me een zorg zijn. Maar ik wil niet weggaan zonder te weten wie nu hier, in het rechterhuis, woont.

Ik betast de muren, keer om en ga aan de andere kant verder, zoals wanneer je op het andere trottoir gaat lopen om de etalages aan de overkant te verkennen. Een kleine inham en een onmiskenbaar gegeven: de deur met twee panelen zonder klink, die opengaat door er gewoon met je voet tegenaan te duwen en die toegang verschaft tot de vertrekken van het rijk dat ik zeer stellig als het mijne beschouwde, misschien doordat zij dat idee met zijn allen aanmoedigden: het rijk van de keuken en zijn omgeving. Ik loop gauw door, met een lichte smaak van as in mijn mond, dat alles maakt me bitter, wie had dat ooit gedacht, het maakt me heel erg bitter. Er stort zich een vage lawine over me uit van kerstdiners, verjaardagen, eerste communies, zondagse lunches en theevisites annex etentjes voor een of andere relatie van hem, waarbij je niet wist of je met het kanten tafelkleed en het mooie serviesgoed in de eetkamer moest dekken, om echt te gaan zitten, of dat je een meer informele stijl moest volgen die steeds meer in zwang kwam, waarbij ieder pakte waar hij zin in had en dat vervolgens zittend of staand tot zich nam, al naar gelang; eigenlijk was dat laatste voor mij bewerkelijker, want dat had ik minder in de hand. 'Wat je zelf het makkelijkste vindt,' zei hij altijd, op het laatst steeds verstrooider, zich steeds minder bewust van mijn problemen om sociaal mee te draaien, 'het zal zeker goed worden, wat jij graag wilt, Encarna,' alsof hij ervan uitging dat ik het leuk of spannend vond de hele dag in de keuken door te brengen om vervolgens nog maar amper de tijd te hebben om me om te kleden alvorens schimmige echtparen glimlachend tegemoet te treden en hen te bedanken als ze een fles wijn of een doos bonbons hadden meegebracht, en me, terwijl ik geacht werd ondertussen ook met bladen rond te gaan en glazen bij te vullen, zonder enige ontsnappingsmogelijkheid bezig te houden met die vrouwen met wie ik noodgedwongen over onbenullige onderwerpen moest converseren terwijl de heren over zaken praatten, vrouwen die geen indruk achterlieten, zoals ik ook geen indruk achterliet wanneer ik met mijn fles wijn of doos bonbons bij hen thuis kwam, en voor wie ik nooit enige sympathie, compassie of interesse heb gevoeld, zoals ik die evenmin voelde voor mezelf, zo hetzelfde als zij, zo verbitterd, zo alleen. Toen ik het eens met mijn oudste kleindochter over egoïsme had, zei zij dat het ergste aan een egoïst is dat hij totaal niet van zichzelf houdt, ook al wordt altijd het tegendeel beweerd, en dat hij daardoor niet in staat is van anderen te houden, want waar niets in zit kun je ook niets uit halen. Ze bracht wat psychologieboeken over dat soort onderwerpen voor me mee, maar ik vond het veel leuker als zij het me mondeling uitlegde, dan nam ik alles beter in me op, Adela zei het altijd al: 'Ze is uw oogappel, mevrouw,' en dat was ze inderdaad. Niemand heeft ooit zulke goede gesprekken met me gevoerd, met die zachte, overredende en oprechte stem die rechtstreeks tot je hart doordrong, en reken maar dat het moeilijk is tot mijn hart door te dringen, want ik kijk iemand altijd recht in de ogen; ik heb van niemand zoveel gehouden als van Encarnita, zelfs niet van mijn eigen kinderen, en ik miste haar als ze een tijd niet langskwam, spontaan langskwam, bedoel ik, zonder eerst te bellen, gewoon omdat ze in de buurt was en zin had om even een praatje met me te maken en niet omdat de kalender dat eiste, waarover ze zich later wel eens beklaagde. 'Maar jij bent wel de eerste die trouw aan de kalender eist, oma, en jij wilt altijd dat we die als een wet eerbiedigen, dat kun je niet ontkennen. Waarom neem je het Amelia, Lorenzo of mij anders kwalijk als we de beroemde zondagse lunch eens overslaan?' En ik moest haar wel gelijk geven, wat kon ik anders, en zelfs Sartre moest ik gelijk geven, terwijl ik toch altijd weinig ophad met alles wat uit Frankrijk kwam en al helemaal niet met het existentialisme. Maar dat wat Encarnita zo vaak herhaalde over dat we semi-slachtoffers en semi-medeplichtigen zijn van wat ons overkomt was blijkbaar een uitspraak van Sartre en ik leerde hem uit mijn hoofd, want daarin had hij, dat moet ik toegeven, meer gelijk dan een heilige, hoe scheel en atheïstisch en antipathiek hij ook was, nou ja, hij was nou niet bepaald mijn favoriete heilige, hij en zijn geliefde, dikke vrienden van Sofia Montalvo bis, het eeuwige nichtje, dat rare mens, God hebbe haar ziel, al geloof ik dat niet, want ik heb haar nooit kunnen uitstaan. Semi-medeplichtig, ja, maar ik kon er niets aan doen. In de loop der jaren heb ik ze met die lunches op zondag het bloed onder de nagels vandaan gehaald, haar nog veel meer dan haar kinderen, want ze kon zich nog steeds niet goed tegen mijn geregel verweren, al deed ik dat van een afstand. Mijn voortdurende gezucht en mijn ongegeneerde blikken op de klok maakten dat ze zich schuldig voelde omdat de kinderen er nog niet waren, of omdat ze geen honger hadden omdat ze samen met vrienden al ergens wat hadden gegeten, of omdat ze op het laatste moment met een smoesje afbelden, logisch, want ze werden gedwongen te komen terwijl ze niets liever wilden dan ontsnappen en soms zelfs niet tot de koffie konden wachten, en mijn monotone klaagzangen verveelden hen stierlijk: nu is de rijst te gaar, dan bel je toch ruim van tevoren af, mooie vrienden! Wat hebben die vrienden toch? Zo'n straf is het toch ook niet om hier te komen? En aangezien zij er schoon genoeg van had dat ze de zaak steeds moest gladstrijken, dat ze voor hen moest opkomen, dat ze zich aangevallen voelde, dat ze opgezadeld was met mijn eeuwige bitterheid, mijn slaafse gehoorzaamheid aan de klok en aan data, leed zij het meest. Ik realiseerde me dat en zij wist dat ik me dat realiseerde, en ze loog en probeerde te glimlachen en nam haar toevlucht tot de holle taal van clichés die ze van jongs af aan vurig had gehaat, noodopmerkingen over het weer, een voorval uit de krant of problemen van huiselijke aard, vooral lekkages, het arme kind werd helemaal gek van loodgieters, dingen om de leegte mee te verhullen, zinnen die net zo goed niet gezegd konden worden. En als ik naar haar keek, werd ik gestoken door een soort wroeging die ik weigerde te analyseren, omdat die vermengd was met de voldoening die het me gaf haar onder de duim te hebben, en ik wist dat dat me remde om troostend mijn armen om haar heen te slaan, het ijs van oude rancunes te laten smelten, misschien was het daar al te laat voor. Maar zij van haar kant deed ook geen enkele poging en zette ook geen stap om de afstand te verkleinen, ze trok de laatste tijd altijd zo'n boos gezicht, altijd gespannen, afwezig, in de verdediging, niet in staat haar gevoel van mislukking te verbergen, behalve de laatste keer dat ik haar zag, toen ze uit Londen terugkwam, die middag zag ze er heel knap en een stuk jonger uit.

Weer een deur, nog drie tot aan de laatste, die bekleed is met damast, het is de eerste die ik dicht aantref want de andere staan allemaal open of op een kier, behalve natuurlijk die met de twee panelen, want dat is een klapdeur. En onderweg zei ik tegen mezelf: 'Er moeten hier mensen wonen, en dat zijn van die mensen die de deuren niet dichtdoen'; zoals mijn grootvader altijd zei: 'Het is te zien dat jullie niet bij de paters op school hebben gezeten,' een belegen opmerking die niemand meer geestig zou vinden, die hij tegen ons al niet eens meer maakte, zo'n opmerking waarbij de volwassene die hem maakt al bij voorbaat begint te lachen en waarbij de kinderen dan vervolgens zonder overtuiging meelachen, puur om mee te doen, puur uit beleefdheid. En toch blijven die opmerkingen je je hele leven bij, en zelfs langer dan dat, ze zuigen zich als een kokkel aan je hersenen vast en blijven in je schedel rondzwerven. Ik zou al die banale zinnetjes graag verwijderen, zinloze dorre bladeren van november, ze allemaal op een vrachtwagen laden en in het vuur werpen, ook al zou de helft van mijn eigen leven samen met hen verbranden, maar dat kan nu eenmaal niet. Zelfs de deur van de badkamer staat halfopen, wie haalt dat nou in zijn hoofd, ze zijn inderdaad niet bij de paters op school geweest. Ik ben op de drempel van een van de deuren blijven staan, spits mijn oren, snuif de lucht op en krijg zin om naar binnen te gaan, maar zover ben ik nog niet, ik word weerhouden door schuchterheid, een soort onrustig gevoel, voor hetzelfde geld tref ik iets aan wat ik niet leuk vind. 'Je vindt het niet leuk omdat het onbekend is, anders, en voor jou is iets wat anders is altijd slecht of slechter, mama, je maakt je je hele leven al druk over wat slecht is, altijd overtuigd van je eigen gelijk terwijl je iedereen wantrouwt die niet exact hetzelfde denkt als jij.' Ja, inderdaad, dat is helemaal waar, en ook dat ik me heb afgesloten voor nieuwe vriendschappen en geen vinger heb uitgestoken om de vrienden die ik in de loop van de tijd verloor terug te krijgen, zo ben ik uiteindelijk vreselijk eenzaam geworden, en daar heb ik nu spijt van, kindje, maar dat ligt in iemands karakter. Op dit moment zou ik alleen maar willen dat je me kon horen, niet zozeer opdat je me zou vergeven als wel opdat je je, bij het zien van jezelf in deze reeds dof geworden spiegel, vast zou voornemen niet zoals ik te eindigen, want met de jaren gaat men onbewust steeds meer op zijn ouders lijken, meer nog in hun fouten dan in hun goede dingen. Maar wat ik het liefst van alles zou willen is je wrok wegnemen, als je die nog hebt.

Ik heb zin om weg te gaan, om terug te keren naar het bootje, want ik begrijp niet wat ik hier te zoeken heb. Maar hoe het ook zij, het blijft raar dat alle deuren die ik ben tegengekomen open of halfopen staan, terwijl het toch nacht lijkt te zijn. Ik zal wel geobsedeerd zijn, maar ik zou het niet prettig vinden weg te gaan zonder iets te weten te komen, het ruikt hier raar, een sterke, haast misselijkmakende geur, en ook alsof hier zelden wordt schoongemaakt, als in een pension in de provincie. Uit een van de kamers, ik geloof uit de zitkamer, heb ik een gefluister horen komen van stemmen die ik niet ken, het leken me allebei mannenstemmen, en gesmoorde zuchten. Ik kan maar het beste gewoon gaan.

In de hal blijf ik staan, ik druk mijn oor tegen het damast van de deur, het is al een beetje versleten, ik weet niet meer hoe de stoffeerder die hem bekleed heeft heette, maar hij moet in mijn groene agenda staan, als jullie die niet hebben weggegooid, onder de s van 'Stoffeerder', en daar is waarschijnlijk ook zijn adres te vinden, hij woonde in Legazpi. Ik kan er niets aan doen, ik bemoei me alweer met zaken die me niet aangaan, wat doet het ertoe of een bekleding langer of minder lang zal meegaan of vies zal worden, hoe is het mogelijk dat dat *pulvis eris* er bij mij maar niet in wil, terwijl ik dat op begrafenissen toch altijd weer dacht, en ik heb er wat bijgewoond: 'Je moet dat strijken en poetsen en vlekken verwijderen niet zo serieus nemen, Encarna, zie je niet hoe alles uiteindelijk eindigt?' maar het was een vluchtige overdenking, zolang de *dies irae*, de orgelklanken en de rij om de familieleden te condoleren duurden. Dat is natuurlijk maar goed ook, want als je de hele dag over dat *pulvis eris* zat te tobben, zou je niet eens meer met smaak paella kunnen eten.

Ik pak de grendel beet en wil hem opzij schuiven en de trap afglippen, maar ik doe dat niet omdat ik de lift meen te horen, die nu anders klinkt, met een meer metaalachtige klank, sinds ze die mahoniehouten cabine met matglazen ruiten en het roodfluwelen bankje hebben afgedankt, laat in vredesnaam niemand naar deze verdieping komen want dan treffen ze mij hier aan als spook, want dat ben ik, en ik zou dan niet weten wat voor verklaring ik zou moeten geven. Het is natuurlijk evengoed mogelijk dat ze me niet zien, want spoken kunnen zien maar worden zelf niet gezien, althans in films. Ik herinner me nog een hele leuke, met Myrna Loy en William Powell, *The Thin Man*, een zwart-wit film, hoewel ik niet weet of ze eigenlijk wel spoken speelden, ze acteerden uiteraard heel goed en wat vond ik hen modern, ik denk dat ze allebei nu wel dood zullen zijn. Als we toch allemaal op dezelfde manier eindigen, is het dwaas om het tegendeel te denken, je illusies te maken dat je misschien een uitzondering zult vormen en hier als een soort plant zult blijven, wat bovendien ontzettend saai zou zijn, want je zou niemand meer kennen en iedereen tot last zijn.

Ik draai me om en keer op de tast, maar zachtjes, terug naar de ruimte vanwaar ik vertrokken meen te zijn. Ja, daar is weer het kastje met zijn ijzeren steunen en houten kegels, ditmaal zal ik voorzichtiger doen, laat ik niet weer iets op de grond gooien. Ik heb de deur dichtgedaan en loop met uitgestrekte handen verder om nergens tegen op te botsen, net als wanneer je blindemannetje speelt, want ik ben hier binnengegaan gedreven door de zekerheid dat ik de sleutel van iets waar ik dicht bij ben maar wat ik nog niet begrijp in deze kamer zal tegenkomen. En ik loop met lood in mijn schoenen verder, terwijl ik me ondertussen probeer te herinneren waarom en in wat voor houding ik hier eerder was, en waar ik ben binnengekomen.

Ik zoek de muur, druk me ertegenaan en meteen daarna loop ik ergens tegen op. Ik buk me om het te betasten en voel een zacht oppervlak, een divanbed of een sofa; ik laat mijn vingers er onderzoekend overheen glijden en onder een zacht aanvoelende deken ligt het lichaam van een mens, dat ik onmiddellijk herken, een opgerolde gedaante met het gezicht naar de muur gekeerd, één voet buitenboord en het hoofd bijna helemaal bedekt. Zo sliep ze altijd, vanaf dat ze klein was. 'Wat een warboel! Zie je dan niet dat je van de omslag van het laken een harmonika hebt gemaakt? Wat zijn dat voor slaapgewoonten, kindje! Het lijkt meer het bed van een zigeuner dan van een jongedame,' en dan zei zij dat ik haar met rust moest laten en haar kamer niet zonder te kloppen mocht binnenkomen, dat ieder op zijn eigen manier slaapt, zij bemoeide zich toch ook niet met de mijne, en dat ze genoeg had van die opmerking over die zigeuner, dat dat racistisch was, misschien sliepen die wel geweldig netjes of lieten hun moeders hen in ieder geval slapen, foeterde ze dan en bedekte haar ogen met haar arm, alsof het zonlicht een giftige pijl was, 'terwijl ik net zo'n leuke droom had!' Als kind begon ze zelfs ontroostbaar te huilen, altijd had ik een of andere prachtige droom verpest, en ik verbaasde me daarover want ze wekte de indruk dat ze het meende, dat het voor haar was zoals voor mij wanneer de werkster een mooi glas liet vallen, en dan keek ik naar haar als naar een vreemd insekt. 'Jij kunt dat natuurlijk niet begrijpen, want jij droomt nooit iets.' Maar wat ze het ergste vond, was het feit dat ik in al die tijd dat we bij elkaar woonden niet had geleerd haar heel voorzichtig wakker te maken, maar dat als een wachtcommandant deed, door met één harde ruk het rolgordijn op te trekken, hop, rats, zonder enige consideratie, en dan direct daarna te beginnen over vervelende onderwerpen, die behoorden tot de onbarmhartige wereld van overdag, waarop de geest van een slapend mens nog niet is voorbereid – denk erom dat... denk erom dat... denk erom dat... – een regen van waarschuwingen zonder eerst een liefkozing of een kop koffie of een aai over je rug, afijn, iets in ieder geval.

Ik stuit op een aantal boeken die samen met een kussen en een paar schoenen achteloos op de grond liggen. Zij is het, daar is geen twijfel over mogelijk. Ik pak twee of drie opengevallen boeken op, klap ze dicht en wil ze op een plank, tafel of randje leggen. Ik vind een koel oppervlak, als van marmer, en terwijl ik ze daar neerleg voel ik een tafellampje, hoopvol zoek ik de schakelaar, niet aan het snoer, ook niet op de voet..., misschien als ik aan dit touwtje trek, nee maar, gelukkig, *fiat lux!* Het is een zwak lichtje, maar, kindje, wat een opluchting. Ik herken mijn naaikamer, al is hij erg veranderd. De kast met de driedelige spiegel is bijvoorbeeld als bij toverslag verdwenen, ik weet niet hoe ze hem uit elkaar hebben gehaald, want dat was geen kleinigheid.

Maar ik begrijp niet wat ze daar doet, slapend en wel, en je zou zeggen tijdelijk, want ze heeft geen lakens en ook geen gezelschap van iemand. Ik kniel op de grond neer om de deken weer over haar heen te leggen en haar ene voet te bedekken, die naakt uit de pijp van een ribfluwelen broek te voorschijn komt, en dan realiseer ik me ineens dat ze niet alleen is. Aan het voeteneind van het divanbed, want het is een divanbed, ligt een kat te slapen. Hemel, wat heeft die me laten schrikken! Er zijn nooit katten in huis geweest, deze lijkt zachtaardig en nog heel jong, hij is grijsgetijgerd, heel schattig, en hij veranderde van houding en begon te spinnen toen ik hem aanraakte. Zij heeft zich daarentegen niet verroerd, noch toen ik het licht aandeed, noch toen ik haar voet die koud begon te worden bedekte, noch toen ik net hardop zei 'Ach, heden, wat een lief poesje!' ik geloof althans dat ik dat hardop gezegd heb, maar wie zal het weten.

Ik ga naast haar op de grond zitten, met de bedoeling er alles aan te doen om te voorkomen dat ze op een akelige manier wakker wordt. De vloerbedekking is nog steeds hetzelfde, vuil roze, maar zo vuil! Deze is echt helemaal bedorven, er zitten zelfs brandgaten van peuken in; ik geloof dat die stoffeerder uit Legazpi ook vloerbedekking legde, en linoleum, maar tegenwoordig noemen ze dat sintasol. Ik leun met mijn rug tegen het kussen dat op de grond ligt, een groot kussen vol dons, en haal diep adem. Wat ik ook nergens zie is de naaimachine, een Singer handnaaimachine die van mijn moeder is geweest, een van de eerste naaimachines, volgens Santi zijn die nu heel veel waard. Ze zullen hem wel op de Rastro verkocht hebben.

'Sofia,' zeg ik zachtjes, terwijl ik haast angstig haar haren die onder de deken uitkomen streel. 'Sofia, kindje, word wakker. Wat doe je hier? Waarom slaap je met je kleren aan. Is er iets ergs gebeurd?'

Ze laat nu een licht gekreun horen, als een kind dat koorts heeft. Met een beweging van haar been verjaagt ze de kat, die zich dan in het holletje van haar buik opkrult, en samen blijven ze in een halve cirkel opgerold tegen de muur liggen.

Deze muur hing vol met rijen familieportretten op

verschillende hoogtes, 'de tunnel des tijds' noemde Santi dat voor de grap, herinneringen aan mijn bruiloft, aan mijn eerste communie, aan hen tweeën als kinderen spelend in het Parque del Retiro met die ontzettend lelijke miss die Sofia 'miss Nelly' gedoopt had, naar die uit *Celia lo que dice*, een aantal foto's, al in kleur, van haar met haar kinderen in verschillende groeistadia, van mijn vader in militair uniform, en dan nog een portret waarvan ik het wel erg jammer zou vinden als dat verloren is gegaan, een heel romantisch portret, waar ik af en toe graag naar keek omdat ik er zo gelukkig op uitzag. Het was een kiekje dat de broer van een vriendinnetje van me had gemaakt toen ik net zestien was geworden. Ik sta tegen een enigszins afgebladderde muur, bij een deurpost, en ik staar in de verte, naast mij zie je een paard. Het is zo'n deur die je in de stallen in bepaalde dorpen ziet, waarvan je als je wilt alleen het bovendeel kunt openen. Welnu, uit die opening steekt het witte hoofd van het paard, dat het mijne bijna raakt, ik heb een scheiding in het midden en draag rouwkleren vanwege oma Carmen. 'Arm kind, laat haar toch een paar dagen bij ons komen,' had de moeder van mijn vriendin tegen mama gezegd, 'misschien komt ze dan de schok te boven.' Want ik had oma Carmen dood in haar stoel aangetroffen, met haar haakwerk in haar schoot, en pas toen ik haar een zoen wilde geven en voelde hoe koud haar gezicht was had ik beseft dat ze dood was, en gillend was ik de kamer uitgerend. Daarna ben ik vreselijk ziek geworden, ik had ik weet niet hoeveel dagen koorts, en toen werd ik voor het eerst ongesteld. Ze is de eerste dode die ik in mijn leven heb gezien, terwijl ik nu zelfs geen zin meer heb om ze te tellen. Enfin, ze namen thuis de uitnodiging aan. Mijn vriendin heette Herminia en we waren op een landgoed dat haar familie in de provincie Salamanca had en waar we in een oude, heel hoge, zwarte Buick met chauffeur naar toe waren gereden, mensen met heel veel geld, de broer van Herminia was ouder dan wij, hij studeerde medicijnen en was verliefd op mij. Niemand wist dat, ik geloof ook Herminia niet, en ik kan me niet eens herinneren hoe ik er zelf achter was gekomen, die dingen vermoedde je meer dan dat je ze echt wist, ik vermoedde het op het moment van de foto. Het was op een namiddag in de zomer, de zon was aan het ondergaan en ik stond tegen die witte muur geleund, heel rustig naast dat paard, ik voelde een overweldigende emotie, terwijl ik mijn ogen strak op de ondergaande zon gericht hield en bedacht dat spoedig de krekels met hun gezang zouden losbarsten en de avond zou vallen. 'Blijf zo staan,' zei hij, 'ik ga een foto van je maken,' en de dromerige uitdrukking op mijn gezicht is er zo een die je als jong meisje opzet omdat je weet dat die je flatteert en dat er iemand, naar wie je zelf niet eens kijkt, naar jou staat te kijken. De mannen waren aan het dorsen en ze zongen iets over voren en boerenknechten, 'als je een vore trekt rechts van mijn raam, zul je morgen in dienst van mijn vader staan', en Lucas, want hij heette Lucas, zei dat dat liedje ging over de dochter van een of andere grootgrondbezitter, die verliefd was geworden op een dagloner, iemand van een lagere komaf dan zij; die ongelijke positie van twee geliefden was een veel voorkomend thema van versjes en boeken in die tijd, de jonkvrouw en de stierenvechter, de gouvernante en de markies, en het was altijd heel spannend omdat de familie bijna onoverkomelijke obstakels opwierp, later zijn die taboes vrijwel volledig verdwenen, de familie van Eduardo, om maar wat te noemen, was van weinig aanzien, uit een gehucht in Teruel, en niemand zei er iets van, logisch ook, gezien wat er gebeurd is. De hemel was rood en even later verscheen de eerste ster, we stonden daar een poosje met zijn tweeën, zonder iets te zeggen, luisterend naar de dorsliederen, en toen zei Lucas: 'Kijk, Encarna, de eerste ster,' waarop ik zei: 'Ja, ik zag hem al, het is de avondster, je moet een wens doen.' 'Goed,' zei hij, 'maar dan wel iets voor ons allebei,' en ik had het gevoel dat mijn hart uit mijn lijf bonsde. Heel zachtjes, alsof ik bad, begon ik te zeggen: 'Eerste sterretje dat ik in de hemel ontwaar, maak het geluk uit mijn dromen waar.' Niemand behalve ik kan zich die zonsondergang herinneren, die zich nooit meer heeft herhaald en zich ook nooit meer zal herhalen, ik heb hem meegenomen naar het rijk der schaduwen, zelfs de foto is er niet meer.

Aan die muur hangt nu, ingelijst in een grijs passepartout, een reproduktie van een behoorlijk lelijk schilderij. Maar toch, nu ik er langer naar kijk vind ik het eigenlijk meer bizar dan lelijk, en ook een beetje griezelig. Mijn ogen worden in ieder geval onweerstaanbaar aangetrokken door dat tafereel, als je het een tafereel kunt noemen, het is eigenlijk meer een stilleven, hoewel dat ook niet echt. Op de achtergrond staat een soort berg of kubistische rotspartij en op de voorgrond, op een donker fond, zie je een aantal horloges die als het ware aan het smelten zijn, ze liggen daar dubbelgevouwen te drogen, eentje over de kale tak van een boom, een ander op de rand van een soort tafel, weer een ander op een gigantisch slakkenhuis, het lijken wel weekdieren, er is maar een wat normalere bij, met het klepje dicht, nou ja, normaal, als je beter kijkt blijkt dat wat je voor edelstenen ter versiering van het deksel hebt gehouden mieren zijn, wat vreselijk, wat ontzettend raar. Ik blijf er een tijdje naar kijken en vind het zo vreemd dat ik ga staan om het beter te kunnen zien. Onderaan staat in kleine lettertjes 'Salvador Dalí, PERSISTENCE DE LA MEMOIRE, 1931, Museum of Modern Art, New York'. Ik vraag me af of het dat zo abnormale geheugen zal zijn wat zo hardnekkig is, Sofia. Is die gedachte nooit bij jou opgekomen? Het is niet meer het mijne, ook zelfs niet het jouwe, een uitvinding van die gek van een Dalí, maar hij zal daarmee toch wel iets hebben willen zeggen, misschien dat horloges bedrieglijk zijn, dat ze geen enkel nut hebben en alleen maar dienen om de verplichte en triviale tijd te meten van griepjes en visites en zondagse lunches en het invullen van het belastingformulier, de tijd waarin ik bevelen geef, wacht tot het donker wordt om het licht aan te doen, de lakens die jij verkreukeld hebt strijk en mopper omdat er een vlek op de vloerbedekking is gekomen en de stoffeerder bel, maar deze tijd heeft niets te maken met die van de zomermiddag waarop oma Carmen is gestorven; die tijd verloopt, net als die van vanavond, volgens andere wetten; misschien verklaart dat waarom de horloges smelten. Als ze niet zouden smelten, als hun roestvrije aanwezigheid stand zou houden, zou ik hier nu niet zitten, wakend over jouw slaap en over die van dat grijze katje, me afvragend wat Dalí met dat van de hardnekkigheid van het geheugen zou bedoelen. Kun jij, Sofia, je ook maar enigszins voorstellen wat er in het geheugen van jouw kinderen zal blijven hangen wanneer jij er niet meer bent? Nee, natuurlijk niet, dat zullen we nooit weten, ik weet ook niet wat jij je herinnert en wat niet, hoe jij je herinneringen in je hoofd rangschikt en interpreteert, welke je bij het vuilnis hebt gezet, ik heb geen idee. Maar luister, ik zeg je slechts één ding: ga ze niet net als ik inventariseren, wijs alles wat je verdriet doet van de hand, kindje.

En ik ga op de divan zitten en sla mijn armen om je bedekte lichaam en begin huilend over je hoofd te aaien en moet denken, waarom weet ik niet, aan toen ik je leerde veters te strikken en zelf de knopen van je jas dicht te doen en een veiligheidsspeld open en dicht te knippen zonder je te prikken en de dop op conservenpotten te draaien en je tanden te poetsen; en ook aan een dag waarop je hoge koorts had en lag te ijlen. Je zei dat je zeker wist dat je stout wilde zijn, dat je niet kon ophouden met stoute dingen bedenken, bijvoorbeeld slapen met een vieze zigeuner in een onopgemaakt bed, alles wat ik je verbood, en ook dat je wilde verdwijnen en dit huis voor altijd wilde vergeten, en de steden en de mensen, wilde gaan vliegen en net zo hoog wilde komen als een adelaar, tot in gebieden waar geen lucht meer is en je sterft van de kou.

'Sofia,' roep ik, 'Sofia.'

En ik voel dat ik elk moment kan verdwijnen, dat de boodschap die ik je wilde geven me ontschiet, ik weet niet meer wat het was.

'Sofia, geef me een zoen, ik ga nu ook vliegen als een adelaar, en ik stel me het huis vanbovenaf gezien voor, terwijl ik als een blinde planeet in het duister stuurloos rondjes draai, het was een vraag over horloges die ik je wilde stellen, ik kan me niet meer herinneren waar ik mijn juwelen heb gelaten, of het papier waarop ik had geschreven hoe jullie ze moesten verdelen, dat spijt me vooral vanwege papa's horloge, maar het doet er niet toe, zeg me wat er met je aan de hand is, want dat is het belangrijkste en er is geen tijd meer voor iets anders, je zult me niet meer kunnen zien, ik ben aan het oplossen, word wakker, hoor je me? Wat doe je hier met die kat, met die slappe, geplette horloges, met die voet die je weer buitenboord hebt gestoken? Wat ben je aan het dromen? Heb je iets naars meegemaakt?'

En nu begint ze zich te bewegen en kreunt, ze heeft vast een nachtmerrie, ze keert zich naar mij toe, verlegt een arm, maakt haar gezicht vrij, en hoewel haar ogen nog steeds gesloten zijn tekent zich op haar gezicht een verkrampte, angstige uitdrukking af, alsof ze zou willen schreeuwen maar geen geluid kan uitbrengen, ik schud haar heen en weer, maar ik heb bijna geen kracht meer.

'Sofia, Sofia, ik ben hier bij je, maar slechts voor even, word wakker, wees niet bang, het was allemaal een droom, het is allemaal een droom geweest, een boze droom, ik ga nu weg, terug naar het bootje. Sofia, vergeet niet wat ik je gezegd heb, je mag niet weer verdriet hebben, nooit weer, vaarwel Sofia.'

*

'Wat is er aan de hand, wat is er in godsnaam aan de hand? Hoe laat is het? Waar zijn de horloges?'

Ik ben wakker geschrokken, rillend, met barstende hoofdpijn en een droge mond. Ik denk dat ik van de dorst, een razende dorst, ben wakker geworden. En ook door een droom over horloges, mama was nog niet dood, ze was hier bij me, ik was mama. Ik zit rechtop in bed, maar ik weet niet welk bed dit is, het duurt even voordat ik de kamer herken, hoewel ik hem wel kan zien, blijkbaar ben ik met het licht aan in slaap gevallen.

Naast het lampje staat een glas water. Ik drink het in één teug leeg. Het water is verre van koud en smaakt vreemd. Of waarschijnlijk heb ik een rare smaak in mijn mond. Nadat ik een hele tijd heb geprobeerd mijn zicht scherp te stellen om me te kunnen oriënteren, herken ik eindelijk een meubelstuk, het kastje met de houten kegels. Die herkenning betekent echter nog geen aangename landing in de tijd, maar een zeer schokkerige, zodat ik met een ruk de deken van me afgooi, uit bed stap en rondjes door deze gesloten ruimte begin te lopen, een korte verkenningstocht op zoek naar een grote kast met drie spiegels, die er overduidelijk niet is.

Ik loop op blote voeten. Ik betast mijn lichaam, dat gehuld is in een ribfluwelen broek en een dunne trui. Blijkbaar ben ik met kleren aan in slaap gevallen, net als op die regenachtige septemberavond in de stoel van mama. Een heel zware stoel met oren, die ook is verdwenen, we noemden hem 'de kolos'. Misschien heeft Santi hem samen met andere oude rotzooi naar zijn huis in Amerika meegenomen, in een van die dwaze, koortsachtige bevliegingen die hij af en toe krijgt na een aanval van nostalgie. Ze had hem bij het raam gezet, naast de naaidoos en het tafeltje met de telefoon. Dat was de stoel waarin ze altijd zat, waarin ze de krant las, handwerkte en kruiswoordpuzzels oploste, vanwaaruit ze ons belde om te vragen of we zondag kwamen lunchen en met haar bangelijke, omfloerste weduwe-ogen naar buiten keek, de mosterdkleurige stoel waarin ze, zonder enige ontsnappingsmogelijkheid, door de bliksemschicht van het infarct getroffen werd.

De middag daarvoor had ik haar nog bezocht, toen ik net terug was uit Brighton. We zaten een tijd gezellig te praten, want ik had een ontzettend goed humeur gekregen van die romantische reis, en zij zei dat ze Tomás de stoffeerder moest bellen, omdat het mosterdkleurige fluweel – terwijl ze dit beweerde klopte ze met haar hand op de stoel – inmiddels donkerbruin was geworden, en ze moest lachen om de woordspeling. Wanneer dingen een bepaalde grens overschreden of een situatie een dieptepunt bereikte, vertaalde zij dat met dat het donkerbruin werd, een zinnetje dat haar grootmoeder blijkbaar vaak zei, en nooit vergat ze de bron te noemen, als iemand die een noot onderaan op de pagina zet. 'Ik heb bij Gancedo al nieuwe stof gekocht, weet je. Laatst heb ik de knoop doorgehakt, ik zei tegen mezelf "vandaag moet het gebeuren", want anders sleept deze zaak zich voort tot de dag van het laatste Oordeel, wanneer de trompetten al klinken.' En ik vroeg haar of dat van het laatste Oordeel ook van haar grootmoeder kwam. 'O nee, die zin is van wijlen je oom Luciano, ieder heeft zo zijn eigen uitdrukkingen.' En daarna stond ze op omdat ze mij de nieuwe bekleding voor de kolos wilde laten zien, en terwijl ze dat zei moest ze ook lachen, want ze noemde de stoel alleen maar zo als ze in een goed humeur was, anders vond ze het een belediging. Ze haalde een pak uit de kast, samen hielden we het bij het licht en ik hielp haar de stof van de kartonnen koker te halen waar hij nog steeds op zat, want het was het laatste stuk van de rol, een in blauwe en rode tinten bedrukte stof, en ze vroeg mijn mening, zei dat ze hem minder besmettelijk vond dan de vorige, die kwalificatie was voor haar een kwaliteitsgarantie, wellicht vanwege haar ingewortelde neiging tot reinheid. 'Minder besmettelijk weet ik niet, ik denk eigenlijk het tegenovergestelde, maar hij lijkt me veel vrolijker, vind je niet? En daar gaat het om.' Ze weigerde zo'n gesprek over besmettelijkheid en vrolijkheid aan te gaan, omdat dat uit de hand zou kunnen lopen, ze veranderde botweg van onderwerp. 'Dus als jij Tomás zou willen bellen, kindje, wij zijn namelijk allebei een beetje doof, en Adela ook, onze gesprekken hebben veel weg van die van Arniches.' En ze begon weer te lachen bij de herinnering aan hoe komisch Valeriano León in die rol van dove was, wanneer er tegen hem gezegd wordt dat hij een mis voor de een of ander moet bijwonen en hij, met het trompetje aan zijn oren, antwoordt: 'Een mis bijwonen? Dat is goed, maar alleen als hij flink hard wordt gelezen.' En wat was het Spaanse toneel geweldig toen die sublieme paren nog met elkaar optraden, Valeriano León en Aurora Redondo, Vico en La Carbonell, Loreto Prado en Perico Chicote, La López Heredia en Asquerino, zo elegant, je had eens moeten zien hoe prachtig Mariano Asquerino zijn handschoenen aantrok. Kortom, je ging naar de schouwburg en het was altijd goed, wat ze ook speelden, gewoon omdat je hen wilde zien. 'Oké, mama, de idolen zijn veranderd, maar verder is dat nog steeds zo.' Ze trok een smalend, bits gezicht, dat onweer voorspelde: 'Ga weg, Sofia, dat wil je toch niet vergelijken!' En ik hield mijn mond, want ik wist dat het dan heel dikwijls, niet een of twee keer, gebeurde dat mama door zo'n onzinnige of nog onzinniger discussie de rest van de middag of zelfs twee dagen lang van slag was en dat dan die trek van bitterheid tegen de kosmos in zijn geheel als een schaduw over haar gezicht kwam te liggen en ze de prettige kant van de dingen die haar een minuut tevoren nog hadden geamuseerd en aan het lachen hadden gemaakt niet meer kon zien, alsof de stoppen waren doorgeslagen; haar vermogen om te genieten knapte en dan was ze met geen mensenmogelijkheid meer in een goed humeur te krijgen, dat probeerde ik ook niet eens meer, maar ik had wel geleerd die vreemde buien van haar aan te voelen komen en te vrezen. Ik knielde neer om de stof op te vouwen. 'Het is misschien beter hem van de rol te halen, vind je niet, mama? Dan is het niet zo'n enorm pak meer,' als om te peilen of ze al slecht geluimd was. Ze begon een beetje te sputteren, wat kon mij die rol schelen, wat een manie om alles weg te willen gooien, 'geef maar hier!' en mopperend zette ze hem in een hoek, zij was heel erg van het bewaren van nutteloze dingen waarvan ze dan later, als ze ze na verloop van tijd nodig had, niet meer wist waar ze die gelaten had, wat dat betreft was ze net als mijn dochter Encarna. En ze keek me recht in mijn ogen, zo'n blik waarbij je bij jezelf zegt 'betrapt!' want je kon zien dat ze je gedachten kon raden, en zei: 'Wat zijn we toch verschillend, mijn kindje, het kan haast niet waar zijn, we lijken wel personages uit een boek,' maar ze zei het met een toegeeflijke glimlach, dus de bui was overgedreven. En zonder enige overgang voegde ze er plompverloren aan toe: 'En je bent heel mooi uit Engeland teruggekomen, duvel, ik weet niet wat ze je daar hebben gegeven.' En ik moest snel een andere kant op kijken, want ik voelde dat ik rood als een tomaat werd.

Maar ik denk nu dat ik stom geweest ben, dat ik haar over mijn recente avontuur met Guillermo had moeten vertellen, al had ik dan misschien de meest pikante details weg moeten laten, gewoon als een keukenmeidenroman. Misschien had ze het wel begrepen, wie weet. Bovendien heb ik later bedacht dat ze het van mijn gezicht heeft gelezen toen ze me aankeek met die doordringende blik, de laatste van dat soort die ze op me heeft afgevuurd en die ik niet kon verdragen. Natuurlijk heeft ze maar al te goed gezien dat ik begon te blozen, maar ze zei niets. En we legden het pakket weer in de kast, een lap stof van tweeëneenhalve meter dubbelbreed; hoewel de kolos een enorme kolos was, leek het me dat ze te veel had gekocht. 'Hij was behoorlijk afgeprijsd,' zei ze, 'je kunt beter wat overhouden. Dan kun je er altijd nog kussens van maken.'

De tweeëneenhalve meter bleven in hun geheel over. Ik meen dat ik de middag daarop het telefoonnummer van Tomás aan het opzoeken was of net van plan was het op te zoeken, toen Adela, de oude dienstbode, belde. In allerijl ben ik er samen met Encarna en Daría, degenen die op dat moment thuis waren, heengegaan, maar we kwamen te laat.

Ze wilde niet dat we haar uit de naaikamer weghaalden, daar had ze op gestaan, naar Adela zei, we moesten haar daar laten, want dat was de plek om door het lot geveld te worden, haar grootmoeder Carmen was ook onder het naaien geveld, 'Haal het niet in jullie hoofd me daar weg te halen'. Dat was schijnbaar het laatste wat ze heeft gezegd. 'Maar ze zal hem toch niet als rouwkapel hebben bedoeld, Adela?' 'Jawel, lieve juffrouw Sofia, dat was echt haar wens, dat verzeker ik u. Ze kon niet eens meer praten, alleen maar tekens geven, en met haar hand maakte ze een weids gebaar en knikte daarbij met haar kin, ze keek me met verdwaasde, maar gespannen ogen aan, alsof ze wilde weten of ik het begrepen had. En toen ik zei dat ik het begrepen had, dat ze gerust kon zijn, blies ze vredig haar laatste adem uit en zakte haar hoofd voorover, het was overduidelijk wat ze had willen zeggen.'

Dus daar werd ze neergelegd, in de naaikamer, en dat was deze kamer, het heeft even geduurd voordat ik me dat realiseerde, want met die kast met drie spiegels leek hij groter. Ik ben bij haar blijven waken en opgekruld in de mosterdkleurige stoel in slaap gevallen, die rare kolos, die Santi op een van zijn barokke verhuizingen naar het andere continent heeft meegezeuld. Ik ben benieuwd waar het pak met de bedrukte stof van Gancedo is gebleven, met al die drukte die hier even later ontstond. Ik was niet meer in deze kamer geweest en weet ook niet waarom ik er nu ben. En in gedachten verzonken blijf ik staan, met mijn ogen strak op het midden van de kamer gericht, waar de zwarte rechthoek omgeven met kaarsen was neergezet, en zij languit daarin, op een gladde paarse ondergrond. Ik keek naar haar vanuit mijn stoel, of liever gezegd vanuit de hare, niet rechtstreeks maar via onze spiegelbeelden in de drie spiegels van de klerenkast, die vrijwel de hele muur tegenover ons besloeg. Zo kreeg je een scheef beeld, dat het tafereel vervormde en aanzette tot dromerijen die me van haar verwijderden en haar onwerkelijk maakten, zoals wanneer je naar het theater gaat en je lekker aan je eigen dingen zit te denken, omdat wat ze daar op het toneel zeggen je niet boeit, nou, precies zo dus. Ik zag het tafereel, maar dacht niet aan mama of aan wat er straks met haar appartement zou gebeuren en vroeg me niet af of Santi, die op een congres in Atlanta was, op tijd zou zijn voor de begrafenis, of van wie die stemmen en voetstappen waren waarvan de echo door de kier van de deur glipte, wie dat kopje dat op het tafeltje stond, met het bezinksel er nog in, had leeggedronken, waarschijnlijk de laatste persoon die me gezelschap had gehouden, ja, iemand die een deken over mijn benen had gelegd en me over mijn hoofd had geaaid. 'Haar een tijdje alleen laten, het arme kind, wil je dat we het licht uitdoen?' En ik zei dat dat niet hoefde, dat het zo goed was. Tot mijn vreugde zag ik dat het begon te regenen. En toen viel ik in slaap.

Plotseling was ik hier in mijn eentje wakker geworden, midden in de nacht, terwijl haar lijk daar lag en het buiten harder was gaan regenen. En boven de geopende kist en haar roerloze gekruiste handen met de rozenkrans zag ik in de spiegel aan de andere kant een in zichzelf gekeerde, sensuele glimlach, het spoor van een schandelijke maar bevrijdende gedachte, gewapend tegen de roest van het schuldgevoel. Minder pervers en sluw dan die verhalen over de haveloze zigeuner die ik in mijn pubertijd verzon om mama razend te maken, oude rancunes die nooit waren uitgesproken, mijn verhaal van nu kwam niet voort uit een of ander ziekelijk gesudder van mijn hersenen, maar was vers, waar gebeurd en onverwacht, over een haas die in het open veld was opgedoken, wat bovendien nog maar een week geleden was gebeurd, vandaar mijn glimlach, die nog steeds teerde op die recente vitaminestoot, hij was onschuldig, dapper en steels tegelijk, en de afdruk ervan in de spiegel verdreef de kleurige regenboog van het liefdesverdriet. En midden in die rouwkapel beleefde ik telkens weer tot in de kleinste details een veel treuriger nacht, de laatste die ik met Guillermo doorbracht in zijn pensionkamer in Londen, waar ook een kast met een spiegel stond, die de wisselende contouren van onze verstrengelde lichamen opving – alles is een oneindig spel van spiegels – een kamer met blauw behang waar hij me huilend had gesmeekt hem niet weer in de steek te laten, alsof ìk en niet zijn vrouw hem in de steek had gelaten, een smeekbede gevolgd door een geladen stilte waarin onverenigbare herinneringen en voornemens met elkaar streden en die ik uiteindelijk verbrak. 'Nee, Guillermo. Ik wil niet zoals Anna Karenina eindigen,' had ik hem met vaste stem geantwoord, al voelde ik me tegelijkertijd beroerd door de onwerkelijke hand van Greta Garbo, die me voor enkele ogenblikken in de bekoorlijke overspelige heldin van Tolstoj veranderde om me vervolgens onmiddellijk haar ellendige lot te laten afzweren, tussen even onechte als echte zuchten en tranen door, overgeheveld van haar verhaal naar het mijne. 'Kijk niet naar jezelf in deze spiegel,' leek ze me te zeggen, 'daarom houd ik je hem voor,' weer een spel met spiegels in spiegels; nee, ik zou geen behagen scheppen in dat beeld van ondergang en noodlot, zoals Anna Karenina wilde ik niet eindigen. Het was vooral die laatste zin van mijn romance die de opening van de tunnel terug naar de werkelijkheid verlichtte, een tunnel waarin ik me nog niet durfde te begeven en waar vermoedelijk geen eind aan kwam. Het regende maar door, onophoudelijk, *oh, le chant de la pluie!* Verrukt herhaalde ik die woorden, als een tekst die je uit je hoofd kent maar die je als je hem overleest nog steeds ontroert, ze vlogen als vuurvogels hoog in de kamer, ze maakten zich van elkaar los boven de ietwat bollende buik van mijn moeder, ketsten buiten tegen de regen, nee, niet zoals Anna Karenina, maar ik sprak die woorden terwijl ik hem telkens weer kuste, een gepassioneerde afscheidssymfonie met akkoorden van Eros en Thanatos. Het was een bitterzoet en verwarrend einde geweest, adieu avontuur met de blonde wolfshond, adieu wat had kunnen zijn maar niet is geworden, tot in de eeuwigheid zal mijn liefde bij je blijven, een einde als van een bolero.

*

Ik heb nog steeds dorst, een verschrikkelijke dorst. Ik hoor een zwak gemiauw en voel iets zachts langs mijn blote voeten strijken. Een grijs poesje wrijft er tegenaan, grijpt zich vast aan mijn broekspijpen en kijkt me aan alsof hij me toestemming vraagt omhoog te mogen klimmen. Ik buk me om hem te aaien, terwijl ik ondertussen mijn schoenen zoek die half onder een kussen begraven liggen, en hij slaat met zijn pootjes tegen een cilindervormig voorwerp, dat over het kleed begint te rollen. Met grappige sprongetjes gaat hij erachteraan. Het is een leeg pillendoosje.

'Waar kom jij vandaan, lief poesje? Sta eens stil, toe. Wat wil je? Ik zal zo naar je luisteren, wacht even, wacht, ja. Heb je honger, zin om te spelen of allebei? Slaap heb je niet, zo te zien. Ik ook niet, maar ik weet niet meer hoe ik hier terechtgekomen ben. Kom eens bij me. Zó ja, wat ben je zacht! Laten we eens gaan kijken wat er in de wereld gebeurt, goed? Gedeelde vreugd is dubbele vreugd. We komen vast wel een verrassing tegen.

Hij spint, sluit gelukzalig zijn ogen als ik hem optil, en samen gaan we de gang op op zoek naar nieuwe avonturen. Hopelijk wacht ons er een die minder fantastisch is, of zou dat te veel gevraagd zijn?

Als ik de keuken binnenga om eerst nog wat water te drinken en te kijken of er iets te eten is voor deze onverwachte vriend, bedenk ik me, terwijl ik zachtjes over zijn kop krauw, dat ik zelf veel te weinig liefde krijg, en het ergste is dat ik eraan gewend ben geraakt en het niet eens meer merk, er moet een diertje als dit opduiken om het me te laten beseffen. Sinds mama dood is heb ik me steeds meer in mezelf teruggetrokken, iets wat ik háár juist zo vaak heb verweten, 'maar bel dan in vredesnaam een vriendin; nee, natuurlijk heb je geen vriendinnen, omdat je ze niet belt, als je de planten geen water geeft verdorren ze toch ook?' En dan zei zij dat ik haar met rust moest laten, dat ze er gewoon te lui voor was. Het is niet goed je zo te isoleren. Soledad zei dat laatst nog tegen me toen ze het over haar moeder had, dat die ofwel zit te mokken omdat ze dingen opkropt ofwel haar venijn over haar kinderen uitspuwt. Dat niet. Ik wil niet eindigen als die vrouw of als die arme mama, moederziel alleen en verbitterd, die nog liever dood zou gaan dan om hulp of een liefkozing te vragen – een mens moet zich in zijn eigen omgeving staande weten te houden, zei ze – en altijd hoopte ze dat ze naar háár toe zouden komen, terwijl ze niemand had bij wie ze terecht kon als ze zin kreeg haar hart uit te storten of plezier te maken, bijvoorbeeld met iemand van haar eigen leeftijd, die dezelfde dingen leuk vindt, want zodra de kinderen groter worden zitten ze op een andere golflengte en praten ze raar en weet je niet meer wat ze van je vinden, met vriendinnen daarentegen kun je huilen en zeggen dat het leven afschuwelijk is, maar ook lachen en grapjes maken over de nare dingen uit je jeugd en herinneringen aan zomervakanties en teksten van liedjes en films ophalen, kortom, ervaringen uitwisselen, want als je dat niet kunt doen word je gek en raak je zelfs je gevoel voor humor kwijt. En onmiddellijk, hoe kan het ook anders, komt Mariana me voor de geest, haar gestalte baant zich een weg door de nevel van het onechte en breekt er resoluut doorheen, als de zon om twaalf uur 's middags, en ik heb behoefte aan haar warmte, ik verlang daar naar met een inmiddels ondraaglijke *saudade*, op z'n Portugees natuurlijk, want in een andere taal is zoiets niet uit te leggen. Ik kan niet langer wachten, ik moet eindelijk eens ophouden met al die schriftjes en ze naar Mariana brengen, want schrijven is een voorwendsel om haar weer te kunnen zien, ik wil zo snel mogelijk, liefst morgen al, mijn vriendin Mariana León Jimeno zien. Haar tweede achternaam was Jimeno, herinner ik me als ik een fles mineraalwater uit de ijskast haal en op de marmeren tafel een vrij plekje probeer te vinden om hem neer te zetten. León Jimeno, vertel ons eens over de geleedpotigen. En ik glimlach.

Op dat moment realiseer ik me dat er iemand naar me staat te kijken. Het is een magere jongen, met verwarde haren en een brilletje. Hij draagt een oorbel. Hij is net de wc uitgekomen en staat de ritssluiting van zijn spijkerbroek omhoog te trekken.

'Daar issie, heilige Maria!' zegt hij, 'Pussy was dus bij jou! Dat hadden we kunnen weten. Niet te geloven, Raimundo zei het nog, dat jullie elkaar misschien wel gevonden hadden, dat jij iets met katten hebt, en kijk nou eens. Voor dat soort dingen heeft die jongen een radar. Kom eens hier, maatje, ik heb je nog wel in de klerenkast gezocht! Heb je hem iets te eten gegeven?'

Het katje is uit mijn armen op de tafel gesprongen en ontwijkt soepel de verschillende soorten obstakels die het tafelblad zijn ingewikkelde geografische reliëf geven. Hij blijft staan om met zijn neusje een wit plasje te onderzoeken en kromt zijn rug.

'Iets te eten? Ik niet. Ik heb hem net ontmoet,' zeg ik, terwijl ik tevergeefs een schoon glas zoek in de enorme berg borden en pannen met etensresten, kleverige kopjes en volle asbakken in de gootsteen en op het aanrecht eromheen. 'Hij is halverwege een andere scène verschenen, vraag het hem zelf maar, als de Maagd van Lourdes. Hij kwam niet in het script voor.'

Nu heeft de jongen Pussy opgepakt, maar hij blijft onbeweeglijk staan, terwijl hij me nauwlettend observeert en niet van plan lijkt een beslissing te gaan nemen.

'Hij kwam niet in het script voor...' herhaalt hij gniffelend, 'waanzinnig, zeg. Ik kan je niet volgen.'

'Dat geeft niet. Weet je waar ergens glazen staan? Schone, bedoel ik.'

'Misschien staat er nog een in de zitkamer. Op die party van gisteravond zijn er een paar gesneuveld. Maar drink gerust uit de fles. Gaat het trouwens al beter met je?'

Ik ga op een kruk zitten. Vervolgens schroef ik, terwijl hij nog steeds half verbouwereerd en half geamuseerd naar me staat te kijken, de dop van de plastic fles af en drink hem gretig leeg.

'Beter dan wanneer? Dan voor ik deze fles leegdronk?'

'Bijvoorbeeld. Met jou kan ik praten, waarom zouden we verder teruggaan? Dat is soms het vervelende met Raimundo, dat hij teruggaat tot de Goten.'

'Aha. Ja hoor, veel beter. Zeg, doe de deur van de wc dicht als je het niet erg vindt, joh, en draai dan meteen even het licht uit, want het zijn nu niet bepaald de grotten van Drac waar we tegenaan kijken. Je bent niet bij de paters op school geweest, dat is wel duidelijk.'

Hij gehoorzaamt, stikkend van het lachen.

'Bij de paters op school geweest! Wat een stijl, zeg,' zegt hij, 'je bent een gaaf wijf.'

'Vind je? Nou ik weet het niet, jongen, ik vind mezelf nogal beschadigd. Hoe heet je eigenlijk?'

Hij zegt dat hij Antonio heet en dat is het laatste wat ik nog kan verstaan, want daarna begint hij zo hikkend te lachen dat hij een hoestbui krijgt. Terwijl hij zijn stopwoord met een handgebaar onderstreept zegt hij nogmaals dat daar geen sprake van is, dat ik gaaf ben, hartstikke gaaf. De kat ontsnapt uit zijn armen, duwt de klapdeur open en loopt miauwend de gang op. De jongen wankelt en leunt tegen de muur, het valt me op dat hij een beetje wazig uit zijn ogen kijkt. Ik sta op en leg een hand op zijn schouder. Hij is lijkbleek.

'Antonio, voel je je niet goed? Wat is er met je, Antonio?'

Hij laat zich door mij naar de tafel voeren, ik trek een stoel voor hem bij, hij gaat zitten terwijl hij zich aan de rugleuning vastgrijpt, gooit zijn hoofd achterover en zucht diep, met gesloten ogen.

'Het is niets,' mompelt hij, plotseling met een zielig stemmetje, 'een kleine inzinking.'

'Wacht, ik zal je wat water geven.'

In de ijskast staat geen water en ook geen wijn, cola of bier meer, het enige wat er nog is is een halve beschimmelde tomaat, als een surrealistisch stilleven prijkend op een aan de rand beschadigd schaaltje met vlinders erop, dat afkomstig is van een oud servies van mijn ouders. Ik draai de kraan boven de gootsteen open, maar het water spettert alle kanten op en ik realiseer me dat ik helemaal nat zal worden als ik niet eerst de bovenste laag serviesgoed en pannen die de waterstraal belemmert weghaal. Ik besluit dus provisorisch een paar obstakels te verwijderen, hoewel ik maar al te goed weet dat in dit soort ernstige gevallen halve maatregelen geen enkele zin hebben, je neemt je voor alleen het ergste weg te halen, maar dat is onmogelijk, als je eenmaal begint is er geen houden meer aan. Mijn hemel, dit loopt de spuigaten uit, er drijven zelfs peuken in de blender. En hij zegt dat er nog spullen in de zitkamer staan. Daar zijn we mooi klaar mee.

Dus nadat ik een eerste nooddrainage heb uitgevoerd zodat er een geul is vrijgekomen waar het water doorheen kan stromen, een duralex glas heb opgegraven, het heb afgewassen en met koud water gevuld en me weer heb omgedraaid om het voor Antonio op tafel te zetten, pak ik zowaar een schort met Donald Duck erop van een spijker en ben ik binnen een mum van tijd bezig orde in de chaos te scheppen. Ik ken het gevoel en in sommige gevallen – al zijn dat er weinig – is het niet onaangenaam: het is alsof je weer de teugels in handen neemt van iets wat zo saai en alledaags is als maar zijn kan, maar waarbij je de meest geroutineerde kampioen een armpje kunt drukken, een fluitje van een cent dus, zoals zij zouden zeggen.

'Toe, joh, blijf daar niet zo zitten alsof je een klap met een hamer hebt gehad. Heb je dorst?'

Antonio schudt zonder zijn ogen open te doen zijn hoofd. Maar hij pakt op de tast mijn hand en kust die.

'Dat maakt niet uit, drink toch maar wat. Water is altijd goed. Het staat hier voor je op tafel, kijk eens.'

Hij doet zijn ogen open alsof hem dat moeite kost en buigt naar voren om het glas te pakken, zijn handen trillen een beetje.

'O ja, het water, bedankt.'

Terwijl hij drinkt blijf ik naast hem staan en streel zachtjes zijn stugge, vuilblonde krullen. Hij reageert met een bijna onhoorbaar, katachtig gekreun van genot, zó'n komische en getrouwe weergave van het gespin van Pussy dat ik wel in de lach moet schieten. Vervolgens ga ik, na het hem gevraagd te hebben, achter hem staan en begin zijn schouderbladen en halswervels een beetje te masseren, niet heel hard en door zijn T-shirt heen; hij zegt dat hij het beter uit kan trekken. En dat doet hij ook, met een snelheid die niet bepaald in overeenstemming is met zijn schijnbare aanval van lethargie, vervolgens werpt hij het vrolijk in de lucht – *allez hop!* – en leunt over de rand van de tafel. Ik schuif een paar spullen opzij zodat hij gemakkelijker zit. Wat een genot, een massage, daar komt hij weer helemaal van bij, Raimundo gaat twee keer per week naar Villamanga, en naar de sauna, hoe krijgt die vent het voor elkaar, ik ben een schat, dat zei Raimundo ook al, een gaaf wijf. Hij ruikt een beetje naar zweet. Het T-shirt is op een lege literfles bier terechtgekomen en hangt daar als een misplaatst vaandel dat zinloze leuzen uitzendt. Tussen de plooien kan ik nog net *and your body* lezen, de rest blijft verborgen. De teksten op T-shirts worden steeds uitvoeriger, ze zijn langer dan een advertentie in de *New York Times*.

Deze jongen eet vast slecht, je kunt zijn ribben tellen. Maar zijn huid is heel zacht, zonder puistjes of rode plekjes, als die van een kind. Het enige wat opvalt is een geprononceerde vlek onder zijn rechterschouderblad, hij is koffiebruin en doet vaag aan de kaart van Italië denken. Dat zeg ik tegen hem en hij lacht, maar anders dan daarnet, meer op zijn gemak en vriendelijker, zelfs een beetje sensueel, 'Je handen hebben een ongelooflijke power, vrouwen zijn het einde, wat een te gekke vibraties!' en dat die moedervlek er al sinds zijn geboorte zit, misschien heeft hij hem wel omdat zijn moeder tijdens haar zwangerschap *La dolce vita* op de tv heeft gezien, het arme mens had er vast geen benul van hoe een leven zonder zwoegen eruitziet.

En plotseling, zonder enige overgang, draait hij zich om, slaat vanaf zijn stoel huilend zijn armen om me heen en ik begin een hele reeks gesmoorde jammerklachten te horen, ter hoogte van mijn maag en van het hoofd van Donald Duck, die op die manier geheel onvoorbereid de rol van biechtvader krijgt toebedeeld; Madrid is een puinhoop, pure nep, hij weet niet waarom hij niet in Pola de Langreo is gebleven om zijn moeder in de bakkerij te helpen in plaats van te kiezen voor een leven waarin hij van hot naar haar gaat, profiterend van anderen en altijd in de stress, met de stroom mee drijven, vrienden voor eenmalig gebruik, op een kans loeren, scharrelen, dat dorp was misschien een gat, akkoord, maar het was van hem. En voor hetzelfde geld zou hij nu met Nines getrouwd geweest zijn en had hij zijn moeder een kleinkind kunnen geven en niet zoals nu de ene teleurstelling na de andere en dan al die leugens, wat een klotezooi, terwijl zij snakte naar zo'n hummel. Hij praat plotseling met een sterk Asturiaans accent en doorspekt zijn taal met dialect. Langzaamaan kalmeert hij en neemt de druk van zijn blote armen rond mijn middel af, ik moet het hem niet kwalijk nemen, het kwam er zomaar uit, dat overkomt hem soms.

'Kom op, joh, zo erg is het toch ook weer niet,' zeg ik tegen hem. 'Hoe oud ben je?'

'Binnenkort dertig. In augustus, op de dag van de beschermheilige.'

Hij heeft me losgelaten, drinkt nog wat water, pakt zijn T-shirt en droogt er voordat hij het aantrekt zijn tranen mee. Die huilbui lijkt hem goed te hebben gedaan, zoiets mist nooit zijn uitwerking.

En ik verplaats me reeds vastbesloten naar het gebied rond de gootsteen en zet vandaar, terwijl ik me zo zorgvuldig en efficiënt mogelijk van mijn taak kwijt, het gesprek voort, me ervan bewust dat de harmonie in mijn bewegingen doorklinkt in de serene stem waarmee ik deze schipbreukeling van de grote stad probeer te kalmeren. Ik zeg tegen hem dat hij nog heel jong is, dat hij nog tijd genoeg heeft om kinderen te krijgen met Nines of wie ook, en dat je bovendien geen kinderen moet maken om je moeder een plezier te doen, zelfs niet de mogelijke moeder van het kind, maar dat je alleen aan het kind zelf moet denken, want dat als je de fout maakt kinderen al voor hun geboorte als bron van persoonlijke bevrediging of als een gebied dat gekoloniseerd moet worden te zien, en niet als onafhankelijke wezens, je het verder wel kunt schudden. Misschien klets ik te veel, denk ik op een gegeven moment, en draai mijn hoofd om om te kijken of hij niet onder mijn preek in slaap is gevallen. Maar hij staart met een afwezige, benevelde blik naar de smalle gang die naar de wc en naar wat ooit Adela's kamer was voert en zegt dat dat klopt, ja, maar dat hij een heel ander probleem heeft, dat daar niets mee te maken heeft.

'Jongen toch, het moet er toch iets mee te maken hebben,' antwoord ik enigszins van mijn stuk gebracht, en ondertussen constateer ik voor de zoveelste keer in mijn leven hoe spectaculair een stapel borden slinkt zodra je de etensresten en vorken ertussenuit haalt.

Hij zegt nogmaals van niet, dat dat van hem veel ingewikkelder ligt. En ik besluit mijn mond te houden om te kijken of dat hem misschien aanspoort die obsessie die zijn stem plotseling zo somber doet klinken te ontrafelen. En op hetzelfde moment realiseer ik me dat naar hem luisteren niet alleen hem helpt zijn puzzel in elkaar te zetten, maar ook mij helpt om een paar van mijn kwijtgeraakte stukjes terug te vinden. Hij zegt dat hij verbaasd was toen hij op het moment dat ik naar bed ging hoorde dat ik Lorenzo's moeder was, net als iedereen trouwens, Raimundo was de enige die het doorhad, allicht, want die is een stuk ouder. 'Of misschien heb jij het hem zelf verteld, jullie hebben immers een hele poos samen zitten praten.' En dat 'jij' lijkt er voor het eerst heel timide uit te komen, alsof tussen de vrouw die ineens met Pussy in haar armen de keuken is binnengekomen en de vrouw die nu staat af te wassen de geest van zijn eigen moeder, de bakkersvrouw van Pola de Langreo, is opgedoemd, en alsof hij onderzoekt in hoeverre ik in staat ben zijn bekentenis barmhartig te accepteren, een bekentenis die niet gaat komen, wat ook niet nodig is, want lang voordat ik me met de kopjes en glazen ging bezighouden was het me al opgevallen dat de enige betrouwbare methode om die vrouw een kleinkind te geven niet een van Antonio's favoriete bezigheden is. En ik vraag me af of mama gestorven is zonder in de gaten te hebben dat dat voor Santi ook geldt. Wat Lorenzo betreft heb ik daar nog geen aanwijzingen voor. Natuurlijk is hij gek op meisjes, als ik het me goed herinner had hij er gisteravond nog een bij zich, maar volgens Encarna wemelt het op het ogenblik ook van de biseksuelen. Ik roep mezelf tot de orde, terwijl ik glazen afsop en ze één voor één wegzet, zodat mijn aandacht voor Antonio's woorden van nu af aan niet meer wordt vertroebeld door een Miss Marple-achtig trekje.

Zijn verhaal loopt stuntelig en brokkelig, en wordt voortdurend verstoord door ruis. Ik kom te weten dat hij zich met fotografie bezighoudt, maar dat hij tevens huishoudelijke apparaten repareert en de bestelwagen rijdt voor een maatje dat een kwekerij heeft, iemand met wie hij vroeger in la Costanilla de los Angeles heeft gewoond, het is niet meer bij te houden op hoeveel plekken in Madrid hij geslapen heeft, en altijd bij anderen in huis, totdat je merkt dat je teveel bent, dat gedoe met woningen is een ramp. Ik kom ook te weten dat Lorenzo hem geweldig heeft geholpen, want dat is een toffe gozer, zo zijn er maar weinig, hij helpt iedereen zo goed hij kan, Raimundo zou er iets van kunnen leren, en dat ze samen een boek over dakterrassen in Madrid aan het maken zijn, dat ze subsidie bij de gemeente hebben aangevraagd en dat hij al sinds twee maanden teruggetrokken in dit huis leeft.

'In een kamer die daar apart van ligt,' zegt hij met zijn kin in de richting van zijn blik wijzend, 'ik zit daar fantastisch, maar het is tijdelijk, ik kan hier natuurlijk niet eeuwig blijven.'

En ik heb zin om te zeggen dat niemand ergens eeuwig blijft en voel een soort angst opkomen, want het is alsof ik Adela in het zwart gekleed door die opening zie komen, en ik sluit met een gevoel van duizeligheid mijn ogen. 'Nee, nee,' zeg ik tegen mezelf, terwijl ik Antonio als in een droom verder hoor praten, 'houd je vast aan het huidige moment, je bent nu in de schuil, de schuilplaats voor schildpadden zoals de naam al zegt, en deze jongen aan wie Lorenzo asiel heeft verleend moet de blonde jongen zijn voor wie de vazen bestemd waren die Cayetano Trueba kwam bezorgen, in opdracht van iemand uit de calle Covarrubias, die, of ik moet me sterk vergissen, de Raimundo is wiens naam deze vluchteling in de schuil zo vaak noemt en over wie hij op dit moment zegt dat hij alleen maar aan zijn eigen dingen denkt en dat hij een rasegoïst is.' Die vazen heb ik nergens zien staan, en dat terwijl ze volgens Consuelo gigantisch waren, maar ik besluit er geen speurwerk naar te gaan verrichten, er zijn nog genoeg raadsels die moeten worden opgelost, en bovendien ben ik de schrik vanwege de verschijning van Adela in haar zwarte kleren nog niet helemaal te boven. Op een gegeven moment moest ik me aan de ijskast vastgrijpen omdat mijn benen slap werden.

'Als er nieuwe mensen komen ja,' gaat Antonio verder, 'dan slooft hij zich uit, als Michael Jackson binnen zou komen zou hij die zo inpalmen, want dat kan hij wel, omdat die kerel een genie is. Zoals vandaag bijvoorbeeld, dat heb je zelf kunnen zien, hij heeft een onwijs vlotte babbel. Maar hij komt altijd als laatste. En als het erop aankomt iets voor zijn maatjes te doen, ho maar, en dat terwijl wij altijd en overal voor hem klaarstaan, alleen maar ikke-ikke dus. Dat is heel heftig, niet, als iemand je zo laat stikken. Hij kijkt naar mij alsof hij me niet permanent in zijn huis zou kunnen hebben, terwijl dat niet bepaald een hutje is, uitgerekend hij niet, o nee, geen enkel gebaar, nooit. Hij belt je alleen als hij zich verveelt of als hij neurotisch wordt, dat heb ik net in de zitkamer tegen hem gezegd, want ik was het zat, dat is toch niet te pruimen, anderen hebben zeker niet het recht om neurotisch te zijn, wat een bullshit, maar daar moet je bij hem niet mee aankomen, je moet eens zien wat er dan gebeurt, hij krijgt een tyfushumeur, tenminste, zolang er geen publiek bij is. Pas geleden is hij totaal geflipt, hij ziet het niet meer zitten. En hij wil niet naar huis. Ik weet niet wat ik moet doen want Lorenzo slaapt al. Waarom help jij me niet een handje, jij hebt charisma.'

Ik kan ineens geen woord uitbrengen, mijn ogen glijden hulpeloos over een paar volkomen oninteressante oppervlakten en ik voel een soort dreiging, alsof het hele huis met alle geesten die er rondwaren straks in zal storten, een blinde planeet die in het niets rondtolt, als ik niet snel een schakel vind die het met het leven verbindt. En die schakel heb ik net gevonden. Nak. De tuin van het huis in Suances.

'Waar is Encarna?' vraag ik. 'Is ze vannacht niet thuisgekomen?'

'Voor zover ik weet niet. Maar ze heeft geloof ik wel gebeld.'

'O, en met wie heeft ze dan gesproken?'

Encarna's naam noemen betekent frisse lucht, maatregelen, aanknopingspunten. Het is serum inspuiten en uit de vacuüm stolp kruipen. Zij woont in dit huis, ik bevind me in deze schuilplaats met balkonnetjes aan zee die zij voor mij heeft gebouwd, zij is mijn kapitein. Ze komt eraan.

'Volgens mij heeft Raimundo opgenomen,' zegt Antonio. 'Maar al zou ze komen, zij kan niets doen. Ze kunnen totaal niet met elkaar overweg. Raimundo heeft speciaal naar jou gevraagd. Wel tig keer.'

'Naar mij? Sorry, vertel het allemaal eens rustig, misschien wordt het me dan duidelijk.'

'Ja, op een gegeven moment is iedereen 'm gesmeerd. Zodra jij naar bed was gegaan was de *happening* afgelopen, ze verveelden zich. En toen heeft hij het op een drinken gezet en is al flippend gedichten gaan schrijven, en hij werd kwaad omdat ik niet uit mijn bol ging. Hij zegt dat jij de enige bent die ze zou begrijpen. Hij kickt echt op jou, je kunt wel zien dat je hem inspireert. En hij jou ook, jullie zitten op dezelfde golflengte, dat was al duidelijk toen jullie samen de deur binnenkwamen, ik dacht zelfs dat jullie elkaar al jaren kenden.'

Ik doe het Donald-Duckschort af, hang het weer aan de spijker en uit de nevel in mijn hoofd komt langzaam, als op een polaroidfoto, de gestalte te voorschijn van een meneer met wit haar en een prachtige stem die beneden in de intercom stond te praten toen ik bij dit huis aankwam na het mijne ontvlucht te zijn. Ik was gecharmeerd van het zowel overdreven als subtiele gebaar waarmee hij mij voorliet en vond het leuk samen met hem in de lift naar boven te gaan. En zodra we erachter waren gekomen dat we naar dezelfde verdieping moesten, begon hij op vertrouwelijke toon tegen me te praten. Hij gaf me een zekere steun, dat voelde ik meteen, al lijkt het raar dat ik steun van een vreemde nodig heb om hier naar binnen te gaan, dat is toch bespottelijk, zou mama zeggen. Maar er was niemand die ik kende en geen mens sloeg acht op mijn komst. Bovendien had ik al een poosje in mijn eentje daar in de buurt rondgezworven en onderweg een paar borrels gedronken, besluiteloos, misschien kom ik ongelegen, en ik wist niet wat ik moest zeggen, ik had een verschrikkelijke zin om te huilen. Ik had net in een bar de stem van Ana Belén gehoord: '... wie weet leg ik nu opnieuw/ de weg terug af naar de hel', en als Raimundo daar niet in het portaal had gestaan, was ik misschien weer de deur uitgerend, op weg naar de hel, gevangen in die retoriek van de bloemen van het kwaad die sinds Baudelaire zo veel schade hebben aangericht. Gelukkig maar dat hij zich van begin af aan over me ontfermde, als een ietwat onwerkelijke gastheer, want de dingen die hij zegt zijn weliswaar ronduit bizar, maar ik vond het toch fijn samen met hem die weldadige fictie binnen te gaan, die me afleidde van mijn problemen. Ja, waarschijnlijk zitten we inderdaad op dezelfde golflengte. We hebben over literatuur zitten praten, over Pessoa, geloof ik. En ik moest me in tweeën splitsen, zei hij. In mijn dromen moest ik de straten en de huizen van mijn nieuwe land bouwen, steen voor steen. Hij had gemerkt dat ik me verdrietig en verloren voelde. En geleidelijk aan verdween dat gevoel, hij schiep voor mij een klein vaderland van woorden, een tijdelijk onderkomen.

Later arriveerde Lorenzo met nog meer mensen en nam me even mee naar zijn kamer, heel lief, dat ik hier natuurlijk kon blijven zolang ik wilde, ik eerder dan wie ook. Dat de gemetselde muur zich voor de neus van hem en die Magdalena mocht sluiten; ik begreep dat hij die naam eerder had gehoord. De dingen gebeuren gewoon en daarmee uit, mama, pieker er niet langer over. En dat ik niet moest huilen, omdat ik het mooiste op deze wereld ben, de koningin van de schuil, dat zou Encarna ook zeggen. Maar de eerste die me de helpende hand had gereikt was de gastheer met het witte haar geweest. Even later gingen we weer naar de zitkamer en toen werd het allemaal heel chaotisch.

'Want toen jullie de feesten van chique lui gingen imiteren,' vervolgde Antonio zijn verhaal, 'waren jullie net Martes en Trece, een waanzinnige show, door repeteren zou het niet beter geworden zijn, maar jij trok alle aandacht, laten we wel wezen. Eerst dacht ik dat je een actrice was, omdat hij veel met theatermensen omgaat, maar nee, jij komt uit een andere *scene*. Iedereen ging uit z'n dak, je bent echt te gek. En dat terwijl Lorenzo zegt dat je op het ogenblik een beetje in de war bent. Nou, dat zou je niet zeggen.'

Ik heb zojuist ook de tafel afgeruimd en haal een vochtig vaatdoekje over het marmer. Zo ziet het er al heel anders uit. Ik denk dat ik maar een bureaulamp ga halen, er moet er een in de zitkamer staan, en dan hier ga zitten schrijven, want mijn hoofd zit tjokvol dingen die ik op zou willen schrijven. Ik loop verschrikkelijk achter.

Antonio glimlacht.

'Wat ziet de keuken er spetterend uit! Consuelo werkt niet zoals jij, zij loopt de kantjes eraf.'

'Dat weet ik, jongen. Ik ken haar al langer dan vandaag. Maar met de levensmiddelen is het hier treurig gesteld, misschien kunnen we daar morgen wat aan doen. Kom, als je wilt gaan we even naar Raimundo. Straks heb ik dingen te doen.'

Hij zegt nogmaals dat ik een gaaf wijf ben, trapt de klapdeur open en samen gaan we de gang op.

Er brandt licht. Een meisje loopt van de badkamer naar Lorenzo's kamer, waarvan de deur openstaat. Ze doet hem achter zich dicht. Ze was op blote voeten en droeg een satijnen slipje met niets erboven. Antonio noch ik geven enig commentaar.

Raimundo ligt als een dweil op het tapijt in de zitkamer, met naast zich een bijna lege fles whisky. Hij kronkelt een beetje en jammert alsof hij koorts of ergens pijn heeft. Hij lijkt in niets op de Raimundo die ik eerder heb gezien, zo bezig met zijn uiterlijk en zijn gebaren. Gelukkig maar dat hij in het begin geen teken van herkenning geeft. Hij richt zich daarentegen onmiddellijk tot Antonio en begint hem met slepende stem te verwijten dat hij zo lang is weggebleven, en nog wat zeer onduidelijke en absurde dingen. Hij noemt hem Zajar.

'Ik ga je eruit gooien, Zajar, je bent te prozaïsch en te nutteloos. Ik heb niets aan je. Een normaal leven leiden is een waanvoorstelling.'

Antonio lijkt ook niet meer dezelfde. Hij wordt agressief en zegt dat hij hem bij zijn naam moet noemen of hij zal het weten, dat hij al die stomme streken niet meer pikt, dat hij geen moer voorstelt en dat hij moet oprotten. Hij schudt Raimundo heen en weer met zijn voet, struikelt en valt boven op hem. Ik grijp in om hen uit elkaar te halen.

'Toe, jongens, alsjeblieft,' zeg ik op verzoenende toon, 'jullie lijken wel een stel kleine kinderen. Dit is puur ruzie maken om niets.'

Raimundo slaagt erin op handen en knieën te komen en leunt tegen de rand van de sofa. Hij kijkt me met droeve ogen aan. In die ogen lees ik dat hij mij met een schok herkent, wat hij achter een theatraal masker probeert te verbergen. Hij slaat een licht arrogante toon aan.

'Zajar tergt me tot het uiterste,' verzucht hij, 'hij volgt me als een hond die ik af en toe moet wegjagen. Geef me een sigaret, Zajar. Ik weet niet hoe lang ik hier al in mijn eentje in dit donkere hol zit. Ik heb geen idee of dit nog moet aflopen of al afgelopen is. Schaduwen van schaduwen. Geef de barones een drankje.'

'Ik volg je niet als een hond,' protesteert Antonio, 'en ik heb je helemaal niet nodig. Bovendien verveel je me stierlijk. En niet alleen mij, maar iedereen, het is maar dat je het weet, niemand vindt je nog aardig, niemand! De mensen ontwijken je.'

'Houd je mond, sprinkhaan! Laten we de barones onze excuses aanbieden. We kunnen geen van beiden zeggen dat dit een van onze beste nachten is geweest. Ik zie al dat je met je mond vol tanden staat. Laten onze klassieken ons in een nacht als deze verlichten!'

En terwijl ik een speurende blik rond laat gaan op zoek naar een lamp, die ik in die chaos niet zie, hoor ik hem iets declameren dat als Shakespeare klinkt:

'In een nacht als deze ontdekte Thisbe, die angstig door het bos liep, de schaduw van een leeuw alvorens de leeuw zelf te zien en vervuld van schrik sloeg ze op de vlucht.'

Antonio maakt een buiging en begint met clowneske gebaren te applaudisseren, terwijl Raimundo een paar half slaafse half smekende ogen naar mij opheft.

'Zeg mij, jonkvrouw, zocht gij iets?'

'Ja, misschien een schrift dat gij over zoudt kunnen

hebben of enig ander schrijfgerief. Ik wil graag uw kroniekschrijver zijn,' zeg ik, in een poging het spel mee te spelen.

Zijn ogen lichten op en hij steekt zijn hand naar me uit zodat ik hem overeind kan helpen. Hij kan nauwelijks op zijn benen blijven staan.

'Dat is een schitterend verzoek,' zegt hij, 'iemand als u, die uw vaandel hemelhoog houdt, waardig, mevrouw.'

En hij loopt zigzaggend naar een tafeltje vol boeken en paperassen. Er ligt ook een grote stapel kranten.

Antonio is naast me komen staan en volgt met een plotseling tedere en bewonderende uitdrukking op zijn gezicht de bewegingen van zijn vriend.

'Zie je dat?' zegt hij vlak bij mijn oor. 'Heb ik je niet gezegd dat je hem inspireert? En dat terwijl hij totaal geschift is, en zo dronken als een tor. Maar je hebt hem getemd. Oké? Alles onder controle.'

Raimundo komt terug en kijkt ons aan. Hij reikt me een zwart schrift met een linnen kaft aan, dat hij eerst geïnspecteerd heeft en waaruit hij de eerste bladzijden heeft gescheurd.

'Smeed geen komplotten achter mijn rug,' zegt hij, 'het heeft allemaal geen zin meer. Niet in staat het op eigen kracht tegen zoveel vijandelijke troepen op te nemen, geeft een wanhopig man zich over. Weent om ridder Raimundo de Ercilla!'

Hij bedekt zijn gezicht met zijn handen en zakt huilend op de sofa ineen. Eerst denk ik dat hij nog steeds toneelspeelt, maar even later begin ik daaraan te twijfelen. Ik kniel naast hem neer, terwijl Antonio doodgemoedereerd een stickie gaat draaien.

En ineens weet ik absoluut zeker wie deze man is die

daar in de leegte zit te staren en met een door tranen verstikte stem zegt:

'Ik wil niet terug naar de intensive care! Maar wee mij, ik ben ook niet in staat om met een brandende kaars naar de diepte van mijn kelder af te dalen. Antonio, bel dokter León, ik meen het, het is dringend. Waar hangt die trut in godsnaam uit? Mariana!'

Antonio neemt een lange trek van het stickie dat hij net heeft aangestoken.

'Hoppa! Ja hoor,' zegt hij. 'Daar gaan we weer!'

Ik kom overeind en sluip weg, zonder een woord te zeggen en zonder dat iemand me tegenhoudt. Eenmaal op de gang loop ik snel naar de keuken, met het zwarte schrift tegen mijn borst geklemd. Ik kan niet langer wachten. Dit zijn te veel dingen. Ze passen niet meer in mijn hoofd.

*

Ik weet niet hoe lang ik al als een razende en zonder op te kijken zit te schrijven, misschien is het al licht aan het worden, als ik de sleutel in de deur van de dienstingang hoor en vervolgens een paar onmiskenbare voetstappen in de gang. Ik zet mijn bril af, richt mijn ogen strak op het punt waar het geluid vandaan komt en wacht totdat ze te voorschijn zal komen, zoals iemand na een eindeloze nacht verlangend naar de zonsopkomst uitkijkt. Ze komt binnen, blijft staan en we kijken elkaar langdurig aan, zonder verbazing, argwaan of bijbedoelingen, alsof het de gewoonste zaak van de wereld is, net als water drinken of brood eten, maar ook alsof het iets heel bijzonders is, een voedingsmiddel dat we slechts op waarde weten te schatten als we het moeten ontberen.

Ze draagt een minirok, platte schoenen en een colbertje.

'Dag, lieverd, goedemorgen,' zegt ze met een glimlach.

Ze vraagt me niet wat ik hier op dit uur doe. Ze is altijd prat gegaan op haar onverstoorbaarheid, op het feit dat ze altijd klaarstaat en alles in de gaten heeft, maar zonder vragen te stellen of ophef te maken, 'ook al staat Karel de Grote ineens gekleed als stierenvechter in de lift'. Dat is haar motto.

Maar het is te zien dat ze in een heel goede bui is en nog nageniet van iets leuks dat ze net heeft meegemaakt. Als ze wil, zal ze het me wel vertellen. En zo niet, dan niet. Voor mij is het voldoende haar te zien, haar te horen, door haar aangeraakt te worden. Ze loopt naar me toe om me een kus te geven, ik sla mijn armen om haar middel en druk mijn hoofd even tegen haar jonge buik, waarin zich ooit misschien het vervolg van deze memoires zal nestelen. Ongewild komt het beeld van de bakkersvrouw uit Pola de Langreo in me op, maar ik doe die deur meteen dicht, want als er steeds maar bijfiguren binnenkomen, zal deze keuken langzaamaan in de hut van de Marx Brothers veranderen.

Als ik dit tegen Encarna zou zeggen, zouden we vreselijk moeten lachen, maar het behoeft een te lange inleiding en er staan een heleboel belangrijker onderwerpen op hun beurt te wachten. Dat overkomt me altijd wanneer ik haar weer zie. Ik weet nooit waar ik moet beginnen als ik haar dingen wil vertellen.

Genietend voel ik hoe haar vingers zachtjes met mijn haar spelen.

'Wat heerlijk om zo'n opgeruimde keuken aan te treffen als je op dit uur thuiskomt!' zegt ze. 'Het lijkt wel een wonder. Alsof oma er weer is.'

Ik voel een brok in mijn keel, die me verhindert te spreken. Encarna maakt zich van me los en zet een zwart met rode plastic tas op tafel. Ze begint hem uit te pakken en haalt er yoghurt, pilsjes, gesneden brood, melk, koekjes, vetvrije wikkels en een paar blikken uit.

'Ik ben langs een supermarkt gegaan,' zegt ze, 'want wat waarschijnlijk niet meer hetzelfde als in de tijd van oma is, is de ijskast. Daarvoor hoef ik hem echt niet open te maken. Ik heb ook eten voor de kat meegenomen, want het is Pussy voor en Pussy na, maar als ik er niet was, zou het beestje op dieet zijn. Maar wat is er met je? Heb je je tong verloren?'

'Nee hoor, maar mijn hoofd kan niet zoveel dingen tegelijk verwerken. Zoals jij toen je klein was zei, het komt door die brokjes, het zijn allemaal brokjes! Weet je nog?'

Ze begint te lachen.

'Maar natuurlijk weet ik dat nog. Dat zei ik in Suances, hè?'

Ik kijk naar het zwarte schrift met de nog natte inkt.

'Ja, en ook daarnet nog. Ik was dingen uit die zomer aan het opschrijven om de draad van mijn komst hier vannacht op te kunnen pakken. Zoals je ziet zijn het allemaal brokjes van een heel lang verhaal.'

Uit een van de wikkels heeft ze een stukje kaas gehaald en ze is nu een boterham aan het smeren. Ze trekt een biertje open en gaat tegenover me zitten.

'Maar wacht eens even, over welk brokje van het verhaal heb je het precies? Doe niet zo geheimzinnig. Waar denk je bijvoorbeeld nu, op dit moment, aan?

Gewoon zeggen. Niet vals spelen. Ik geef je vijftien seconden.'

'Aan oma. Aan hoe raar ik het vind dat jij haar ter sprake bracht zodra je die deur was binnengekomen, dat je zei "het is alsof ze er weer is". Ik wil helemaal niet geheimzinnig of raar of wat dan ook doen. Maar... ze is er echt weer. Oma is vannacht teruggekomen, ik zweer het je, Encarna. Lach alsjeblieft niet.'

Ze kijkt me heel ernstig aan, zoals ik vroeger deed wanneer zij me dat van het heelal toevertrouwde.

'Hoe kom je erbij te denken dat ik zou gaan lachen? De doden keren soms terug naar de plek waar ze geleefd hebben, vooral wanneer je ze vrijlaat, wanneer je ze niet opjaagt, bezoeken ze ons in onze dromen. Heb je van haar gedroomd?'

'Nee, het was nog krasser. Ik ben door de gang gaan lopen alsof ik haar was, ik had me in tweeën gesplitst, nu weet ik het weer, ik was haar! Ik liep door dit huis maar herkende het niet, en daarna... ik weet niet, er gebeurde nog meer, nog veel meer. Zoiets is me met mama nooit eerder overkomen, ze kwam uit me alsof ik haar baarde, echt waar, het was ongelooflijk. En ik dacht in haar woorden en kreeg haar herinneringen. Sommige zijn me ontschoten, maar andere weet ik nog. Daarom ben ik gaan zitten schrijven, om wat ik heb weten vast te houden niet te vergeten, om het niet verloren te laten gaan.'

'Ja,' zegt Encarna, 'men schrijft altijd met hetzelfde doel, een beetje in de trant van "redden wat er te redden valt," hè?'

Er valt een stilte. Ze neemt een slokje bier. Ze kijkt nu op een andere manier naar me en lacht inderdaad niet, maar trekt een beetje een detectivegezicht. Ik heb wel eens gedacht dat ze iets wegheeft van Mariana.

'Ben je hier al lang?' vraagt ze.

'Ik weet het niet, ik kan het me nauwelijks herinneren, daarom zat ik juist ook te schrijven. En vooral om af te rekenen met de tijd. Die presenteert je soms op zo'n rare manier de rekening.'

Ze kijkt naar het schrift en voor het eerst sinds ze is binnengekomen lijkt ze van haar stuk gebracht. Ze pakt het en zoekt op de eerste pagina.

'Maar wat krijgen we nou? Dit schrift is van mij! Waar heb je het vandaan? Wacht eens... Nee, ik zal niets lezen...! Zie je? Hier aan het begin kun je zelf mijn handschrift zien. Maar ik had meer geschreven. Heb je er bladzijden uitgescheurd?'

'Nee, ik wist helemaal niet dat het jouw schrift was. Raimundo heeft het me gegeven, een vriend van jullie die in de zitkamer zit, hij heeft de bladzijden eruit gescheurd.'

'Een vriend van mij? Van die gast, zul je bedoelen. Echt hoor, ik heb zo'n zin om een appartement voor mezelf te hebben. Eerlijk waar, wat die vent doet is het toppunt, een beetje bepalen wat er met míjn schriften gebeurt. Hij heeft toch zelf een huis, en poen genoeg om half Muñagorri te kopen.'

'Je weet niet hoe het me spijt,' zeg ik bedrukt, alsof ik die vernieling op mijn geweten heb. 'De snippers liggen in ieder geval in de zitkamer. Ik geloof niet dat hij ze heeft weggegooid.'

En ik sta op het punt eraan toe te voegen... 'En ze kunnen weer gelijmd worden,' zoals wanneer ik als kind een waardevol voorwerp kapot had gemaakt en mijn moeder dat ontdekte; voor haar waren alle voorwerpen waardevol. Maar ik kijk op en haar kleindochter, die daarin absoluut niet op haar oma lijkt, glimlacht al weer en maakt een voor haar typerend gebaar met haar hand, alsof ze een onjuiste formule op het bord uitwist.

'Oké, maak je geen zorgen, ik wil je nacht niet bederven die ene keer dat je hier bent. Het maakt bovendien niet uit, ik heb ze vast ergens in het net geschreven. Toe, trek niet zo'n gezicht als van een bang kind. Ik wil alleen dat duidelijk is dat ìk je het schrift cadeau doe,' voegt ze eraan toe terwijl ze het weer op de tafel legt, 'en niet Raimundo. Ik! En bovendien voorzien van een citaat dat helemaal niet slecht is. Heb je het gelezen?'

Ik zeg van niet en kijk op de eerste bladzijde. 'Je kunt uit iedere put komen,' lees ik, 'als je maar de nieuwsgierigheid kunt opbrengen om te willen weten wat er daarbuiten gebeurt terwijl je zelf wegzakt.' Ik kijk op. Nu is ze een boterham met ham aan het maken.

'Ach, wat mooi!' zeg ik tegen haar. 'Van wie is het?'

'Van mij, ik schenk het je. Trouwens, kende je Raimundo al?'

'Nee, ik heb hem hier vannacht voor het eerst ontmoet. En hij leek me iemand die het moeilijk heeft, maar heel intelligent is. Ik weet het niet, misschien heeft hij het puur door zijn intelligentie zo moeilijk.'

'Het moeilijk hebben? Maar iedereen heeft het moeilijk, mama. Is er iemand die het in deze tijd niet zwaar heeft? En niemand trekt Raimundo's intelligentie in twijfel. Maar als hij zo nodig interessant moet doen, Pygmalion wil uithangen, want daar is hij dol op, laten we wel wezen, dan doet hij dat maar in zijn eigen huis, ja toch? Dat is het enige wat ik zeg, en dat hij de laatste tijd een beetje een zeurpiet is, hij misbruikt ons, echt waar. Met dat zielige verhaal over zijn angst om alleen te zijn krijgen we hem met geen mogelijkheid de deur uit. En Lorenzo heeft natuurlijk medelijden met hem. Want, weet je, een paar weken geleden heeft hij een zelfmoordpoging gedaan.'

'Ja. Dat weet ik.'

'Uit de krant?'

'Nee, kindje, uit de brokjes. Maar daar gaat het nu niet om, laten we het weer over dat met oma hebben. Wat was je me aan het vertellen?'

Ze denkt een poosje diep na en krijgt weer dat detectivegezicht.

'O, ja... Nee... ik vroeg je hoe laat je hier bent gekomen en of er toen mensen waren en zo, om te weten of ze je een trekje van een stickie hebben aangeboden.'

'Ja, ik geloof het wel. Ik kan het me niet herinneren, Lorenzo heeft me waarschijnlijk naar de naaikamer gebracht omdat hij zag dat ik duizelig was. En ik had ook behoorlijk wat gedronken.'

'Dan hoef je me niks meer te vertellen. Dat van die splitsing in twee personen is heel normaal als je niet gewend bent hasj te roken. Dat heb ik ook wel eens gehad. Maar daarna kun je juist te gek goed schrijven. De twee niveaus van de droom en zijn verklaring gaan bijvoorbeeld ontzettend goed samen. Maar hoe het ook zij, jij hoeft helemaal geen hasj te roken, als iemand je een zetje geeft ga jij al zweven van een handjevol nootjes, we kennen je inmiddels.'

En dan beginnen we ineens te praten over dingen als het uitwerken van een literaire tekst, over coïncidenties, metaforen, begin en einde, met het enthousiasme van iemand die al heel lang ergens naar hunkert, elkaar voortdurend in de rede vallend. Het lijkt alsof we ons hele leven nooit ergens anders over hebben gepraat. En gebruik makend van een van de weinige stiltes zeg ik dat tegen haar, en zij reageert heel ernstig. Ja natuurlijk, verbaast me dat? Hebben we het dan ooit ergens anders over gehad? Denk bijvoorbeeld, om het verhaal niet ingewikkeld te maken met nieuwe franje, aan die zomer in Suances ('hierboven reeds genoemd,' voegt ze eraan toe, vrolijk op het zwarte schrift wijzend), wat waren dat anders dan pure discussies over literatuur.

'Ik ben dolgelukkig,' zegt ze plotseling, 'want er wordt een verhalenbundel van mij uitgegeven.'

'Echt waar? Maar, Encarna, waarom heb je me dat in vredesnaam niet eerder verteld?'

Ze barst in lachen uit. Ze wappert met haar handen in de lucht en schudt op een komische manier met haar schouders, alsof ze een zwerm muggen wegjaagt of iets dat zich aan haar kleren heeft vastgehecht wil afschudden.

'Heb het lef eens een eerder en een later van me te verlangen, mama, met al die brokjes in de lucht en op de grond! Het zijn eerder coupons, vind je niet? Draden, knopen, spelden en lege klosjes, 'handig naaigerei', zoals oma het zou noemen, want het is allemaal een kwestie van naaien. Ik heb het je verteld toen het er het juiste moment voor was. Bovendien wist ik het tot vanavond zelf niet eens zeker.'

Ze vertelt me dat ze net bij een jonge uitgever heeft gegeten die enthousiast was over haar boek; hij had haar uitgenodigd om haar dat te vertellen en om te zeggen dat hij het ging uitgeven. Vervolgens begint ze over die uitgever te praten, over hoe en waar ze hem heeft leren kennen en ze zegt dat hij een schat is, dat ze nog nooit zo'n charmante man heeft ontmoet, en dat hij haar niet alleen vanwege haar boek had uitgenodigd.

'Hij heeft me in een hinderlaag gelokt, weet je, maar op een goede manier. Hij is er helemaal niet zo een van kip ik heb je. Van dat soort kerels heb ik schoon genoeg. Zoals jij altijd zegt: "de acte is kort en de entr'acte heel lang." '

Ze is zo mooi, zo levendig, en ze straalt zo veel licht uit dat dat sombere verhaal uit haar jeugd, dat ik een paar uur geleden thuis heb gelezen en naar aanleiding waarvan ik heb besloten naar de schuil te gaan, onmiddellijk verdwijnt, als een vleermuis die door het eerste ochtendlicht op de vlucht wordt gejaagd. Na die *Ballingschap zonder terugkeer*, zo leek het althans, hebben mijn kleine meisje en ik elkaar weer gevonden. Ik weet zeker dat haar verhalen van nu niet zo triest zijn. Anders zou ze niet zo gelukkig kijken.

'Wat vind ik het fijn je zo te zien! Het is een heerlijkheid om naar je te kijken, zoals oma zou zeggen. Ik heb je in tijden niet zo mooi gezien.'

'Ik weet het niet,' zegt ze, 'ik zweef helemaal vanavond. Daarom was ik niet eens verbaasd toen ik je hier aantrof, en ook niet toen je vertelde dat zij was neergedaald om een inspectiebezoek aan de gangen te brengen, elk wonder vind ik normaal.'

Ik vraag haar naar de titel van haar boek en ze zegt dat ze er verschillende had, maar dat ze, na er met Nacho Egido, want zo heet haar vriendje-uitgever, over gesproken te hebben, *De hardnekkigheid van het geheugen* de beste vond, en dat ze bedacht hebben dat er op de kaft een reproduktie van het schilderij van Dalí zou kunnen komen.

'Dat schilderij van Dalí met die slappe horloges,' verduidelijkt ze. 'Er hangt een grote poster van in de vroegere naaikamer. Die heeft Lorenzo uit New York meegenomen. Als je daar geslapen hebt, moet je hem gezien hebben.'

Ik denk even na.

'Ik heb hem gezien, ja... De hardnekkigheid van het geheugen... Trouwens, sorry, maar eerder op de avond heb ik me af zitten vragen... omdat er in mijn hoofd een hele verhuizing van voorwerpen en meubels heeft plaatsgevonden, Gil Stauffer is er niets bij... wat er met de foto's gebeurd is die oma daar op de muur had gehangen.'

'Welke foto's?'

'Ik weet niet, er hingen er een heleboel. Maar het gaat me om eentje in het bijzonder, ik word al tijden achtervolgd door de herinnering aan die foto, god weet waar hij gebleven is.'

'Maar welke dan? Als je me niet zegt welke...!'

'Jij kunt hem je misschien niet herinneren. Een waarop oma stond toen ze jong was, met een paard.'

Ik kijk haar aan. Er speelt een lach op haar gezicht. Ze reikt naar haar tas, die ze op de grond had gezet, graaft erin en haalt dan doodkalm, als iemand die een verrassende wending voorbereidt, uit een bewerkte Marokkaanse portemonnee de foto van mijn moeder te voorschijn. Ze legt hem op tafel en maakt van de foto's waar ze die ene tussenuit heeft gehaald weer een stapeltje.

'Deze bedoel je?'

'Ja, natuurlijk. En waarom heb jij die bij je?'

'Omdat ik hem altijd zo mooi heb gevonden. Ik heb hem meegenomen toen zij was overleden. Bovendien is het een foto met een geschiedenis, weet je.'

'Wat voor geschiedenis?'

'Een liefdesgeschiedenis. Maar dat is een geheim tussen oma en mij, als je het niet erg vindt. Oma en ik hadden ook onze geheimpjes.'

Pas aan het eind, wanneer we alletwee inmiddels omvallen van de slaap, vraagt ze me of ik misschien die nacht in de schuil wilde blijven omdat er iets vervelends is gebeurd.

Dit laatste en tevens kortste deel van ons gesprek vindt al plaats tegen het decor van de vroegere naaikamer, waar ze met me mee naar toe is gelopen om me de reproduktie van Dalí te laten zien, ik op het bed liggend en zij zittend op het kleed, terwijl we allebei nauwelijks ons gegeeuw kunnen onderdrukken.

Ik vertel haar zo neutraal mogelijk over de vrouw met het rode haar en over mijn beslissing om ten minste een paar dagen van huis weg te blijven. Toch stokt mijn stem aan het eind.

'Maar wat nou een paar dagen, mama! Wat je moet doen is voorgoed weggaan. Je hebt daar al eeuwen niets meer te zoeken, helemaal niets. Toe, ga nu alsjeblieft niet huilen! Dat ontbrak er nog aan. Hij kan de pot op met die troela. Vergeet hen. En ook tante Desi. Je moet je niets van hen aantrekken.'

'Ja, maar wat moet ik doen?'

Ze reikt me een zakdoek aan.

'Allereerst niet huilen. Akkoord? En daarna gewoon waar je zin in hebt! Wat er in je hoofd opkomt. Laten we eens kijken, waar heb je zin in? Waar zou je op dit moment graag willen zijn? Ik geef je vijftien seconden.'

'Wáár, dat weet ik niet,' zeg ik, terwijl ik mijn tranen droog, 'maar wel met wie. Met een vriendin van me, Mariana León… Herinner je je Nak?'

Ik hoor een zweem van ongeduld in haar stem.

'Ja, mama, maar wacht op zijn minst tot morgen voordat je nog meer brokjes te voorschijn haalt, ik val om van de slaap. Laten we ter zake komen. Die Mariana León, wie is dat, waar is ze?'

'Dat zou ik ook wel willen weten, kindje. Ze is op reis gegaan. Maar ik heb geen idee waarheen.'

'Goed, ga nu eerst slapen. Morgen zullen we het uitzoeken, dat beloof ik je. Ik verkleed me als politieagent en dan help ik je zoeken, we laten geen steen op de andere. Kom, lieverd, ga slapen, we zijn uitgeput. Trouwens,' voegt ze eraan toe terwijl ze voorover buigt om me een zoen te geven, 'ik zal je de naam van een versterkende crème van koninginnengelei geven, volgens mij is die fantastisch. Raimundo gebruikt hem ook. Je huid is erg verwaarloosd.'

'Ja, ik had helemaal geen zin meer om me te verzorgen.'

'Dat is dan ook een van de eerste dingen waar we morgen iets aan moeten doen. Een zeer belangrijk brokje. Maar haal nu alsjeblieft de batterijen eruit. Morgen is er weer een dag. Ik doe het licht uit, goed?'

'Ja, engel, dag en bedankt voor alles,' zeg ik als het licht al uit is, en ik probeer haar nog even in mijn armen te houden. 'Maar zeg me één ding, het laatste, je weet toch nog wie Nak is, hè?'

'Natuurlijk. Hij is nu hier bij ons,' zegt ze met een zucht. 'Jaag hem maar niet weg. Je weet dat hij graag binnenkomt als het donker is.'

*

Consuelo maakte me aan het begin van de middag wakker. Er was verder niemand in de schuil. Ze wilde niet indiscreet zijn, maar ze was binnengekomen om tegen me te zeggen dat er een vriendin vanuit een hotel in Cadiz voor me had gebeld. Het leek dringend. Mijn vriendin Maria León.

Epiloog

Rafael Heredia, de ober van het strandtentje La Caracola, ruimde de tafel af die net door een echtpaar van middelbare leeftijd was verlaten, zette flessen, glazen en het schoteltje met de fooi op een blad en eenmaal in het deel dat voor het personeel bestemd was, door een gammele constructie van aluminium, glas en eterniet tegen weer en wind beschut, leunde hij op de bar, schonk zichzelf een whisky in en keek met een kennersblik onderzoekend naar de donkere wolken die zich dreigend samenpakten boven zee en het ceremonieel van de zonsondergang verstoorden. Hij wees met zijn kin naar een van de uiteinden van de balustrade rond het terras.

'Die twee daar gaan vandaag nat worden,' zei hij tegen zijn neefje en tijdelijke hulp, een donkere knul van vijftien met een slim muizesmoeltje. 'En je kunt niet zeggen dat ze niet gewaarschuwd zijn. Ze hebben het op de radio en op de tv gezegd.'

De jongen spoelde de laatste glazen.

'Wat hebben ze gezegd?' vroeg hij nauwelijks geïnteresseerd.

'Wisselend bewolkt met af en toe een bui in het hele zuidwesten,' beweerde Rafa, nadat hij langzaam en genietend de eerste slok whisky had geproefd. 'Het waait over uit Afrika.'

'Ja,' was het antwoord van de jongen, 'Er hangt onweer in de lucht. Terwijl het vanochtend vroeg nog zo mooi was.'

En meteen daarna begon hij een thema van *Presuntos Implicados* te neuriën.

Naarmate het licht afnam, begon er inderdaad een harde, vochtige wind te waaien, die beneden op het strand plastic zakken, papiertjes, een uiteengevallen krant en lege pakjes sigaretten meesleurde. Tussen de wolken van een haast zwart purper liet de zon slechts af en toe met moeite haar koortsige gelaat zien.

Maar de twee vrouwen die daar aan het eind van de balustrade tegenover elkaar zaten, met hun gezicht naar de zee, leken de dreigende komst van de regen en de nacht niet op te merken. Hun tafeltje was het enige op het onoverdekte deel van het terras dat nog bezet was. Hoewel ze eigenlijk twee tafels in gebruik hadden. De ene werd in beslag genomen door consumpties, sigaretten en een paar vellen papier en schriften. Maar op de andere, grotere tafel, die ze hadden aangeschoven, lagen nog veel meer papieren, schriften en mappen, waarmee ze voortdurend in de weer waren. Het uit voorzorg plaatsen van stenen en een paar zware glazen asbakken op die berg, bij wijze van pressepapier, leek hun enige reactie te zijn geweest op de stormachtige wind die aan het opsteken was. Ze gingen geheel op in het lezen van al die pagina's, waarbij ze hier en daar wat in de kantlijn schreven, en ze onderbraken hun werk slechts af en toe om een opmerking te maken, wat meestal uitmondde in gelach. Als een van hen stil en peinzend naar de zee bleef kijken, onderbrak de ander algauw haar stilzwijgen door een expressief gebaar te maken of door het vel papier dat ze aan het lezen was te laten zien en met haar wijsvinger een passage aan te wijzen. Dan bogen ze zich over de klaptafel heen naar elkaar toe. Ze hadden een vuurrode blos op hun wangen en alletwee hielden ze in hun rechterhand een vulpen met een dikke punt in de aanslag, de ene zwart de andere groen, de doppen eraf. De wind, die steeds woester werd, deed hun haar opwaaien en hun kleren wapperen.

'Als ze nou tenminste aan een van de tafeltjes hier kwamen zitten. Dan zouden ze beter beschut zijn,' zei Rafa. 'Bovendien zullen ze daar over enkele ogenblikken geen hand voor ogen meer kunnen zien. Dat komt er nog bij.'

De jongen onderbrak zijn melodische litanie met de steeds terugkerende jammerklacht dat iemand de steen op zijn weg en de nagel aan zijn doodskist was, om lusteloos te antwoorden: 'Nou, ga het dan tegen ze zeggen, man. De langste van de twee ken jij blijkbaar, hè? Dat begreep ik in ieder geval gisteren van je.'

'Ja, ze is psychiater. Ze zit al een hele tijd in het hotel. De andere niet. De andere is pas drie dagen geleden komen opdagen. Plotseling. Het zal wel een vriendin zijn, maar dat moet je mij niet vragen. En nu zitten ze daar samen, jongen. Dat zie je.'

De jongen trok een komisch verbaasd gezicht.

'Maar wat zie ik dan? Ik zie helemaal niets. Wat zit je toch over hen te zeuren, oom. Laat ze met rust.'

Zonder zijn ogen van hen af te wenden nam Rafa nog een slok. Toen haalde hij zijn schouders op.

'Van mij mogen ze hun gang gaan. Maar eerlijk gezegd begrijp ik echt niet waar ze mee bezig zijn. Want ja, iets met werk, zeg je dan, oké, maar als je aan het werk bent trek je niet steeds zo'n vrolijk gezicht, of een gezicht, ik weet niet..., alsof je in de bioscoop zit. Bovendien kan ik er niet bij dat ze, terwijl ze beslist een prachtige kamer hebben, want het is een uitstekend hotel, je kent het wel, steeds hier komen zitten, als op kantoor. En me dan vragen of de muziek zachter mag, begrijp jij dat? Zo zitten ze hier al drie middagen. En vandaag worden ze nat, Paquito, let op mijn woorden.'

'Nou ja, dat moeten ze zelf weten, oom Rafa. Ze houden zeker van de buitenlucht. Typisch iets voor rijke lui. Want reken maar dat ze met dat gekken verzorgen een flinke duit verdient.'

Als enige reactie schoten de ogen van Rafa ineens naar de zigzag van een enorme bliksemschicht die zich zojuist aan de horizon had afgetekend, boven het zwart van een inmiddels helemaal dichtgetrokken hemel. Tegelijkertijd hief hij zijn wijsvinger en op zijn gezicht verscheen die glimlach van voldoening die kenmerkend is voor mensen die alle gelijk van de wereld hebben.

'Heilige Barbara!' mompelde Paquito terwijl hij zijn oren dichtstopte om ze te beschermen tegen de donderslag die volgde, waarvan de echo samenviel met de eerste dikke druppels van een bui die al snel in hevigheid toenam.

'Ik heb het je wel gezegd,' zei zijn oom triomfantelijk. 'Maar het is het oude liedje, iedereen denkt pas aan de heilige Barbara als het begint te onweren. Zo gaat dit land naar de knoppen. Laten we die twee een handje helpen, vooruit, dat zullen ze nodig hebben. Het ontbreekt er nog maar aan dat ze de hele Espasa hebben meegebracht.'

De twee vrouwen waren opgestaan en vliegensvlug, maar met gecoördineerde gebaren, hun schriften en mappen bij elkaar aan het pakken, die ze vervolgens in een grote juten tas stopten. Maar zelfs nu vertoonden hun gezichten, waarover regendruppels begonnen te glijden, geen tekenen van vermoeidheid, ergernis of gehaastheid, ze leken eerder verlicht door een glans van innerlijke rust.

Ze begroetten de komst van die twee spontane helpers vrolijk en vriendelijk, met z'n vieren ontruimden ze snel de tafels en meteen daarna haastten ze zich naar het overdekte deel van het strandtentje. De vrouwen voorop, hun hoofd met hun jasje bedekkend, zorgvuldig de spullen die ze droegen beschermend.

Uit een map die niet goed dicht zat ontsnapte een los blaadje, dat vervolgens wegdwarrelde in de wind. Paquito, die de rij sloot, zette zijn blad met kopjes en glazen op de grond en rende de trap die naar het strand leidde af, achter het voortvluchtige, door de regen gegeselde vel papier aan.

Nadat hij twee vergeefse pogingen had gedaan om er zijn voet op te zetten, kreeg hij het aan de rand van de laatste trede eindelijk te pakken, al behoorlijk vuil en kletsnat.

De inkt was nog vers en uitgelopen op een van de woorden in hoofdletters. Er stonden vier woorden. De laatste twee, BEWOLKTE LUCHTEN, waren bijna onleesbaar.

Madrid, april 1984 - januari 1992

Carolijn Visser
Ver van hier

Haar mooiste reisverhalen uit onder andere China, Nicaragua, Costa Rica en Malawi.

Rainbow Pocketboek 249

* * *

Adriaan van Dis
Casablanca
Schetsen en verhalen

Schetsen en reisverhalen uit Marokko en New York, van de schrijver van *Indische duinen*.

Rainbow Pocketboek 250

* * *

Peter van Straaten
Lukt het een beetje?

Niet eerder gebundelde erotische tekeningen.

Rainbow Pocketboek 259

* * *

René Diekstra

Overleven, hoe doe je dat?

Over weerbaarheid

Over de weerloosheid en de weerbaarheid van de mens tegen de ontwikkelingen in de techniek.

Rainbow Pocketboek 260

* * *

Freek de Jonge

Het damestasje

Herinneringen, liedjes, verhalen en columns van een van Neerlands grootste cabaretiers.

Rainbow Pocketboek 251

* * *

Douglas Coupland

Generatie X

Hèt cultboek van de jaren negentig! 'Een virtuoos geschreven postmodern sprookjesboek.'
Joost Zwagerman in *Vrij Nederland*

Rainbow Pocketboek 252

* * *

Benoîte Groult

Een eigen gezicht

Autobiografische roman van de schrijfster van
Zout op mijn huid.

Rainbow Pocketboek 220

* * *

Benoîte Groult

Zout op mijn huid

Internationale bestseller over een levenslange passie.

Rainbow Pocketboek 236

* * *

Gita Mehta

Raj

Indiase roman over de geheimzinnige wereld van prinselijke harems en tijgerjachten. Prinses Jaya leidt haar vorstendom door de woelige beginperiode van India's onafhankelijkheid.

Rainbow Pocketboek 219

* * *

Rainbow Pocketboeken:

Isabel Allende e.a. – *Als je mijn hart beroert*
Ellis Amburn – *Pearl: Janis Joplin*
Duygu Asena – *De vrouw heeft geen naam*
Lisa St Aubin de Terán – *De stoptrein naar Milaan*
Elisabeth Barillé – *Anaïs Nin*
Elisabeth Barillé – *De kleur van woede*
Elisabeth Barillé – *Lijfelijkheid*
Wim de Bie – *Morgen zal ik mijn mannetje staan*
Wim de Bie – *Schoftentuig*
Marion Bloem – *Geen gewoon Indisch meisje*
Victor Bockris – *Andy Warhol*
Victor Bockris – *Keith Richards*
Carla Bogaards – *Meisjesgenade*
Rosi Braidotti – *Beelden van de leegte*
Marjo Buitelaar – *Ramadan*
A.S. Byatt – *Obsessie*
Jane Campion – *De piano*
John Cleese en Robin Skynner – *Hoe overleef ik mijn familie*
Maryse Condé – *Ségou I: De aarden wallen*
Maryse Condé – *Ségou II: De verkruimelde aarde*
Douglas Coupland – *Generatie X*
Harry Crews – *Body*
René Diekstra – *Overleven, hoe doe je dat?*
Adriaan van Dis – *Casablanca*
Florinda Donner – *Shabono*
F.M. Dostojewski – *De eeuwige echtgenoot*
Roddy Doyle – *De bus*
Buchi Emecheta – *Als een tweederangs burger*
Laura Esquivel – *Rode rozen en tortilla's*
Nancy Friday – *Mijn moeder en ik*
Carlos Fuentes – *De dood van Artemio Cruz*
Cristina Garcia – *Cubaanse dromen*
Gabriel García Márquez – *De generaal in zijn labyrint*
Gabriel García Márquez – *Kroniek van een aangekondigde dood*
Martha Gellhorn – *Reizen met mijzelf en anderen*
Paola Giovetti – *Engelen*
Françoise Giroud – *Alma Mahler*
Jacques Le Goff – *De woekeraar en de hel*
N.W. Gogol – *De Petersburgse vertellingen*
I.A. Gontsjarow – *Oblomow*

Günter Grass – *De blikken trommel*
Benoîte Groult – *Een eigen gezicht*
Benoîte Groult – *Zout op mijn huid*
Jacqueline Harpman – *Het strand van Oostende*
Marlen Haushofer – *De wand*
Klaus Held – *Trefpunt Plato*
Kristien Hemmerechts – *Zegt zij, zegt hij*
Kristien Hemmerechts – *Een zuil van zout*
Judith Herzberg – *Doen en laten*
Robert Hughes – *De fatale kust*
Francisco van Jole – *De Internet-Sensatie*
Erica Jong – *Het ritsloze nummer*
Freek de Jonge – *Het damestasje*
Freek de Jonge – *Neerlands bloed*
Freek de Jonge – *Opa's wijsvinger*
Lieve Joris – *Zangeres op Zanzibar*
Ismail Kadare – *Het dromenpaleis*
Kamagurka – *Bezige Bert*
Wolf Kielich – *Vrouwen op avontuur*
Wolf Kielich – *Vrouwen op ontdekkingsreis*
Agota Kristof – *Het bewijs*
Hanif Kureishi – *De boeddha van de buitenwijk*
Josien Laurier – *Een hemels meisje*
David Leavitt – *Terwijl Engeland slaapt*
David Leavitt – *De verloren taal der kranen*
Sylvia López-Medina – *Het lied van de Mexicana's*
Amin Maalouf – *Leo Africanus*
Amin Maalouf – *Rovers, Christenhonden, Vrouwenschenners*
Axel Madsen – *Chanel*
Elisabeth Marain – *Rosalie Niemand*
Patricia de Martelaere – *Een verlangen naar ontroostbaarheid*
Carmen Martín Gaite – *Spaanse vrouwen, bewolkte luchten*
Ian McEwan – *Het kind in de tijd*
Gita Mehta – *Raj*
Eduardo Mendoza – *De stad der wonderen*
Philip Metcalfe – *1933*
Malika Mokeddem – *De ontheemde*
Eric M. Moormann & Wilfried Uitterhoeve – *Van Achilleus tot Zeus*
Eric M. Moormann & Wilfried Uitterhoeve – *Van Alexandros tot Zenobia*
Zana Muhsen – *Nog eenmaal mijn moeder zien*

Taslima Nasrin – *Lajja / Schaamte*
Nelleke Noordervliet – *Tine of De dalen waar het leven woont*
Amos Oz – *Mijn Michael*
Luigi Pirandello – *Kaos*
Horacio Quiroga – *Verhalen van liefde, waanzin & dood*
Nawal El Saadawi – *De gesluierde Eva*
Nawal El Saadawi – *God stierf bij de Nijl*
Nawal El Saadawi – *De val van de imam*
Nawal El Saadawi – *Vrouwengevangenis*
Oliver Sacks – *Een been om op te staan*
Luis Sepúlveda – *De oude man die graag liefdesromans las*
Gaia Servadio – *Het verhaal van R*
Meir Shalev – *De kus van Esau*
Tom Sharpe – *Hard gelach*
Tom Sharpe – *Sneu voor het milieu*
Tom Sharpe – *Wilt*
Tom Sharpe – *Wilts alternatief*
Arianna Stassinopoulos – *Maria Callas*
Arianna Stassinopoulos – *Picasso*
Peter van Straaten – *Agnes*
Peter van Straaten – *Agnes moet verder*
Peter van Straaten – *Die Agnes*
Peter van Straaten – *Lukt het Agnes?*
Peter van Straaten – *Lukt het een beetje?*
I.S. Toergenjew – *Vaders en zonen*
L.N. Tolstoj – *Anna Karenina*
Mario Vargas Llosa – *Lof van de stiefmoeder*
Carolijn Visser – *Ver van hier*
Julia Voznesenskaja – *Vrouwendecamerone*
Piet Vroon – *Allemaal psychisch*
Piet Vroon – *Kopzorgen*
Alice Walker – *De kleur paars*
Alice Walker – *De tempel van mijn gezel*
Leon de Winter – *Alle verhalen*
Leon de Winter – *De (ver)wording van de jongere Dürer*
Leon de Winter – *Zoeken naar Eileen*
K.G. van Wolferen – *Japan*
Jan Wolkers – *Turks Fruit*
J.J. Woltjer – *Recent verleden*
Marguerite Yourcenar – *Met open ogen*
Helen Zahavi – *Dirty Weekend*